집필진과 검토진 쌤들의 추천 코멘트!!

반복 수학교재 스타트업 이래서 추천합니다!

김승훈쌤(세종과학고)

기초를 다지는 것은 실력 향상을 위해서 중요합니다. 단계형 교육과정인 수학에서는 더욱 그렇습니다. 스타트업은 기초문제를 유형별로 나누고 문제를 해결하기 위한 방법과 노하우를 풍부하게 제공하여 혼자서도 충분히 학습할 수 있는 책입니다. 여러분의 수학실력 향상을 위한 첫 계단이 될 수 있는 책입니다.

김광용쌤(용산고)

수학은 복잡하고 어렵다는 편견은 잠시 내려놓고 천천히 할 수 있는 것부터 해볼까요? 꾸준히 운동하면 근육이 생기는 것처럼 수학에서도 반복적인 문제풀이는 수학적 능력을 기르는 좋은 방법이 될 수 있습니다. 스타트업이 여러분에게 수학하는 즐거움을 알게 해주는 그 시작이 되었으면 합니다.

김용환쌤(세종과학고)

아무리 개념을 잘 알아도 반복적으로 익혀놓지 않으면 실제 시험에서 당황하기 쉽습니다. 수학을 잘 한다는 것은 내용을 잘 알고 있는 것인데 그 내용을 잘 알기까지 많은 반복 연습이 따르는 것입니다. 자기 것으로 만드는 반복 연습에 스타트업이 많은 도움을 줄 것입니다.

이서진쌤(메가스터디 강사)

유형별로 반복적인 문제풀이를 해나감으로써 개념을 익히기 안성맞춤입니다. 특히 개념을 익히기에 쉬운 문제들로 구성되어 있어 수학을 시작하는 학생들에게 부담감이 없을 것 같습니다. 또한 유형을 공부하고 난 다음 리뷰테스트로 한 번 더 복습할 수 있게 되어 있어 좋습니다. 고등 수학! 스타트업으로 시작해 보세요!

왕성욱쌤(중계동)

시험에 자주 출제되는 유형별로 개념 설명이 잘 되어 있고 같은 페이지에 바로 적용해서 풀 수 있는 확인문제들이 있어서 개념을 확실하게 다지기에 좋은 교재입니다. 수학을 두려워하는 학생들도 차근차근 풀어나가다 보면 자신감을 갖고 기본기를 잘 쌓을 수 있는 교재입니다.

주예지쌤(메가스터디 강사)

고등 수학을 처음 시작하는 학생들에게 강력추천합니다. 반복학습하여 익힐 수 있도록 문제들이 잘 구성되어 있습니다. 꼭 알아야 하는 기본 개념과 개념을 이해하고 문제에 적용하는 팁이 알차게 들어 있는 교재입니다. 쉬운 문제로 구성되어 있어 매일매일 부담없이 공부할 수 있는 교재입니다.

정연화쌤(중계동)

문제만 많이 구성되어 있는 느낌의 교재들은 책을 펼치기도 전에 빡빡한 디자인에 지치기 쉬운데요. 스타트업은 한 페이지에 한 개념씩 구성되어 있어 가볍게 시작할 수 있습니다. 개념이해를 돕는 유형별 기초문제! 풍부한 문제해결의 노하우와 팁! 알기 쉽고 자세한 풀이! 최근 수학의 기조인 개념이해와 기초실력 향상을 반영한 책입니다.

김미경쌤(인천)

집에서 혼자 공부할 수 있는 교재이고 학원 수업용, 숙제용으로 안성맞춤인 교재입니다. 쉬운 문제들이지만 학교 시험에 꼭 나오는 문제들로 구성되어 있어 좋습니다. 특히 단순 계산만 하는 것이 아니라 학교시험맛보기 코너를 통해 시험 문제 유형을 확인할 수 있어 좋았습니다. 주위 학생들에게 꼭 추천하고 싶은 교재입니다.

구성과 특징

1 숨마쿰라우데 **스타트업**의 **개념 설명**은?

❶ 소단원별로 중요 개념을 한눈에 볼 수 있게 구성했습니다.

❷ 한 개념 한 개념씩 다시 풀어 설명해 놓았습니다.

❸ 개념마다 선생님의 팁을 통해 꼭 기억할 부분을 확인할 수 있습니다.

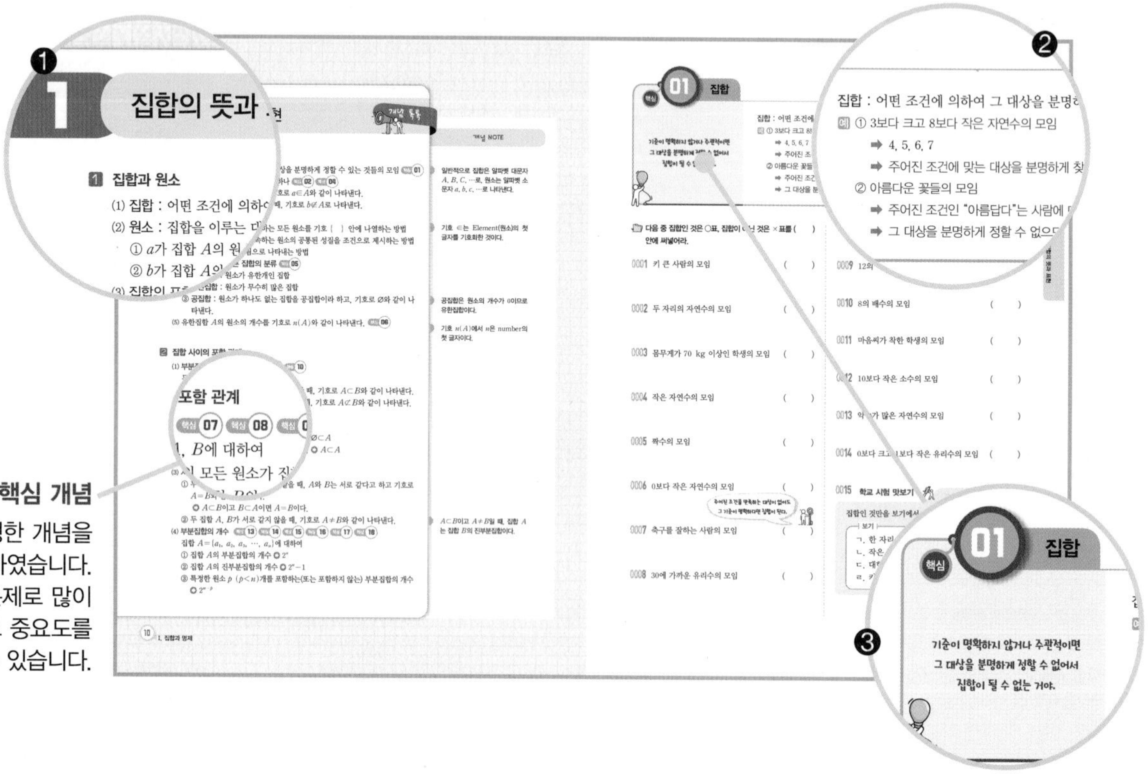

핵심 개념

문제로 구성한 개념을 표시하였습니다. 어떤 개념이 문제로 많이 구성되는지 그 중요도를 파악할 수 있습니다.

숨마쿰라우데 스타트업 이렇게 공부하세요!!

01 단원별로 어떤 개념이 나오는지 쭈~욱 훑어 봅니다.

02 단원 학습을 시작하기 전에 제시된 개념을 하나하나 읽어 봅니다.

03 개념별로 다시 한 번 숙지하고 개념 아래의 문제를 풉니다.
이때 왼쪽에 제시된 선생님의 팁을 꼭 눈여겨 둡니다.

04 문제를 풀고 난 후 개념을 다시 읽어 봅니다.
헷갈리거나 어렵다고 느껴지면 단원 앞 스케줄표에 체크해 둡니다.

05 주별 학습이 끝나면 반드시 체크해 둔 개념부분을 다시 공부합니다.

2 숨마쿰라우데 **스타트업**의 **문제 구성**은?

STRUCTURE

1. 각 개념을 확실히 잡을 수 있도록 쉬운 문제로 구성했습니다.
2. 학교 시험 맛보기로 실전 연습을 할 수 있습니다.
3. Mini Review Test를 통해 실력을 확인할 수 있습니다.

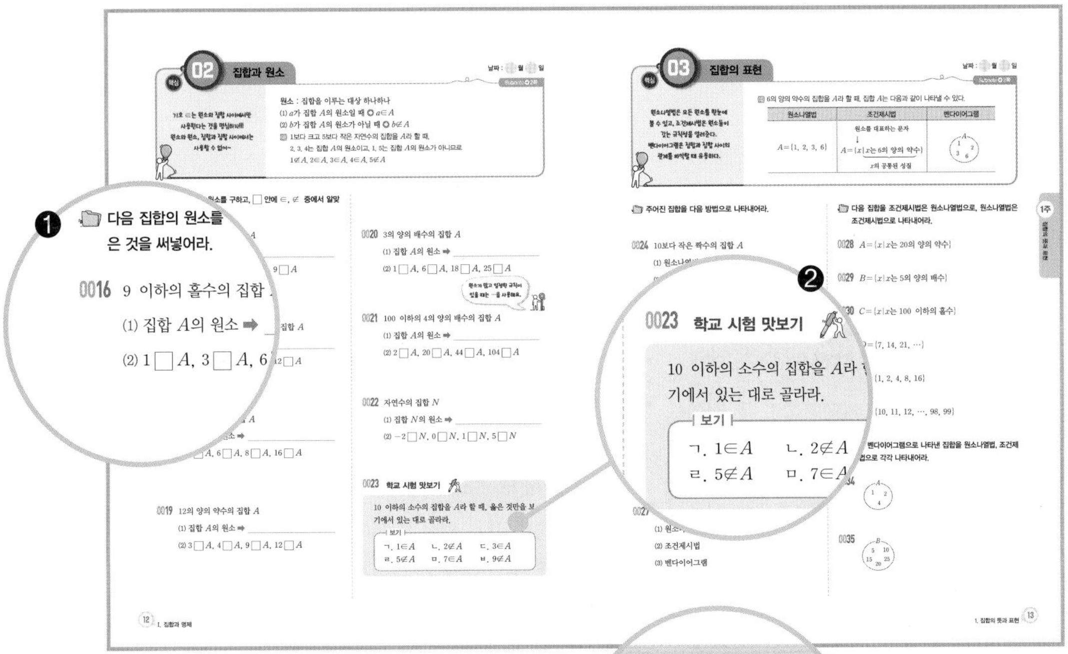

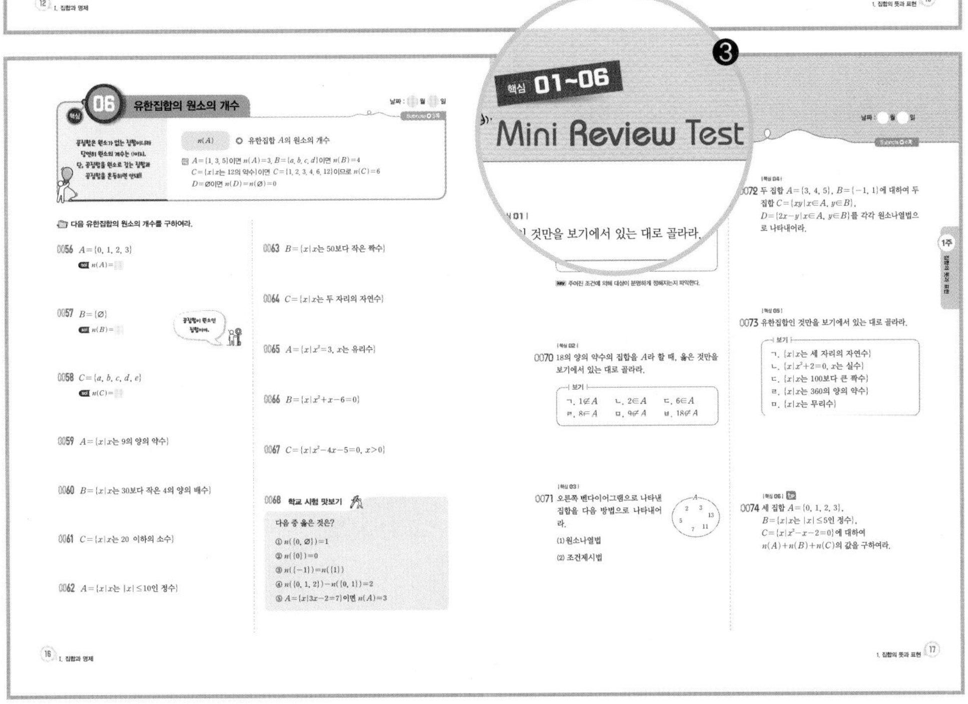

Mini Review Test

소단원별로 시험에 출제되는 유형을 모아 구성하였습니다. 학교 시험을 본다고 생각하면서 실수하지 않고 문제를 다 풀 수 있는지, 문제 속에 적용된 개념은 어떤 것인지 파악해 볼 수 있습니다.

차례

숨마쿰라우데 STARTUP 고등 수학 (하)

01 집합의 뜻과 표현

02 집합의 연산

03 명제

CONTENTS

04 충분조건과 필요조건 / 절대부등식

05 함수

숨마쿰라우데 STARTUP 고등 수학 (하)

차례

06 합성함수와 역함수

07 유리함수

08 무리함수

숨마쿰라우데

[반복 수학 문제집]

한 개념씩 쉬운 문제로 **매일매일 공부하자!**

STARTUP

스타트업 고등 수학 (하)

이룸이앤비
Education & Books

반복 학습이 진정한 실력을 키운다!

수학을 어떻게 하면 잘 할 수 있을까요?

『반복 학습이 기적을 만든다』라는 책의 저자는

"공부를 잘하는 학생은 '반복'에 강한 학생이다.

그들은 자기가 얼마만큼 **'반복'**하면

그 지식을 자기 것으로 만들 수 있는지 잘 알고 있다."

고 말하면서 반복하는 습관을 가지는 것이

실력을 높이는 방법이라고 설명하였습니다.

숨마쿰라우데 스타트업은 반복 학습의 중요성을 담아

한 개념 한 개념 체계적으로 구성한 교재입니다.

한 개념 한 개념 매일매일 꾸준히 공부하고

부족한 개념은 반복하여 풀어 봄으로써

진정한 실력을 쌓을 수 있기를 바랍니다.

CONTENTS

09 경우의 수

10 순열과 조합

1

집합의 뜻과 표현

학습목표

1. 집합의 개념을 이해하고, 집합을 표현할 수 있다.
2. 두 집합 사이의 포함 관계를 이해한다.

스스로 공부 계획 세우기

	학습 내용	공부한 날짜	반복하기
1. 집합의 뜻과 표현	**01.** 집합	월 일	□□
	02. 집합과 원소	월 일	□□
	03. 집합의 표현	월 일	□□
	04. 집합 구하기	월 일	□□
	05. 집합의 분류	월 일	□□
	06. 유한집합의 원소의 개수	월 일	□□
	Mini **Review** Test(**01**~**06**)	월 일	□□
	07. 부분집합의 기호	월 일	□□
	08. 부분집합 구하기	월 일	□□
	09. 기호 $\in$, $\subset$의 사용	월 일	□□
	10. 집합 사이의 포함 관계를 이용한 미지수 구하기	월 일	□□
	11. 서로 같은 집합	월 일	□□
	12. 서로 같은 집합이 되도록 하는 미지수 구하기	월 일	□□
	Mini **Review** Test(**07**~**12**)	월 일	□□
	13. 부분집합의 개수	월 일	□□
	14. 진부분집합과 진부분집합의 개수	월 일	□□
	15. 특정한 원소를 갖지 않는 부분집합의 개수	월 일	□□
	16. 특정한 원소를 갖는 부분집합의 개수	월 일	□□
	17. $A\subset X\subset B$를 만족하는 집합 X의 개수	월 일	□□
	18. 특정한 원소를 갖거나 갖지 않는 부분집합의 개수	월 일	□□
	Mini **Review** Test(**13**~**18**)	월 일	□□

1 집합의 뜻과 표현

개념 톡톡

1 집합과 원소

(1) **집합** : 어떤 조건에 의하여 그 대상을 분명하게 정할 수 있는 것들의 모임 핵심 01

(2) **원소** : 집합을 이루는 대상 하나하나 핵심 02 핵심 04

① a가 집합 A의 원소일 때, 기호로 $a \in A$와 같이 나타낸다.

② b가 집합 A의 원소가 아닐 때, 기호로 $b \notin A$와 같이 나타낸다.

(3) **집합의 표현 방법** 핵심 03

① **원소나열법** : 집합에 속하는 모든 원소를 기호 { } 안에 나열하는 방법

② **조건제시법** : 집합에 속하는 원소의 공통된 성질을 조건으로 제시하는 방법

③ **벤다이어그램** : 그림으로 나타내는 방법

(4) **원소의 개수에 따른 집합의 분류** 핵심 05

① **유한집합** : 원소가 유한개인 집합

② **무한집합** : 원소가 무수히 많은 집합

③ **공집합** : 원소가 하나도 없는 집합을 공집합이라 하고, 기호로 $\varnothing$와 같이 나타낸다.

(5) 유한집합 A의 원소의 개수를 기호로 $n(A)$와 같이 나타낸다. 핵심 06

2 집합 사이의 포함 관계

(1) **부분집합** 핵심 07 핵심 08 핵심 09 핵심 10

두 집합 A, B에 대하여

① 집합 A의 모든 원소가 집합 B에 속할 때, 기호로 $A \subset B$와 같이 나타낸다.

② 집합 A가 집합 B의 부분집합이 아닐 때, 기호로 $A \not\subset B$와 같이 나타낸다.

(2) **부분집합의 성질**

세 집합 A, B, C에 대하여

① 공집합은 모든 집합의 부분집합이다. ➡ $\varnothing \subset A$

② 모든 집합은 자기 자신의 부분집합이다. ➡ $A \subset A$

③ $A \subset B$이고 $B \subset C$이면 $A \subset C$이다.

(3) **서로 같은 집합** 핵심 11 핵심 12

① 두 집합 A, B의 원소가 모두 같을 때, A와 B는 서로 같다고 하고 기호로 $A=B$와 같이 나타낸다.

➡ $A \subset B$이고 $B \subset A$이면 $A=B$이다.

② 두 집합 A, B가 서로 같지 않을 때, 기호로 $A \neq B$와 같이 나타낸다.

(4) **부분집합의 개수** 핵심 13 핵심 14 핵심 15 핵심 16 핵심 17 핵심 18

집합 $A=\{a_1, a_2, a_3, \cdots, a_n\}$에 대하여

① 집합 A의 부분집합의 개수 ➡ 2^n

② 집합 A의 진부분집합의 개수 ➡ 2^n-1

③ 특정한 원소 p $(p<n)$개를 포함하는(또는 포함하지 않는) 부분집합의 개수 ➡ 2^{n-p}

개념 NOTE

일반적으로 집합은 알파벳 대문자 A, B, C, $\cdots$로, 원소는 알파벳 소문자 a, b, c, $\cdots$로 나타낸다.

기호 $\in$는 Element(원소)의 첫 글자를 기호화한 것이다.

공집합은 원소의 개수가 0이므로 유한집합이다.

기호 $n(A)$에서 n은 number의 첫 글자이다.

$A \subset B$이고 $A \neq B$일 때, 집합 A는 집합 B의 진부분집합이다.

핵심 01 집합

Subnote ➜ 2쪽

기준이 명확하지 않거나 주관적이면 그 대상을 분명하게 정할 수 없어서 집합이 될 수 없는 거야.

집합 : 어떤 조건에 의하여 그 대상을 분명하게 정할 수 있는 것들의 모임

예 ① 3보다 크고 8보다 작은 자연수의 모임
➡ 4, 5, 6, 7
➡ 주어진 조건에 맞는 대상을 분명하게 찾을 수 있으므로 집합이다.

② 아름다운 꽃들의 모임
➡ 주어진 조건인 "아름답다"는 사람에 따라 판단 기준이 다르다.
➡ 그 대상을 분명하게 정할 수 없으므로 집합이 아니다.

다음 중 집합인 것은 ○표, 집합이 아닌 것은 ×표를 ( ) 안에 써넣어라.

0001 키 큰 사람의 모임 ( )

0002 두 자리의 자연수의 모임 ( )

0003 몸무게가 70 kg 이상인 학생의 모임 ( )

0004 작은 자연수의 모임 ( )

0005 짝수의 모임 ( )

0006 0보다 작은 자연수의 모임 ( )

주어진 조건을 만족하는 대상이 없어도 그 기준이 명확하다면 집합이 된다.

0007 축구를 잘하는 사람의 모임 ( )

0008 30에 가까운 유리수의 모임 ( )

0009 12의 약수의 모임 ( )

0010 8의 배수의 모임 ( )

0011 마음씨가 착한 학생의 모임 ( )

0012 10보다 작은 소수의 모임 ( )

0013 약수가 많은 자연수의 모임 ( )

0014 0보다 크고 1보다 작은 유리수의 모임 ( )

0015 **학교 시험 맛보기**

집합인 것만을 보기에서 있는 대로 골라라.

보기
ㄱ. 한 자리의 자연수의 모임
ㄴ. 작은 홀수의 모임
ㄷ. 대한민국 섬들의 모임
ㄹ. 키가 170cm에 가까운 학생들의 모임

핵심 02 **집합과 원소**

날짜 : 월 일

Subnote ➔ 2쪽

기호 ∈는 원소와 집합 사이에서만 사용한다는 것을 명심하자!!! 원소와 원소, 집합과 집합 사이에서는 사용할 수 없어~

원소 : 집합을 이루는 대상 하나하나

(1) a가 집합 A의 원소일 때 ➔ $a \in A$

(2) b가 집합 A의 원소가 아닐 때 ➔ $b \notin A$

예 1보다 크고 5보다 작은 자연수의 집합을 A라 할 때, 2, 3, 4는 집합 A의 원소이고, 1, 5는 집합 A의 원소가 아니므로 $1 \notin A$, $2 \in A$, $3 \in A$, $4 \in A$, $5 \notin A$

다음 집합의 원소를 구하고, □ 안에 ∈, ∉ 중에서 알맞은 것을 써넣어라.

0016 9 이하의 홀수의 집합 A

(1) 집합 A의 원소 ➡ ______________

(2) 1 □ A, 3 □ A, 6 □ A, 9 □ A

0017 2보다 크고 13보다 작은 짝수의 집합 A

(1) 집합 A의 원소 ➡ ______________

(2) 2 □ A, 5 □ A, 8 □ A, 12 □ A

0018 8의 양의 약수의 집합 A

(1) 집합 A의 원소 ➡ ______________

(2) 4 □ A, 6 □ A, 8 □ A, 16 □ A

0019 12의 양의 약수의 집합 A

(1) 집합 A의 원소 ➡ ______________

(2) 3 □ A, 4 □ A, 9 □ A, 12 □ A

0020 3의 양의 배수의 집합 A

(1) 집합 A의 원소 ➡ ______________

(2) 1 □ A, 6 □ A, 18 □ A, 25 □ A

원소가 많고 일정한 규칙이 있을 때는 …을 사용해요.

0021 100 이하의 4의 양의 배수의 집합 A

(1) 집합 A의 원소 ➡ ______________

(2) 2 □ A, 20 □ A, 44 □ A, 104 □ A

0022 자연수의 집합 N

(1) 집합 N의 원소 ➡ ______________

(2) -2 □ N, 0 □ N, 1 □ N, 5 □ N

0023 **학교 시험 맛보기**

10 이하의 소수의 집합을 A라 할 때, 옳은 것만을 보기에서 있는 대로 골라라.

보기

ㄱ. $1 \in A$　　ㄴ. $2 \notin A$　　ㄷ. $3 \in A$

ㄹ. $5 \notin A$　　ㅁ. $7 \in A$　　ㅂ. $9 \notin A$

03 집합의 표현

원소나열법은 모든 원소를 한눈에 볼 수 있고, 조건제시법은 원소들이 갖는 규칙성을 알려준다. 벤다이어그램은 집합과 집합 사이의 관계를 파악할 때 유용하다.

예 6의 양의 약수의 집합을 A라 할 때, 집합 A는 다음과 같이 나타낼 수 있다.

원소나열법	조건제시법	벤다이어그램
$A=\{1,\ 2,\ 3,\ 6\}$	원소를 대표하는 문자 ↓ $A=\{x\mid x$는 6의 양의 약수$\}$ x의 공통된 성질	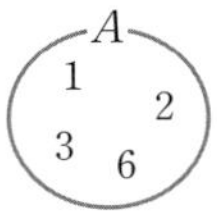

주어진 집합을 다음 방법으로 나타내어라.

0024 10보다 작은 짝수의 집합 A

(1) 원소나열법

(2) 조건제시법

(3) 벤다이어그램

0025 3 이상 8 이하의 자연수의 집합 B

(1) 원소나열법

(2) 조건제시법

(3) 벤다이어그램

0026 15의 양의 약수의 집합 C

(1) 원소나열법

(2) 조건제시법

(3) 벤다이어그램

0027 12보다 작은 소수의 집합 D

(1) 원소나열법

(2) 조건제시법

(3) 벤다이어그램

다음 집합을 조건제시법은 원소나열법으로, 원소나열법은 조건제시법으로 나타내어라.

0028 $A=\{x\mid x$는 20의 양의 약수$\}$

0029 $B=\{x\mid x$는 5의 양의 배수$\}$

0030 $C=\{x\mid x$는 100 이하의 홀수$\}$

0031 $D=\{7,\ 14,\ 21,\ \cdots\}$

0032 $E=\{1,\ 2,\ 4,\ 8,\ 16\}$

0033 $F=\{10,\ 11,\ 12,\ \cdots,\ 98,\ 99\}$

다음 벤다이어그램으로 나타낸 집합을 원소나열법, 조건제시법으로 각각 나타내어라.

0034

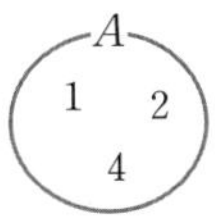

0035

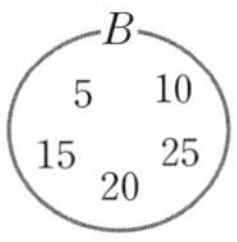

핵심 **04** 집합 구하기

날짜 : 월 일

Subnote ➡ 2쪽

차근차근 표로 그려 보면
한눈에 알아볼 수 있어서 좋아.
중복되는 원소가 나오기도 하는데
집합으로 나타낼 때에는
한 번만 쓰도록 해.

두 집합의 원소를 이용해서 새로운 집합을 구할 수 있다.

예 두 집합 $A=\{1, 2\}$, $B=\{3, 4\}$에 대하여 집합 $C=\{xy \mid x\in A,\ y\in B\}$를 구하여라.

xy	1	2
3	3	6
4	4	8

➡ $C=\{3, 4, 6, 8\}$

다음 두 집합 A, B에 대하여 표를 완성하고, 집합 C를 구하여라.

0036 $A=\{1, 2\}$, $B=\{3, 4\}$

$C=\{x+y \mid x\in A,\ y\in B\}$

$x+y$		

➡ $C=$ ______________

0037 $A=\{1, 3, 5\}$, $B=\{2, 4\}$

$C=\{x+y \mid x\in A,\ y\in B\}$

$x+y$			

➡ $C=$ ______________

0038 $A=\{-1, 0, 1\}$, $B=\{1, 2\}$

$C=\{xy \mid x\in A,\ y\in B\}$

xy			

➡ $C=$ ______________

다음 집합 A에 대하여 표를 완성하고, 집합 B를 구하여라.

0039 $A=\{-1, 0, 1\}$, $B=\{xy \mid x\in A,\ y\in A\}$

xy			

➡ $B=$ ______________

0040 $A=\{0, 1, 2\}$, $B=\{x+y \mid x\in A,\ y\in A\}$

$x+y$			

➡ $B=$ ______________

0041 $A=\{1, 2, 3\}$, $B=\{xy \mid x\in A,\ y\in A\}$

xy			

➡ $B=$ ______________

핵심 05 집합의 분류

날짜 : 월 일

Subnote 3쪽

공집합은 원소의 개수가 0이므로 유한집합이야.

(1) 유한집합 : 원소가 유한개인 집합
(2) 무한집합 : 원소가 무수히 많은 집합
(3) 공집합 : 원소가 하나도 없는 집합

다음 집합이 유한집합이면 '유'를, 무한집합이면 '무'를 ( ) 안에 써넣어라. 또 공집합이면 기호 ∅를 함께 써넣어라.

0042 $\{a, b, c\}$ ( )

0043 $\{0\}$ ( )

0044 $\{3, 6, 9, \cdots\}$ ( )

0045 $\{5, 10, 15, \cdots, 95, 100\}$ ( )

0046 $\{x \mid x$는 2의 양의 배수$\}$ ( )

0047 $\{x \mid x$는 36의 양의 약수$\}$ ( )

0048 $\{x \mid x$는 2보다 작은 짝수$\}$ ( )

0049 $\{x \mid x$는 1000보다 큰 홀수$\}$ ( )

0050 $\{x \mid x^2+x-2=0\}$ ( )

0051 $\{x \mid 2x+1=0,\ x$는 자연수$\}$ ( )

방정식의 해가 자연수인지 확인해야 해요.

0052 $\{x \mid -1<x<1,\ x$는 실수$\}$ ( )

0053 $\{x \mid x$는 $|x| \le 50$인 정수$\}$ ( )

0054 $\{x \mid x=3n+1,\ n$은 정수$\}$ ( )

0055 학교 시험 맛보기

유한집합인 것만을 보기에서 있는 대로 골라라.

보기

ㄱ. $\{x \mid x$는 0보다 작은 자연수$\}$
ㄴ. $\{x \mid x$는 8의 양의 배수$\}$
ㄷ. $\{x \mid x$는 72의 양의 약수$\}$
ㄹ. $\{4, 8, 12, 16, 20\}$

핵심 **06** 유한집합의 원소의 개수

날짜 : 월 일

Subnote 3쪽

공집합은 원소가 없는 집합이니까
당연히 원소의 개수는 0이지.
단, 공집합을 원소로 갖는 집합과
공집합을 혼동하면 안돼!!

$n(A)$ ➡ 유한집합 A의 원소의 개수

예 $A=\{1, 3, 5\}$이면 $n(A)=3$, $B=\{a, b, c, d\}$이면 $n(B)=4$
$C=\{x \mid x$는 12의 약수$\}$이면 $C=\{1, 2, 3, 4, 6, 12\}$이므로 $n(C)=6$
$D=\varnothing$이면 $n(D)=n(\varnothing)=0$

다음 유한집합의 원소의 개수를 구하여라.

0056 $A=\{0, 1, 2, 3\}$

sol $n(A)=$

0057 $B=\{\varnothing\}$

sol $n(B)=$

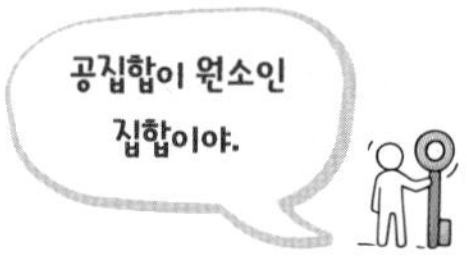

0058 $C=\{a, b, c, d, e\}$

sol $n(C)=$

0059 $A=\{x \mid x$는 9의 양의 약수$\}$

0060 $B=\{x \mid x$는 30보다 작은 4의 양의 배수$\}$

0061 $C=\{x \mid x$는 20 이하의 소수$\}$

0062 $A=\{x \mid x$는 $|x| \le 10$인 정수$\}$

0063 $B=\{x \mid x$는 50보다 작은 짝수$\}$

0064 $C=\{x \mid x$는 두 자리의 자연수$\}$

0065 $A=\{x \mid x^2=3,\ x$는 유리수$\}$

0066 $B=\{x \mid x^2+x-6=0\}$

0067 $C=\{x \mid x^2-4x-5=0,\ x>0\}$

0068 학교 시험 맛보기

다음 중 옳은 것은?

① $n(\{0, \varnothing\})=1$
② $n(\{0\})=0$
③ $n(\{-1\})=n(\{1\})$
④ $n(\{0, 1, 2\})-n(\{0, 1\})=2$
⑤ $A=\{x \mid 3x-2=7\}$이면 $n(A)=3$

Mini Review Test

날짜 : 월 일

Subnote ➡ 4쪽

| 핵심 01 |

0069 집합인 것만을 보기에서 있는 대로 골라라.

보기
ㄱ. 작은 자연수의 모임
ㄴ. 날개가 있는 동물들의 모임
ㄷ. 한글 자음들의 모임
ㄹ. 6의 배수의 모임

key 주어진 조건에 의해 대상이 분명하게 정해지는지 파악한다.

| 핵심 02 |

0070 18의 양의 약수의 집합을 A라 할 때, 옳은 것만을 보기에서 있는 대로 골라라.

보기

ㄱ. $1\notin A$	ㄴ. $2\in A$	ㄷ. $6\in A$
ㄹ. $8\in A$	ㅁ. $9\notin A$	ㅂ. $18\notin A$

| 핵심 03 |

0071 오른쪽 벤다이어그램으로 나타낸 집합을 다음 방법으로 나타내어라.

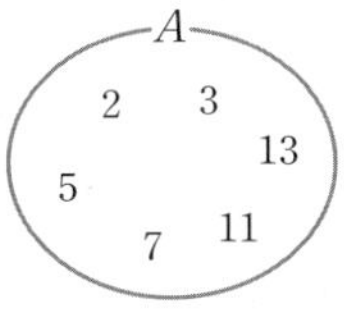

(1) 원소나열법

(2) 조건제시법

| 핵심 04 |

0072 두 집합 $A=\{3, 4, 5\}$, $B=\{-1, 1\}$에 대하여 두 집합 $C=\{xy\,|\,x\in A,\ y\in B\}$, $D=\{2x-y\,|\,x\in A,\ y\in B\}$를 각각 원소나열법으로 나타내어라.

| 핵심 05 |

0073 유한집합인 것만을 보기에서 있는 대로 골라라.

보기
ㄱ. $\{x\,|\,x$는 세 자리의 자연수$\}$
ㄴ. $\{x\,|\,x^2+2=0,\ x$는 실수$\}$
ㄷ. $\{x\,|\,x$는 100보다 큰 짝수$\}$
ㄹ. $\{x\,|\,x$는 360의 양의 약수$\}$
ㅁ. $\{x\,|\,x$는 무리수$\}$

| 핵심 06 | UP

0074 세 집합 $A=\{0, 1, 2, 3\}$,
$B=\{x\,|\,x$는 $|x|\le5$인 정수$\}$,
$C=\{x\,|\,x^2-x-2=0\}$에 대하여
$n(A)+n(B)+n(C)$의 값을 구하여라.

핵심 07 부분집합의 기호

날짜 : 월 일

Subnote ◯ 4쪽

공통의 원소가 아주 많더라도 원소 하나가 빠졌다면 포함 관계는 성립하지 않아.

(1) 집합 A의 모든 원소가 집합 B에 속할 때 ◯ $A \subset B$

(2) 집합 A가 집합 B의 부분집합이 아닐 때 ◯ $A \not\subset B$

예 두 집합 $A=\{1, 2\}$, $B=\{1, 2, 3\}$에 대하여 집합 A의 모든 원소가 집합 B에 속하므로 $A \subset B$이다.
두 집합 $A=\{1, 2\}$, $B=\{2, 3\}$에 대하여 $2 \in B$이지만 $1 \notin B$이므로 $A \not\subset B$이다.

다음 두 집합 A, B에 대하여 □ 안에 기호 $\subset$, $\not\subset$ 중 알맞은 것을 써넣어라.

0075 $A=\{1, 3, 5\}$, $B=\{1, 2, 3, 4, 5\}$일 때

➡ A □ B, B □ A

0076 $A=\{a, b, c, d\}$, $B=\{b, c\}$일 때

➡ A □ B, B □ A

0077 $A=\{x \mid x^2-2x-3=0\}$, $B=\{0, 1, 2\}$일 때

➡ A □ B, B □ A

0078 $A=\{x \mid x$는 3의 양의 배수$\}$,
$B=\{x \mid x$는 6의 양의 배수$\}$일 때
➡ A □ B, B □ A

0079 $A=\{x \mid x$는 8의 양의 약수$\}$, $B=\{2, 4, 6, 8, \cdots\}$일 때 ➡ A □ B, B □ A

0080 $A=\varnothing$, $B=\{x \mid x$는 자연수$\}$일 때

➡ A □ B, B □ A

공집합 (∅)은 모든 집합의 부분집합!!!

다음 집합에 대하여 □ 안에 기호 $\subset$, $\not\subset$ 중 알맞은 것을 써넣어라.

0081 $A=\{1, 2, 3, 6\}$일 때

➡ $\{1\}$ □ A, $\{2, 3\}$ □ A, $\{1, 2, 3, 4\}$ □ A

0082 $B=\{0, 2, 4, 6, 8\}$일 때

➡ $\varnothing$ □ B, $\{1, 2, 4\}$ □ B, $\{0, 8\}$ □ B

0083 $C=\{x \mid x^2+2x=0\}$일 때

➡ $\varnothing$ □ C, $\{0, -2\}$ □ C, $\{0, 2\}$ □ C

모든 집합은 자기 자신의 부분집합이야.

0084 $D=\{x \mid x$는 10 이하의 소수$\}$일 때

➡ $\{9\}$ □ D, $\{3, 11\}$ □ D, $\{2, 5, 7\}$ □ D

0085 학교 시험 맛보기

집합 $A=\{1, 2, 5, 10\}$에 대하여 옳은 것만을 보기에서 있는 대로 골라라.

보기

ㄱ. $5 \subset A$　　　ㄴ. $\varnothing \subset A$

ㄷ. $\{2, 10\} \not\subset A$　　　ㄹ. $\{1, 2, 4\} \not\subset A$

ㅁ. $\{1, 2, 5, 10\} \subset A$

핵심 08
부분집합 구하기

날짜 : 월 일

Subnote 4쪽

부분집합을 모두 구해야 할 때는 원소의 개수로 구분해서 쓰는 것이 잘 정리되고 덜 헷갈려.

예 집합 $\{a, b, c\}$의 부분집합을 모두 구하여라.
원소가 0개인 경우 : $\varnothing$
원소가 1개인 경우 : $\{a\}$, $\{b\}$, $\{c\}$
원소가 2개인 경우 : $\{a, b\}$, $\{a, c\}$, $\{b, c\}$
원소가 3개인 경우 : $\{a, b, c\}$

다음 집합의 부분집합을 모두 구하여라.

0086 $\{0, 1\}$

sol 원소가 0개인 경우 : □
원소가 1개인 경우 : $\{0\}$, □
원소가 2개인 경우 : □

0087 $\{1, 2, 3\}$

sol 원소가 0개인 경우 : □
원소가 1개인 경우 : □, □, $\{3\}$
원소가 2개인 경우 : $\{1, 2\}$, □, □
원소가 3개인 경우 : $\{1, 2, 3\}$

0088 $\{2, 4, 6\}$

0089 $\{1, 3, 5, 7\}$

0090 $A=\{x \mid x^2-x-6=0\}$

sol $x^2-x-6=0$에서 $(x+2)(x-$□$)=0$
따라서 $A=\{-2,$ □$\}$이므로 집합 A의 부분집합은
$\varnothing$, $\{-2\}$, □, □

0091 $B=\{x \mid x$는 10의 양의 약수$\}$

0092 집합 $\{a, b, c, d\}$에 대하여 원소가 3개인 부분집합

0093 학교 시험 맛보기

집합 $\{x \mid x$는 14의 양의 약수$\}$에 대하여 원소 1, 7을 반드시 원소로 갖는 부분집합을 모두 구하여라.

핵심 **09**

기호 $\in$, $\subset$의 사용

날짜 : 월 일

Subnote ➡ 5쪽

집합 속에 집합이 있을 때, 원소 기호, 부분집합 기호는 혼동하기 쉬워. 기호를 쓰기 전에 주어진 집합의 원소인지, 부분집합인지를 꼭 확인해야 해.

(1) 집합과 원소 사이의 관계 ➡ (원소)$\in$(집합)

(2) 집합과 집합 사이의 관계 ➡ (집합)$\subset$(집합)

예 집합 $A=\{0, \{1\}\}$에 대하여

$0\in A$, $\{1\}\in A$

$\varnothing\subset A$, $\{0\}\subset A$, $\{\{1\}\}\subset A$, $\{0, \{1\}\}\subset A$

다음 집합의 원소와 부분집합을 구하고, 옳은 것에는 ○표, 옳지 않은 것에는 ×표를 ( ) 안에 써넣어라.

0094 $A=\{\varnothing, 1\}$일 때

(1) 집합 A의 원소

(2) 집합 A의 부분집합

(3) $\varnothing\in A$ ( ), $1\in A$ ( ), $\{1\}\in A$ ( )

$1\subset A$ ( ), $\varnothing\subset A$ ( ), $\{\varnothing\}\subset A$ ( )

0095 $B=\{a, \{b\}\}$일 때

(1) 집합 B의 원소

(2) 집합 B의 부분집합

(3) $a\in B$ ( ), $b\in B$ ( ), $\{b\}\in B$ ( )

$\varnothing\subset B$ ( ), $\{a\}\subset B$ ( ), $\{b\}\subset B$ ( )

0096 $C=\{\varnothing, 1, \{2\}\}$일 때

(1) 집합 C의 원소

(2) 집합 C의 부분집합

(3) $\varnothing\in C$ ( ), $1\in C$ ( ), $2\in C$ ( )

$\{2\}\in C$ ( ), $\varnothing\subset C$ ( ), $\{2\}\subset C$ ( )

$\{\varnothing, 1\}\subset C$ ( ), $\{1, 2\}\subset C$ ( )

다음 집합에 대하여 옳은 것에는 ○표, 옳지 않은 것에는 ×표를 ( ) 안에 써넣어라.

0097 $A=\{0, \{2\}, \{0, 2\}\}$일 때

➡ $0\in A$ ( ), $2\in A$ ( ),

$\{0, 2\}\in A$ ( ), $\{0\}\subset A$ ( ),

$\{0, 2\}\subset A$ ( ), $\{0, \{2\}\}\subset A$ ( )

0098 $B=\{0, \{\varnothing\}, \{\varnothing, 1\}\}$일 때

➡ $\{0\}\in B$ ( ), $1\in B$ ( )

$\varnothing\in B$ ( ), $\{\varnothing\}\in B$ ( )

$\{0, \varnothing\}\in B$ ( ), $\{\varnothing, 1\}\in B$ ( )

$\varnothing\subset B$ ( ), $\{\varnothing\}\subset B$ ( )

$\{0, \varnothing\}\subset B$ ( ), $\{\varnothing, 1\}\subset B$ ( )

$\{\{\varnothing\}\}\subset B$ ( ), $\{0, \{\varnothing, 1\}\}\subset B$ ( )

0099 **학교 시험 맛보기**

집합 $A=\{0, 1, \{0\}, \varnothing\}$에 대하여 다음 중 옳지 않은 것은?

① $0\in A$ ② $\{0\}\subset A$ ③ $\varnothing\subset A$

④ $\{\varnothing\}\in A$ ⑤ $\{1, \varnothing\}\subset A$

핵심 **10**

집합 사이의 포함 관계를 이용한 미지수 구하기

날짜 : □월 □일

Subnote ➔ 5쪽

두 집합에서 서로 같아야 하는 원소를 찾아 등식을 세워.

두 집합 A, B에 대하여 $A\subset B$일 때

➔ ❶ 집합 A의 원소는 모두 집합 B의 원소이다.

❷ 수직선을 이용하여 나타낸 후 포함 관계가 성립하는 조건을 찾는다.

다음 두 집합 A, B에 대하여 $A\subset B$일 때, 상수 a의 값을 구하여라.

0100 $A=\{2a,\ 4\}$, $B=\{a,\ a+3,\ 2\}$

sol $A\subset B$이려면 $a=4$ 또는 $a+3=4$이어야 하므로

(i) $a=4$일 때

$A=\{4,\ □\}$, $B=\{2,\ 4,\ □\}$ $\quad\therefore A\ □\ B$

(ii) $a+3=4$, 즉 $a=□$일 때

$A=\{□,\ 4\}$, $B=\{□,\ 2,\ 4\}$ $\quad\therefore A\ □\ B$

(i), (ii)에서 $a=□$

0101 $A=\{a-1,\ 1\}$, $B=\{2a+1,\ 2a+5,\ 3\}$

0102 $A=\{-1,\ a-1\}$, $B=\{-a+2,\ 2a-3,\ 0\}$

0103 $A=\{a,\ 4\}$, $B=\{a-1,\ a+2,\ a^2-2\}$

key $a\neq a-1$, $a\neq a+2$

다음 두 집합 A, B에 대하여 $A\subset B$일 때, 상수 a, b의 값의 범위를 각각 구하여라.

0104 $A=\{x\,|\,0\le x\le 2\}$

$B=\{x\,|\,a-1\le x\le b+3\}$

sol $A\subset B$가 되도록 두 집합 A, B를 수직선 위에 나타내면

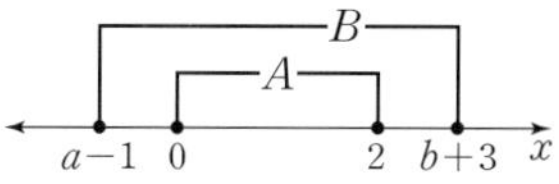

$a-1\le 0$, $b+3\ge 2$ $\quad\therefore a\le □$, $b\ge □$

0105 $A=\{x\,|\,2\le x\le 5\}$

$B=\{x\,|\,a+4\le x\le 2b-1\}$

0106 $A=\{x\,|\,-1\le x\le 3\}$

$B=\{x\,|\,2a-3\le x\le b+1\}$

0107 학교 시험 맛보기

두 집합 $A=\{x\,|\,-3\le x\le 8\}$, $B=\{x\,|\,a-2\le x\le b+4\}$에 대하여 $A\subset B$일 때, 상수 a의 최댓값과 상수 b의 최솟값의 합을 구하여라.

key $A\subset B$가 되도록 두 집합 A, B를 수직선 위에 나타낸다.

1주 집합의 뜻과 표현

핵심 11

서로 같은 집합

날짜 : 월 일

Subnote ➡ 6쪽

두 집합의 원소가 모두 같아야 하므로 원소나열법으로 나타내서 비교하는 게 좋겠지.

두 집합 A, B에 대하여 $A \subset B$, $B \subset A$일 때, A와 B는 서로 같다고 한다.

(1) A와 B가 서로 같은 집합일 때 ➡ $A=B$

(2) A와 B가 서로 같은 집합이 아닐 때 ➡ $A \neq B$

예 $A=\{1, 2\}$, $B=\{x \mid x$는 3보다 작은 자연수$\}$일 때, 두 집합 A, B가 서로 같은 집합인지 판별하여라.

집합 B를 원소나열법으로 나타내면

$B=\{1, 2\}$ $\therefore$ $A=B$

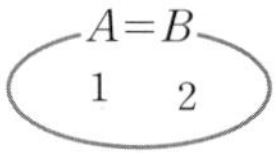

다음 □ 안에 기호 $=$, $\neq$ 중 알맞은 것을 써넣어라.

0108 $\varnothing$ □ $\{\varnothing\}$

0109 $\{a, b\}$ □ $\{b, a\}$

원소를 나열하는 순서는 상관없어.

0110 $\{0, 1, 2\}$ □ $\{1, 2\}$

0111 $\{5, 6, 7, 8, 9\}$ □ $\{9, 8, 7, 6, 5\}$

0112 $\{-1, 3\}$ □ $\{x \mid x^2-2x-3=0\}$

0113 $\{-3, -2\}$ □ $\{x \mid x^2+x-6=0\}$

0114 $\{0, 1, 2, 3, 4\}$ □ $\{x \mid x$는 5보다 작은 자연수$\}$

0115 $\{2, 3, 5, 7\}$ □ $\{x \mid x$는 10 이하의 소수$\}$

다음 집합 중에서 서로 같은 집합끼리 연결하여라.

0116

$\{1, 3, 9\}$ •	• $\{x \mid x^2-4x+4=0\}$
$\{3, 6, 9, \cdots\}$ •	• $\{x \mid x$는 3의 양의 배수$\}$
$\{2\}$ •	• $\{x \mid x$는 9의 양의 약수$\}$
$\{2, 4, 6, 8, 10\}$ •	• $\{x \mid x$는 14의 양의 약수$\}$
$\{1, 2, 7, 14\}$ •	• $\{x \mid x$는 10 이하의 짝수$\}$

0117

$\{1, 2, 4, 8\}$ •	• $\{x \mid x^2+2x-8=0\}$
$\{10, 20, 30, \cdots\}$ •	• $\{x \mid x^3+1=0$, x는 실수$\}$
$\{1, 2, 3, 4\}$ •	• $\{x \mid x$는 10의 양의 배수$\}$
$\{-1\}$ •	• $\{x \mid x$는 5보다 작은 자연수$\}$
$\{-4, 2\}$ •	• $\{x \mid x$는 8의 양의 약수$\}$

핵심 12 서로 같은 집합이 되도록 하는 미지수 구하기

날짜 : 월 일

Subnote ➲ 6쪽

구한 a, b의 값을 주어진 식에 대입해서 $A=B$가 성립하는 지 확인하는 과정이 필요해.

두 집합 A, B에 대하여 $A=B$일 때

➲ 두 집합 A, B에서 서로 같아야 하는 원소를 찾아 등식을 세운다.

예 두 집합 $A=\{0, a\}$, $B=\{1, b\}$에 대하여 $A=B$일 때, a, b의 값을 각각 구하여라.
두 집합 A, B가 서로 같은 집합이 되려면 $a=1$, $b=0$

다음 두 집합 A, B에 대하여 $A=B$일 때, a, b의 값을 각각 구하여라.

0118 $A=\{-1, a\}$, $B=\{2, b\}$

0119 $A=\{1, a+3\}$, $B=\{-3, b-4\}$

0120 $A=\{2, 4, a-1\}$, $B=\{4, 5, b+3\}$

0121 $A=\{2, 3, 2a\}$, $B=\{-4, 3, b+2\}$

0122 $A=\{x|0<x<3\}$, $B=\{x|a<x<b\}$

0123 $A=\{x|-2\le x\le 2\}$, $B=\{x|a+1\le x\le 2b\}$

다음 두 집합 A, B에 대하여 $A\subset B$, $B\subset A$일 때, a, b의 값을 각각 구하여라.

0124 $A=\{3, 2a\}$, $B=\{6, b-1\}$

$A\subset B$, $B\subset A$이면 $A=B$야.

0125 $A=\{5, 3a-2\}$, $B=\{-8, 2b+1\}$

0126 $A=\{a, a+b\}$, $B=\{a-2, b+5\}$

$a\neq a-2$

0127 $A=\{0, 1, a^2+2a-3\}$, $B=\{-4, 0, b-2\}$

0128 $A=\{x|2a-5\le x\le 8\}$
$B=\{x|3b\le x\le a+4\}$

0129 **학교 시험 맛보기**

두 집합 $A=\{-1, a^2-4a+1\}$, $B=\{-3, 2b-3\}$에 대하여 $A\subset B$, $B\subset A$일 때, $a+b$의 값을 구하여라.

Mini Review Test

날짜 : 월 일

Subnote ➡ 6쪽

| 핵심 07 |

0130 옳은 것만을 보기에서 있는 대로 골라라.

보기

ㄱ. $\{0\}\subset\varnothing$
ㄴ. $3\subset\{3, 5\}$
ㄷ. $\{1, 2\}\subset\{1, 2\}$
ㄹ. $\varnothing\subset\{a, b, c\}$
ㅁ. $\{a, b, c\}\not\subset\{a, b, d\}$

| 핵심 09 |

0131 집합 $A=\{0, \{1\}, \{1, 2\}, \varnothing\}$에 대하여 옳은 것만을 보기에서 있는 대로 골라라.

보기

ㄱ. $0\in A$ ㄴ. $2\in A$
ㄷ. $\varnothing\notin A$ ㄹ. $\varnothing\subset A$
ㅁ. $\{1, 2\}\subset A$ ㅂ. $\{0, 1, 2\}\not\subset A$

key (원소)$\in$(집합), (집합)$\subset$(집합)

| 핵심 10 |

0132 공집합이 아닌 두 집합 $A=\{x|2\leq x\leq a+3\}$, $B=\{x|3b-1\leq x\leq 6\}$에 대하여 $A\subset B$일 때, a, b의 값의 범위를 각각 구하여라.

| 핵심 10 |

0133 두 집합 $A=\{a+1, 3\}$, $B=\{a, a-2, a^2-4a+1\}$에 대하여 $A\subset B$일 때, a의 값을 구하여라.

key $a+1\neq a$, $a+1\neq a-2$

| 핵심 11 |

0134 두 집합이 서로 같은 것만을 보기에서 있는 대로 골라라.

보기

ㄱ. $\{a, b, c\}$와 $\{b, c, a\}$
ㄴ. $\{x|x$는 4의 양의 약수$\}$와 $\{1, 2, 4, 8\}$
ㄷ. $\{x|x^2+x-12=0\}$과 $\{-4, 3\}$
ㄹ. $\{x|x$는 5의 양의 배수$\}$와 $\{5, 10, 15, 20\}$

| 핵심 12 | UP

0135 두 집합 $A=\{a+3, a-2b\}$, $B=\{a-4, b-3\}$에 대하여 $A\subset B$, $B\subset A$일 때, $a+b$의 값을 구하여라.

핵심 **13**

부분집합의 개수

날짜 : 월 일

Subnote ➡ 7쪽

원소의 개수만 알면 부분집합의 개수를 구하는 것은 아주 쉬워.

원소가 n개인 집합의 부분집합의 개수 ➡ 2^n

예

집합	원소의 개수	부분집합의 개수	부분집합
$\{a\}$	1	$2^1=2$	$\varnothing$, $\{a\}$
$\{a, b\}$	2	$2^2=4$	$\varnothing$, $\{a\}$, $\{b\}$, $\{a, b\}$
$\{a, b, c\}$	3	$2^3=8$	$\varnothing$, $\{a\}$, $\{b\}$, $\{c\}$, $\{a, b\}$, $\{a, c\}$, $\{b, c\}$, $\{a, b, c\}$

다음 집합의 부분집합의 개수를 구하여라.

0136 $\{0, 1\}$

0137 $\{\varnothing\}$

0138 $\{2, 4, 6, 8\}$

0139 $\{\varnothing, 1, \{2\}\}$

$\{2\}$도 1개의 원소

0140 $\{1, 3, 5, 7, 9\}$

0141 $\{1, \{2, 3\}\}$

$\{2, 3\}$도 1개의 원소

0142 $\{x \mid x$는 3의 양의 약수$\}$

0143 $\{x \mid x$는 6 이하의 홀수$\}$

0144 $\{x \mid x^2+4x-12=0\}$

0145 $\{x \mid x$는 15 이하의 소수$\}$

0146 $\{X \mid X \subset \{0, 1\}\}$

sol $\{X \mid X \subset \{0, 1\}\} = \{\square, \square, \square, \{0, 1\}\}$
원소의 개수 ➡ $\square$
부분집합의 개수 ➡ $\square$

집합 X는 집합 $\{0, 1\}$의 부분집합을 원소로 갖는 집합이다.

0147 학교 시험 맛보기

집합 $A=\{X \mid X \subset \{1, 2, 3\}\}$의 부분집합의 개수를 구하여라.

key 집합 A를 원소나열법으로 나타낸다.

핵심 14

진부분집합과 진부분집합의 개수

날짜 : 월 일

Subnote ◯ 7쪽

진부분집합은 부분집합 중 자기 자신을 제외한 것이야. 즉, 진부분집합의 개수는 (부분집합의 개수)-1이야.

(1) 두 집합 A, B에 대하여 $A \subset B$이지만 $A \neq B$일 때, A를 B의 진부분집합이라 한다.

(2) 원소가 n개인 집합의 진부분집합의 개수 ◯ 2^n-1

예 $\{1, 2, 3\}$의 부분집합의 개수는 $2^3=8$

$\{1, 2, 3\}$의 진부분집합의 개수는 $2^3-1=7$

다음 집합의 진부분집합을 모두 구하여라.

0148 $\{a, b\}$

0149 $\{\varnothing, \{2\}\}$

0150 $\{0, \{1\}, \{0, 1\}\}$

0151 $\{x \mid x^4-1=0,\ x$는 복소수$\}$

x는 복소수이므로 허수도 원소!

다음 집합의 진부분집합의 개수를 구하여라.

0152 $\{1, 2, 3, 4, 5\}$

0153 $\{-1, 0, 1\}$

0154 $\{a, b, \{c, d\}\}$

0155 $\{x \mid x$는 30보다 작은 6의 양의 배수$\}$

0156 $\{x \mid x^3+1=0,\ x$는 실수$\}$

0157 학교 시험 맛보기

집합 $A=\{x \mid x$는 20의 양의 약수$\}$의 진부분집합의 개수를 구하여라.

key 집합 A를 원소나열법으로 나타낸다.

핵심 **15**

특정한 원소를 갖지 않는 부분집합의 개수

날짜 : 월 일

Subnote ➡ 7쪽

특정한 원소를 제외한 집합의 부분집합을 구하는 거야.

집합 $A=\{a_1,\ a_2,\ a_3,\ \cdots,\ a_n\}$에 대하여 A의 특정한 원소 k개를 원소로 갖지 않는 부분집합의 개수 ➡ 2^{n-k} (단, $k<n$)

예 집합 $\{a, b, c\}$의 부분집합 중에서 a를 원소로 갖지 않는 부분집합의 개수는

$2^{3-1}=2^2=4$

a를 원소로 갖지 않는 부분집합	=	a를 제외한 집합 $\{b, c\}$의 부분집합

다음 집합의 부분집합 중에서 [ ] 안의 원소를 원소로 갖지 않는 부분집합의 개수를 구하여라.

0158 $\{1,\ 2,\ 3\}$ $[2]$

0159 $\{1,\ 2,\ 3,\ 4,\ 5\}$ $[3,\ 5]$

0160 $\{a,\ b,\ c,\ d\}$ $[a,\ d]$

0161 $\{0,\ 2,\ 4,\ 6,\ 8,\ 10\}$ $[0,\ 4]$

0162 $\{\varnothing,\ 1,\ 2,\ \{1,\ 2\}\}$ $[1]$

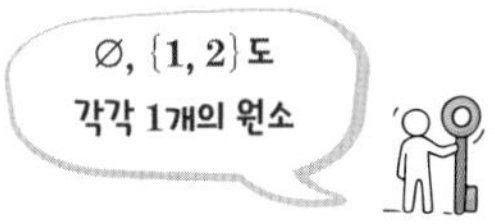

0163 $\{1,\ 2,\ \{3,\ 4\}\}$ $[1,\ 2]$

0164 $\{x\,|\,x$는 10보다 작은 홀수$\}$ $[3,\ 5,\ 9]$

0165 $\{x\,|\,x$는 24의 양의 약수$\}$ $[1,\ 3]$

0166 $\{x\,|\,x$는 20 이하의 소수$\}$ $[2,\ 7,\ 13]$

0167 $\{x\,|\,x$는 30의 양의 약수$\}$ $[2,\ 6,\ 10,\ 30]$

0168 $\{x\,|\,x$는 25 이하의 4의 양의 배수$\}$ $[12,\ 24]$

0169 **학교 시험 맛보기**

집합 $A=\{a,\ b,\ c,\ d,\ e\}$의 부분집합 중에서 b, e를 원소로 갖지 않는 부분집합의 개수를 구하여라.

핵심 16

특정한 원소를 갖는 부분집합의 개수

날짜 : 월 일

Subnote ➡ 8쪽

예에서 알 수 있듯이 특정한 원소를 제외한 집합의 부분집합에 특정한 원소를 각각 넣는 것이므로 앞의 핵심 15와 공식이 같아!

집합 $A=\{a_1, a_2, a_3, \cdots, a_n\}$에 대하여 A의 특정한 원소 k개를 반드시 원소로 갖는 부분집합의 개수 ➡ 2^{n-k} (단, $k<n$)

예 집합 $\{a, b, c\}$의 부분집합 중에서 a를 반드시 원소로 갖는 부분집합의 개수는

$2^{3-1}=2^2=4$

a를 원소로 갖지 않는 부분집합	➡	a를 원소로 갖는 부분집합
$\varnothing$, $\{b\}$, $\{c\}$, $\{b, c\}$		$\{a\}$, $\{a, b\}$, $\{a, c\}$, $\{a, b, c\}$

다음 집합의 부분집합 중에서 [ ] 안의 원소를 반드시 원소로 갖는 부분집합의 개수를 구하여라.

0170 $\{1, 2, 3, 4\}$ [3]

0171 $\{a, b, c, d, e\}$ [a, c, e]

0172 $\{1, 2, 3, 4, 5, 6, 7\}$ [2, 5]

0173 $\{2, 3, 5, 7, 11, 13\}$ [3, 7]

0174 $\{0, 1, \{2\}, \{3, 4\}\}$ [1]

$\{2\}$, $\{3, 4\}$도 각각 1개의 원소

0175 $\{-2, 1, \varnothing, \{1\}, \{1, 2\}\}$ [-2, 1]

0176 $\{x \mid x$는 2보다 크고 6보다 작은 자연수$\}$ [3]

0177 $\{x \mid x$는 15보다 작은 짝수$\}$ [4, 8, 12]

0178 $\{x \mid x$는 18의 양의 약수$\}$ [1, 2, 6]

0179 $\{x \mid x$는 50 이하의 7의 양의 배수$\}$ [7, 35]

0180 $\{x \mid x$는 36의 양의 약수$\}$ [1, 3, 9]

0181 학교 시험 맛보기

집합 $A=\{x \mid x$는 20보다 작은 3의 양의 배수$\}$의 부분집합 중에서 6, 15를 반드시 원소로 갖는 부분집합의 개수를 구하여라.

key 집합 A를 원소나열법으로 나타낸다.

핵심 **17**

$A \subset X \subset B$를 만족하는 집합 X의 개수

날짜 : □ 월 □ 일

Subnote ➡ 8쪽

특정한 원소를 갖는
부분집합을 집합 기호를 사용하여
나타낸 것일 뿐…

$A \subset X \subset B$를 만족하는 집합 X의 원소

➡ 집합 B의 부분집합 중에서 집합 A의 모든 원소를 반드시 원소로 갖는 부분집합의 개수

예 $\{1, 2\} \subset X \subset \{1, 2, 3, 4\}$를 만족하는 집합 X의 개수를 구하여라.
집합 X의 개수는 집합 $\{1, 2, 3, 4\}$의 부분집합 중에서 1, 2를 반드시 원소로 갖는 부분집합의 개수와 같으므로 $2^{4-2}=2^2=4$

다음 조건을 만족하는 집합 X의 개수를 구하여라.

0182 $\{1, 2, 3\} \subset X \subset \{1, 2, 3, 4, 5\}$

sol 집합 X의 개수는 집합 $\{1, 2, 3, 4, 5\}$의 부분집합 중에서 1, □, □을 반드시 원소로 갖는 부분집합의 개수와 같으므로
$2^{5-□}=2^{□}=$ □

0183 $\{2, 5\} \subset X \subset \{1, 2, 3, 4, 5\}$

sol 집합 X의 개수는 집합 $\{1, 2, 3, 4, 5\}$의 부분집합 중에서 □, □를 반드시 원소로 갖는 부분집합의 개수와 같으므로
$2^{5-□}=2^{□}=$ □

0184 $\{b\} \subset X \subset \{a, b, c\}$

0185 $\{c, f\} \subset X \subset \{a, b, c, d, e, f\}$

0186 $\{1, 5, 10\} \subset X \subset \{1, 2, 4, 5, 10, 20\}$

0187 $\{8, 16\} \subset X \subset \{1, 2, 4, 8, 16, 32, 64\}$

다음 두 집합 A, B에 대하여 $A \subset X \subset B$를 만족하는 집합 X의 개수를 구하여라.

0188 $A=\{6, 12, 18\}$

$B=\{x \mid x$는 20 이하의 3의 양의 배수$\}$

sol $B=\{3, 6, 9, 12, 15, 18\}$
따라서 집합 X의 개수는 집합 B의 부분집합 중에서 □, □, □을 반드시 원소로 갖는 부분집합의 개수와 같으므로
$2^{6-□}=2^{□}=$ □

0189 $A=\{2, 4, 6\}$

$B=\{x \mid 2 \le x < 7,\ x$는 자연수$\}$

0190 $A=\{-3, 1\}$

$B=\{x \mid -4 < x < 3,\ x$는 정수$\}$

0191 $A=\{x \mid x$는 8의 양의 약수$\}$

$B=\{1, 2, 3, 4, 5, 6, 7, 8, 9\}$

0192 **학교 시험 맛보기**

두 집합 $A=\{x \mid x$는 10보다 작은 짝수$\}$,
$B=\{x \mid x$는 48의 양의 약수$\}$에 대하여 $A \subset X \subset B$를 만족하는 집합 X의 개수를 구하여라.

key 두 집합 A, B를 원소나열법으로 나타낸다.

핵심 18 특정한 원소를 갖거나 갖지 않는 부분집합의 개수

날짜 : 월 일

Subnote ➡ 9쪽

갖거나 갖지 않는 원소를 모두 빼고 나머지 원소들만 있다고 생각해.

집합 $A=\{a_1,\ a_2,\ a_3,\ \cdots,\ a_n\}$에 대하여 A의 원소 중에서 k개를 반드시 원소로 갖고, l개는 원소로 갖지 않는 부분집합의 개수

➡ 2^{n-k-l} (단, $k+l<n$)

예 집합 $A=\{1,\ 2,\ 3,\ 4,\ 5\}$의 부분집합 중에서 3은 반드시 원소로 갖고 5는 원소로 갖지 않는 부분집합의 개수를 구하여라.

$2^{5-1-1}=2^3=8$

집합 $A=\{1,\ 2,\ 3,\ 4,\ 5\}$에 대하여 다음 조건을 만족하는 집합 A의 부분집합의 개수를 구하여라.

0193 1은 반드시 원소로 갖고, 4는 원소로 갖지 않는다.

0194 2, 3은 반드시 원소로 갖고, 5는 원소로 갖지 않는다.

0195 5는 반드시 원소로 갖고, 짝수는 원소로 갖지 않는다.

집합 $B=\{-3,\ -2,\ -1,\ 0,\ 1,\ 2,\ 3\}$에 대하여 다음 조건을 만족하는 집합 B의 부분집합의 개수를 구하여라.

0196 -3은 반드시 원소로 갖고, 1은 원소로 갖지 않는다.

0197 $-2,\ -1$은 반드시 원소로 갖고, 2, 3은 원소로 갖지 않는다.

0198 0은 반드시 원소로 갖고, 절댓값이 2인 수는 원소로 갖지 않는다.

집합 $A=\{2,\ 3,\ 4,\ 5,\ 6,\ 7\}$의 부분집합 중에서 다음 조건을 만족하는 집합 X의 개수를 구하여라.

0199 $3\in X,\ 6\notin X$

0200 $4\in X,\ 5\in X,\ 2\notin X,\ 7\notin X$

0201 $\{3,\ 7\}\subset X,\ 5\notin X$

$\{3,\ 7\}\subset X$는 $3\in X$, $7\in X$와 같은 의미

집합 $B=\{x\,|\,x$는 12의 양의 약수$\}$의 부분집합 중에서 다음 조건을 만족하는 집합 X의 개수를 구하여라.

0202 $1\in X,\ 3\notin X$

0203 $6\in X,\ 2\notin X,\ 4\notin X$

0204 $\{1,\ 2,\ 4\}\subset X,\ 12\notin X$

핵심 13~18

Mini Review Test

날짜 : 월 일

Subnote 9쪽

| 핵심 13 |

0205 집합 $A=\{x|x$는 15의 양의 약수$\}$의 부분집합의 개수를 구하여라.

| 핵심 14 |

0206 집합 $A=\{X|X\subset\{a,\ b\}\}$의 진부분집합의 개수를 구하여라.

key $A=\{X|X\subset\{a,\ b\}\}$
➡ 집합 $\{a,\ b\}$의 부분집합을 원소로 갖는 집합

| 핵심 15 |

0207 집합 $A=\{x|x$는 10 이하의 짝수$\}$에 대하여 2, 6을 원소로 갖지 않는 부분집합의 개수를 구하여라.

| 핵심 16 |

0208 집합 $A=\{x|x$는 20의 양의 약수$\}$의 부분집합 중에서 4의 배수를 모두 원소로 갖는 부분집합의 개수를 구하여라.

| 핵심 17 |

0209 두 집합 $A=\{x|x$는 4의 양의 약수$\}$,
$B=\{x|x$는 12의 양의 약수$\}$에 대하여
$A\subset X\subset B$를 만족하는 집합 X의 개수를 구하여라.

| 핵심 18 |

0210 집합 $A=\{x|x$는 60의 양의 약수$\}$의 부분집합 중에서 5의 약수를 모두 원소로 갖고, 4의 배수는 원소로 갖지 않는 부분집합의 개수를 구하여라.

key 60의 양의 약수 중에서 5의 약수와 4의 배수를 각각 찾는다.

2

집합의 연산

학습목표

1. 집합의 연산을 할 수 있다.
2. 집합의 연산법칙을 이해한다.

스스로 공부 계획 세우기

	학습 내용	공부한 날짜	반복하기
2. 집합의 연산	**01.** 합집합과 교집합	월 일	☐☐
	02. 합집합과 교집합 – 미지수 구하기	월 일	☐☐
	03. 서로소	월 일	☐☐
	04. 서로소인 부분집합의 개수	월 일	☐☐
	05. 여집합	월 일	☐☐
	06. 차집합	월 일	☐☐
	07. 벤다이어그램이 나타내는 집합	월 일	☐☐
	Mini **Review** Test(**01~07**)	월 일	☐☐
	08. 집합의 연산의 성질(1) – 합집합과 교집합	월 일	☐☐
	09. 집합의 연산의 성질(2) – 여집합과 차집합	월 일	☐☐
	10. 집합의 연산을 이용하여 원소 구하기	월 일	☐☐
	11. 집합의 연산과 부분집합의 개수	월 일	☐☐
	12. 집합에서의 분배법칙	월 일	☐☐
	Mini **Review** Test(**08~12**)	월 일	☐☐
	13. 드모르간의 법칙	월 일	☐☐
	14. 집합을 연산하여 간단히 하기	월 일	☐☐
	15. 집합의 연산법칙과 포함 관계	월 일	☐☐
	16. 부등식과 집합의 연산	월 일	☐☐
	17. 새로운 집합의 연산	월 일	☐☐
	Mini **Review** Test(**13~17**)	월 일	☐☐
	18. 유한집합의 원소의 개수	월 일	☐☐
	19. 자연수의 배수를 원소로 하는 집합	월 일	☐☐
	20. 유한집합의 원소의 개수의 최댓값, 최솟값	월 일	☐☐
	21. 유한집합의 원소의 개수의 활용(1)	월 일	☐☐
	22. 유한집합의 원소의 개수의 활용(2)	월 일	☐☐
	Mini **Review** Test(**18~22**)	월 일	☐☐

2 집합의 연산

개념 톡톡

개념 NOTE

1 합집합과 교집합 핵심 01 핵심 02 핵심 03 핵심 04

(1) **합집합** : 두 집합 A, B에 대하여 A에 속하거나 B에 속하는 모든 원소로 이루어진 집합을 A와 B의 합집합이라 하고, 기호로 $A\cup B$와 같이 나타낸다.

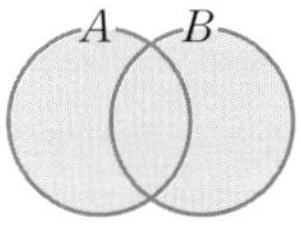

➲ $A\cup B=\{x\,|\,x\in A$ 또는 $x\in B\}$

(2) **교집합** : 두 집합 A, B에 대하여 A에도 속하고 B에도 속하는 모든 원소로 이루어진 집합을 A와 B의 교집합이라 하고, 기호로 $A\cap B$와 같이 나타낸다.

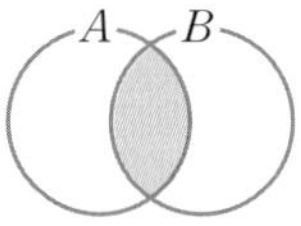

➲ $A\cap B=\{x\,|\,x\in A$ 그리고 $x\in B\}$

(3) **서로소** : 두 집합 A, B에 대하여 A와 B의 공통인 원소가 하나도 없을 때, 즉 $A\cap B=\varnothing$일 때, A와 B는 서로소라 한다.

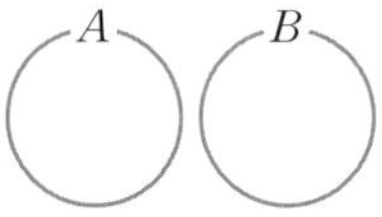

공집합은 모든 집합과 서로소이다.

2 여집합과 차집합 핵심 05 핵심 06 핵심 07

(1) **전체집합** : 어떤 집합에 대하여 그 부분집합을 생각할 때, 처음의 집합을 전체집합이라 하고, 기호로 U와 같이 나타낸다.

U는 universal의 첫 글자이다.

(2) **여집합** : 전체집합 U의 부분집합 A에 대하여 U의 원소 중에서 A에 속하지 않는 모든 원소로 이루어진 집합을 U에 대한 A의 여집합이라 하고, 기호로 A^C와 같이 나타낸다.

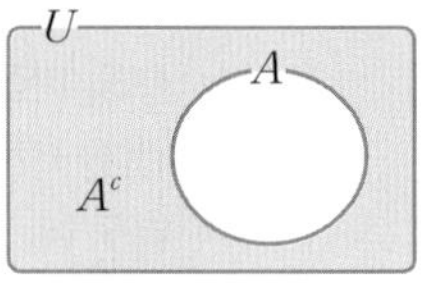

➲ $A^C=\{x\,|\,x\in U$ 그리고 $x\notin A\}$

A^C에서 C는 complement의 첫 글자이다.

(3) **차집합** : 두 집합 A, B에 대하여 A에는 속하지만 B에는 속하지 않는 원소로 이루어진 집합을 A에 대한 B의 차집합이라 하고, 기호로 $A-B$와 같이 나타낸다.

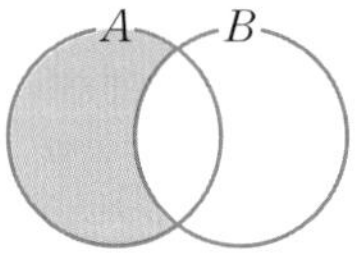

➲ $A-B=\{x\,|\,x\in A$ 그리고 $x\notin B\}$

3 집합의 연산의 성질 핵심 08 핵심 09 핵심 10

(1) **합집합과 교집합의 성질**

전체집합 U의 두 부분집합 A에 대하여

① $A\cup A=A$, $A\cap A=A$

② $A\cup\varnothing=A$, $A\cap\varnothing=\varnothing$

③ $A\cup U=U$, $A\cap U=A$

(2) **여집합과 차집합의 성질**

전체집합 U의 부분집합 A, B에 대하여

① $U^C=\varnothing$, $\varnothing^C=U$

② $(A^C)^C=A$

③ $A\cup A^C=U$, $A\cap A^C=\varnothing$

④ $A-B=A\cap B^C=A-(A\cap B)=(A\cup B)-B$

집합 A의 여집합 A^C는 전체집합 U에 대한 A의 차집합으로 바꾸어 생각할 수 있다.
➲ $A^C=U-A$

4 집합의 연산법칙 핵심 11 핵심 12 핵심 13 핵심 14 핵심 15 핵심 16 핵심 17

(1) 집합의 연산법칙

세 집합 A, B, C에 대하여

① 교환법칙 : $A\cup B=B\cup A$, $A\cap B=B\cap A$

② 결합법칙 : $(A\cup B)\cup C=A\cup(B\cup C)$, $(A\cap B)\cap C=A\cap(B\cap C)$

③ 분배법칙 : $A\cup(B\cap C)=(A\cup B)\cap(A\cup C)$,

$A\cap(B\cup C)=(A\cap B)\cup(A\cap C)$

(2) 드모르간의 법칙

전체집합 U의 두 부분집합 A, B에 대하여

① $(A\cup B)^C=A^C\cap B^C$

② $(A\cap B)^C=A^C\cup B^C$

(3) 집합의 연산과 포함 관계

전체집합 U의 두 부분집합 A, B에 대하여

① $A\subset B$ ⇔ $A\cap B=A$ ⇔ $A\cup B=B$ ⇔ $A-B=\varnothing$

⇔ $B^C\subset A^C$ ⇔ $A^C\cup B=U$

② $A\cap B=\varnothing$ ⇔ $A-B=A$ ⇔ $B-A=B$

⇔ $A\subset B^C$ ⇔ $B\subset A^C$

개념 NOTE

세 집합 A, B, C에 대하여 결합법칙이 성립하므로 괄호를 생략하여 $A\cup B\cup C$, $A\cap B\cap C$로 나타내기도 한다.

5 유한집합의 원소의 개수 핵심 18 핵심 19 핵심 20 핵심 21 핵심 22

(1) 합집합의 원소의 개수

전체집합 U의 세 부분집합 A, B, C에 대하여

① $n(A\cup B)=n(A)+n(B)-n(A\cap B)$

② $n(A\cup B\cup C)=n(A)+n(B)+n(C)-n(A\cap B)-n(B\cap C)$

$-n(C\cap A)+n(A\cap B\cap C)$

(2) 여집합과 차집합의 원소의 개수

전체집합 U의 두 부분집합 A, B가 유한집합일 때

① $n(A^C)=n(U)-n(A)$, $n((A\cup B)^C)=n(U)-n(A\cup B)$

② $n(A-B)=n(A)-n(A\cap B)=n(A\cup B)-n(B)$

(3) 집합의 원소의 개수를 활용한 문제

① 문제에 주어진 조건을 집합 기호로 나타낸다.

② $n(A\cup B)=n(A)+n(B)-n(A\cap B)$를 이용해서 합집합 또는 교집합의 원소의 개수를 구한다.

③ $n((A\cup B)^C)=n(U)-n(A\cup B)$,

$n(A-B)=n(A)-n(A\cap B)=n(A\cup B)-n(B)$

을 이용해서 여집합 또는 차집합의 원소의 개수를 구한다.

$A\cap B=\varnothing$이면 $n(A\cap B)=0$이므로 $n(A\cup B)=n(A)+n(B)$

$B\subset A$이면 $A\cap B=B$, $A\cup B=A$이므로 $n(A-B)=n(A)-n(B)$

핵심 01 합집합과 교집합

날짜 : 월 일

Subnote ● 10쪽

집합의 연산은 벤다이어그램으로 이해하면 좋아. 내용을 이해했다면 문제풀이를 통한 연습이 필요할 거야.

두 집합 A, B에 대하여

(1) 합집합 : $A\cup B=\{x|x\in A$ 또는 $x\in B\}$

(2) 교집합 : $A\cap B=\{x|x\in A$ 그리고 $x\in B\}$

예 두 집합 $A=\{a, b, c\}$, $B=\{b, c, d\}$일 때,
$A\cup B=\{a, b, c, d\}$, $A\cap B=\{b, c\}$

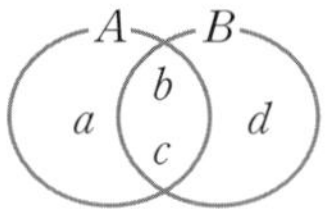

다음 두 집합 A, B를 벤다이어그램으로 나타내고, $A\cup B$, $A\cap B$를 각각 구하여라.

0211 $A=\{1, 5, 10\}$, $B=\{1, 3, 5, 7\}$

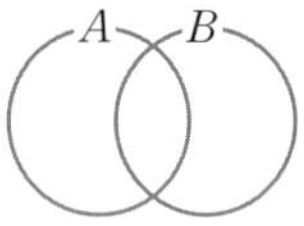

$A\cup B=$ ________

$A\cap B=$ ________

0212 $A=\{1, 2, 3, 4\}$, $B=\{2, 3, 5, 7\}$

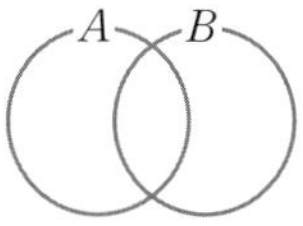

$A\cup B=$ ________

$A\cap B=$ ________

0213 $A=\{2, 4, 6, 8\}$
$B=\{x|x$는 4의 양의 약수$\}$

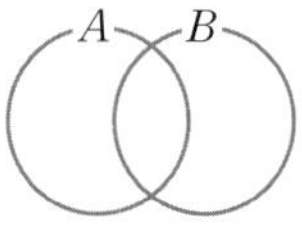

$A\cup B=$ ________

$A\cap B=$ ________

0214 $A=\{x|x$는 8의 양의 약수$\}$
$B=\{x|x$는 12의 양의 약수$\}$

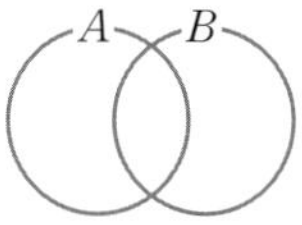

$A\cup B=$ ________

$A\cap B=$ ________

다음 두 집합 A, B에 대하여 $A\cup B$, $A\cap B$를 각각 구하여라.

0215 $A=\{a, b, c, d\}$, $B=\{d, e, f\}$

0216 $A=\{1, 2, 4, 6\}$, $B=\{3, 6, 9\}$

0217 $A=\{1, 2, 5, 10\}$
$B=\{x|x$는 10 이하의 홀수$\}$

0218 $A=\{1, 2, 3, 4, 5, 6\}$
$B=\{x|x$는 20의 양의 약수$\}$

0219 $A=\{x|x$는 6의 양의 약수$\}$
$B=\{x|x$는 15의 양의 약수$\}$

0220 $A=\{x|x$는 3의 양의 배수$\}$
$B=\{x|x$는 9의 양의 배수$\}$

합집합과 교집합 – 미지수 구하기

날짜 : 월 일

Subnote ➔ 10쪽

합집합과 교집합을 제대로 이해하고 있다면 쉽게 접근할 수 있을 거야.

❶ 주어진 집합의 연산을 이용하여 미지수의 값을 구한다.

❷ 미지수의 값을 대입하여 각 집합의 원소를 구한다.

예 두 집합 $A=\{1, 2, a\}$, $B=\{3, 4, b+1\}$에 대하여 $A\cap B=\{2, 3\}$일 때, a, b의 값과 $A\cup B$를 구하여라.

$A\cap B=\{2, 3\}$에서 $3\in A$, $2\in B$이므로

$a=3$, $b+1=2$ $\quad\therefore a=3$, $b=1$

따라서 $A=\{1, 2, 3\}$, $B=\{2, 3, 4\}$이므로 $A\cup B=\{1, 2, 3, 4\}$

두 집합 A, B에 대하여 $A\cap B$가 다음과 같을 때, a, b의 값과 $A\cup B$를 구하여라.

0221 $A=\{2, 8, a+2\}$, $B=\{4, 7, b-3\}$

$A\cap B=\{2, 4\}$

0222 $A=\{1, 5, 2a+1\}$, $B=\{2, 3, b+2\}$

$A\cap B=\{3, 5\}$

0223 $A=\{2, 6, a-3\}$, $B=\{a+1, b\}$

$A\cap B=\{4\}$

sol $A\cap B=\{4\}$에서 $4\in A$이므로

$a-3=$ □ $\quad\therefore a=$ □

a의 값을 대입하면 $B=\{$ □ $, b\}$이고

$4\in B$이므로 $b=$ □

따라서 $A=\{$ □, □, □ $\}$, $B=\{$ □, □ $\}$이므로

$A\cup B=\{$ □, □, □, □ $\}$

0224 $A=\{3, 5, 2a-1\}$, $B=\{3a+2, b-2\}$

$A\cap B=\{7\}$

두 집합 A, B에 대하여 $A\cup B$가 다음과 같을 때, a, b의 값과 $A\cap B$를 구하여라.

0225 $A=\{1, 2, 3, a\}$, $B=\{3, 4, a+2\}$

$A\cup B=\{1, 2, 3, 4, 6\}$

0226 $A=\{4, 9, a\}$, $B=\{a-3, b-2, 9\}$

$A\cup B=\{4, 5, 6, 8, 9\}$

0227 $A=\{1, 3, a+1\}$, $B=\{2, 5, a-1, 3b+1\}$

$A\cup B=\{1, 2, 3, 5, 10\}$

0228 학교 시험 맛보기

두 집합 $A=\{3, 2-a\}$, $B=\{6, 3a+1, 2b-3\}$에 대하여 $A\cap B=\{1\}$일 때, b의 값과 집합 $A\cup B$의 모든 원소의 합을 차례대로 구하여라.

핵심 03 서로소

날짜 : 월 일

Subnote ➲ 11쪽

두 집합의 관계에서 중요한 단서가 되기도 하니까 잘 알아두자.

두 집합 A, B가 서로소이다. ➲ $A\cap B=\varnothing$

➲ 공통인 원소가 하나도 없다.

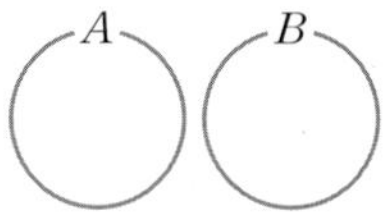

예 두 집합 $A=\{1, 3, 5, 7\}$, $B=\{2, 4, 6, 8\}$에 대하여
$A\cap B=\varnothing$이므로 두 집합 A, B는 서로소이다.

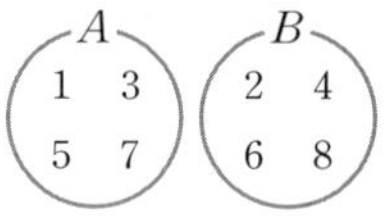

다음 중 두 집합 A, B가 서로소인 것에는 ○표, 서로소가 아닌 것에는 ×표를 (   ) 안에 써넣어라.

0229 $A=\{1, 2\}$, $B=\{5, 6\}$ (   )

0230 $A=\{4, 8\}$, $B=\{3, 5, 7\}$ (   )

0231 $A=\{0, 1, 2\}$, $B=\{2, 3, 4\}$ (   )

0232 $A=\{1, 2, 4, 8\}$, $B=\{3, 6, 9\}$ (   )

0233 $A=\{-3, -2, -1\}$, $B=\{0, 1, 2, 3\}$ (   )

0234 $A=\{a, b, c\}$, $B=\{a, d, e\}$ (   )

0235 $A=\{a, b, c, d\}$, $B=\{e, f\}$ (   )

0236 $A=\{x\mid -2<x<2\}$, $B=\{x\mid x^2=4\}$ (   )

0237 $A=\{x\mid x^2-x-12=0\}$
$B=\{x\mid x^2+4x+4=0\}$ (   )

0238 $A=\{x\mid x^3-9x=0\}$, $B=\{x\mid x^2+2x-3=0\}$ (   )

0239 $A=\{x\mid x$는 2의 양의 배수$\}$
$B=\{x\mid x$는 5의 양의 배수$\}$ (   )

0240 $A=\{x\mid x$는 10의 양의 약수$\}$
$B=\{x\mid x$는 3의 양의 배수$\}$ (   )

0241 $A=\{x\mid x$는 짝수$\}$, $B=\{x\mid x$는 소수$\}$ (   )

0242 학교 시험 맛보기

다음 중 두 집합 A, B가 서로소인 것은?

① $A=\{1, 2, 4\}$, $B=\{1, 5\}$
② $A=\{a, c, d\}$, $B=\{b, d, e\}$
③ $A=\{x\mid x$는 4의 양의 배수$\}$, $B=\{1, 2, 3, 4, 6, 12\}$
④ $A=\{x\mid x$는 유리수$\}$, $B=\{x\mid x$는 무리수$\}$
⑤ $A=\{x\mid x^2=1\}$, $B=\{x\mid x^3+1=0$, x는 실수$\}$

핵심 04 서로소인 부분집합의 개수

Subnote ➜ 11쪽

앞에서 공부한 서로소에 대해 잘 이해하고 있다면 어렵지 않아.

예 집합 $A=\{1, 2, 3, 4, 5\}$의 부분집합 중에서 집합 $B=\{1, 2, 3\}$과 서로소인 부분집합의 개수를 구하여라.

구하는 집합의 개수는 집합 A의 부분집합 중에서 1, 2, 3을 원소로 갖지 않는 집합의 개수, 즉 $\{4, 5\}$의 부분집합의 개수와 같다.

$\therefore 2^{5-3}=2^2=4$

다음 집합 A의 부분집합 중에서 집합 B와 서로소인 부분집합의 개수를 구하여라.

0243 $A=\{1, 2, 3, 4, 5\}$, $B=\{3, 4\}$

sol 구하는 집합의 개수는 집합 A의 부분집합 중에서 ☐, ☐를 원소로 갖지 않는 집합의 개수, 즉 $\{1, ☐, ☐\}$의 부분집합의 개수와 같다.

$\therefore 2^{5-☐}=2^{☐}=☐$

0244 $A=\{1, 2, 3, 4, 5, 6\}$, $B=\{1, 2, 4, 5\}$

0245 $A=\{2, 3, 4, 5, 6, 7, 8\}$, $B=\{3, 6\}$

0246 $A=\{-2, -1, 0, 1, 2\}$, $B=\{0, 1, 2\}$

0247 $A=\{-3, -2, -1, 0, 1, 2, 3\}$
$B=\{-1, 0, 1\}$

0248 $A=\{x \mid 0 \le x \le 9, x$는 정수$\}$
$B=\{1, 3, 5, 7\}$

0249 $A=\{x \mid x$는 12의 양의 약수$\}$, $B=\{6, 12\}$

0250 $A=\{x \mid x$는 30 이하의 5의 양의 배수$\}$
$B=\{10, 20, 30\}$

0251 $A=\{x \mid x$는 20 이하의 소수$\}$
$B=\{3, 5, 7\}$

0252 **학교 시험 맛보기**

집합 $A=\{x \mid x$는 28의 양의 약수$\}$의 부분집합 중에서 집합 $B=\{1, 7\}$과 서로소인 집합의 개수를 구하여라.

핵심 **05**

여집합

날짜 : 월 일

Subnote ➔ 12쪽

집합의 연산에서 자주 다루는 내용이니까 개념을 확실하게 이해해야 해.

전체집합 U의 부분집합 A에 대하여

➔ 여집합 : $A^C=\{x \mid x\in U$ 그리고 $x\notin A\}$

예 전체집합 $U=\{a, b, c, d, e\}$의 부분집합 $A=\{b, c\}$에 대하여
$A^C=\{a, d, e\}$

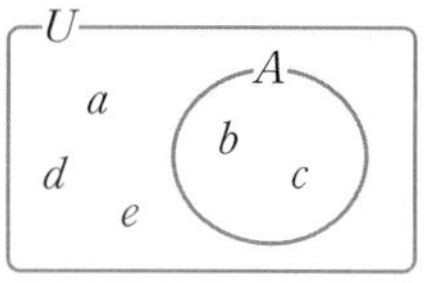

전체집합 U의 부분집합 A에 대하여 벤다이어그램을 완성하고, A^C를 구하여라.

0253 $U=\{1, 2, 3, 4, 5\}$
$A=\{2, 4\}$
$A^C=$ ________

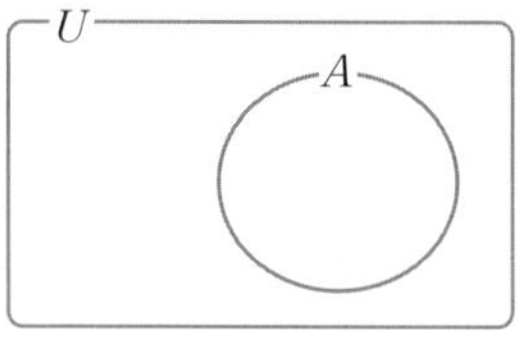

0254 $U=\{-2, -1, 0, 1, 2\}$
$A=\{0, 1, 2\}$
$A^C=$ ________

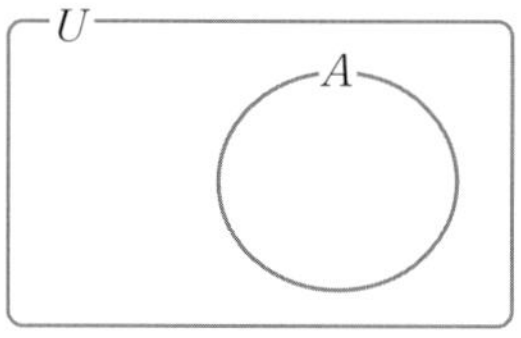

0255 $U=\{1, 2, 3, 4, 5, 6, 7, 8\}$
$A=\{1, 3, 5, 7\}$
$A^C=$ ________

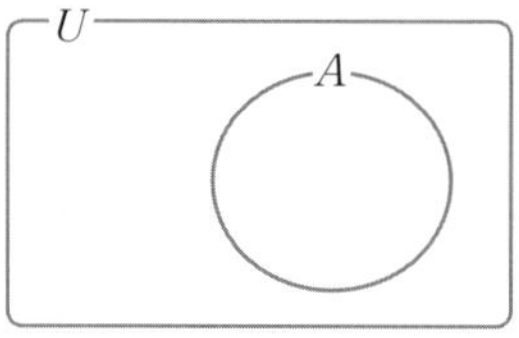

0256 $U=\{x \mid x$는 12의 양의 약수$\}=$ ________
$A=\{3, 6\}$
$A^C=$ ________

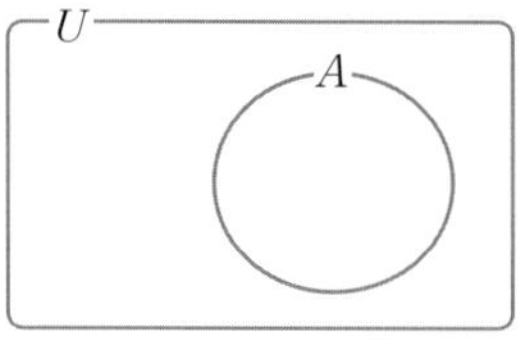

전체집합 U의 두 부분집합 A, B에 대하여 A^C, B^C를 각각 구하여라.

0257 $U=\{a, b, c, d, e, f\}$
$A=\{b, d, e\}$, $B=\{a, b, d, f\}$

0258 $U=\{3, 4, 5, 6, 7, 8, 9\}$
$A=\{3, 6, 9\}$, $B=\{3, 5, 7, 9\}$

0259 $U=\{-3, -2, -1, 0, 1, 2, 3\}$
$A=\{-1, 0, 1\}$, $B=\{-3, -1, 0, 2\}$

0260 $U=\{x \mid x$는 10 이하의 홀수$\}$
$A=\{3, 9\}$, $B=\{1, 5\}$

0261 $U=\{x \mid x$는 18의 양의 약수$\}$
$A=\{1, 2, 3, 6\}$, $B=\{2, 6, 18\}$

0262 $U=\{x \mid x$는 24의 양의 약수$\}$
$A=\{2, 4, 6, 8\}$, $B=\{x \mid x$는 12의 양의 약수$\}$

핵심 06 차집합

날짜 :   월   일

Subnote ➡ 12쪽

차집합은 두 집합의 공통된 부분, 즉 교집합을 빼는 거야.

두 집합 A, B에 대하여

➡ 차집합 : $A-B=\{x \mid x \in A$ 그리고 $x \notin B\}$

예 두 집합 $A=\{a, b, c\}$, $B=\{c, d\}$에 대하여

$A-B=\{a, b\}$, $B-A=\{d\}$

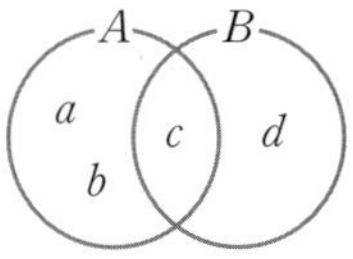

다음 두 집합 A, B에 대하여 벤다이어그램을 완성하고, $A-B$, $B-A$를 각각 구하여라.

0263 $A=\{1, 2, 3\}$, $B=\{2, 3, 4\}$

$A-B=$__________

$B-A=$__________

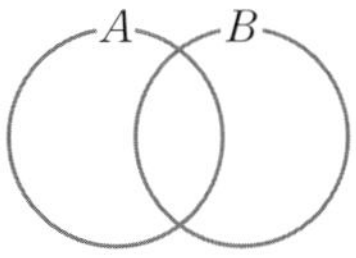

0264 $A=\{1, 3, 5, 7, 9\}$, $B=\{3, 6, 9, 12\}$

$A-B=$__________

$B-A=$__________

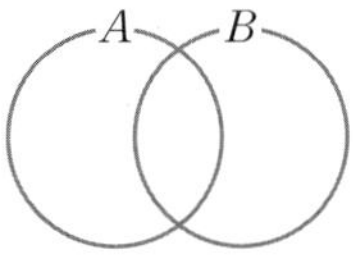

0265 $A=\{x \mid 4 \le x < 10$, x는 자연수$\}$

$=$__________

$B=\{4, 6, 8, 10\}$

$A-B=$__________

$B-A=$__________

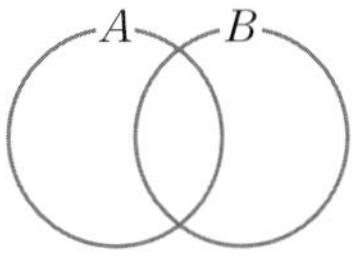

0266 $A=\{x \mid x$는 10 이하의 짝수$\}$

$=$__________

$B=\{x \mid x$는 6의 양의 약수$\}$

$=$__________

$A-B=$__________

$B-A=$__________

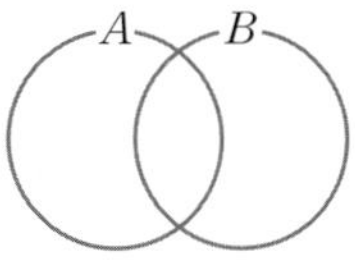

다음 두 집합 A, B에 대하여 $A-B$, $B-A$를 각각 구하여라.

0267 $A=\{a, c, d, e\}$, $B=\{b, c, e, f\}$

0268 $A=\{1, 2, 3, 4, 5\}$, $B=\{1, 3, 5\}$

0269 $A=\{2, 4, 5, 7, 10\}$

$B=\{x \mid x$는 8의 양의 약수$\}$

0270 $A=\{x \mid x$는 15 이하의 3의 양의 배수$\}$

$B=\{6, 8, 10, 12\}$

0271 $A=\{x \mid x$는 15의 양의 약수$\}$

$B=\{x \mid x$는 10 이하의 소수$\}$

0272 $A=\{x \mid x$는 18의 양의 약수$\}$

$B=\{x \mid x$는 9의 양의 약수$\}$

2주 집합의 연산

핵심 07 벤다이어그램이 나타내는 집합

날짜 : 월 일

Subnote ➔ 13쪽

선택형 문제가 많으니까 주어진 집합의 연산을 벤다이어그램으로 나타내 보고 비교하는 게 더 수월할 거야.

예 다음 벤다이어그램의 색칠한 부분이 나타내는 집합을 구하여라.

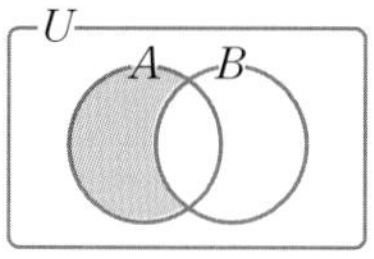

➡ $A-B$
$=A\cap B^C$
$=A-(A\cap B)$
$=(A\cup B)-B$

주어진 벤다이어그램의 색칠한 부분이 나타내는 집합을 보기에서 있는 대로 골라라.

0273

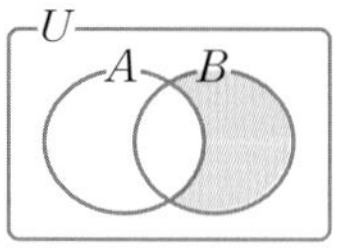

보기
ㄱ. $B-A$
ㄴ. $A^C\cap B$
ㄷ. $(A\cup B)-B$
ㄹ. $B-(A\cap B)$

0274

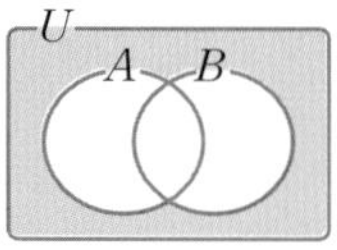

보기
ㄱ. $(A\cap B)^C$
ㄴ. $A\cup B^C$
ㄷ. $U-(A\cup B)$
ㄹ. $A^C\cap B^C$

0275

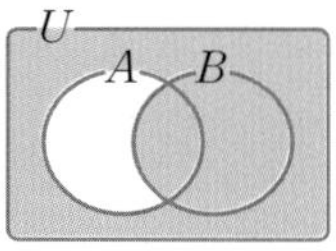

보기
ㄱ. A^C
ㄴ. $A^C\cup B$
ㄷ. $A-B$
ㄹ. $A\cup B^C$

0276

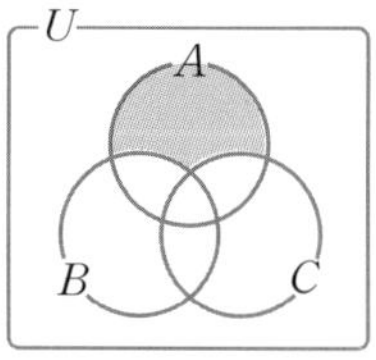

보기
ㄱ. $A\cup(B\cap C)$
ㄴ. $A-(B\cup C)$
ㄷ. $A^C\cap B^C\cap C$
ㄹ. $(A-B)\cap(A-C)$

0277

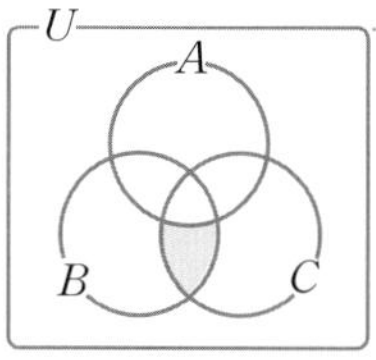

보기
ㄱ. $(B\cap C)-A$
ㄴ. $(A^C\cap B)-C$
ㄷ. $(B-A)\cap C$
ㄹ. $(B-A)\cap(C-A)$

0278 학교 시험 맛보기

다음 중 오른쪽 벤다이어그램의 색칠한 부분이 나타내는 집합은?

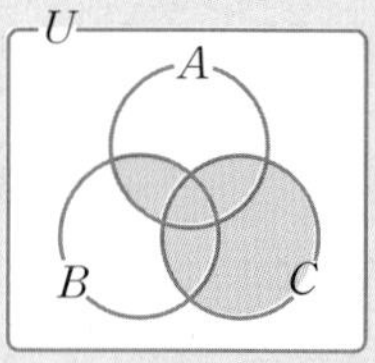

① $A\cap B\cap C$
② $A^C\cap B^C\cap C$
③ $(A\cap B)\cup C$
④ $A\cap(B\cup C)$
⑤ $(A\cup C)-B$

Mini Review Test

날짜 : 월 일

Subnote ➡ 13쪽

| 핵심 01 |

0279 두 집합 $A=\{x|x$는 12의 양의 약수$\}$,
$B=\{x|x$는 10 이하의 짝수$\}$에 대하여
$A\cup B$, $A\cap B$를 각각 구하여라.

| 핵심 02 |

0280 두 집합 $A=\{-1, 0, 2a-1\}$,
$B=\{-2, 0, 3, 3b-1\}$에 대하여
$A\cap B=\{0, 3\}$, $A\cup B=\{-2, -1, 0, 3, 5\}$일 때, $a+b$의 값을 구하여라.

| 핵심 03 |

0281 두 집합 A, B가 서로소인 것만을 보기에서 있는 대로 골라라.

보기
ㄱ. $A=\{1, 2, 4, 8\}$, $B=\{2, 3, 5, 7\}$
ㄴ. $A=\{x|x$는 홀수$\}$, $B=\{x|x$는 짝수$\}$
ㄷ. $A=\{x|x$는 50의 양의 약수$\}$
$B=\{x|x$는 3의 양의 배수$\}$
ㄹ. $A=\{x|x^2-9=0\}$
$B=\{x|x^2+5x+6=0\}$

key $A\cap B$를 구해 본다.

| 핵심 04 |

0282 집합 $A=\{x|x$는 24의 양의 약수$\}$의 부분집합 중에서 집합 $B=\{x|x$는 8의 양의 약수$\}$와 서로소인 집합의 개수를 구하여라.

| 핵심 06 |

0283 전체집합 U의 두 부분집합 A, B에 대하여 다음 벤다이어그램에서 A^C, B^C, $A-B$, $B-A$를 각각 구하여라.

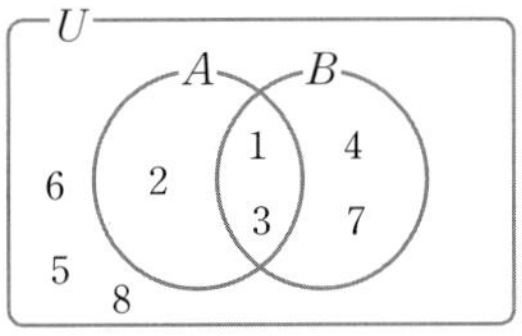

| 핵심 06 | UP

0284 전체집합 $U=\{x|1\le x\le 9$, x는 자연수$\}$의 두 부분집합 $A=\{1, 2, 3, 4, 5\}$, $B=\{2, 4, 6, 8\}$에 대하여 $A-B$의 모든 원소의 합을 a, B^C의 모든 원소의 합을 b라 할 때, $a+b$의 값을 구하여라.

핵심 **08**

집합의 연산의 성질 (1) – 합집합과 교집합

날짜 : 월 일

Subnote ➲ 14쪽

집합의 연산의 성질은 벤다이어그램을 그려 보면 훨씬 이해하기 쉽지.

(1) $A\cup A=A$, $A\cap A=A$
(2) $A\cup\varnothing=A$, $A\cap\varnothing=\varnothing$
(3) $A\cup U=U$, $A\cap U=A$
(4) $A\cup(A\cap B)=A$, $A\cup(A\cup B)=A\cup B$
$A\cap(A\cup B)=A$, $A\cap(A\cap B)=A\cap B$
(5) $(A\cap B)\subset A\subset(A\cup B)$, $(A\cap B)\subset B\subset(A\cup B)$
(6) $A\subset B$이면 $A\cap B=A$, $A\cup B=B$

두 집합 A, B에 대하여 주어진 집합을 벤다이어그램으로 나타내고, ☐ 안에 알맞은 것을 써넣어라.

0285 $A\cup(A\cap B)=$☐

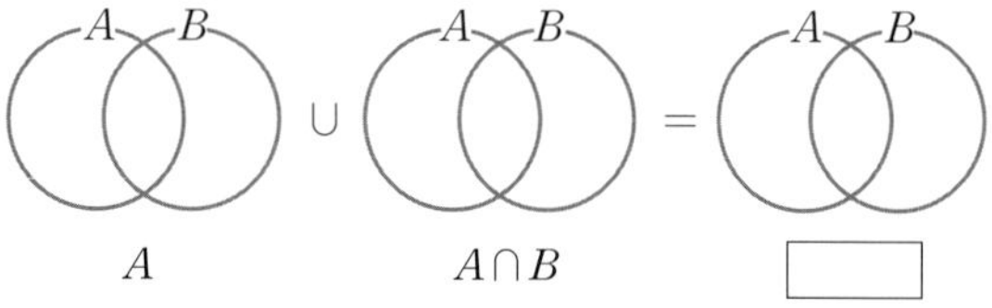

0286 $A\cup(A\cup B)=$☐

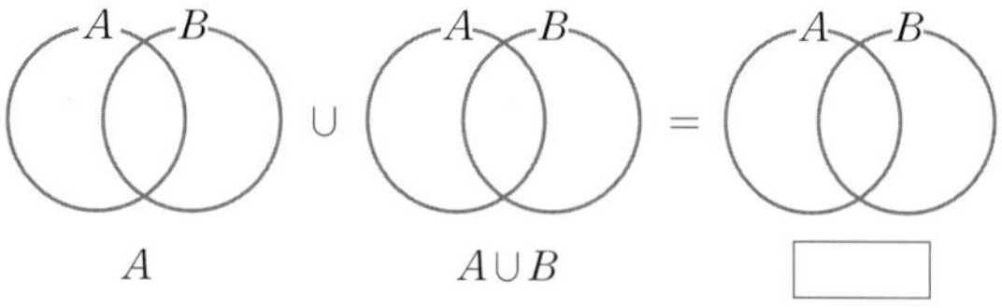

0287 $A\cap(A\cup B)=$☐

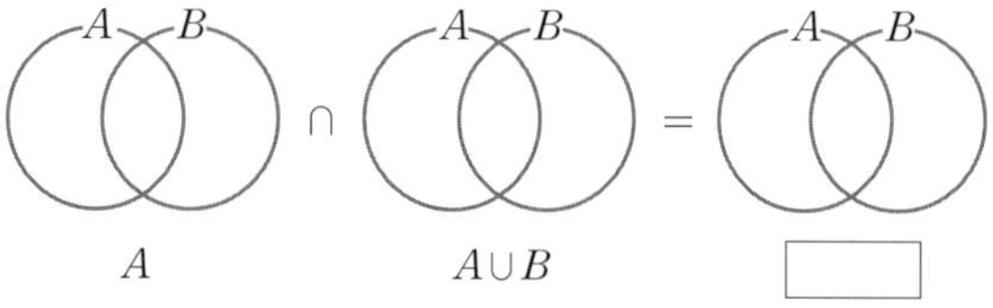

0288 $A\cap(A\cap B)=$☐

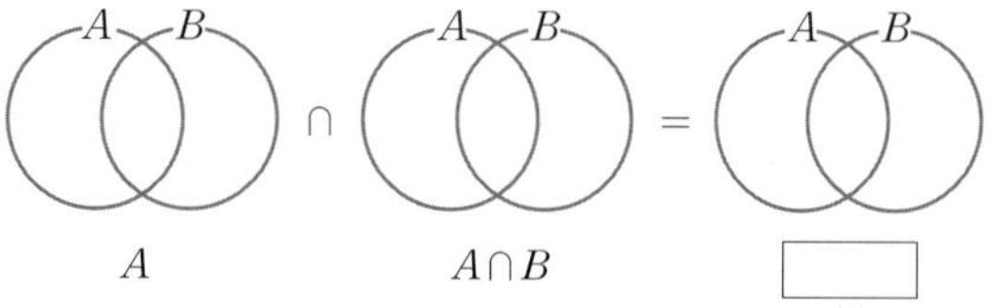

0289 $(A\cap B)$☐A☐$(A\cup B)$

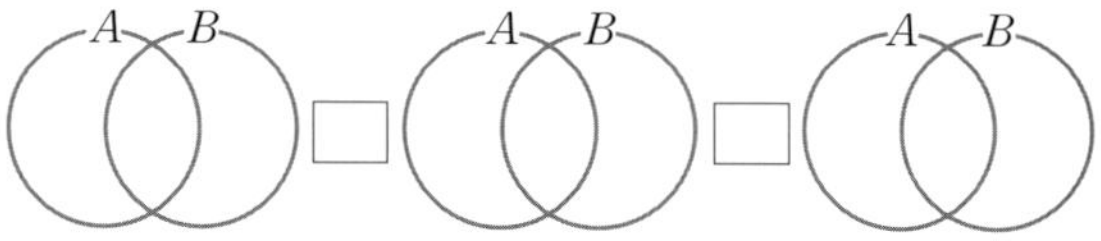

0290 $A\subset B$일 때,

(1) $A\cap B=$☐

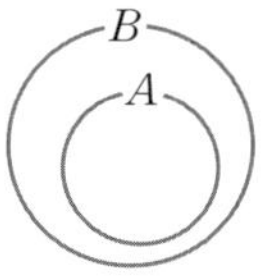

(2) $A\cup B=$☐

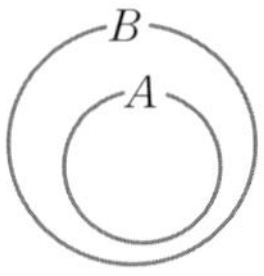

0291 **학교 시험 맛보기**

두 집합 A, B에 대하여 다음 중 옳지 <u>않은</u> 것은?

① $A\cup\varnothing=A$
② $(A\cap B)\subset(A\cup B)$
③ $A\cap B=A$이면 $A\cup B=B$
④ $(A\cap\varnothing)\subset(B\cup\varnothing)$
⑤ $A\cup(A\cap B)=A\cup B$

핵심 09

집합의 연산의 성질 (2) – 여집합과 차집합

날짜 : 월 일

Subnote ▶ 14쪽

집합의 연산의 성질은 벤다이어그램을 그려 보면 훨씬 이해하기 쉽지.

(1) $U^C=\varnothing$, $\varnothing^C=U$
(2) $(A^C)^C=A$
(3) $A\cup A^C=U$, $A\cap A^C=\varnothing$
(4) $A-B=A\cap B^C=A-(A\cap B)=(A\cup B)-B$
(5) $A\subset B$이면 $A-B=\varnothing$, $B^C\subset A^C$

전체집합 U의 두 부분집합 A, B에 대하여 주어진 집합을 벤다이어그램으로 나타내고, □ 안에 알맞은 것을 써넣어라.

0292 $A\cup A^C=$□

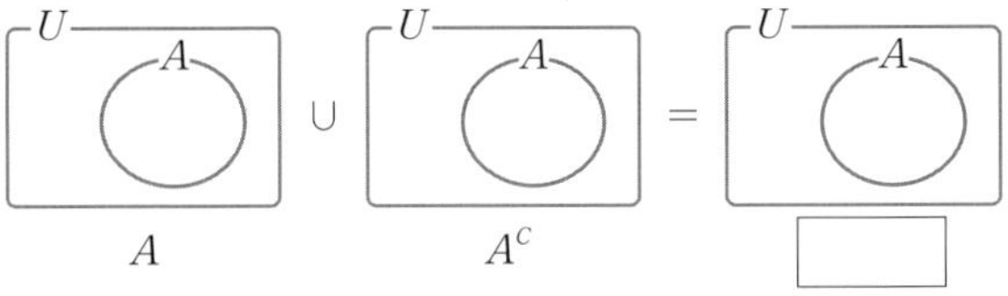

0293 $A\cap B^C=$□

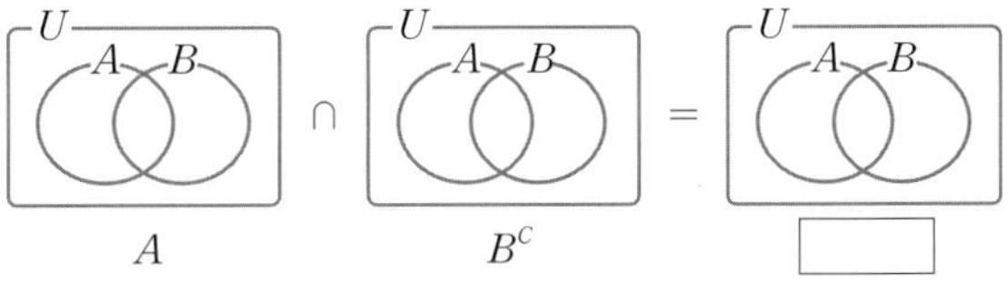

0294 $A-(A\cap B)=$□

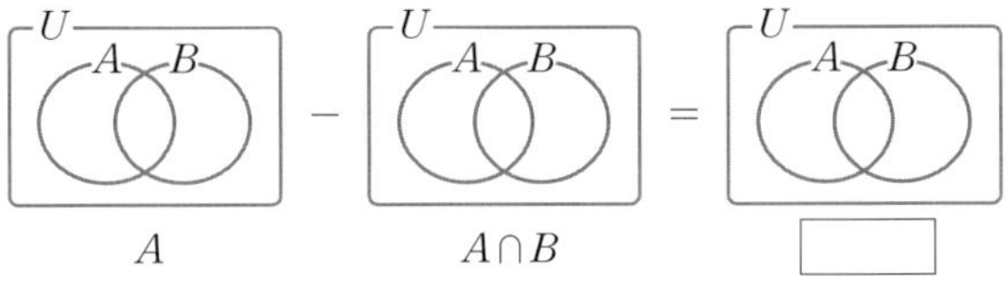

0295 $A\subset B$일 때, B^C □ A^C

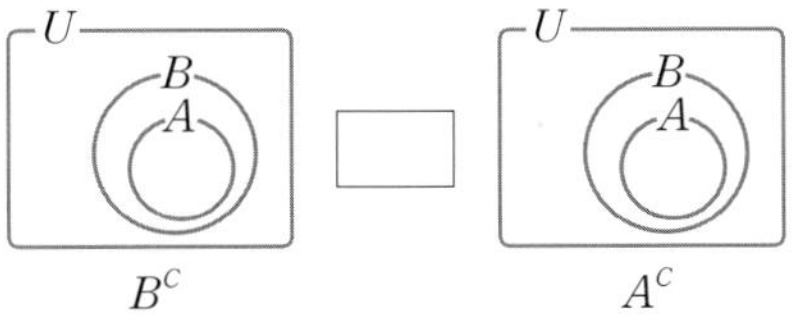

전체집합 U의 두 부분집합 A, B에 대하여 □ 안에 알맞은 것을 써넣어라.

0296 $(\varnothing^C)^C=$□, $(A^C)^C=$□, $(B^C)^C=$□

0297 $A\cap A^C=$□, $B\cup B^C=$□

0298 $A-B^C=A\cap($□$)^C=A\cap$□

$B-A^C=B\cap($□$)^C=B\cap$□

0299 $B^C-A^C=B^C\cap($□$)^C=B^C\cap$□$=$□

0300 학교 시험 맛보기

전체집합 U의 두 부분집합 A, B에 대하여 다음 중 옳은 것은?

① $(U^C)^C=\varnothing$ ② $A\cap A^C=U$
③ $A-B=A^C\cap B$ ④ $(A\cup B)-B=A$
⑤ $A\subset B$이면 $A-B=\varnothing$

핵심 **10**

집합의 연산을 이용하여 원소 구하기

날짜 : 월 일

Subnote ▶ 15쪽

벤다이어그램을 그리면 집합 사이의 관계를 한눈에 볼 수 있어.

예 전체집합 $U=\{0, 2, 4, 6, 8\}$의 두 부분집합 $A=\{0, 4, 8\}$, $B=\{4, 6, 8\}$에 대하여

$A\cap B=\{4, 8\}$, $A\cup B=\{0, 4, 6, 8\}$, $A^C=\{2, 6\}$, $B^C=\{0, 2\}$

$A-B=A\cap B^C=A-(A\cap B)=(A\cup B)-B=\{0\}$

$B-A=B\cap A^C=B-(A\cap B)=(A\cup B)-A=\{6\}$

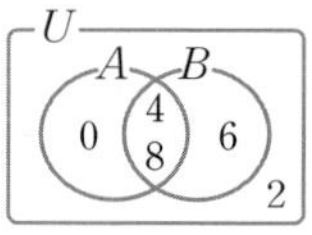

전체집합 $U=\{1, 2, 3, 4, 5, 6, 7\}$의 두 부분집합 $A=\{1, 3, 5\}$, $B=\{1, 4, 6\}$에 대하여 다음 집합을 구하여라.

0301 $A\cap B=\{\quad\}$

$A\cup B=\{\quad, \quad, \quad, \quad, \quad\}$

0302 $A^C=\{\quad, \quad, \quad, \quad\}$

$B^C=\{\quad, \quad, \quad, \quad\}$

전체집합 $U=\{x\,|\,x\le 9,\ x$는 자연수$\}$의 두 부분집합 $A=\{2, 4, 6, 8\}$, $B=\{3, 6, 9\}$에 대하여 $\square$ 안에 알맞은 것을 써넣고, 다음 집합을 구하여라.

0303 $A\cap B=$ ________

$A\cup B=$ ________

0304 $B^C=$ ________

$(A\cup B)^C=U-(\square)=$ ________

0305 $A\cap B^C=\square=$ ________

$B-(A\cap B)=\square=$ ________

전체집합 $U=\{x\,|\,x$는 10 이하의 자연수$\}$의 두 부분집합 $A=\{1, 3, 5, 7, 9\}$, $B=\{1, 2, 5, 10\}$에 대하여 다음 집합을 구하여라.

0306 $A\cap B=$ ________

$A\cup B=$ ________

0307 $(A^C)^C=$ ________

$(A\cap B)^C=$ ________

0308 $B-(A\cap B)=$ ________

$(A\cup B)-B=$ ________

전체집합 $U=\{1, 2, 3, 4, 5, 6, 7, 8\}$의 두 부분집합 $A=\{x\,|\,x$는 4의 양의 약수$\}$, $B=\{x\,|\,x$는 8의 양의 약수$\}$에 대하여 다음 집합을 구하여라.

0309 $A\cap B=$ ________

$A\cup B=$ ________

0310 $A^C\cap B=$ ________

$B^C-A^C=$ ________

집합의 연산과 부분집합의 개수

날짜 : 월 일

Subnote ◐ 15쪽

집합 기호로 나타나 있을 뿐, 결국 특정한 원소를 포함하는 부분집합의 개수를 구하는 문제야.

주어진 집합 사이의 포함 관계를 확인하여 구하는 집합에 반드시 속하는 원소 또는 속하지 않는 원소를 찾는다.

예 두 집합 $A=\{a, c\}$, $B=\{a, b, c, d, e\}$에 대하여 $A\cup X=X$, $B\cap X=X$를 만족하는 집합 X의 개수를 구하여라.

$A\cup X=X$에서 $A\subset X$, $B\cap X=X$에서 $X\subset B$

즉, $A\subset X\subset B$이므로 $\{a, c\}\subset X\subset\{a, b, c, d, e\}$

따라서 구하는 집합 X의 개수는

$2^{5-2}=2^3=8$

두 집합 $A=\{1, 2, 4\}$, $B=\{2, 4, 6, 7\}$에 대하여 다음을 만족하는 집합 X의 개수를 구하여라.

0311 $A\cup X=X$, $(A\cup B)\cap X=X$

sol $A\cup X=X$에서 $A\subset X$

$(A\cup B)\cap X=X$에서 $X\subset(A\cup B)$

즉, $A\subset X\subset(A\cup B)$이므로

$\{1, 2, 4\}\subset X\subset\{\quad, \quad, \quad, \quad, \quad\}$

따라서 구하는 집합 X의 개수는

$2^{5-\square}=2^{\square}=\square$

0312 $(A\cap B)\cup X=X$, $B\cap X=X$

두 집합 $A=\{0, 2, 4, 6, 8\}$, $B=\{3, 6, 9\}$에 대하여 다음을 만족하는 집합 X의 개수를 구하여라.

0313 $B\cup X=X$, $(A\cup B)\cap X=X$

0314 $(A\cap B)\cup X=X$, $A\cap X=X$

두 집합 $A=\{1, 2, 3, 5, 9\}$, $B=\{2, 4, 5, 7, 10\}$에 대하여 다음을 만족하는 집합 X의 개수를 구하여라.

0315 $(A-B)\cup X=X$, $A\cap X=X$

sol $(A-B)\cup X=X$에서 $(A-B)\subset X$

$A\cap X=X$에서 $X\subset A$

즉, $(A-B)\subset X\subset A$이므로

$\{\quad, \quad, \quad\}\subset X\subset\{1, 2, 3, 5, 9\}$

따라서 구하는 집합 X의 개수는

$2^{5-\square}=2^{\square}=\square$

0316 $(A\cap B)\cup X=X$, $(A\cup B)\cap X=X$

두 집합 $A=\{x|x$는 6의 양의 약수$\}$, $B=\{x|x$는 10의 양의 약수$\}$에 대하여 다음을 만족하는 집합 X의 개수를 구하여라.

0317 $(B-A)\cup X=X$, $B\cap X=X$

0318 $(A\cap B)\cup X=X$, $(A\cup B)\cap X=X$

핵심 12

집합에서의 분배법칙

날짜 : 월 일

Subnote ➔ 16쪽

집합의 연산법칙에서 아주 중요한 법칙이야. 반드시 알아야 해!

세 집합 A, B, C에 대하여

(1) $A\cup(B\cap C)=(A\cup B)\cap(A\cup C)$

(2) $A\cap(B\cup C)=(A\cap B)\cup(A\cap C)$

세 집합 A, B, C에 대하여 주어진 집합을 벤다이어그램으로 나타내고, 분배법칙이 성립함을 확인하여라.

0319

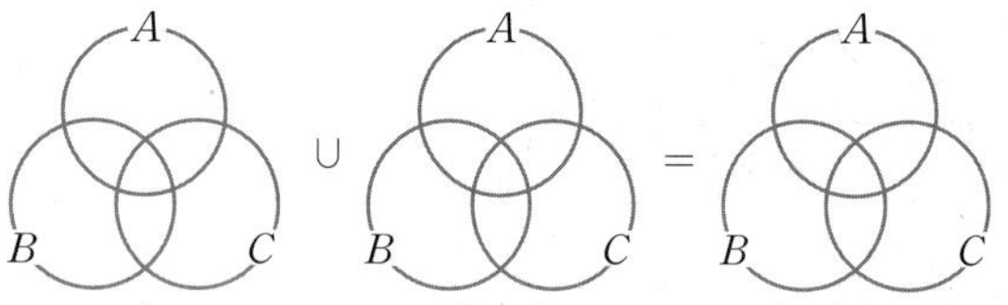

A $B\cap C$ $A\cup(B\cap C)$

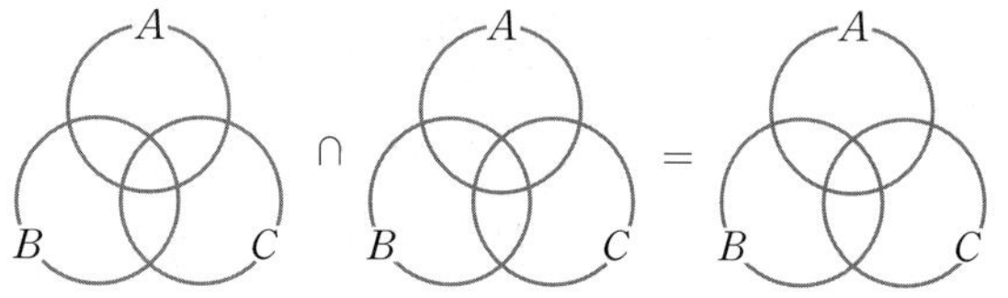

$A\cup B$ $A\cup C$ $(A\cup B)\cap(A\cup C)$

$\therefore A\cup(B\cap C)$ □ $(A\cup B)\cap(A\cup C)$

0320

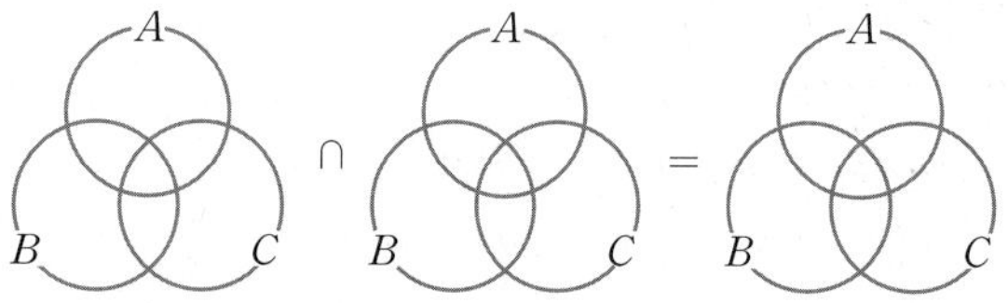

A $B\cup C$ $A\cap(B\cup C)$

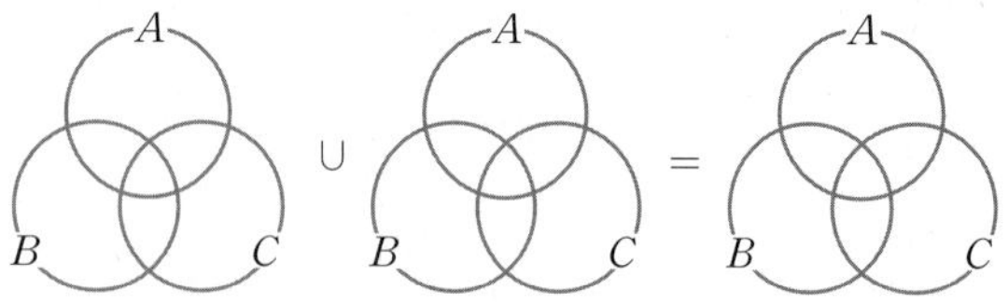

$A\cap B$ $A\cap C$ $(A\cap B)\cup(A\cap C)$

$\therefore A\cap(B\cup C)$ □ $(A\cap B)\cup(A\cap C)$

세 집합 $A=\{1, 2, 3, 4\}$, $B=\{2, 3, 5, 8\}$, $C=\{2, 4, 6, 8\}$에 대하여 다음 집합을 구하고, 분배법칙이 성립함을 확인하여라.

0321 $B\cap C=$ ____________

$A\cup(B\cap C)=$ ____________

$A\cup B=$ ____________

$A\cup C=$ ____________

$(A\cup B)\cap(A\cup C)=$ ____________

$\therefore A\cup(B\cap C)$ □ $(A\cup B)\cap(A\cup C)$

0322 $B\cup C=$ ____________

$A\cap(B\cup C)=$ ____________

$A\cap B=$ ____________

$A\cap C=$ ____________

$(A\cap B)\cup(A\cap C)=$ ____________

$\therefore A\cap(B\cup C)$ □ $(A\cap B)\cup(A\cap C)$

전체집합 U의 두 부분집합 A, B에 대하여 다음을 간단히 하여라.

0323 $A\cap(B\cup A^C)$

0324 $(A\cap B)\cup(A\cap B^C)$

핵심 08~12

Mini Review Test

날짜 : 월 일

Subnote ➡ 16쪽

| 핵심 09 |

0325 전체집합 U의 두 부분집합 A, B에 대하여 옳은 것만을 보기에서 있는 대로 골라라.

보기

ㄱ. $A\cap U=A$

ㄴ. $(A\cup B)\cap B=B$

ㄷ. $A=\varnothing$일 때, $A^C=\varnothing$

ㄹ. $(A-B)\subset(A\cap B)$

| 핵심 10 |

0326 전체집합 $U=\{1, 2, 3, 4, 5, 6\}$의 두 부분집합 A, B에 대하여 $A\cup B=U$, $A=\{2, 5, 6\}$일 때, $A\cap B^C=A$를 만족하는 집합 B의 모든 원소의 합을 구하여라.

| 핵심 10 |

0327 전체집합 $U=\{x\,|\,x$는 8 이하의 자연수$\}$의 두 부분집합 A, B에 대하여 $(A\cup B)^C=\{5, 7\}$, $A\cap B=\{1, 2\}$, $A-B=\{3, 6\}$일 때, 집합 A, B, $B-A$를 각각 구하여라.

| 핵심 11 |

0328 두 집합 $A=\{x\,|\,x$는 6의 양의 약수$\}$, $B=\{2, 4, 6, 8\}$에 대하여 $(B-A)\cup X=X$, $(A\cup B)\cap X=X$를 만족하는 집합 X의 개수를 구하여라.

key $B-A$, X, $A\cup B$의 포함 관계를 파악한다.

| 핵심 11 | UP

0329 전체집합 $U=\{a, b, c, d, e\}$의 두 부분집합 A, B에 대하여 $A\cup B=U$, $A\cap B=\varnothing$, $A\neq\varnothing$, $B\neq\varnothing$을 만족하는 집합 A의 개수를 구하여라.

| 핵심 12 |

0330 전체집합 U의 두 부분집합 A, B에 대하여 $[(A\cup B)\cap(A^C\cup B)]\cap[(A\cap B)\cup(A\cap B^C)]$를 간단히 하여라.

핵심 13 드모르간의 법칙

날짜 : 월 일

Subnote 17쪽

괄호가 풀리면서 합집합($\cup$)은 교집합($\cap$)으로 교집합($\cap$)은 합집합($\cup$)으로 바뀌니까 조심!!!

전체집합 U의 두 부분집합 A, B에 대하여

(1) $(A\cup B)^C=A^C\cap B^C$

(2) $(A\cap B)^C=A^C\cup B^C$

전체집합 U의 두 부분집합 A, B에 대하여 주어진 집합을 벤다이어그램으로 나타내고, 드모르간의 법칙이 성립함을 확인하여라.

0331

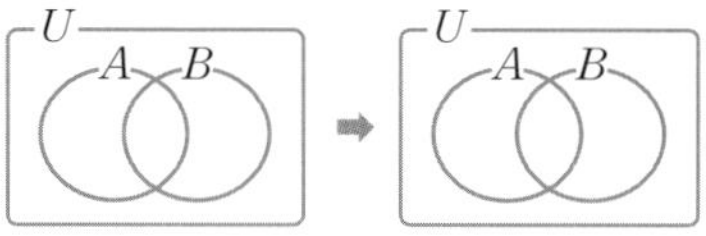

$A\cup B$ $\qquad$ $(A\cup B)^C$

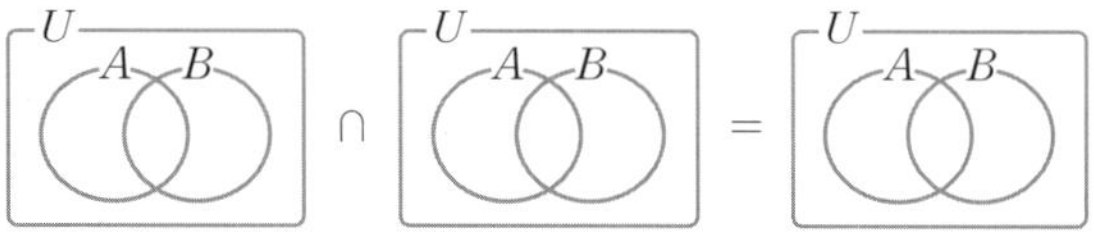

A^C $\qquad$ B^C $\qquad$ $A^C\cap B^C$

$\therefore (A\cup B)^C \square A^C\cap B^C$

0332

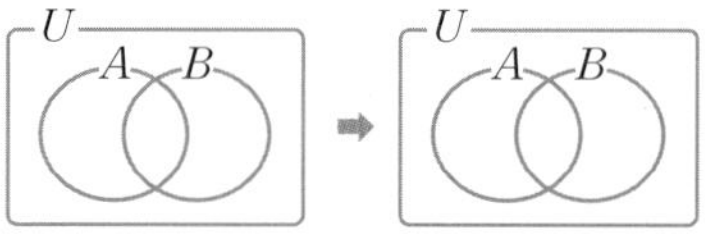

$A\cap B$ $\qquad$ $(A\cap B)^C$

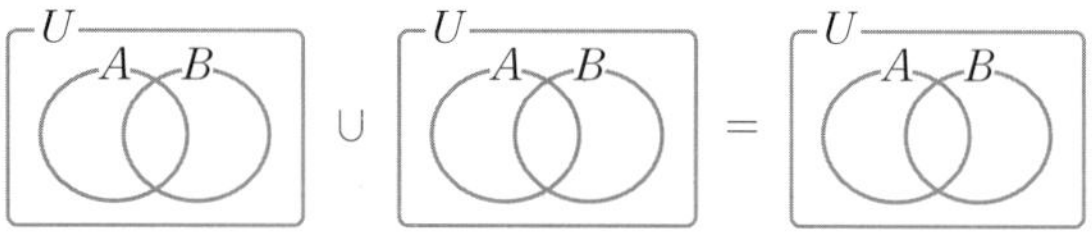

A^C $\qquad$ B^C $\qquad$ $A^C\cup B^C$

$\therefore (A\cap B)^C \square A^C\cup B^C$

전체집합 $U=\{x\mid x$는 10 이하의 자연수$\}$의 두 부분집합 $A=\{2, 4, 6, 8, 10\}$, $B=\{1, 2, 3, 4\}$에 대하여 다음 집합을 구하고, 드모르간의 법칙이 성립함을 확인하여라.

0333 $(A\cup B)^C=$ ____________

$A^C\cap B^C=$ ____________

$\therefore (A\cup B)^C \square A^C\cap B^C$

0334 $(A\cap B)^C=$ ____________

$A^C\cup B^C=$ ____________

$\therefore (A\cap B)^C \square A^C\cup B^C$

전체집합 U의 두 부분집합 A, B에 대하여 다음을 간단히 하여라.

0335 $(A\cup B^C)^C$

0336 $(A^C\cap B)^C$

0337 $(A^C\cup B^C)^C$

0338 $(A^C\cap B^C)^C$

날짜 : 월 일

핵심 14 집합을 연산하여 간단히 하기

Subnote 17쪽

지금까지 공부한
집합의 연산의 성질,
분배법칙,
드모르간의 법칙을 이용해서
간단히 하는 과정이야.

전체집합 U의 세 부분집합 A, B, C에 대하여

(1) 집합의 연산의 성질

$A\cup A^C=U$, $A\cap A^C=\varnothing$, $(A^C)^C=A$, $A-B=A\cap B^C$

(2) 분배법칙

$A\cup(B\cap C)=(A\cup B)\cap(A\cup C)$, $A\cap(B\cup C)=(A\cap B)\cup(A\cap C)$

(3) 드모르간의 법칙

$(A\cup B)^C=A^C\cap B^C$, $(A\cap B)^C=A^C\cup B^C$

전체집합 U의 두 부분집합 A, B에 대하여 다음을 간단히 하여라.

0339 $A\cap(A-B)^C$

sol [방법 1]

$A\cap(A-B)^C$

$=A\cap(A\cap B^C)^C$

$=A\cap(A^C\cup\square)$

$=(A\cap A^C)\square(A\cap\square)$

$=\square\cup(A\cap\square)=\square$

[방법 2]

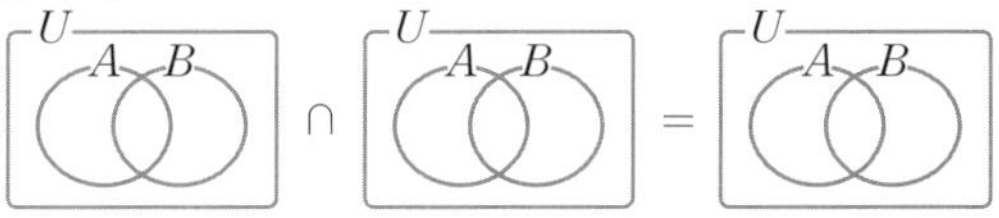

A $(A-B)^C$ $\square$

0340 $(A\cup B)-(A-B)$

sol [방법 1]

$(A\cup B)-(A-B)$

$=(A\cup B)-(A\cap B^C)$

$=(A\cup B)\square(A\cap B^C)^C$

$=(A\cup B)\square(A^C\square B)$

$=(A\square A^C)\cup\square$

$=\square\cup\square=\square$

[방법 2]

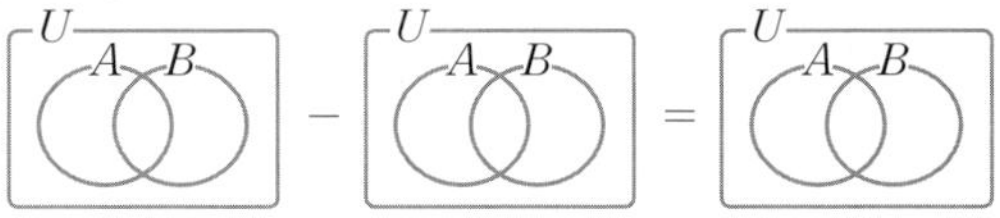

$A\cup B$ $A-B$ $\square$

0341 $(A\cup A^C)\cap B$

0342 $(B-A^C)\cap B^C$

0343 $A\cup(A\cap B)^C$

0344 $(A-B^C)\cup(A-B)$

0345 $(A^C\cup B)\cap(A\cap B)^C$

0346 $\{(B\cap A)\cup(B\cap A^C)\}\cap B^C$

핵심 15 집합의 연산법칙과 포함 관계

날짜 : 월 일

Subnote ➡ 18쪽

핵심 14와 마찬가지로 모든 법칙을 이용해서 두 집합 A, B 사이의 포함 관계를 알아보는 것이야.

예 전체집합 U의 두 부분집합 A, B에 대하여
$A\cup(A^C\cap B)=B$일 때, 두 집합 A, B 사이의 포함 관계를 나타내어라.

$$A\cup(A^C\cap B)=(A\cup A^C)\cap(A\cup B)=U\cap(A\cup B)$$
$$=A\cup B$$

따라서 $A\cup B=B$이므로 $A\subset B$

전체집합 U의 두 부분집합 A, B에 대하여 다음이 성립할 때, 두 집합 A, B 사이의 포함 관계를 나타내어라.

0347 $A\cup(A\cup B^C)^C=A$

sol $A\cup(A\cup B^C)^C=A\cup(A^C\cap\square)$
$=(A\cup A^C)\square(A\cup\square)$
$=\square\cap(A\cup\square)$
$=\square$

따라서 $\square=A$이므로 $A\square B$

0348 $A\cap(A-B)^C=B$

0349 $A-(A-B)=A$

0350 $(A-B)^C-B=B^C$

0351 $(A\cup B)\cap(A^C\cup B)=A\cap B$

0352 $\{(A\cap B)\cup(A-B)\}\cap B=A$

0353 학교 시험 맛보기

전체집합 U의 두 부분집합 A, B에 대하여 $(A\cup B)-(A^C\cap B)=A\cap B$일 때, 다음 중 항상 성립하지 않는 것은?

① $A\cap B=A$ ② $A\cup B=B$
③ $A-B=\varnothing$ ④ $A^C\cup B=U$
⑤ $A^C-B^C=\varnothing$

key 먼저 $(A\cup B)-(A^C\cap B)$를 간단히 한다.

핵심

16 부등식과 집합의 연산

날짜 : 월 일

Subnote ➔ 18쪽

집합이 부등식으로 주어졌을 때 수직선으로 나타내면 이해하기 훨씬 쉬워져.

예 전체집합 $U=\{x|x$는 실수$\}$의 두 부분집합
$A=\{x|0\le x\le 3\}$, $B=\{x|1\le x\le 5\}$를 수직선 위에 나타내면 오른쪽 그림과 같으므로
$A\cup B=\{x|0\le x\le 5\}$, $A\cap B=\{x|1\le x\le 3\}$
$A-B=\{x|0\le x<1\}$, $B-A=\{x|3<x\le 5\}$, $A^C=\{x|x<0$ 또는 $x>3\}$

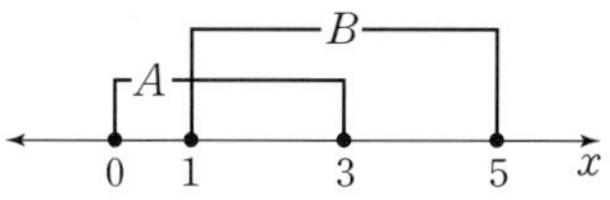

전체집합 $U=\{x|x$는 실수$\}$의 두 부분집합 A, B에 대하여 다음 집합을 구하여라.

0354 $A=\{x|-1\le x\le 4\}$, $B=\{x|2\le x\le 6\}$

(1) $A\cup B=\{x|\square\le x\le\square\}$

(2) $A\cap B=\{x|\square\le x\le\square\}$

(3) $A-B=\{x|\square\le x<\square\}$

(4) $A^C=\{x|x<\square$ 또는 $x>\square\}$

key 두 집합 A, B를 수직선 위에 나타내면 다음 그림과 같다.

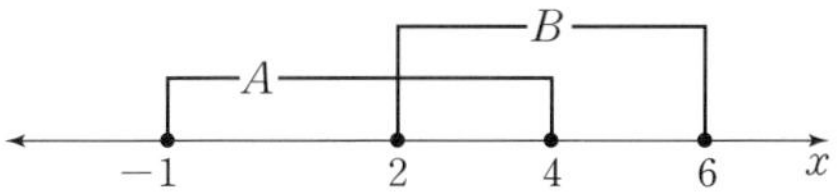

0355 $A=\{x|-3\le x\le 3\}$, $B=\{x|0\le x\le 5\}$

(1) $A\cup B$

(2) $A\cap B$

(3) $A-B$

(4) A^C

0356 $A=\{x|-4\le x\le 2\}$, $B=\{x|-2\le x\le 3\}$

(1) $A\cup B$

(2) $A\cap B$

(3) $B-A$

(4) B^C

두 집합 A, B에 대하여 다음 집합을 만족하는 a, b의 값을 각각 구하여라.

0357 $A=\{x|a\le x\le 1\}$, $B=\{x|0\le x\le b\}$
$A\cup B=\{x|-1\le x\le 4\}$

sol 두 집합 A, B를 수직선 위에 나타내면 다음 그림과 같다.

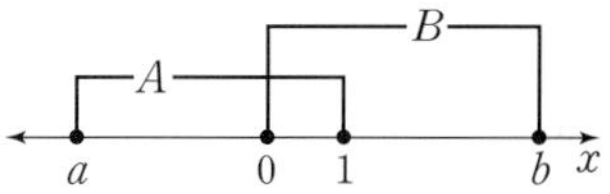

$A\cup B=\{x|a\le x\le b\}=\{x|-1\le x\le 4\}$
$\therefore a=$ ______, $b=$ ______

0358 $A=\{x|-3\le x\le a\}$, $B=\{x|b\le x\le 6\}$
$A\cap B=\{x|-1\le x\le 2\}$

0359 $A=\{x|a\le x\le 5\}$, $B=\{x|b\le x\le 7\}$
$A-B=\{x|0\le x<3\}$

0360 $A=\{x|-5\le x\le a\}$, $B=\{x|-3\le x\le b\}$
$B-A=\{x|-2<x\le 5\}$

핵심 17 새로운 집합의 연산

Subnote ➡ 19쪽

집합 $(A\cup B)-(A\cap B)$를 대칭차집합이라고 해.

새로운 집합의 연산이 주어지면 집합의 연산법칙으로 간단히 하려고 하기보다 벤다이어그램을 이용한다.

$A◎B=(A\cup B)-(A\cap B)$
$\quad=(A-B)\cup(B-A)$

벤다이어그램으로 나타내면 →

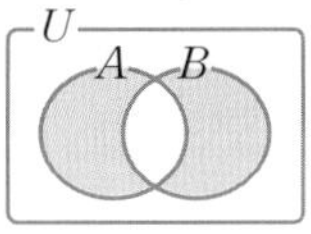

📁 전체집합 U의 두 부분집합 A, B에 대하여 연산 ◎를 $A◎B=(A\cup B)-(A\cap B)$라 할 때, 다음을 벤다이어그램으로 나타내어라.

0361 $A◎(A\cup B)$

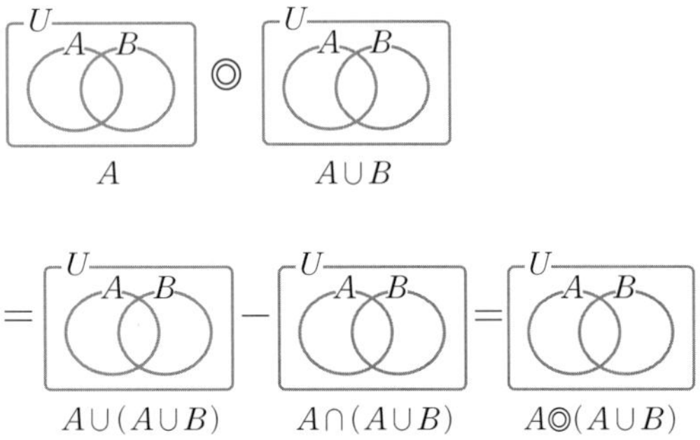

0362 $A◎(A-B)$

0363 $A◎(A◎B)$

📁 전체집합 U의 세 부분집합 A, B, C에 대하여 연산 ◎를 $A◎B=(A\cup B)-(A\cap B)$라 할 때, 다음을 벤다이어그램으로 나타내어라.

0364 $A◎(B\cup C)$

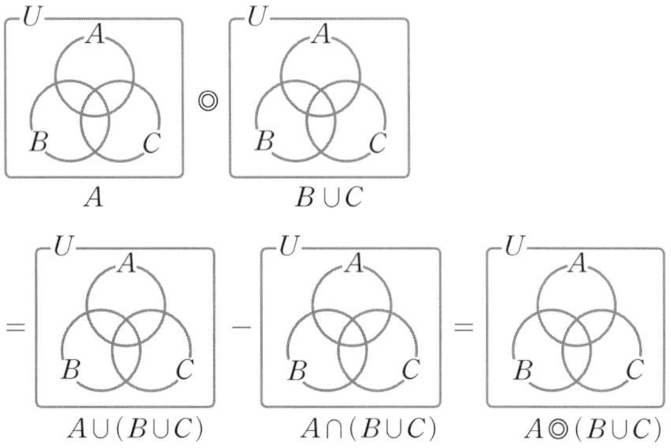

0365 $(A◎B)◎C$

0366 학교 시험 맛보기

전체집합 U의 두 부분집합 A, B에 대하여 연산 ◎를 $A◎B=(A\cup B)-(A\cap B)$라 할 때, 다음 □ 안에 알맞은 것을 써넣어라.

(1) $A◎A=(A\cup A)-(A\cap A)=$□

(2) $A◎A^C=(A\cup A^C)-(A\cap A^C)$
$\quad=$□$-$□$=$□

Mini Review Test

날짜 : 월 일

Subnote ➔ 19쪽

| 핵심 14 |

0367 전체집합 U의 세 부분집합 A, B, C에 대하여 옳은 것만을 보기에서 있는 대로 골라라.

보기
ㄱ. $(A\cap B)^C \cup B = A^C$
ㄴ. $(A-B)^C = A^C \cup B$
ㄷ. $(A\cup B)\cap(A^C\cap B^C)=\varnothing$
ㄹ. $(A-B)-C=A-(B\cap C)$
ㅁ. $A-(B\cap C)=(A-B)\cup(A-C)$

| 핵심 15 |

0368 전체집합 U의 두 부분집합 A, B에 대하여 $B\subset A$일 때, 다음 중 항상 성립하는 것은?

① $A\cup B=A$　② $A-B=\varnothing$
③ $A\cap B=A$　④ $A^C\cup B=U$
⑤ $B^C\subset A^C$

| 핵심 15 |

0369 전체집합 U의 두 부분집합 A, B에 대하여 $\{(A\cup B)\cap(A-B)^C\}\cap A=B$일 때, 옳은 것만을 보기에서 있는 대로 골라라.

보기
ㄱ. $A\cup B=A$　ㄴ. $A-B=\varnothing$
ㄷ. $A^C\cup B=U$　ㄹ. $A^C\subset B^C$

| 핵심 16 |

0370 세 집합 $A=\{x\mid -5\le x\le -1\}$, $B=\{x\mid -2<x<4\}$, $C=\{x\mid 0\le x\le 4\}$에 대하여 $A\cup B$, $B\cap C$를 각각 구하여라.

key 세 집합 A, B, C를 수직선 위에 나타낸다.

| 핵심 17 |

0371 전체집합 U의 두 부분집합 A, B에 대하여 연산 ◎를 $A◎B=(A\cup B)-(A\cap B)$라 할 때, 옳은 것만을 보기에서 있는 대로 골라라.

보기
ㄱ. $A◎A=U$
ㄴ. $A◎B=A^C◎B^C$
ㄷ. $A◎(A\cap B)=A$
ㄹ. $A◎B=\varnothing$이면 $A=B$이다.

| 핵심 17 | UP

0372 전체집합 U의 세 부분집합 A, B, C에 대하여 연산 ◎를 $A◎B=(A\cup B)-(A\cap B)$라 할 때, 다음 중 오른쪽 벤다이어그램의 색칠한 부분을 나타낸 것은?

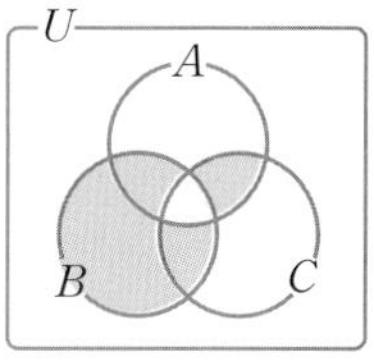

① $A◎(B\cap C)$　② $(A\cap C)◎B$
③ $A◎(B-C)$　④ $(A\cup B)◎C$
⑤ $(A\cup C)◎B$

key 주어진 연산을 벤다이어그램으로 나타낸다.

핵심 18 유한집합의 원소의 개수

날짜 : 월 일

Subnote 20쪽

$n(A)+n(B)$를 하면 $n(A\cap B)$가 두 번 더해지지. 그래서 $n(A\cap B)$를 한 번 빼주는 거야.

전체집합 U의 세 부분집합 A, B, C에 대하여

(1) $n(A\cup B)=n(A)+n(B)-n(A\cap B)$

(2) $n(A\cup B\cup C)=n(A)+n(B)+n(C)-n(A\cap B)-n(B\cap C)$
$-n(C\cap A)+n(A\cap B\cap C)$

(3) $n(A^C)=n(U)-n(A)$

(4) $n(A-B)=n(A)-n(A\cap B)=n(A\cup B)-n(B)$

두 집합 A, B에 대하여 다음을 구하여라.

0373 $n(A)=7$, $n(B)=5$, $n(A\cap B)=3$일 때, $n(A\cup B)$

0374 $n(A)=8$, $n(B)=12$, $n(A\cup B)=17$일 때, $n(A\cap B)$

전체집합 U의 두 부분집합 A, B에 대하여 $n(U)=40$, $n(A)=22$, $n(B)=25$, $n(A\cap B)=14$일 때, 다음을 구하여라.

0375 $n(A^C)$, $n(B^C)$

0376 $n(A\cup B)$

0377 $n(A^C\cap B^C)$

$A^C\cap B^C=(A\cup B)^C$

세 집합 A, B, C에 대하여 다음을 구하여라.

0378 $n(A)=10$, $n(B)=14$, $n(C)=9$
$n(A\cap B)=6$, $n(B\cap C)=7$, $n(C\cap A)=5$
$n(A\cap B\cap C)=4$일 때, $n(A\cup B\cup C)$

0379 $n(A)=9$, $n(B)=8$, $n(C)=5$
$n(A\cap B)=5$, $n(B\cap C)=2$, $n(C\cap A)=4$
$n(A\cup B\cup C)=13$일 때, $n(A\cap B\cap C)$

0380 학교 시험 맛보기

세 집합 A, B, C에 대하여 $n(A)=23$, $n(B)=18$, $n(C)=21$, $n(A\cap B)=5$, $B\cap C=\varnothing$, $n(C\cap A)=7$일 때, $n(A\cup B\cup C)$를 구하여라.

key $\varnothing$의 원소의 개수는 0이다.

핵심 19

자연수의 배수를 원소로 하는 집합

날짜 : 　월 　일

Subnote ◯ 21쪽

자연수의 배수를 원소로 하는 집합의 교집합은 각각의 자연수의 최소공배수의 배수를 원소로 하는 집합이 되는 거야.

자연수 m의 양의 배수를 원소로 하는 집합 : A_m
자연수 n의 양의 배수를 원소로 하는 집합 : A_n ➡ $A_m \cap A_n = A_{(m\text{과 } n\text{의 최소공배수})}$

예 4의 양의 배수를 원소로 하는 집합은 $A_4 = \{4, 8, 12, 16, 20, 24, \cdots\}$
6의 양의 배수를 원소로 하는 집합은 $A_6 = \{6, 12, 18, 24, 30, \cdots\}$
$\therefore A_4 \cap A_6 = \{12, 24, \cdots\} = A_{12}$

m이 n의 배수 ➡ $A_m \subset A_n$ ➡ $A_m \cap A_n = A_m$, $A_m \cup A_n = A_n$

1부터 50까지의 자연수에 대하여 자연수 n의 양의 배수의 집합을 A_n이라 할 때, 다음을 구하여라.

0381 $n(A_2 \cup A_3)$

sol $n(A_2) = \square$, $n(A_3) = \square$
$n(A_2 \cap A_3) = n(A_6) = \square$
$\therefore n(A_2 \cup A_3) = n(A_2) + n(A_3) - n(A_2 \cap A_3)$
$= \square + \square - \square = \square$

0382 $n(A_2{}^C \cap A_3{}^C)$

sol $n(A_2{}^C \cap A_3{}^C)$
$= n((A_2 \cup A_3)^C)$
$= n(U) - n(A_2 \cup A_3)$
$= \square - \square = \square$

0383 $n(A_3 - A_5)$

0384 $n(A_2 \cup A_3 \cup A_5)$

1부터 100까지의 자연수에 대하여 자연수 n의 양의 배수의 집합을 A_n이라 할 때, 다음을 구하여라.

0385 $n(A_6 \cup A_8)$

$A_6 \cap A_8 = A_{24}$

0386 $n(A_3{}^C \cap A_4{}^C)$

0387 $n(A_4 - A_6)$

$A_4 \cap A_6 = A_{12}$

0388 학교 시험 맛보기

1부터 100까지의 자연수에 대하여 4의 배수 또는 6의 배수 또는 8의 배수의 개수를 구하여라.

key 8의 배수는 모두 4의 배수이다.

핵심 20 유한집합의 원소의 개수의 최댓값, 최솟값

날짜 : □ 월 □ 일

Subnote ▶ 21쪽

$n(A\cup B)$
$=n(A)+n(B)-n(A\cap B)$
를 통해 추론해 보자.

전체집합 U의 두 부분집합 A, B에 대하여 $n(A)$, $n(B)$가 정해져 있을 때
(1) $n(A\cap B)$가 최대인 경우 ▶ $A\subset B$ 또는 $B\subset A$
즉, $n(A\cap B)$의 최댓값은 $n(A)$, $n(B)$ 중에서 작은 값
(2) $n(A\cap B)$가 최소인 경우
① $n(U)<n(A)+n(B)$이면 $n(A\cap B)=n(A)+n(B)-n(U)$
② $n(U)\geq n(A)+n(B)$이면 $n(A\cap B)=0$

전체집합 U의 두 부분집합 A, B에 대하여 $n(U)$, $n(A)$, $n(B)$의 값이 다음과 같을 때, $n(A\cap B)$의 최댓값과 최솟값을 각각 구하여라.

0389 $n(U)=25$, $n(A)=16$, $n(B)=13$

sol (i) $B\subset A$일 때, $n(A\cap B)$가 최대이므로
$n(A\cap B)=n(B)=$ □
(ii) $A\cup B=U$일 때, $n(A\cap B)$가 최소이므로
$n(A\cup B)=n(U)=$ □
$n(A\cup B)=16+13-n(A\cap B)$에서
□ $=$ □ $-n(A\cap B)$이므로
$n(A\cap B)=$ □
(i), (ii)에서 $n(A\cap B)$의 최댓값은 □, 최솟값은 □ 이다.

0390 $n(U)=30$, $n(A)=22$, $n(B)=20$

0391 $n(U)=55$, $n(A)=34$, $n(B)=28$

0392 $n(U)=60$, $n(A)=12$, $n(B)=39$

전체집합 U의 두 부분집합 A, B에 대하여 다음을 구하여라.

0393 $n(A)=23$, $n(B)=12$, $n(A\cap B)\geq 7$일 때, $n(A\cup B)$의 최댓값, 최솟값

sol (i) $n(A\cap B)=$ □ 일 때, $n(A\cup B)$가 최대이므로
$n(A\cup B)=23+12-$ □ $=$ □
(ii) $B\subset A$일 때, $n(A\cup B)$가 최소이므로
$n(A\cup B)=n(A)=$ □
(i), (ii)에서 $n(A\cup B)$의 최댓값은 □, 최솟값은 □ 이다.

$n(A\cap B)$가 최소일 때, $n(A\cup B)$는 최대

0394 $n(A)=18$, $n(B)=20$, $n(A\cap B)\geq 3$일 때, $n(A\cup B)$의 최댓값, 최솟값

0395 $n(U)=40$, $n(A)=25$, $n(B)=21$일 때, $n(A-B)$의 최댓값

0396 학교 시험 맛보기

전체집합 U의 두 부분집합 A, B에 대하여 $n(U)=100$, $n(A)=60$, $n(B)=50$일 때, $n(B-A)$의 최댓값을 구하여라.

key $n(B-A)=n(B)-n(A\cap B)$

핵심 21

유한집합의 원소의 개수의 활용 (1)

날짜 : 월 일

Subnote 22쪽

"또는, ~이거나"는 합집합, "그리고, ~이고"는 교집합으로 생각하고 풀어봐.

문제 분석 구하려는 것과 주어진 조건을 파악한다.

↓

집합으로 표시 파악한 내용을 집합으로 나타낸다.

↓

식 세우기 $n(A\cup B)=n(A)+n(B)-n(A\cap B)$ 를 이용하여 식을 세운다.

↓

답 구하기 세운 식을 계산하여 답을 구한다.

다음 물음에 답하여라.

0397 어느 학급의 학생 중 축구를 좋아하는 학생은 27명이고, 농구를 좋아하는 학생은 19명이다. 축구와 농구를 모두 좋아하는 학생이 9명일 때, 축구 또는 농구를 좋아하는 학생 수를 구하여라.

sol 축구를 좋아하는 학생의 집합을 A,
농구를 좋아하는 학생의 집합을 B라 하면
$n(A)=\square$, $n(B)=\square$, $n(A\cap B)=\square$
$n(A\cup B)=n(A)+n(B)-n(A\cap B)$
$=\square+\square-\square=\square$
따라서 축구 또는 농구를 좋아하는 학생은 $\square$명이다.

0398 어느 강연에 참석한 사람 중 파란색 볼펜을 가지고 있는 사람은 23명, 빨간색 볼펜을 가지고 있는 사람은 25명이다. 파란색과 빨간색 볼펜을 모두 가지고 있는 사람은 17명일 때, 파란색 또는 빨간색 볼펜을 가지고 있는 사람 수를 구하여라.

0399 어느 학교에서 불우이웃돕기 모금에는 80명, 헌혈에는 60명의 학생이 참여하였다. 불우이웃돕기 모금과 헌혈에 모두 참여한 학생이 30명이라 할 때, 불우이웃돕기 모금이나 헌혈에 참여한 학생 수를 구하여라.

0400 어느 독서모임의 회원 중 시를 좋아하는 학생은 34명이고, 소설을 좋아하는 학생은 28명이다. 시와 소설을 모두 좋아하는 학생이 12명일 때, 시 또는 소설을 좋아하는 학생 수를 구하여라.

0401 어느 문화행사에서 영화 관람을 희망한 사람은 80명이고, 연극 관람을 희망한 사람은 55명이다. 영화와 연극 관람을 모두 희망한 사람이 40명일 때, 영화 또는 연극 관람을 희망한 사람 수를 구하여라.

0402 **학교 시험 맛보기**

어느 학급의 학생들이 체육시간에 탁구와 배드민턴 중 적어도 하나는 참여했는데 탁구를 한 학생은 12명이고, 배드민턴을 한 학생은 16명이다. 탁구와 배드민턴을 모두 한 학생이 5명일 때, 이 학급의 전체 학생 수를 구하여라.

key (전체 학생 수)=(탁구 또는 배드민턴에 참여한 학생 수)

핵심 **22**

유한집합의 원소의 개수의 활용 (2)

날짜 : □ 월 □ 일

Subnote ➔ 22쪽

'모두 ~하지 않는'은 합집합의 여집합($(A\cup B)^C$)을 뜻하지. 문제가 길어도 집합 기호로 나타내면 금방 풀려.

예 어느 학교의 30명의 학생 중 강아지를 키우고 싶은 학생이 14명, 고양이를 키우고 싶은 학생이 11명, 강아지와 고양이를 모두 키우고 싶은 학생이 3명일 때, 강아지와 고양이를 모두 키우고 싶지 않은 학생 수를 구하여라.

30명의 학생 전체의 집합을 U, 강아지를 키우고 싶은 학생의 집합을 A, 고양이를 키우고 싶은 학생의 집합을 B라 하면

$n(U)=30,\ n(A)=14,\ n(B)=11,\ n(A\cap B)=3$

$n(A\cup B)=n(A)+n(B)-n(A\cap B)=14+11-3=22$

$n((A\cup B)^C)=n(U)-n(A\cup B)=30-22=8$

따라서 강아지와 고양이를 모두 키우고 싶지 않은 학생은 8명이다.

어느 학급의 40명의 학생 중 버스를 이용하여 등교하는 학생은 18명, 지하철을 이용하여 등교하는 학생은 20명이고, 버스와 지하철을 모두 이용하여 등교하는 학생은 6명이다. 다음을 구하여라.

0403 버스 또는 지하철을 이용하여 등교하는 학생 수

sol 40명의 학생 전체의 집합을 U,
버스를 이용하여 등교하는 학생의 집합을 A,
지하철을 이용하여 등교하는 학생의 집합을 B라 하면
$n(A)=$ □, $n(B)=$ □, $n(A\cap B)=$ □
$\therefore n(A\cup B)=n(A)+n(B)-n(A\cap B)$
$=$ □ $+$ □ $-$ □ $=$ □
따라서 버스 또는 지하철을 이용하여 등교하는 학생은 □ 명이다.

0404 버스와 지하철을 모두 이용하지 않고 등교하는 학생 수

sol 버스와 지하철을 모두 이용하지 않고 등교하는 학생의 집합은 □ 로 나타낼 수 있다.
$n(U)=$ □, $n(A\cup B)=$ □
$\therefore n($ □ $)=n(U)-n($ □ $)$
$=$ □ $-$ □ $=$ □
따라서 버스와 지하철을 모두 이용하지 않고 등교하는 학생은 □ 명이다.

어느 학급의 45명의 학생들에게 두 문제를 풀게 하였다. 1번 문제를 맞힌 학생은 35명, 2번 문제를 맞힌 학생은 25명이고, 1번과 2번을 모두 맞힌 학생은 20명이었다. 다음을 구하여라.

0405 1번과 2번 문제 중 한 문제만 맞힌 학생 수

0406 1번, 2번 두 문제를 모두 틀린 학생 수

50명의 관광객을 대상으로 박물관과 미술관 관람 여부를 조사하였더니 박물관을 관람한 관광객은 25명, 미술관을 관람한 관광객은 23명이었고, 박물관과 미술관을 모두 관람한 관광객은 10명이었다. 다음을 구하여라.

0407 박물관과 미술관 중 한 군데만 관람한 관광객 수

0408 박물관과 미술관을 모두 관람하지 않은 관광객 수

핵심 18~22

Mini Review Test

날짜 : 월 일

Subnote 23쪽

| 핵심 18 |

0409 전체집합 U의 두 부분집합 A, B에 대하여 $n(U)=45$, $n(A)=19$, $n(B)=28$, $n(A\cap B)=9$일 때, $n(A^C\cap B^C)$를 구하여라.

key $A^C\cap B^C=(A\cup B)^C$

| 핵심 18 |

0410 세 집합 A, B, C에 대하여 $n(A)=19$, $n(B)=16$, $n(C)=20$, $n(A\cap B)=10$, $n(B\cap C)=7$, $n(C\cap A)=13$, $n(A\cap B\cap C)=5$일 때, $n(A\cup B\cup C)$를 구하여라.

| 핵심 19 |

0411 1부터 100까지의 자연수에 대하여 2의 배수 또는 5의 배수 또는 7의 배수의 개수를 구하여라.

| 핵심 20 |

0412 50명의 학생 중에서 A영화를 본 학생이 25명, B영화를 본 학생이 42명이다. 이때 두 영화 A, B를 모두 본 학생 수의 최댓값과 최솟값을 각각 구하여라.

| 핵심 21 |

0413 어느 학급의 35명의 학생들 중 딸기를 좋아하는 학생이 19명, 포도를 좋아하는 학생이 17명, 딸기와 포도를 모두 좋아하지 않는 학생이 6명이었다. 이때 딸기와 포도를 모두 좋아하는 학생 수를 구하여라.

| 핵심 22 | UP

0414 학생 수가 40명인 어느 반의 모든 학생들은 교내 체육대회에서 축구, 농구, 배구 중 적어도 하나의 종목에 참여하였다. 축구, 농구, 배구에 참여한 학생이 각각 25명, 16명, 17명이고, 세 종목에 모두 참여한 학생이 3명일 때, 한 종목에만 참여한 학생 수를 구하여라.

3

명제

학습목표

1. 명제와 조건의 뜻을 알고, '모든', '어떤'을 포함한 명제를 이해한다.
2. 명제의 역과 대우를 이해하고, 이들 사이의 상호 관계를 알 수 있다.
3. 대우를 이용한 증명법과 귀류법을 이해한다.

스스로 공부 계획 세우기

	학습 내용	공부한 날짜	반복하기
3. 명제	**01.** 명제	월 일	□□
	02. 명제와 조건/명제의 참, 거짓	월 일	□□
	03. 조건과 진리집합	월 일	□□
	04. 조건 'p 또는 q'의 진리집합	월 일	□□
	05. 조건 'p이고 q'의 진리집합	월 일	□□
	Mini **Review** Test(**01~05**)	월 일	□□
	06. 명제와 조건의 부정	월 일	□□
	07. 'p 또는 q'와 'p이고 q'의 부정	월 일	□□
	08. 조건의 부정의 진리집합	월 일	□□
	09. '모든'이나 '어떤'이 있는 명제	월 일	□□
	10. '모든'이나 '어떤'이 있는 명제의 부정	월 일	□□
	Mini **Review** Test(**06~10**)	월 일	□□
	11. 명제 $p \longrightarrow q$의 가정과 결론	월 일	□□
	12. 명제 $p \longrightarrow q$의 참, 거짓	월 일	□□
	13. 명제와 진리집합 사이의 관계	월 일	□□
	14. 명제가 참이 되도록 하는 범위 구하기	월 일	□□
	15. 명제의 역과 대우	월 일	□□
	16. 명제의 역과 대우의 참, 거짓	월 일	□□
	17. 명제 $p \longrightarrow q$와 참, 거짓이 같은 명제	월 일	□□
	18. 삼단논법	월 일	□□
	19. 대우를 이용한 증명법	월 일	□□
	20. 귀류법	월 일	□□
	Mini **Review** Test(**11~20**)	월 일	□□

3 명제

개념 톡톡

개념 NOTE

1 명제와 조건

(1) **명제** : 참 또는 거짓을 명확하게 판별할 수 있는 문장이나 식 핵심 01

(2) **조건** : 변수의 값에 따라 참, 거짓을 결정할 수 있는 문장이나 식 핵심 02

(3) **진리집합** : 전체집합 U의 원소 중에서 조건 p를 참이 되게 하는 원소 전체의 집합 P를 조건 p의 진리집합이라 한다. 핵심 03 핵심 04 핵심 05 핵심 09

(4) **부정** : 조건 또는 명제 p에 대하여 'p가 아니다.'를 p의 부정이라 하고, 기호로 $\sim p$와 같이 나타낸다.

① 명제 p가 참이면 $\sim p$는 거짓이고, 명제 p가 거짓이면 $\sim p$는 참이다.

② $\sim p$의 부정은 p이다. 즉, $\sim(\sim p)=p$이다. 핵심 06 핵심 07 핵심 08 핵심 10

> $\sim p$를 'p가 아니다.' 또는 'not p'라 읽는다.

> 조건 p의 진리집합을 P라 할 때, $\sim p$의 진리집합은 P의 여집합, 즉 P^C이다.

2 명제 $p \longrightarrow q$의 참, 거짓

(1) **가정과 결론** : 두 조건 p, q로 이루어진 명제 'p이면 q이다.'를 기호로 $p \longrightarrow q$와 같이 나타내고, p를 이 명제의 가정, q를 이 명제의 결론이라 한다. 핵심 11

(2) 명제 $p \longrightarrow q$에 대하여 두 조건 p, q의 진리집합을 각각 P, Q라 할 때

① $P \subset Q$이면 명제 $p \longrightarrow q$는 참이다.

② $P \not\subset Q$이면 명제 $p \longrightarrow q$는 거짓이다. 핵심 12 핵심 13 핵심 14

> $p \longrightarrow q$가 참이면 조건 p를 참이 되게 하는 원소는 조건 q도 참이 되게 하므로 $P \subset Q$

3 명제의 역과 대우

(1) **명제의 역과 대우** : 명제 $p \longrightarrow q$에 대하여

① 가정과 결론을 바꾸어 놓은 명제 $q \longrightarrow p$를 명제 $p \longrightarrow q$의 역이라 한다.

② 가정과 결론을 각각 부정하여 서로 바꾸어 놓은 명제 $\sim q \longrightarrow \sim p$를 명제 $p \longrightarrow q$의 대우라 한다. 핵심 15

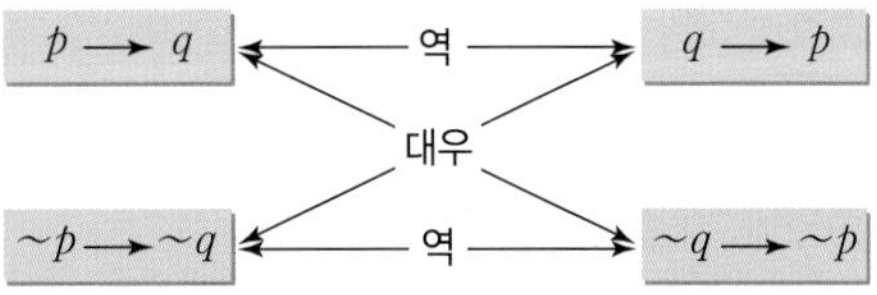

(2) **명제와 그 대우의 참, 거짓** 핵심 16 핵심 17 핵심 18

① 명제 $p \longrightarrow q$가 참이면 그 대우 $\sim q \longrightarrow \sim p$도 참이다.

② 명제 $p \longrightarrow q$가 거짓이면 그 대우 $\sim q \longrightarrow \sim p$도 거짓이다.

참고 명제 $p \longrightarrow q$와 그 역 $q \longrightarrow p$의 참, 거짓은 반드시 일치하지는 않는다.

> p, q의 진리집합 P, Q에 대하여 $P \subset Q$이면 $Q^C \subset P^C$이므로 명제 $p \longrightarrow q$가 참이면 $\sim q \longrightarrow \sim p$도 참이다.

4 여러 가지 증명법 핵심 19 핵심 20

(1) **증명** : 이미 알려진 사실이나 성질을 이용하여 어떤 명제가 참 또는 거짓임을 논리적으로 밝히는 과정

(2) **대우를 이용한 증명법** : 어떤 명제가 참임을 증명할 때 그 대우가 참임을 보여서 주어진 명제가 참임을 증명하는 방법

(3) **귀류법** : 명제의 결론을 부정하여 모순임을 보이는 방법

> 정의 : 용어의 뜻을 명확하게 정한 문장
> 정리 : 참인 명제 중 다른 명제를 증명하는 데 기본이 되는 명제
> 모순 : 어떤 사실의 앞뒤, 또는 두 사실이 이치상 어긋나서 서로 맞지 않음을 이르는 말

핵심 01 명제

날짜 : 월 일

Subnote ➜ 24쪽

생각하는 사람의 기준에 따라서 참, 거짓이 달라질 수 있는 문장들은 명제가 아니야.

명제 : 참인지 거짓인지를 명확하게 판별할 수 있는 문장이나 식

예 '서울은 대한민국의 수도이다.'는 참인 문장이므로 명제이다.
'나는 키가 크다.'는 참, 거짓을 판별할 수 없으므로 명제가 아니다.

다음 식 또는 문장이 명제이면 ○를, 명제가 아니면 ×를 ( ) 안에 써넣어라.

0415 지구는 달을 중심으로 돈다. ( )

0416 장미는 가장 아름다운 꽃이다. ( )

0417 평행사변형의 대변의 길이는 각각 같다. ( )

0418 수학은 어려운 과목이다. ( )

0419 소수는 모두 홀수이다. ( )

0420 π는 무리수이다. ( )

0421 $x+1=3$ ( )

미지수 x의 값에 따라 참, 거짓이 달라질 수 있어.

0422 $5-2=3$ ( )

0423 $2x-4>6$ ( )

0424 10^6은 큰 수이다. ( )

0425 $\sqrt{100}$은 무리수이다. ( )

0426 이등변삼각형의 두 밑각의 크기는 서로 같다. ( )

핵심 02 명제와 조건/명제의 참, 거짓

날짜 : 월 일

Subnote ➡ 24쪽

조건은 명제의 특정 부분을 문자로 바꾼 것이야.

(1) **조건** : 변수의 값에 따라 참, 거짓을 결정할 수 있는 문장이나 식

(2) **명제** : 참인지 거짓인지를 명확하게 판단할 수 있는 문장이나 식

예 'x는 8의 약수이다.'

➡ 그 자체로 참, 거짓을 판별할 수 없으므로 명제가 아니다.

➡ $x=2$이면 참, $x=3$이면 거짓인 명제가 된다.

➡ x의 값에 따라 참, 거짓을 판별할 수 있으므로 조건이다.

다음 문장이나 식을 명제와 조건으로 구분하여라.

0427 0은 자연수이다. (　　　)

0428 $x+1=3+2$ (　　　)

0429 6은 18의 약수이다. (　　　)

0430 x는 24와 40의 최대공약수이다. (　　　)

0431 실수 x에 대하여 $3+x>0$ (　　　)

0432 양의 정수 x에 대하여 $3+x>0$

sol x의 값에 관계없이 항상 성립하므로 ____ 이다.

다음 명제의 참, 거짓을 판별하여라.

0433 10은 4의 배수이다.

0434 $\sqrt{3}$은 유리수가 아니다.

0435 12와 18의 공약수는 6의 약수이다.

0436 $1+3=5$

0437 삼각형의 세 내각의 크기의 합은 $180°$이다.

핵심 03 조건과 진리집합

날짜 : 월 일

Subnote ➔ 24쪽

조건 p, q, r의 진리집합은 보통 P, Q, R로 나타내.

전체집합 U의 원소 중에서 조건 p를 참이 되게 하는 원소 전체의 집합 P를 조건 p의 진리집합이라 한다.

예 전체집합 $U=\{x\,|\,x$는 자연수$\}$에 대하여

조건 'p : x는 8의 약수이다.'의 진리집합 $P=\{1, 2, 4, 8\}$이다.

조건 'p : x는 10 이하의 소수이다.'의 진리집합 $P=\{2, 3, 5, 7\}$이다.

정수 전체의 집합에서 다음 조건 p의 진리집합을 구하여라.

0438 p : x는 10의 양의 약수이다.

0439 p : $2x+1=7$

0440 p : $x^2+1\le 0$

참이 되는 원소가 없으면 이때의 진리집합은 공집합이야.

0441 p : $x^2-5x-6=0$

0442 p : $3x+3=1$

전체집합에 $U=\{3, 4, 5, 6, 7, 8\}$일 때, 조건 p에 대하여 진리집합을 구하여라.

0443 p : x는 짝수이다.

0444 $x^2-4x+3=0$

0445 $|x|-4=0$

0446 학교 시험 맛보기

전체집합이 $U=\{0, 1, 2\}$일 때, 보기의 조건 중 진리집합이 서로 같은 것을 찾아라.

보기

ㄱ. p : $x^2-1=0$

ㄴ. q : $2x-3=-1$

ㄷ. r : $x^2-3x+2=0$

key 조건 p, q, r의 방정식의 해를 구한다.

핵심

04 조건 'p 또는 q'의 진리집합

날짜 : 월 일

Subnote ◐ 24쪽

'또는'은 집합에서 합집합을 의미해. 두 조건의 진리집합을 구하고 합집합을 구하도록 해.

두 조건 p, q의 진리집합을 각각 P, Q라 할 때,
조건 'p 또는 q'의 진리집합 ◐ $P\cup Q$

예 자연수 전체의 집합에서
'x는 4의 약수이다.', 'x는 9의 약수이다.'의 진리집합을 각각 P, Q라 하면
$P=\{1, 2, 4\}$, $Q=\{1, 3, 9\}$
'x는 4의 약수 또는 x는 9의 약수이다.'의 진리집합은 $P\cup Q$이므로
$P\cup Q=\{1, 2, 3, 4, 9\}$

전체집합 $U=\{-2, -1, 0, 1, 2\}$에 대하여 두 조건 p, q가 다음과 같을 때, 조건 'p 또는 q'의 진리집합을 구하여라.

0447 p : $3x-1=2$, q : $-x+3=1$

sol $3x-1=2$에서 $3x=3$ $\therefore x=1$
조건 p의 진리집합을 P라 하면 $P=$
$-x+3=1$에서 $-x=-2$ $\therefore x=2$
조건 q의 진리집합을 Q라 하면 $Q=\{2\}$
따라서 조건 'p 또는 q'의 진리집합은
$P\cup Q=$

0448 p : $x<1$, q : $-2\le x\le 1$

0449 p : $x^2=4$, q : $x^2-x-2=0$

0450 p : $x>-1$, q : $x(x-1)\le 0$

전체집합 $U=\{x|x$는 10 이하의 자연수$\}$에 대하여 두 조건 p, q가 다음과 같을 때, 조건 'p 또는 q'의 진리집합을 구하여라.

0451 p : $x^2\le 4$, q : x는 홀수이다.

0452 p : x는 18의 약수이다.
q : x는 24의 약수이다.

0453 p : $x^2-8x+7<0$, q : $3\le x\le 9$

0454 학교 시험 맛보기

전체집합 $U=\{x|x$는 10 이하의 짝수$\}$에 대하여 두 조건 p : $x^2-6x+8\le 0$, q : $x>5$라 하자. 조건 'p 또는 q'의 진리집합을 구하여라.

key 두 조건 p, q의 진리집합을 각각 P, Q라 할 때, 조건 'p 또는 q'의 진리집합은 $P\cup Q$

날짜 : 월 일

핵심 05 조건 'p이고 q'의 진리집합

Subnote ➔ 25쪽

'이고'는 집합에서 교집합을 의미해.
두 조건의 진리집합을 구하고
교집합을 구하도록 해.

두 조건 p, q의 진리집합을 각각 P, Q라 할 때

조건 'p이고 q'의 진리집합 ➔ $P\cap Q$

예 전체집합 $U=\{1, 2, 3, 4\}$에서
'x는 3의 약수이다.', 'x는 4의 약수이다.'의 진리집합을 각각 P, Q라 하면
$P=\{1, 3\}$, $Q=\{1, 2, 4\}$
'x는 3의 약수이고 x는 4의 약수이다.'의 진리집합은 $P\cap Q$이므로
$P\cap Q=\{1\}$

전체집합 $U=\{1, 2, 3, 4, 5\}$에 대하여 두 조건 p, q가 다음과 같을 때, 조건 'p이고 q'의 진리집합을 구하여라.

0455 p : $x-4=1$, q : $x^2-6x+5=0$

sol $x-4=1$에서 $x=5$
조건 p의 진리집합을 P라 하면 $P=\{5\}$
$x^2-6x+5=0$에서 $(x-1)(x-5)=0$
$\therefore$ $x=1$ 또는 $x=5$
조건 q의 진리집합을 Q라 하면 $Q=$
따라서 조건 'p이고 q'의 진리집합은
$P\cap Q=$

0456 p : x는 4의 약수이다.
q : x는 12의 약수이다.

0457 p : $x^2-9=0$, q : $x^2-2x-3=0$

0458 p : $2<x\le 5$, q : $(x-1)(x-4)<0$

실수 전체의 집합에서 두 조건 p, q가 다음과 같을 때, 조건 'p이고 q'의 진리집합을 구하여라.

0459 p : $x^2\ge 0$, q : $-2<x\le 3$

원소가 무한히 많을 때는
진리집합을 조건제시법으로
표현하도록 해.

0460 p : x는 2의 양의 배수이다.
q : x는 3의 양의 배수이다.

0461 p : $x^2\le 4$, q : $x^2-3x-4<0$

0462 학교 시험 맛보기

전체집합 $U=\{x|10$ 이하의 자연수$\}$에 대하여 두 조건
p : $x^2-6x-7\le 0$, q : x는 소수이다.
라 하자. 조건 'p이고 q'의 진리집합을 구하여라.

3주 명제

핵심 01~05

Mini Review Test

날짜 : 월 일

Subnote ➡ 26쪽

| 핵심 01 |

0463 다음 중 명제가 아닌 것을 모두 고르면?

① $3+4=5$

② 10은 2의 배수이다.

③ $x+4=2x-1$

④ $x-2=x+3$

⑤ 4월은 아름다운 계절이다.

| 핵심 02 |

0464 다음 중 조건인 것은? (단, x는 실수이다.)

① x^2-4x+4

② $x+1>x-9$

③ x는 큰 수이다.

④ x는 100보다 작은 짝수이다.

⑤ 부등식 $x^2-6x+9\le 0$의 해가 존재한다.

| 핵심 02 |

0465 다음 명제 중 참인 것은?

① 정삼각형은 합동이다.

② 4의 제곱근은 2이다.

③ 12는 9의 배수이다.

④ 가장 작은 자연수는 1이다.

⑤ $x-4=x$

| 핵심 03 |

0466 전체집합이 $U=\{x|x\text{는 5 이하의 자연수}\}$일 때, 보기의 조건 중 진리집합이 서로 같은 것을 찾아라.

보기

ㄱ. p : $x^2>9$

ㄴ. q : x는 약수의 개수가 홀수이다.

ㄷ. r : $x^2-9x+20=0$

| 핵심 04 |

0467 전체집합 $U=\{x|x\text{는 20 이하의 자연수}\}$에 대하여 두 조건

p : x는 4의 배수이다

q : x는 7의 배수이다.

일 때, 조건 'p 또는 q'의 진리집합을 구하여라.

key 또는 ➡ 합집합 ($\cup$)

| 핵심 05 |

0468 실수 전체 집합에서 두 조건 p, q가

p : $x^2-3x-18<0$

q : $(x+4)(x-2)<0$

일 때, 조건 'p이고 q'의 진리집합을 구하여라.

key 이고 ➡ 교집합 ($\cap$)

핵심 06 명제와 조건의 부정

날짜 : 월 일

Subnote ➜ 26쪽

반대 개념이 명확한 용어와 기호들은 기억해 두는게 좋아.
짝수 ↔ 홀수,
유리수 ↔ 무리수, …

(1) 명제 또는 조건 p에 대하여 'p가 아니다.'를 p의 부정이라 하고, 기호로 $\sim p$와 같이 나타낸다.
(2) 명제 p가 참이면 $\sim p$는 거짓이고, 명제 p가 거짓이면 $\sim p$는 참이다.

예 '3은 자연수이다.'의 부정은 '3은 자연수가 아니다.'
'2는 짝수이다.'의 부정은 '2는 홀수이다.'
'$2x-1=3$'의 부정은 '$2x-1\neq 3$'

다음 명제의 부정을 말하고, 그것의 참, 거짓을 판별하여라.

0469 1은 짝수이다.

0470 4는 소수이다.

0471 π는 무리수이다.

0472 0.5는 실수이다.

반대 개념이 명확하지 않은 용어는 '~이다.'를 '~아니다.'로 바꾸면 돼.

0473 6은 12의 약수이다.

0474 $3+4=5$

다음 조건의 부정을 말하여라.

0475 $3x^2+x-2>0$

'크다.'의 부정은 '작다.'가 아닌 '작거나 같다.'야.

0476 $2x-7\geq 3$

0477 $3x+1<x+4$

0478 $x^2+x=2$

0479 $(x+3)^2\neq 0$

0480 x는 12의 배수이다.

핵심 07

'p 또는 q'와 'p이고 q'의 부정

날짜 : 월 일

Subnote ➡ 26쪽

집합에서처럼 '또는'과 '이고'가 반대되는 개념이라고 생각하면 돼.

(1) 'p 또는 q(p이거나 q)'의 부정은 '$\sim p$이고 $\sim q$'이다.
(2) 'p이고 q'의 부정은 '$\sim p$ 또는 $\sim q$($\sim p$이거나 $\sim q$)'이다.

예 '2는 소수 또는 짝수이다.'의 부정은 '2는 소수가 아니고 짝수가 아니다.'
'$-1<x<2$'의 부정은 '$x\le -1$ 또는 $x\ge 2$'이다.

다음 명제의 부정을 말하여라.

0481 6은 2의 배수 또는 3의 배수이다.

0482 정사각형은 직사각형 또는 마름모이다.

0483 π는 유리수 또는 무리수이다.

0484 레오나르도 다빈치는 화가이고 과학자이다.

0485 2는 0보다 크거나 같고 3보다 작거나 같다.

0486 10은 자연수이고 정수이다.

다음 조건의 부정을 말하여라.

0487 $x=0$ 또는 $y=0$

0488 $1\in A$ 또는 $1\in B$

0489 $2x-3\ge 1$ 또는 $3x-1<8$

0490 $x\ne -2$이고 $x\ne 2$

0491 $a\in A$이고 $b\notin A$

0492 $-3\le x-5<3$

$-3\le x-5$이고 $x-5<3$이야.

핵심 **08**

조건의 부정의 진리집합

날짜 : 월 일

Subnote ➜ 27쪽

부정의 진리집합은 집합에서 '아니다.'의 의미를 갖는 여집합이라 생각하면 돼.

전체집합 U에 대하여 조건 p의 진리집합을 P라 할 때
$\sim p$의 진리집합 ➜ P^C

예 전체집합 $U=\{1, 2, 3, 4\}$일 때,
'p : x는 4의 약수이다.'의 진리집합을 P라 하면 $P=\{1, 2, 4\}$
'$\sim p$: x는 4의 약수가 아니다.'의 진리집합은 $P^C=\{3\}$

전체집합 $U=\{1, 2, 3, \cdots, 10\}$에 대하여 조건 p가 있을 때 다음 조건의 진리집합을 구하여라.

0493 (1) p : x는 3의 배수이다.

(2) $\sim p$

조건 p의 진리집합 P를 찾은 후 P^C을 구하도록 해.

0494 (1) p : x는 약수의 개수가 홀수이다.

(2) $\sim p$

0495 (1) p : x는 2의 거듭제곱이다.

(2) $\sim p$

0496 (1) p : $x^2-10x+9=0$

(2) $\sim p$

집합 $U=\{x|x$는 10 이하의 자연수$\}$에 대하여 조건 p가 있을 때 다음 조건의 진리집합을 구하여라.

0497 (1) p : $3\le x<7$

(2) $\sim p$

(3) $\sim(\sim p)$

$\sim p$의 부정, 즉 $\sim(\sim p)=p$야.

0498 (1) p : $|x-3|<2$

(2) $\sim p$

(3) $\sim(\sim p)$

0499 학교 시험 맛보기

전체집합 $U=\{1, 2, 3, 4, 5, 6\}$에서 두 조건

p : $x^2-4x-5=0$, q : $x^2-7x+10=0$

에 대하여 조건 '$\sim p$ 또는 $\sim q$'의 진리집합을 구하여라.

key '$\sim p$ 또는 $\sim q$'의 진리집합 ➜ $P^C\cup Q^C$

3주 명제

핵심 **09**

'모든'이나 '어떤'이 있는 명제

날짜 : 월 일

Subnote ➔ 27쪽

'모든'은 한 개도 빠짐없이 조건을 만족해야 하고, '어떤'은 한 개만이라도 조건을 만족하면 되는 거야.

전체집합 U에 대하여 조건 p의 진리집합을 P라 할 때

(1) 명제 '모든 x에 대하여 p이다.'

➔ $P=U$이면 참, $P\neq U$이면 거짓

(2) 명제 '어떤 x에 대하여 p이다'

➔ $P\neq\varnothing$이면 참, $P=\varnothing$이면 거짓

예 '모든 실수 x에 대하여 $x^2\geq 0$'는 참인 명제이다.

'어떤 실수 x에 대하여 $x^2\leq 0$'는 참인 명제이다.

전체집합 $U=\{1, 2, 3, 4\}$에 대하여 다음 명제의 참, 거짓을 판별하여라.

0500 모든 x에 대하여 $x>0$이다.

0501 모든 x는 4의 약수이다.

'모든'은 한 개라도 조건을 만족하지 않는다면 거짓이야.

0502 모든 x에 대하여 $x^2-2>0$이다.

0503 어떤 x에 대하여 $(x+3)(x-1)=0$이다.

0504 어떤 x는 소수이다.

0505 어떤 x에 대하여 $x^2-16>0$이다.

'어떤'은 모든 원소가 조건을 만족하지 않는다면 거짓이야.

다음 명제의 참, 거짓을 판별하여라.

0506 임의의 실수 x에 대하여 $|x|>0$이다.

'임의의'와 '모든'은 같은 뜻이야.

0507 어떤 실수 x에 대하여 $x^2+1=0$이다.

0508 모든 자연수 x에 대하여 x의 약수는 2개 이상이다.

0509 어떤 실수 x에 대하여 $x=\frac{1}{x}$이다.

0510 **학교 시험 맛보기**

명제가 참인 것만을 보기에서 있는 대로 골라라.

보기

ㄱ. 모든 양수 x에 대하여 $x^2>x$이다.

ㄴ. 어떤 소수는 짝수이다.

ㄷ. 임의의 실수 x에 대하여 $x^2+2x+1\geq 0$이다.

핵심 10 '모든'이나 '어떤'이 있는 명제의 부정

Subnote ➡ 28쪽

부정을 할 때 '모든'과 '어떤'은 서로 반대되는 개념으로 취급해서 서로 바꿔야 해. 물론 조건 p도 부정하는 것을 잊으면 안 돼.

(1) '모든 x에 대하여 p이다.'의 부정
➡ '어떤 x에 대하여 $\sim p$이다.'

(2) '어떤 x에 대하여 p이다.'의 부정
➡ '모든 x에 대하여 $\sim p$이다.'

예 '모든 실수 x에 대하여 $x^2 \geq 0$이다.'의 부정은 '어떤 실수 x에 대하여 $x^2 < 0$이다.'
'어떤 실수 x에 대하여 $x^2 = 0$이다.'의 부정은 '모든 실수 x에 대하여 $x^2 \neq 0$이다.'

다음 명제의 부정을 말하여라.

0511 모든 자연수 x에 대하여 $x-1 \geq 0$이다.

0512 어떤 자연수 x에 대하여 $x(x+1)$은 홀수이다.

0513 모든 실수 x, y에 대하여 $x^2+y^2 \geq 0$이다.

0514 어떤 실수 x에 대하여 $(x+5)(x-1)=0$이다.

0515 어떤 자연수 m, n에 대하여 $\frac{m}{n}$은 무리수이다.

0516 모든 실수 x에 대하여 $x^2+x+1>0$이다.

다음 명제의 부정의 참, 거짓을 판별하여라.

0517 모든 자연수 n에 대하여 n^2은 짝수이다.

0518 어떤 실수 x에 대하여 $x^2-x+1<0$이다.

0519 모든 직사각형은 평행사변형이다.

0520 임의의 유리수 p, q에 대하여 $p+q\sqrt{3}$은 무리수이다.

0521 학교 시험 맛보기

명제의 부정이 참인 것만을 보기에서 있는 대로 골라라.

보기
ㄱ. 모든 정삼각형은 이등변삼각형이다.
ㄴ. 어떤 자연수 x에 대하여 $x+1<0$이다.
ㄷ. 어떤 소수는 짝수이다.

Mini Review Test

날짜 : 월 일

Subnote ➡ 28쪽

| 핵심 07 |

0522 다음 중 조건 '$|x|=1$'의 부정은?

① $x \neq 1$ 또는 $x \neq -1$

② $|x| \leq 1$

③ $|x| \geq 1$

④ $x=1$ 또는 $x=-1$

⑤ $x \neq 1$이고 $x \neq -1$

| 핵심 07 | UP

0523 다음 중 실수 a, b, c에 대하여 $(a-b)^2+(b-c)^2=0$의 부정과 서로 같은 것은?

① $a=b$ 또는 $b=c$

② $(a-b)(b-c)=0$

③ a, b, c는 서로 다르다.

④ $a \neq b$이고 $b \neq c$

⑤ a, b, c 중 서로 다른 것이 적어도 하나 있다.

key $(a-b)^2+(b-c)^2=0$과 같은 의미를 먼저 찾는다.

| 핵심 08 |

0524 전체집합 $U=\{x \mid |x| \leq 5, x$는 정수$\}$에서 두 조건

$p : x^4-1=0$, $q : x^2-4x-5 \leq 0$

에 대하여 조건 '$\sim p$이고 q'의 진리집합을 구하여라.

key 조건 p, q의 진리집합을 각각 구한다.

| 핵심 09 |

0525 명제가 참인 것만을 보기에서 있는 대로 고른 것은?

보기

ㄱ. 어떤 자연수의 양의 약수의 개수는 홀수이다.

ㄴ. 모든 실수 x에 대하여 $x^2-2x-1>0$이다.

ㄷ. 어떤 실수 x에 대하여 $x^2=-1$이다.

① ㄱ ② ㄴ ③ ㄱ, ㄴ

④ ㄱ, ㄷ ⑤ ㄴ, ㄷ

| 핵심 10 |

0526 '모든 남학생은 체육을 좋아한다.'의 부정은?

① 모든 남학생은 체육을 좋아하지 않는다.

② 어떤 남학생은 체육을 좋아한다.

③ 모든 여학생은 체육을 좋아한다.

④ 어떤 남학생은 체육을 좋아하지 않는다.

⑤ 모든 여학생은 체육을 좋아하지 않는다.

| 핵심 10 |

0527 명제의 부정이 참인 것만을 보기에서 있는 대로 골라라.

보기

ㄱ. 모든 정사각형은 직사각형이다.

ㄴ. 어떤 정수 x에 대하여 $x^2=5$이다.

ㄷ. 임의의 양수 x에 대하여 $x^2 \geq x$이다.

key 원래 명제가 참이면 부정은 거짓이다.

핵심 **11**

명제 $p \longrightarrow q$의 가정과 결론

날짜 : 월 일

Subnote ➡ 29쪽

두 조건이 연결되어 있을 때 '~라면, ~면'에 해당하는 부분이 가정이고, '~이다.'에 해당하는 부분이 결론이야.

두 조건 p, q로 이루어진 명제 'p이면 q이다.'를 기호로 $p \longrightarrow q$와 같이 나타내고, p를 이 명제의 가정, q를 이 명제의 결론이라 한다.

예 '$x=1$이면 $x^2=1$'이다.

➡ 가정 : $x=1$이다. 결론 : $x^2=1$이다.

'x가 자연수이면 x는 유리수이다.'

➡ 가정 : x는 자연수이다. 결론 : x는 유리수이다.

다음 명제에서 가정과 결론을 각각 말하여라.

0528 $x=2$이면 $2x-3=1$이다.

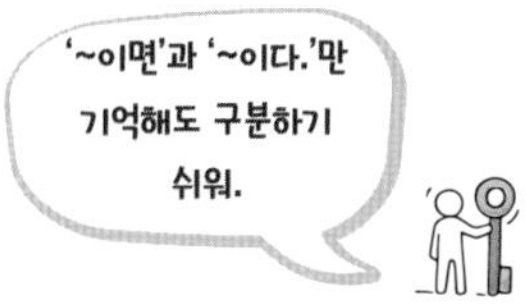

0529 두 자연수 m, n이 모두 홀수이면 mn은 홀수이다.

0530 $x<2$이면 $x^2<4$이다.

0531 x가 실수이면 $x^2+2x+2>0$이다.

0532 짝수이면 소수가 아니다.

0533 두 직선의 기울기가 같으면 두 직선은 평행하다.

0534 두 직선의 기울기의 곱이 -1이면 두 직선은 서로 수직이다.

0535 두 대변이 각각 평행한 사각형은 평행사변형이다.

0536 $\triangle$ABC가 꼭지각이 $\angle$A인 이등변삼각형이면 $\overline{AB}=\overline{AC}$이다.

0537 두 집합 A, B에 대하여 $A=B$이면 $A \subset B$, $B \subset A$이다.

핵심 12 명제 $p \longrightarrow q$의 참, 거짓

날짜 : 월 일

Subnote ➲ 29쪽

반례는 여러 개를 찾을 필요없어. 한 개만이라도 찾으면 명제가 거짓임을 밝히는 데 충분해.

두 조건 p, q의 진리집합을 각각 P, Q라 할 때

(1) $P \subset Q$ ➲ 명제 $p \longrightarrow q$는 참

(2) $P \not\subset Q$ ➲ 명제 $p \longrightarrow q$는 거짓

참고 '$p \longrightarrow q$'가 거짓임을 보일 때는 조건 p는 만족하지만 조건 q는 만족하지 않는 예를 찾는다. 이를 반례라 하는데 $P-Q=P \cap Q^C$에 해당하는 원소이다.

실수 전체 집합에서 두 조건 p, q의 진리집합을 각각 P, Q라 할 때, 다음 물음에 답하여라.

0538 p : x는 4의 양의 약수, q : x는 8의 양의 약수

(1) P, Q를 각각 구하여라.

(2) 두 집합의 포함 관계를 나타내어라.

(3) 명제 $p \longrightarrow q$의 참, 거짓을 판별하여라.

0539 p : x는 2의 양의 배수, q : x는 4의 양의 배수

(1) P, Q를 각각 구하여라.

(2) 두 집합의 포함 관계를 나타내어라.

(3) 명제 $p \longrightarrow q$의 참, 거짓을 판별하여라.

0540 p : $x^2<1$, q : $|x|<1$

(1) P, Q를 각각 구하여라.

(2) 두 집합의 포함 관계를 나타내어라.

(3) 명제 $p \longrightarrow q$의 참, 거짓을 판별하여라.

$P=Q$이면 $P \subset Q$, $Q \subset P$야.

다음 명제의 참, 거짓을 판별하여라.

0541 $x^2=9$이면 $x=3$이다.

0542 $x+y$가 짝수이면 x, y는 짝수이다.

0543 실수 x, y에 대하여 $x^2+y^2=0$이면 $xy=0$이다.

0544 xy가 유리수이면 x, y는 유리수이다.

0545 학교 시험 맛보기

명제가 참인 것만을 보기에서 있는 대로 골라라.

보기

ㄱ. $a>b$이면 $-a<-b$이다.

ㄴ. $a>b$이면 $a^2>b^2$이다.

ㄷ. $a>b$이면 $\frac{1}{a}<\frac{1}{b}$이다.

핵심 13

명제와 진리집합 사이의 관계

날짜 : 월 일

Subnote ◯ 29쪽

진리집합 사이의 포함 관계를 먼저 파악해 봐.

두 조건 p, q의 진리집합을 각각 P, Q라 할 때

(1) $P\subset Q$ ◯ 명제 $p \longrightarrow q$는 참

(2) $P\not\subset Q$ ◯ 명제 $p \longrightarrow q$는 거짓

예 두 조건 p, q의 진리집합을 각각 P, Q라 하자.
두 집합 P, Q의 관계가 오른쪽 그림과 같을 때,
명제 $p \longrightarrow q$는 참, 명제 $q \longrightarrow p$는 거짓

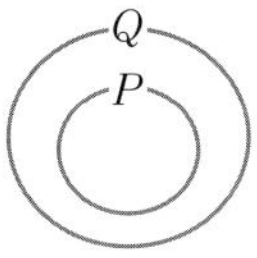

전체집합 U에 대하여 세 조건 p, q, r의 진리집합을 각각 P, Q, R라 하자. P, Q, R의 관계가 주어진 그림과 같을 때, 다음 명제의 참, 거짓을 판별하여라.

0546

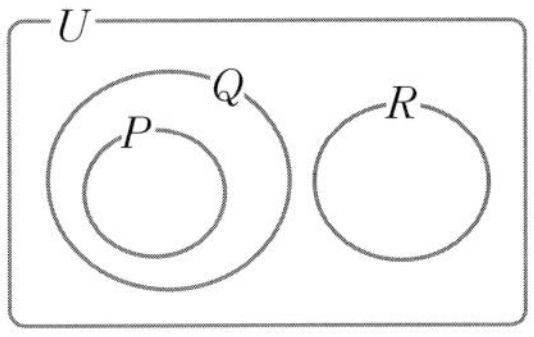

(1) $p \longrightarrow q$

(2) $p \longrightarrow \sim r$

(3) $\sim q \longrightarrow r$

(4) $\sim q \longrightarrow \sim r$

(5) $q \longrightarrow r$

두 조건의 관계를 진리집합의 포함 관계로 나타내 봐.

0547

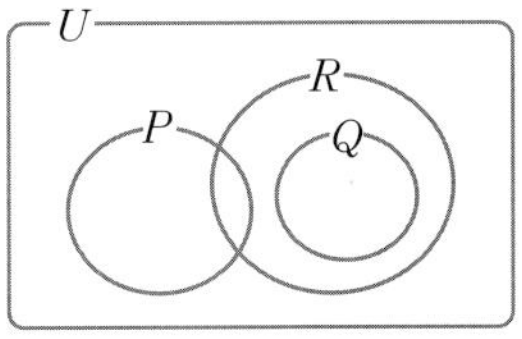

(1) $p \longrightarrow q$

(2) $q \longrightarrow r$

(3) $p \longrightarrow r$

(4) $\sim r \longrightarrow \sim q$

(5) $r \longrightarrow q$

0548

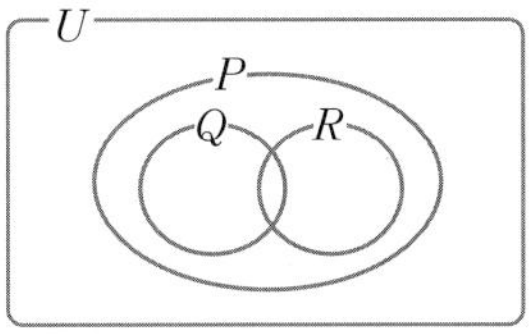

(1) $p \longrightarrow q$

(2) $q \longrightarrow r$

(3) $r \longrightarrow p$

(4) $\sim p \longrightarrow \sim r$

(5) $\sim q \longrightarrow r$

(6) $(q$ 또는 $r) \longrightarrow p$

q 또는 r의 진리집합은 $Q\cup R$이야.

0549 학교 시험 맛보기

전체집합 U에 대하여 세 조건 p, q, r의 진리집합을 각각 P, Q, R라 하자. P, Q, R가 $P\cup Q=Q$, $Q\cap R=\varnothing$을 만족할 때, 다음 중 참인 명제는? (단, $U\neq\varnothing$)

① $q \longrightarrow p$ ② $r \longrightarrow p$ ③ $r \longrightarrow q$
④ $p \longrightarrow \sim r$ ⑤ $\sim p \longrightarrow \sim q$

key P, Q, R의 관계를 벤다이어그램으로 나타낸다.

핵심 **14**

명제가 참이 되도록 하는 범위 구하기

날짜 : 월 일

Subnote ➡ 30쪽

$P \subset Q$이면 명제 $p \longrightarrow q$가 참임을 이용해.

부등식으로 이루어진 두 조건 p, q의 진리집합을 P, Q라 할 때
명제 $p \longrightarrow q$가 참 ➡ $P \subset Q$를 만족하도록 수직선 위에 나타낸다.

예 두 조건 p : $-1 \le x \le 1$, q : $a \le x < 2$에 대하여 명제 $p \longrightarrow q$가 참이 되도록 하는 실수 a의 값의 범위를 구하여라.

두 조건 p, q의 진리집합을 각각 P, Q라 하면
$P = \{x \mid -1 \le x \le 1\}$, $Q = \{x \mid a \le x < 2\}$
$p \longrightarrow q$는 참이 되기 위해서는 $P \subset Q$를 만족해야 하므로
$a \le -1$

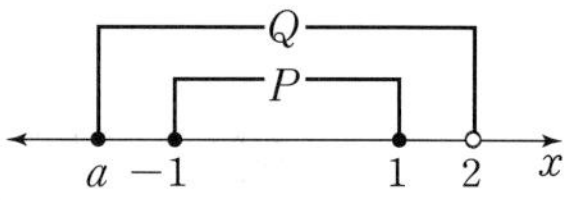

실수 x에 대하여 두 조건 p, q가 다음과 같을 때, 명제 $p \longrightarrow q$가 참이 되도록 하는 실수 a의 값의 범위를 구하여라.

0550 p : $-3 \le x \le 1$, q : $-4 \le x \le a$

sol 두 조건 p, q의 진리집합을 각각 P, Q라 하면
$P = \{x \mid -3 \le x \le 1\}$
$Q = \{x \mid -4 \le x \le a\}$

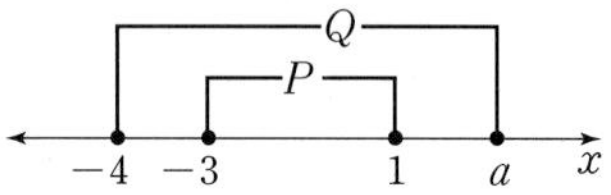

$p \longrightarrow q$가 참이 되기 위해서는 $P \subset Q$를 만족해야 하므로
$a \; \square \; 1$

0551 p : $1 \le x \le 4$, q : $a < x \le 5$

0552 p : $a \le x < a+3$, q : $-2 < x \le 5$

0553 p : $-2 \le x \le 3$, q : $a-4 < x < a+3$

0554 p : $a < x \le 1$, q : $x > -2$

0555 p : $3 \le x \le 5$, q : $x > a$

0556 p : $-7 < x \le 2a-3$
q : $x < a-2$ 또는 $x \ge a+5$ (단, $a > -2$)

0557 **학교 시험 맛보기**

실수 x에 대하여 두 조건 p, q가
p : $a-3 \le x < 2$, q : $-2 < x < 2a+4$
일 때, 명제 $p \longrightarrow q$가 참이 되도록 하는 실수 a의 값의 범위를 구하여라. (단, $-3 < a < 5$)

key 두 부등식을 $p \longrightarrow q$이 참이 되도록 수직선 위에 나타낸다.

핵심 **15**

명제의 역과 대우

날짜 : 월 일

Subnote ➡ 31쪽

역은 가정과 결론의 순서만 바꾸고 대우는 가정과 결론을 모두 부정한 후에 순서까지 바꿔야 해.

명제 $p \longrightarrow q$에 대하여

➡ 역 : $q \longrightarrow p$

대우 : $\sim q \longrightarrow \sim p$

예 '$x=1$이면 $x^2=1$이다.'

역 : $x^2=1$이면 $x=1$이다.

대우 : $x^2 \neq 1$이면 $x \neq 1$이다.

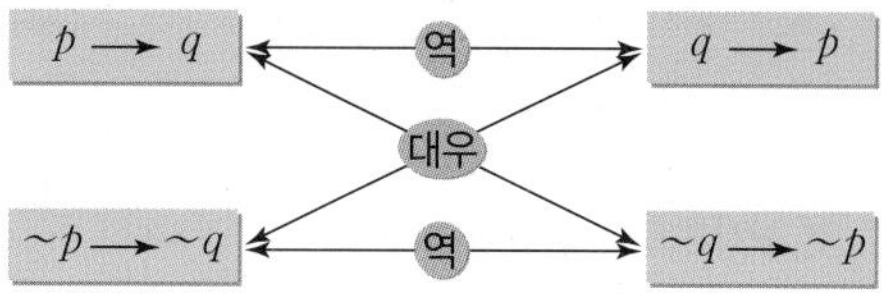

다음 명제의 역과 대우를 각각 구하여라.

0558 $p \longrightarrow q$

0559 $p \longrightarrow \sim q$

0560 $\sim p \longrightarrow \sim r$

0561 $\sim q \longrightarrow r$

0562 $\sim r \longrightarrow p$

0563 $r \longrightarrow \sim p$

다음 명제의 역과 대우를 각각 구하여라.

0564 $x<1$이면 $x-3>1$이다.

0565 두 직선이 수직이면 두 직선의 기울기의 곱은 -1이다.

0566 $x=0$이면 $xy=0$이다.

0567 a, b가 무리수이면 ab는 무리수이다.

핵심

16 명제의 역과 대우의 참, 거짓

날짜 : 월 일

Subnote 31쪽

대우 관계에 있는 명제의 참, 거짓은 항상 일치하기 때문에 원래 명제의 참, 거짓의 판별이 어려울 때는 대우를 이용해 봐.

(1) 대우 관계에 있는 두 명제는 동시에 참이거나 동시에 거짓이다.
① 명제 $p \longrightarrow q$가 참이면 그 대우 $\sim q \longrightarrow \sim p$도 참이다.
② 명제 $p \longrightarrow q$가 거짓이면 그 대우 $\sim q \longrightarrow \sim p$도 거짓이다.

(2) 명제 $p \longrightarrow q$가 참이라고 하여 그 역 $q \longrightarrow p$가 반드시 참인 것은 아니다.

예 '$x=1$이면 $x^2=1$이다.'는 참이다.
대우 : '$x^2 \neq 1$이면 $x \neq 1$이다.'는 참이다.
역 : '$x^2=1$이면 $x=1$이다.'는 거짓이다.

주어진 명제에 대하여 다음 물음에 답하여라.

0568 실수 a, b, c에 대하여 $ac=bc$이면 $a=b$이다.

(1) 명제의 참, 거짓을 판별하여라.

(2) 명제의 역을 말하고 참, 거짓을 판별하여라.

(3) 명제의 대우를 말하고 참, 거짓을 판별하여라.

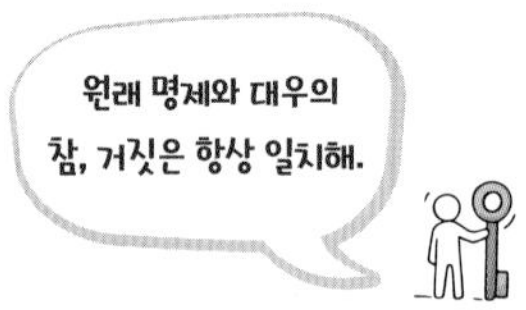

0569 $x+y>0$이면 $x>0$ 또는 $y>0$이다.

(1) 명제의 참, 거짓을 판별하여라.

(2) 명제의 역을 말하고 참, 거짓을 판별하여라.

(3) 명제의 대우를 말하고 참, 거짓을 판별하여라.

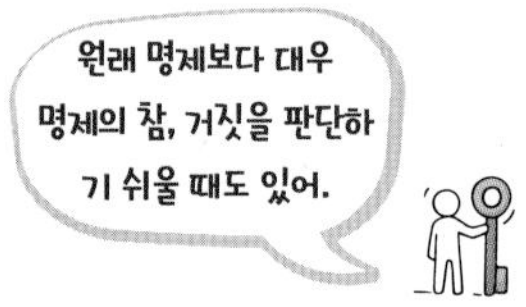

0570 $A \cap B=A$이면 $A \subset B$이다.

(1) 명제의 참, 거짓을 판별하여라.

(2) 명제의 역을 말하고 참, 거짓을 판별하여라.

(3) 명제의 대우를 말하고 참, 거짓을 판별하여라.

0571 $x+y$가 유리수이면 x, y는 유리수이다.

(1) 명제의 참, 거짓을 판별하여라.

(2) 명제의 역을 말하고 참, 거짓을 판별하여라.

(3) 명제의 대우를 말하고 참, 거짓을 판별하여라.

핵심 17 명제 $p \longrightarrow q$와 참, 거짓이 같은 명제

날짜 : 월 일

Subnote ➔ 31쪽

명제와 그 대우의 참, 거짓은 일치한다.

명제 $p \longrightarrow q$의 대우 ➔ $\sim q \longrightarrow \sim p$
명제가 참이면 그 대우도 참이고, 명제가 거짓이면 그 대우도 거짓이다.

두 조건 p, q에 대하여 다음 물음에 답하여라.

0572 주어진 명제가 참일 때, 반드시 참인 명제를 보기에서 찾아 써라. (단, 주어진 명제는 제외한다.)

보기

ㄱ. $p \longrightarrow q$	ㄴ. $\sim q \longrightarrow \sim p$
ㄷ. $\sim q \longrightarrow p$	ㄹ. $p \longrightarrow \sim q$
ㅁ. $\sim p \longrightarrow q$	ㅂ. $q \longrightarrow p$
ㅅ. $\sim p \longrightarrow \sim q$	ㅇ. $q \longrightarrow \sim p$

(1) $\sim p \longrightarrow q$ (2) $\sim q \longrightarrow \sim p$

(3) $q \longrightarrow p$ (4) $q \longrightarrow \sim p$

0573 주어진 명제가 거짓일 때, 반드시 거짓인 명제를 보기에서 찾아 써라. (단, 주어진 명제는 제외한다.)

보기

ㄱ. $p \longrightarrow \sim q$	ㄴ. $p \longrightarrow q$
ㄷ. $\sim q \longrightarrow p$	ㄹ. $\sim q \longrightarrow \sim p$
ㅁ. $q \longrightarrow p$	ㅂ. $\sim p \longrightarrow \sim q$
ㅅ. $\sim p \longrightarrow q$	ㅇ. $q \longrightarrow \sim p$

(1) $p \longrightarrow q$ (2) $p \longrightarrow \sim q$

(3) $\sim p \longrightarrow \sim q$ (4) $\sim q \longrightarrow p$

0574 주어진 명제의 역이 참일 때, 반드시 참인 명제를 보기에서 찾아 써라. (단, 주어진 명제의 역은 제외한다.)

보기

ㄱ. $p \longrightarrow q$	ㄴ. $\sim q \longrightarrow \sim p$
ㄷ. $\sim q \longrightarrow p$	ㄹ. $p \longrightarrow \sim q$
ㅁ. $\sim p \longrightarrow q$	ㅂ. $q \longrightarrow p$
ㅅ. $\sim p \longrightarrow \sim q$	ㅇ. $q \longrightarrow \sim p$

(1) $\sim p \longrightarrow q$ (2) $p \longrightarrow \sim q$

(3) $q \longrightarrow p$ (4) $\sim q \longrightarrow p$

(5) $p \longrightarrow q$ (6) $q \longrightarrow \sim p$

0575 학교 시험 맛보기

명제 '$x=1$이면 $x^3=1$이다.'와 참, 거짓이 일치하는 명제를 보기에서 있는 대로 골라라. (단, x는 실수)

보기

ㄱ. $x^3=1$이면 $x=1$이다.
ㄴ. $x^3\neq1$이면 $x\neq1$이다.
ㄷ. $x\neq1$이면 $x^3\neq1$이다.

key 원래 명제와 그 역의 참, 거짓을 판별한다.

핵심 18 삼단논법

Subnote ➲ 32쪽

(1) 세 조건 p, q, r에 대하여
두 명제 $p \longrightarrow q$, $q \longrightarrow r$가 모두 참
➲ 명제 $p \longrightarrow r$가 참

(2) 세 조건 p, q, r의 진리집합을 각각 P, Q, R라 하면
$P \subset Q$, $Q \subset R$ ➲ $P \subset R$

세 조건 p, q, r에 대하여 주어진 명제가 모두 참일 때, 반드시 참인 명제를 모두 구하여라.

0576 $p \longrightarrow q$, $q \longrightarrow r$

sol 두 명제 $p \longrightarrow q$, $q \longrightarrow r$가 모두 참이므로
$p \longrightarrow$ $\square$ 가 참이다.
또한 각 명제에 대하여 대우가 모두 참이므로
$\sim q \longrightarrow \sim p$, $\square$ $\longrightarrow \sim q$, $\sim r \longrightarrow$ $\square$ 도 모두 참이다.

0577 $p \longrightarrow \sim q$, $\sim q \longrightarrow r$

0578 $\sim p \longrightarrow q$, $q \longrightarrow \sim r$

0579 $p \longrightarrow r$, $r \longrightarrow \sim q$

세 조건 p, q, r에 대하여 주어진 명제가 모두 참일 때, 반드시 참인 명제를 모두 구하여라.

0580 $p \longrightarrow q$, $r \longrightarrow \sim q$

sol 명제 $r \longrightarrow \sim q$가 참이므로 그 대우 $q \longrightarrow \sim r$도 참이다.
즉, 두 명제 $p \longrightarrow q$, $q \longrightarrow \sim r$가 모두 참이므로
$\square$ $\longrightarrow$ $\square$ 가 참이다.
따라서 반드시 참인 명제는 $q \longrightarrow \sim r$, $p \longrightarrow$ $\square$,
$\sim q \longrightarrow \sim p$, $r \longrightarrow$ $\square$ 이다.

0581 $q \longrightarrow \sim p$, $\sim q \longrightarrow r$

0582 $\sim p \longrightarrow q$, $\sim r \longrightarrow \sim q$

0583 학교 시험 맛보기

세 조건 p, q, r에 대하여 두 명제 $p \longrightarrow r$, $q \longrightarrow \sim r$가 모두 참일 때, 명제가 참인 것만을 보기에서 있는 대로 골라라.

| 보기 |
ㄱ. $r \longrightarrow \sim q$　　ㄴ. $p \longrightarrow \sim r$
ㄷ. $q \longrightarrow \sim p$

핵심 **19**

대우를 이용한 증명법

날짜 : 월 일

Subnote ➲ 32쪽

명제를 직접 증명하기 어려우면 그 대우가 참임을 증명하자!

대우를 이용한 증명법 : 명제 $p \longrightarrow q$와 대우 명제인 $\sim q \longrightarrow \sim p$는 참, 거짓이 일치하므로 어떤 명제가 참임을 증명할 때 그 대우가 참임을 보여서 주어진 명제가 참임을 증명하는 방법

대우를 이용하여 다음 명제가 참임을 증명하여라.

0584 자연수 m, n에 대하여 mn이 짝수이면 m 또는 n이 짝수이다.

대우 : ______________________

____

sol m, n이 ____ 이므로 $m=2p-1$, $n=2q-1$이라 하자.
(단, p, q는 자연수)

$mn=(2p-1)(2q-1)$
$=4pq-2p-2q+1$
$=2(2pq-p-q)+$ ____

이므로 mn은 ____ 이다.

따라서 주어진 명제의 대우가 ____ 이므로 원래 명제도 ____ 이다.

0585 자연수 a, $b(a>b)$에 대하여 a와 b가 서로소이면 a와 $a-b$는 서로소이다.

대우 : ______________________

____

sol a와 $a-b$가 서로소가 아니므로 1이 아닌 정수 k에 대하여 $a=nk$, $a-b=mk$라 하자.

$b=a-mk=nk-mk=($ ____ $)k$

이므로 a와 b는 공약수 k를 갖는다.

즉, a와 b는 ____ 가 아니다.

따라서 주어진 명제의 대우가 ____ 이므로 원래 명제도 ____ 이다.

대우를 이용하여 다음 명제가 참임을 증명하여라.

0586 자연수 n에 대하여 n^2이 짝수이면 n은 짝수이다.

대우 : ______________________

____

sol n이 ____ 이므로 $n=2a-1$이라 하자. (단, a는 자연수)

$n^2=(2a-1)^2=4a^2-4a+1$
$=2(2a^2-2a)+$ ____

이므로 n^2은 ____ 이다.

따라서 주어진 명제의 대우가 ____ 이므로 원래 명제도 ____ 이다.

0587 실수 a, b에 대하여 $a^2+b^2=0$이면 $a=0$이고 $b=0$이다.

대우 : ______________________

____

sol (i) $a\neq0$이면 a^2 ____ 0이고 b^2 ____ 0이므로
$a^2+b^2>0$ $\quad\therefore a^2+b^2\neq0$

(ii) $b\neq0$이면 b^2 ____ 0이고 a^2 ____ 0이므로
$a^2+b^2>0$ $\quad\therefore a^2+b^2\neq0$

(i), (ii)에 의해 주어진 명제의 대우가 ____ 이므로 원래 명제도 ____ 이다.

3주 명제

핵심 **20**

귀류법

날짜 : 　월　일

Subnote ➔ 32쪽

귀류법은 간접증명법이야. 직접 증명하기 힘들 때 사용하는 경우가 많아.

명제 $p \longrightarrow q$의 참을 직접 증명하기 어려운 경우

❶ 명제의 결론을 부정한다.

❷ 결론을 부정한 상태에서 증명을 한다.

❸ 증명하는 과정에서 주어진 조건이나 참인 명제에 모순임을 보인다.

귀류법를 이용하여 다음 명제가 참임을 증명하여라.

0588 $\sqrt{2}$는 무리수이다.

sol '$\sqrt{2}$는 무리수이다.'의 결론을 부정하면 $\sqrt{2}$는 □ 이다.
$\sqrt{2}$가 □ 라 가정하자.
□ 는 두 자연수의 몫으로 나타낼 수 있으므로
$\sqrt{2}=\dfrac{n}{m}$ (단, m, n은 서로소인 자연수)으로 나타낼 수 있다.
□ $=\dfrac{n^2}{m^2}$이므로 $n^2=2m^2$
이때 n^2은 짝수이므로 n은 짝수이다.
따라서 $n=2k$ (k는 자연수)라 하면
$(2k)^2=2m^2$ $\quad\therefore m^2=$ □ k^2
즉, m^2이 짝수이므로 m도 □ 이다.
그런데 이것은 m, n이 □ 인 자연수라는 가정에 모순이다.
따라서 $\sqrt{2}$는 무리수이다.

0589 $\sqrt{5}$는 무리수이다.

sol '$\sqrt{5}$가 □ 라 가정하자.
□ 는 두 자연수의 몫으로 나타낼 수 있으므로
$\sqrt{5}=\dfrac{n}{m}$ (단, m, n은 서로소인 자연수)으로 나타낼 수 있다.
□ $=\dfrac{n^2}{m^2}$이므로 $n^2=5m^2$
이때 n^2은 5의 배수이므로 □ 은 5의 배수이다.
따라서 $n=5k$ (k는 자연수)라 하면
$(5k)^2=5m^2$ $\quad\therefore m^2=$ □ k^2
즉, m^2이 5의 배수이므로 m도 □ 이다.
그런데 이것은 m, n이 □ 인 자연수라는 가정에 모순이다.
따라서 $\sqrt{5}$는 무리수이다.

0590 원 O에 접하는 직선 l과의 교점을 P라 하면 $\overline{OP}\perp l$이다.

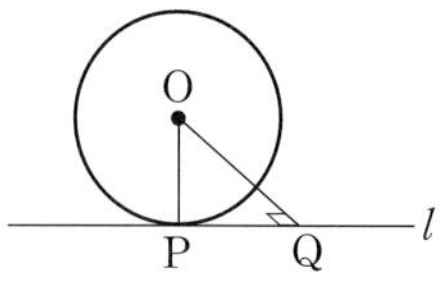

sol $\overline{OP}$와 l이 수직이 아니라고 가정하자.
점 O에서 직선 l에 내린 수선의 발을 Q라 하면 $\triangle$OPQ는 직각삼각형이고 $\overline{OP}$는 직각삼각형의 □ 이므로 세 변 OP, OQ, PQ 중에서 가장 길다. ⋯⋯ ㉠
그런데 $\overline{OP}$ □ $\overline{OQ}$이다. ⋯⋯ ㉡
따라서 ㉠, ㉡은 서로 모순이므로 $\overline{OP}\perp l$이다.

0591 다음은 'p가 짝수, q가 홀수이면 $x^2+px-2q=0$은 정수근을 갖지 않는다.'를 증명하는 과정이다. (가), (나)에 알맞은 것을 차례대로 써라.

> 방정식 $x^2+px-2q=0$이 정수근을 갖는다고 가정하자.
> (i) $x=2n$ (n은 정수)이라 하면
> $(2n)^2+2np-2q=0$, $4n^2+2np=2q$
> 이때 p는 짝수이므로 $4n^2+2np$는 (가) 의 배수이고 q는 홀수이므로 $2q$는 (가) 의 배수가 아니다.
> (ii) $x=2n+1$ (n은 정수)이라 하면
> $(2n+1)^2+(2n+1)p-2q=0$
> $4n^2+4n+$ □ $=2q$
> 이때 주어진 식의 좌변은 (나) 이고 우변은 짝수이다.
> (i), (ii)에서 각각의 경우가 모두 모순이므로 주어진 명제는 참이다.

Mini Review Test

날짜 : 　월 　일

Subnote ➊ 33쪽

| 핵심 12 | UP

0592 전체집합 U에 대하여 두 조건 p, q의 진리집합을 각각 P, Q라 하자. 두 집합 P, Q가 오른쪽 그림과 같을 때, 명제 '$q \longrightarrow \sim p$이다.'가 거짓임을 보이는 원소를 모두 골라라.

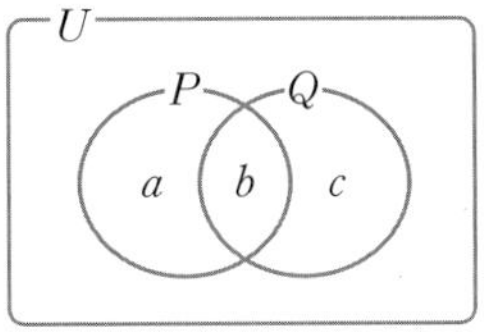

| 핵심 13 |

0593 전체집합 U에 대하여 세 조건 p, q, r의 진리집합을 각각 P, Q, R라 할 때, 세 집합 P, Q, R 사이의 포함 관계는 오른쪽 그림과 같다. 다음 중 항상 참인 명제는?

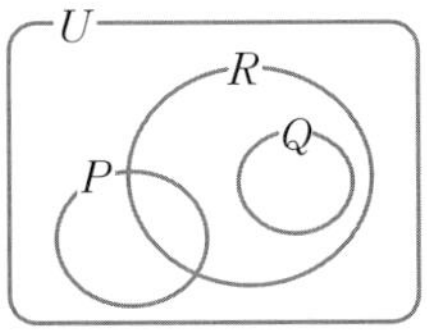

① $p \longrightarrow q$　② $p \longrightarrow \sim r$
③ $\sim r \longrightarrow p$　④ $\sim q \longrightarrow \sim p$
⑤ $\sim r \longrightarrow \sim q$

| 핵심 16 |

0594 명제가 참인 것만을 보기에서 있는 대로 골라라.

보기

ㄱ. $ab \geq 0$이면 $a \geq 0$, $b \geq 0$이다.
ㄴ. $|x|^2 = x$이면 $x \geq 0$이다.
ㄷ. 자연수 n에 대하여 n^2이 홀수이면 n은 홀수이다.

key 원래 명제와 대우는 참, 거짓이 같음을 이용한다.

| 핵심 16 |

0595 다음 명제 중 역이 참인 것을 모두 고르면?

① $x^2 - 9 = 0$이면 $x = 3$이다.
② $a = 0$이고 $b = 0$이면 $ab = 0$이다.
③ $\triangle$ABC가 정삼각형이면 $\angle A = 60°$이다.
④ x가 5의 배수이면 x는 10의 배수이다.
⑤ $|x| < 2$이면 $x < 2$이다.

key 역은 가정과 결론을 바꾼 것이다.

| 핵심 17 |

0596 전체집합 U에 대하여 두 조건 p, q의 진리집합을 각각 P, Q라 하자. 명제 $\sim p \longrightarrow q$의 역이 참일 때, 다음 중 항상 옳은 것은?

① $P \subset Q$　② $P \subset Q^C$　③ $Q \subset P$
④ $Q^C \subset P$　⑤ $P^C \subset Q$

key 명제 $\sim p \longrightarrow q$의 역은 $q \longrightarrow \sim p$이다.

| 핵심 18 | UP

0597 네 조건 p, q, r, s에 대하여 세 명제 $p \longrightarrow \sim r$, $r \longrightarrow q$, $s \longrightarrow r$가 모두 참일 때, 다음 중 항상 참인 명제는?

① $q \longrightarrow s$　② $s \longrightarrow \sim p$　③ $\sim q \longrightarrow p$
④ $p \longrightarrow r$　⑤ $r \longrightarrow \sim s$

4

충분조건과 필요조건/절대부등식

학습목표

1. 충분조건과 필요조건을 이해하고 구별할 수 있다.
2. 절대부등식의 의미를 이해하고, 간단한 절대부등식을 증명할 수 있다.

스스로 공부 계획 세우기

	학습 내용	공부한 날짜	반복하기
4. 충분조건과 필요조건/ 절대부등식	**01.** 충분조건, 필요조건	월 일	□□
	02. 필요충분조건	월 일	□□
	03. 충분조건, 필요조건과 진리집합 사이의 관계	월 일	□□
	04. 충분조건이 되도록 하는 미지수 구하기	월 일	□□
	05. 필요조건이 되도록 하는 미지수 구하기	월 일	□□
	Mini **Review** Test(**01~05**)	월 일	□□
	06. 두 수 또는 식의 대소 비교(1)	월 일	□□
	07. 두 수 또는 식의 대소 비교(2)	월 일	□□
	08. 절대부등식	월 일	□□
	09. 산술평균과 기하평균의 관계(1)–합의 최솟값	월 일	□□
	10. 산술평균과 기하평균의 관계(2) –두 식의 곱의 최솟값	월 일	□□
	11. 산술평균과 기하평균의 관계(3) –합 또는 곱이 일정할 때	월 일	□□
	12. 산술평균과 기하평균의 관계(4)–식 변형	월 일	□□
	13. 코시–슈바르츠의 부등식	월 일	□□
	Mini **Review** Test(**06~13**)	월 일	□□

4 충분조건과 필요조건/절대부등식

개념 톡톡

개념 NOTE

1 충분조건과 필요조건

(1) 충분조건과 필요조건 핵심 01

명제 $p \longrightarrow q$가 참일 때, 이것을 기호로 $p \Longrightarrow q$와 같이 나타낸다. 이때 p는 q이기 위한 충분조건, q는 p이기 위한 필요조건이라 한다.

p는 q이기 위한 충분조건

$p \longrightarrow q$

q는 p이기 위한 필요조건

(2) 필요충분조건 핵심 02

명제 $p \longrightarrow q$에 대하여 $p \Longrightarrow q$이고 $q \Longrightarrow p$일 때, 이것을 기호로 $p \Longleftrightarrow q$와 같이 나타내고 p는 q이기 위한 필요충분조건이라 한다.

> q도 p이기 위한 필요충분조건이다.

(3) 진리집합 사이의 관계 핵심 03 핵심 04 핵심 05

명제 $p \longrightarrow q$에서 p, q의 진리집합을 각각 P, Q라 할 때

① $P \subset Q$이면 p는 q이기 위한 충분조건이고, q는 p이기 위한 필요조건이다.

② $P = Q$이면 p는 q이기 위한 필요충분조건이다.

> 필요충분조건일 때, 두 조건의 진리집합이 서로 같다.

2 절대부등식

(1) 절대부등식 핵심 08

문자를 포함한 부등식에서 그 문자에 어떤 실수를 대입해도 항상 성립하는 부등식

(2) 부등식의 증명에 이용되는 실수의 성질 핵심 06 핵심 07

a, b가 실수일 때,

① $a > b \Longleftrightarrow a - b > 0$

② $a^2 \geq 0$, $a^2 + b^2 \geq 0$

③ $a^2 + b^2 = 0 \Longleftrightarrow a = 0$이고 $b = 0$

④ $a > 0$, $b > 0$일 때, $a > b \Longleftrightarrow a^2 > b^2$

⑤ $|a|^2 = a^2$, $|ab| = |a||b|$, $|a| \geq a$

> 두 수의 대소를 비교할 때는 두 수의 차를 이용한다.

3 여러 가지 절대부등식

(1) 산술평균과 기하평균의 관계 핵심 09 핵심 10 핵심 11 핵심 12

$a > 0$, $b > 0$일 때, $\dfrac{a+b}{2} \geq \sqrt{ab}$ (단, 등호는 $a = b$일 때 성립)

> 두 양수 a, b에 대하여 $\dfrac{a+b}{2}$를 a와 b의 산술평균, $\sqrt{ab}$를 a와 b의 기하평균이라 한다.

(2) 코시-슈바르츠의 부등식 핵심 13

a, b, x, y가 실수일 때,

$(a^2+b^2)(x^2+y^2) \geq (ax+by)^2$ $\left(\text{단, 등호는 } \dfrac{x}{a} = \dfrac{y}{b}\text{일 때 성립}\right)$

핵심 **01**

충분조건, 필요조건

날짜 : 월 일

Subnote ➔ 33쪽

명제 $p \Longrightarrow q$에서 p만으로도 q를 만족시키기에 충분하니까 충분조건, q가 p를 만족시키기 위해서는 조건이 더 필요하니까 필요조건으로 기억해.

$p \Longrightarrow q$

➔ p는 q이기 위한 충분조건

➔ q는 p이기 위한 필요조건

예 두 조건 $p : x=1$, $q : x^2=1$에 대하여 p는 q이기 위한 어떤 조건인지 말하여라. (단, x는 실수)

$x^2=1$에서 $x=-1$ 또는 $x=1$

따라서 $p \Longrightarrow q$, $q \not\Longrightarrow p$이므로 p는 q이기 위한 충분조건이다.

다음 두 조건 p, q에 대하여 p는 q이기 위한 어떤 조건인지 말하여라.

0598 $p : x^2=4$ (단, x는 실수)

(1) $q : x=2$

sol $x^2=4$이면 $x=-2$ 또는 $x=2$
따라서 p ____ q, q ____ p이므로 p는 q이기 위한 ____ 조건이다.

(2) $q : -2 \le x \le 2$

sol p ____ q, q ____ p이므로 p는 q이기 위한 ____ 조건이다.

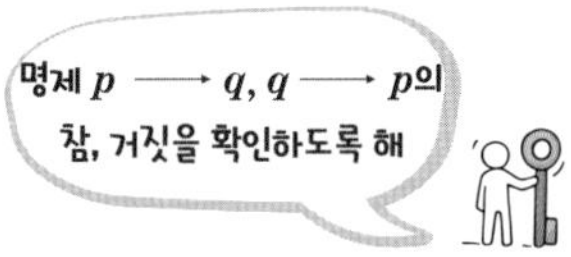

0599 p : □ABCD는 평행사변형

(1) q : □ABCD는 마름모이다.

(2) q : □ABCD는 사다리꼴이다.

0600 $p : x^2+y^2=0$ (단, x, y는 실수)

(1) $q : xy=0$

(2) $q : x^2=y^2$

(3) $q : x^3+y^3=0$

0601 학교 시험 맛보기

다음 중 p가 q이기 위한 충분조건이지만 필요조건이 아닌 것은? (단, x, y, z는 실수)

① $p : x=y$, $q : xz=yz$

② $p : x^2=9$, $q : x=3$

③ $p : |x+y|=|x|+|y|$, $q : x \ge 0$, $y \ge 0$

④ $p : xy=|xy|$, $q : x>0$, $y>0$

⑤ p : □ABCD는 직사각형이다.
　q : □ABCD는 정사각형이다.

key $p \Longrightarrow q$, $q \not\Longrightarrow p$인 명제를 찾는다.

핵심 **02** 필요충분조건

날짜 : 월 일

Subnote ➲ 34쪽

p가 q이기 위한 필요충분조건이라는 것은 두 조건 p, q가 표현은 서로 다르지만 같다는 뜻이야.

명제 $p \longrightarrow q$에 대하여 $p \Longrightarrow q$이고 $q \Longrightarrow p$일 때, 기호로 $p \Longleftrightarrow q$와 같이 나타내고 p는 q이기 위한 필요충분조건이라 한다.

예 두 조건 p : $x=2$, q : $x^2-4x+4=0$에 대하여 p는 q이기 위한 어떤 조건인지 말하여라.

$x^2-4x+4=0$에서 $(x-2)^2=0$ $\quad \therefore x=2$

따라서 $p \Longrightarrow q$, $q \Longrightarrow p$이므로 p는 q이기 위한 필요충분조건이다.

주어진 두 조건 p, q에 대하여 다음 물음에 답하여라.

0602 p : $x^2+y^2=0$, q : $|x|+|y|=0$

(단, x, y는 실수)

(1) 명제 $p \longrightarrow q$의 참, 거짓을 판별하여라.

(2) 명제 $q \longrightarrow p$의 참, 거짓을 판별하여라.

(3) p는 q이기 위한 어떤 조건인지 말하여라.

명제 $p \longrightarrow q$, $q \longrightarrow p$가 모두 참일 때, p는 q이기 위한 필요충분조건이야.

0603 p : $|x+y|=|x|+|y|$

q : $xy \geq 0$ (단, x, y는 실수)

(1) 명제 $p \longrightarrow q$의 참, 거짓을 판별하여라.

(2) 명제 $q \longrightarrow p$의 참, 거짓을 판별하여라.

(3) p는 q이기 위한 어떤 조건인지 말하여라.

0604 p : $a>b$

q : $a+c>b+c$

(1) 명제 $p \longrightarrow q$의 참, 거짓을 판별하여라.

(2) 명제 $q \longrightarrow p$의 참, 거짓을 판별하여라.

(3) p는 q이기 위한 어떤 조건인지 말하여라.

0605 **학교 시험 맛보기**

다음 중 p가 q이기 위한 필요충분조건인 것은?

(단, x, y는 실수)

① p : $x-y=1$, q : $x=2$, $y=1$

② p : $x+y$는 유리수, q : x, y는 유리수

③ p : x, y는 홀수, q : xy는 홀수

④ p : $x=y$, q : $x^2=y^2$

⑤ p : △ABC는 정삼각형

q : △ABC는 이등변삼각형

key $p \Longrightarrow q$, $q \Longrightarrow p$를 동시에 만족시키는 명제를 찾는다.

핵심 03 충분조건, 필요조건과 진리집합 사이의 관계

날짜 : 　월 　일

Subnote ➔ 34쪽

진리집합의 포함 관계를 구하면 충분조건과 필요조건을 구분할 수 있어.

두 조건 p, q의 진리집합을 각각 P, Q라 할 때

(1) $P \subset Q$ ➔ p는 q이기 위한 충분조건, q는 p이기 위한 필요조건이다.

(2) $P = Q$ ➔ p는 q이기 위한 필요충분조건이다.

두 조건 p, q의 진리집합을 각각 P, Q라 할 때, 다음 물음에 답하여라. (단, x는 실수)

0606 p : x는 2의 양의 배수, q : x는 4의 양의 배수

(1) 진리집합 P, Q를 각각 구하여라.

sol $P=\{2, 4, 6, 8, \cdots\}$
$Q=\{$ □, □, □, □, $\cdots\}$

(2) 집합 P, Q의 포함 관계를 말하여라.

sol P □ Q

(3) p는 q이기 위한 어떤 조건인지 말하여라.

sol p는 q이기 위한 □ 조건이다.

진리집합은 조건이 참이 되게 하는 원소들의 모임이야

0607 p : $x>1$, q : $x^2+3x-4\geq 0$

(1) 진리집합 P, Q를 각각 구하여라.

(2) 집합 P, Q의 포함 관계를 말하여라.

(3) p는 q이기 위한 어떤 조건인지 말하여라.

0608 p : $-1\leq x\leq 1$, q : $|x|\leq 1$

(1) 진리집합 P, Q를 각각 구하여라.

(2) 집합 P, Q의 포함 관계를 말하여라.

(3) p는 q이기 위한 어떤 조건인지 말하여라.

0609 p : $x^3+27=0$, q : $x^2+4x+3=0$

(1) 진리집합 P, Q를 각각 구하여라.

(2) 집합 P, Q의 포함 관계를 말하여라.

(3) p는 q이기 위한 어떤 조건인지 말하여라.

0610 p : $x^2-2x-15<0$, q : $(x+2)(x-3)\leq 0$

(1) 진리집합 P, Q를 각각 구하여라.

(2) 집합 P, Q의 포함 관계를 말하여라.

(3) p는 q이기 위한 어떤 조건인지 말하여라.

0611 학교 시험 맛보기

전체집합 U에 대하여 조건 p, q, r의 진리집합을 P, Q, R라 하자. $(P\cap Q^C)\cup(Q\cap R)=\varnothing$일 때, 옳은 것만을 보기에서 있는 대로 골라라.

보기

ㄱ. p는 r이기 위한 충분조건이다.
ㄴ. q는 p이기 위한 필요조건이다.
ㄷ. r는 q이기 위한 충분조건이다.

key $(P\cap Q^C)\cup(Q\cap R)=\varnothing$을 벤다이어그램으로 나타낸다.

4주 충분조건과 필요조건/절대부등식

핵심 **04**

충분조건이 되도록 하는 미지수 구하기

날짜 : 월 일

Subnote ➡ 35쪽

두 부등식간의 포함 관계를 확인할 때는 꼭 수직선을 그리도록 해.

두 조건 p, q의 진리집합을 각각 P, Q라 할 때

p가 q이기 위한 충분조건 ➡ $P\subset Q$

예 $P=\{x\,|\,x>3\}$, $Q=\{x\,|\,x>a\}$일 때, $P\subset Q$가 되기 위해서는 $a\le 3$을 만족해야 한다.

$P=\{x\,|\,x\ge 3\}$, $Q=\{x\,|\,x>a\}$일 때, $P\subset Q$가 되기 위해서는 $a<3$을 만족해야 한다.

주어진 두 조건 p, q에 대하여 p가 q이기 위한 충분조건일 때, 다음 물음에 답하여라.

0612 p : $-1\le x\le 4$, q : $-2\le x\le a$일 때, 실수 a의 최솟값을 구하여라.

sol 두 조건 p, q의 진리집합을 각각 P, Q라 하면
$P=\{x\,|-1\le x\le 4\}$, $Q=\{x\,|-2\le x\le a\}$
p가 q이기 위한 충분조건이면 $P\ \square\ Q$이므로 다음 그림과 같다.

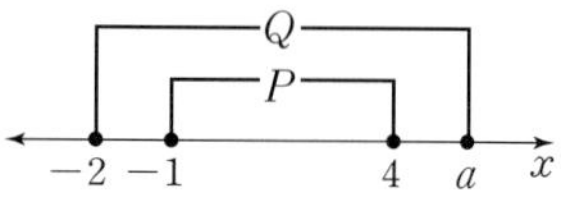

따라서 $a\ge\ \square$ 이므로 실수 a의 최솟값은 $\square$ 이다.

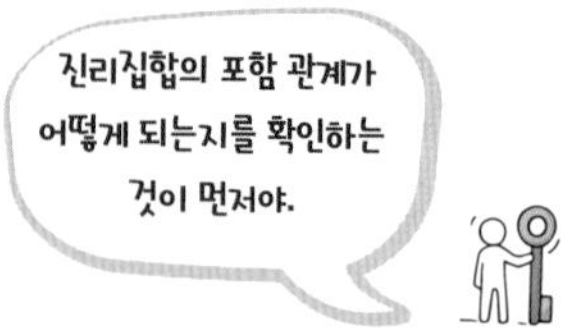

0613 p : $1\le x\le 5$, q : $0\le x\le a$일 때, 실수 a의 최솟값을 구하여라.

0614 p : $a<x<1$, q : $-3<x<2$일 때, 실수 a의 최솟값을 구하여라. (단, $a<1$)

0615 p : $a<x<1$, q : $-2\le x\le 3$일 때, 정수 a의 최솟값을 구하여라. (단, $a<1$)

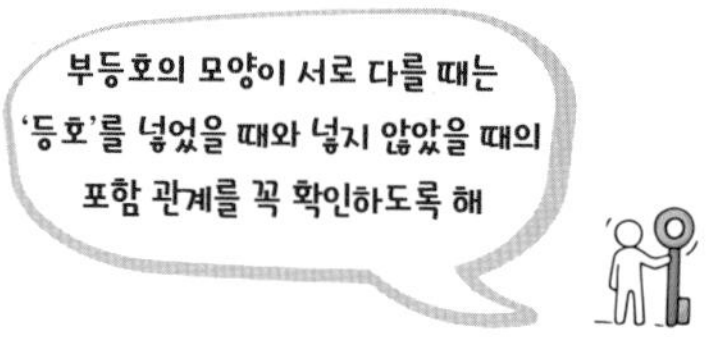

0616 p : $3\le x\le a$, q : $1\le x<5$일 때, 정수 a의 최댓값을 구하여라. (단, $a\ge 3$)

0617 **학교 시험 맛보기**

두 조건

p : $x^2-3x+2\le 0$, q : $x(x-a)<0$

에 대하여 p가 q이기 위한 충분조건이 되도록 하는 실수 a의 값의 범위를 구하여라. (단, $a>0$)

key 조건 p, q의 진리집합을 각각 구한다.

핵심 **05**

필요조건이 되도록 하는 미지수 구하기

날짜 : 월 일

Subnote ➜ 35쪽

두 부등식간의 포함 관계를 확인할 때는 꼭 수직선을 그리도록 해.

두 조건 p, q의 진리집합을 각각 P, Q라 할 때
p가 q이기 위한 필요조건 ➜ $P \supset Q$

예 $P=\{x \mid x>3\}$, $Q=\{x \mid x>a\}$일 때, $P \supset Q$가 되기 위해서는 $a \geq 3$을 만족해야 한다.
$P=\{x \mid x \geq 3\}$, $Q=\{x \mid x>a\}$일 때, $P \supset Q$가 되기 위해서는 $a \geq 3$을 만족해야 한다.

주어진 두 조건 p, q에 대하여 p가 q이기 위한 필요조건일 때, 다음 물음에 답하여라.

0618 p : $-2 \leq x \leq 5$, q : $a \leq x \leq 4$일 때, 실수 a의 최솟값을 구하여라. (단, $a \leq 4$)

sol 두 조건 p, q의 진리집합을 각각 P, Q라 하면
$P=\{x \mid -2 \leq x \leq 5\}$, $Q=\{x \mid a \leq x \leq 4\}$
p가 q이기 위한 필요조건이면 P □ Q이므로 다음 그림과 같다.

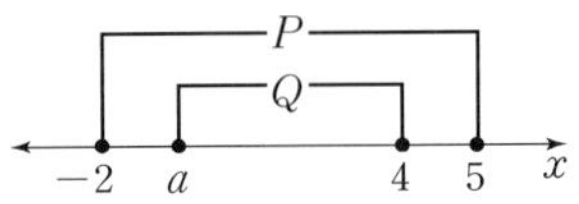

$a \geq$ □ 이므로 $-2 \leq a \leq 4$
따라서 실수 a의 최솟값은 □ 이다.

0619 p : $-1<x<4$, q : $0 \leq x<a$일 때, 실수 a의 최댓값을 구하여라. (단, $a>0$)

0620 p : $-2<x<4$, q : $a \leq x \leq 3$일 때, 정수 a의 최솟값을 구하여라. (단, $a \leq 3$)

0621 p : $a<x<4$, q : $-3 \leq x \leq 2$일 때, 정수 a의 최댓값을 구하여라.

0622 p : $-3 \leq x<a$, q : $1 \leq x \leq 4$일 때, 정수 a의 최솟값을 구하여라.

0623 **학교 시험 맛보기**

두 조건

p : $x^2-2x-8 \leq 0$

q : $(x-a+1)(x-a-2)<0$

에 대하여 p가 q이기 위한 필요조건이 되도록 하는 실수 a의 값의 범위를 구하여라.

key 두 조건 p, q의 진리집합의 각각 P, Q라 할 때, p가 q이기 위한 필요조건이 되려면 $P \supset Q$이어야 한다.

Mini Review Test

날짜 : 월 일

Subnote ➡ 36쪽

| 핵심 01 |

0624 다음 중 p가 q이기 위한 충분조건이지만 필요조건이 아닌 것은? (단, x, y, z는 실수)

① $p : x>y$ $q : xz>yz$
② $p : x^2-5x+4=0$ $q : x=1$
③ $p : x^3=y^3$ $q : x=y$
④ $p : x^2+y^2=0$ $q : xy=0$
⑤ $p : |xy|=-xy$ $q : x>0, y<0$

key $p \Longrightarrow q$이고 $q \not\Longrightarrow p$인 것을 찾는다.

| 핵심 02 |

0625 두 유리수 a, b에 대하여 다음 보기 중 $a^2+b^2=0$이기 위한 필요충분조건을 있는 대로 골라라.

보기
ㄱ. $ab=0$ ㄴ. $|a|+|b|=0$
ㄷ. $a+b\sqrt{3}=0$

| 핵심 03 | UP

0626 다음 중 전체집합 U의 세 부분집합 P, Q, R에 대하여 $P\cap\{(Q-R)\cup(Q\cap R)\}=P$가 성립하기 위한 필요충분조건은?

① $P\cup Q=Q$ ② $Q\subset P$ ③ $P\cap Q=\varnothing$
④ $P\cup Q=U$ ⑤ $R=U$

key 주어진 식을 정리하여 집합 사이의 관계를 파악한다.

| 핵심 03 | UP

0627 전체집합 U에서 조건 p, q, r의 진리집합을 각각 P, Q, R라 하자. p는 $\sim q$이기 위한 충분조건이고 $\sim r$는 $\sim p$이기 위한 필요조건일 때, 다음 중 옳은 것은?

① $Q\cap R=\varnothing$ ② $P\cup Q=R$
③ $P\cap R=P$ ④ $Q\subset(P\cup R)$
⑤ $P\subset(Q\cap R)$

| 핵심 05 |

0628 두 조건 p, q가

$p : -4\le x\le 3$, $q : |x-a|<1$

일 때, p가 q이기 위한 필요조건이 되도록 하는 정수 a의 개수를 구하여라.

key 진리집합의 포함 관계를 수직선 위에 나타낸다.

| 핵심 05 |

0629 세 조건 p, q, r가

$p : a\le x\le b$, $q : x>1$, $r : 4<x<7$

일 때, p는 q이기 위한 충분조건이고 p는 r이기 위한 필요조건이다. a의 최댓값과 b의 최솟값의 합을 구하여라. (단, a, b는 실수)

핵심 06 **두 수 또는 식의 대소 비교 (1)**

날짜 : 월 일

Subnote ➔ 37쪽

두 수의 대소를 비교할 때, 가장 먼저 사용해야 할 방법이 두 수의 차를 이용하는 방법이야.

두 실수 또는 두 식 A, B의 대소를 판단할 때, 두 수의 차 $A-B$를 이용한다.

(1) $A-B>0 \Longleftrightarrow A>B$

(2) $A-B<0 \Longleftrightarrow A<B$

(3) $A-B=0 \Longleftrightarrow A=B$

예 $\frac{3}{4}-\frac{2}{3}=\frac{1}{12}>0$이므로 $\frac{3}{4}>\frac{1}{2}$

$(a+1)-(a-1)=2>0$이므로 $a+1>a-1$

다음 두 수 A, B의 대소를 비교하여라.

0630 $A=\frac{a}{a+1}$, $B=\frac{b}{b+1}$ (단, $a>b>0$)

sol $A-B=\frac{a}{a+1}-\frac{b}{b+1}$

$=\frac{a(b+1)-\square}{(a+1)(b+1)}$

$=\frac{a-\square}{(a+1)(b+1)}$

$a-b>0$, $(a+1)(b+1)>0$

이므로 $A-B \ \square \ 0$

$\therefore A \ \square \ B$

분모가 다를 때는 분모의 최소공배수로 통분하도록 해.

0631 $A=\frac{1}{a}$, $B=\frac{1}{b}$ (단, $a<b<0$)

0632 $A=\frac{a}{b}$, $B=\frac{a+1}{b+1}$ (단, $a>b>0$)

0633 $A=\frac{a+2}{a}$, $B=\frac{b+2}{b}$ (단, $a>b>0$)

0634 $A=ab^3$, $B=a^3b$ (단, $a<b<0$)

공통인수가 있을 때는 묶어서 인수분해가 되는지를 확인하도록 해.

0635 $A=2a+3b$, $B=ab+6$ (단, $a<3$, $b<2$)

0636 $A=\frac{a}{a+1}$, $B=\frac{a+b}{a+b+2}$ (단, $a>b>0$)

0637 학교 시험 맛보기

$0<a<1$일 때, 세 수 a, a^2, $\frac{1}{a}$의 대소를 비교하여라.

핵심 07 두 수 또는 식의 대소 비교 (2)

날짜 : 월 일

Subnote 37쪽

근호가 포함된 식이나 절댓값이 포함된 식의 경우에는 두 수를 제곱하여 차를 비교하는 것이 좋아.

$A>0$, $B>0$일 때

(1) $A^2>B^2 \Longleftrightarrow A>B$

예 $(4\sqrt{5})^2-(6\sqrt{2})^2=8>0$이므로 $4\sqrt{5}>6\sqrt{2}$

(2) ① $\dfrac{A}{B}>1 \Longleftrightarrow A>B$　② $\dfrac{A}{B}<1 \Longleftrightarrow A<B$　③ $\dfrac{A}{B}=1 \Longleftrightarrow A=B$

다음 두 수 A, B의 대소를 비교하여라.

0638 $A=\sqrt{a}+\sqrt{b}$, $B=\sqrt{a+b}$ (단, a, b는 양수)

sol $A^2=(\sqrt{a}+\sqrt{b})^2=a+b+$□

$B^2=(\sqrt{a+b})^2=a+b$

$A^2-B^2=$□>0

따라서 A^2 □ B^2이므로 A □ B

0639 $A=\sqrt{a-b}$, $B=\sqrt{a}-\sqrt{b}$ (단, $a>b>0$)

제곱의 차를 비교할 때는 두 수가 모두 양수인지를 확인하고 해야 해.

0640 $A=\sqrt{3}+\sqrt{11}$, $B=\sqrt{6}+2\sqrt{2}$

두 수의 차가 직접적으로 비교되지 않는 근호가 있을 때는 제곱을 해 봐.

0641 학교 시험 맛보기

세 수 $A=\sqrt{3}+2\sqrt{2}$, $B=\sqrt{5}+\sqrt{6}$, $C=\sqrt{4}+\sqrt{7}$의 대소 관계를 바르게 나타낸 것은?

① $A<B<C$　② $A<C<B$　③ $B<A<C$

④ $C<A<B$　⑤ $C<B<A$

다음 ◯ 안에 $\geq$, $\leq$ 중 알맞은 것을 써넣어라.

0642 $A=|a+b|$, $B=|a|+|b|$

A ◯ B

절댓값이 있을 때는 절댓값을 없애기 위해서 제곱을 해 봐.

0643 $A=|a+b|$, $B=|a-b|$ (단, $a>0$, $b>0$)

A ◯ B

다음 두 수 A, B의 대소를 비교하여라.

0644 $A=3^{30}$, $B=6^{15}$

sol $\dfrac{A}{B}=\dfrac{3^{30}}{6^{15}}=\left(\dfrac{3^2}{6}\right)^{□}=\left(\dfrac{3}{2}\right)^{□}$ □ 1

$\therefore A$ □ B

0645 $A=3^{60}$, $B=2^{100}$

핵심

08 절대부등식

날짜 : 월 일

Subnote ➜ 38쪽

실수에 관한 절대부등식은 완전제곱식 형태를 가장 많이 이용해.

(1) a가 실수일 때, $a^2\geq 0$ (단, 등호는 $a=0$일 때 성립)

(2) a, b가 실수일 때, $a^2+b^2\geq 0$ (단, 등호는 $a=b=0$일 때 성립)

예 실수 x에 대하여 $x^2-2x+1=(x-1)^2\geq 0$ (단, 등호는 $x=1$일 때 성립)

실수 a, b에 대하여 $a^2-2ab+2b^2=(a^2-2ab+b^2)+b^2=(a-b)^2+b^2\geq 0$

(단, 등호는 $a=b=0$일 때 성립)

다음 부등식이 성립함을 증명하여라.

0646 $x^2+x+1>0$ (단, x는 실수)

sol $x^2+x+1=\left(x^2+x+\frac{1}{4}\right)+\square$

$=\left(x+\frac{1}{2}\right)^2+\square$

$\left(x+\frac{1}{2}\right)^2\ \square\ 0$이므로 $\left(x+\frac{1}{2}\right)^2+\square>0$

$\therefore x^2+x+1>0$

0647 $x^2-x+1>0$ (단, x는 실수)

0648 $4x^2-4xy+y^2\geq 0$ (단, x, y는 실수)

0649 $x(x+2y)\geq y(x-y)$ (단, x, y는 실수)

$A\geq B$를 확인하는 것은 $A-B\geq 0$를 확인하는 것과 같아.

0650 $x^2-4xy+5y^2\geq 0$ (단, x, y는 실수)

0651 $x^2+y^2-2x+4y+5\geq 0$ (단, x, y는 실수)

sol $x^2+y^2-2x+4y+5$

$=(x^2-2x+1)+(\square)$

$=(x-1)^2+(\square)^2$

$(x-1)^2\geq 0$, $(\square)^2\geq 0$이므로

$x^2+y^2-2x+4y+5\geq 0$

(단, 등호는 $x=\square$, $y=\square$일 때 성립)

A^2+B^2 꼴로 표현할 수 있는지 확인해 봐.

0652 $x^2+y^2+z^2-xy-yz-zx\geq 0$ (단, x, y, z는 실수)

0653 학교 시험 맛보기

a, b가 실수일 때, 다음 중 절대부등식이 아닌 것은?

① $a^2-a+1>0$ ② $5a^2-4ab+b^2\geq 0$

③ $(a-1)^2+(b-2)^2\geq 0$ ④ $|a+b|\geq|a-b|$

⑤ $|a|+|b|\geq|a+b|$

key 모든 실수 a, b에 대하여 성립하는 부등식을 찾는다.

4주 충분조건과 필요조건/절대부등식

핵심 09 산술평균과 기하평균의 관계 (1) — 합의 최솟값

날짜 : 월 일

Subnote ➜ 38쪽

양수 조건에서 합 또는 곱의 최댓값이나 최솟값은 산술평균과 기하평균의 관계를 이용하면 돼.

양수 a, b에 대하여
$a+b\geq 2\sqrt{ab}$ (단, 등호는 $a=b$일 때 성립)

예 $a>0$일 때, $a+\frac{1}{a}$의 최솟값을 구하여라.

$a>0$, $\frac{1}{a}>0$이므로

$a+\frac{1}{a}\geq 2\sqrt{a\times\frac{1}{a}}=2$ $\left(\text{단, 등호는 } a=\frac{1}{a}\text{, 즉 } a=1\text{일 때 성립}\right)$

따라서 $a+\frac{1}{a}$의 최솟값은 2이다.

$a>0$, $b>0$일 때, 다음 부등식을 증명하여라.

0654 $\frac{a+b}{2}\geq\sqrt{ab}$

sol $\frac{a+b}{2}>0$, $\sqrt{ab}>0$이므로

$\left(\frac{a+b}{2}\right)^2-(\sqrt{ab})^2=\frac{a^2+2ab+b^2}{4}-ab$

$=\frac{a^2-2ab+b^2}{4}$

$=$ ☐ $\geq$ ☐

따라서 $\left(\frac{a+b}{2}\right)^2$ ☐ $(\sqrt{ab})^2$ 이므로

$\frac{a+b}{2}\geq\sqrt{ab}$ (단, 등호는 ☐ 일 때 성립)

0655부터는 산술평균과 기하평균의 관계를 이용하자.

0655 $a+\frac{9}{a}\geq 6$

0656 $\frac{a}{2}+\frac{8}{a}\geq 4$

0657 $a+1+\frac{4}{a+1}\geq 4$

$a>0$, $b>0$일 때, 다음 식의 최솟값을 구하여라.

0658 $a+\frac{1}{4a}$

0659 $4a+\frac{4}{9a}$

역수 관계에 있는 식의 최솟값을 구할 때는 산술평균과 기하평균의 관계를 이용해.

0660 $\frac{4b}{a}+\frac{a}{b}$

0661 $2a+1+\frac{1}{2a+1}$

0662 **학교 시험 맛보기**

a, b가 양수일 때, $a+b+\frac{1}{a}+\frac{4}{b}$의 최솟값을 구하여라.

key $a+b+\frac{1}{a}+\frac{4}{b}=\left(a+\frac{1}{a}\right)+\left(b+\frac{4}{b}\right)$

날짜 : 월 일

핵심 **10** **산술평균과 기하평균의 관계 (2) – 두 식의 곱의 최솟값**

Subnote 39쪽

식을 전개한 후 산술평균과 기하평균의 관계를 이용해.

예 $a>0$일 때, $(a+3)\left(\dfrac{1}{a}+3\right)$의 최솟값을 구하여라.

$3a>0$, $\dfrac{3}{a}>0$이므로

$(a+3)\left(\dfrac{1}{a}+3\right)=3a+\dfrac{3}{a}+10$

$\geq 2\sqrt{3a\times\dfrac{3}{a}}+10=2\times3+10=16$ (단, 등호는 $a=1$일 때 성립)

따라서 $(a+3)\left(\dfrac{1}{a}+3\right)$의 최솟값은 16이다.

$a>0$, $b>0$일 때, 다음 부등식을 증명하여라.

0663 $(a+b)\left(\dfrac{1}{a}+\dfrac{1}{b}\right)\geq 4$

sol $\dfrac{a}{b}>0$, $\dfrac{b}{a}>0$이므로 산술평균과 기하평균의 관계에 의하여

$(a+b)\left(\dfrac{1}{a}+\dfrac{1}{b}\right)=\dfrac{a}{b}+\dfrac{b}{a}+\square$

$\geq 2\sqrt{\square\times\square}+2$

$=2+2=4$(단, 등호는 $\square$일 때 성립)

0664 $\left(a+\dfrac{1}{b}\right)\left(4b+\dfrac{9}{a}\right)\geq 25$

0665 $\left(4a+\dfrac{3}{b}\right)\left(\dfrac{1}{a}+3b\right)\geq 25$

0666 $\left(a-\dfrac{1}{a}\right)\left(a-\dfrac{9}{a}\right)\geq -4$

$a>0$, $b>0$일 때, 다음 식의 최솟값을 구하여라.

0667 $(2a+b)\left(\dfrac{1}{a}+\dfrac{2}{b}\right)$

0668 $\left(a+\dfrac{2}{b}\right)\left(\dfrac{1}{a}+2b\right)$

0669 $\left(3a+\dfrac{1}{b}\right)\left(\dfrac{3}{a}+b\right)$

0670 **학교 시험 맛보기**

0이 아닌 실수 x에 대하여 $(2x^2+1)\left(\dfrac{3}{x^2}+6\right)$의 최솟값을 구하여라.

key 0이 아닌 실수 x에 대하여 $x^2>0$이다.

4주 충분조건과 필요조건/절대부등식

핵심 11 산술평균과 기하평균의 관계 (3) – 합 또는 곱이 일정할 때

날짜 : 월 일

Subnote ➡ 40쪽

합이 일정하면 곱의 최댓값을, 곱이 일정하면 합의 최솟값을 구할 수 있다.

$a>0$, $b>0$일 때, $a+b\ge 2\sqrt{ab}$가 항상 성립하므로

(1) $a+b=k$이면 $\sqrt{ab}\le \frac{k}{2}$ (단, 등호는 $a=b$일 때 성립)

(2) $ab=k$이면 $a+b\ge 2\sqrt{k}$ (단, 등호는 $a=b$일 때 성립)

양수 a, b가 다음 조건을 만족할 때, ab의 최댓값을 구하여라.

0671 $a+b=4$

sol $a>0$, $b>0$이므로 산술평균과 기하평균의 관계에 의하여
$a+b\ge 2\sqrt{ab}$
그런데 $a+b=4$이므로
□ $\ge 2\sqrt{ab}$, □ $\ge \sqrt{ab}$
양변을 제곱하면 □ $\ge ab$ (단, 등호는 $a=b$일 때 성립)
따라서 ab의 최댓값은 □이다.

0672 $2a+b=6$

0673 $2a+3b=12$

0674 $a^2+b^2=9$

0675 $a^2+2b^2=8$

양수 a, b가 다음 조건을 만족할 때, 물음에 답하여라.

0676 $ab=1$일 때, $a+b$의 최솟값을 구하여라.

sol $a>0$, $b>0$이므로 산술평균과 기하평균의 관계에 의하여
$a+b\ge 2\sqrt{ab}$
그런데 $ab=1$이므로
$a+b\ge$ □ (단, 등호는 $a=b$일 때 성립)
따라서 $a+b$의 최솟값은 □이다.

0677 $ab=4$일 때, $3a+b$의 최솟값을 구하여라.

0678 $ab=6$일 때, $2a+3b$의 최솟값을 구하여라.

0679 $ab=4$일 때, $4a^2+9b^2$의 최솟값을 구하여라.

0680 학교 시험 맛보기

양수 a, b에 대하여 $3a+2b=8$을 만족할 때, ab의 최댓값을 α, 그때의 a, b의 값을 각각 β, γ라 하자. 이때 $\alpha+\beta+\gamma$의 값을 구하여라.

핵심 **12**
산술평균과 기하평균의 관계 (4) - 식 변형

날짜 : 월 일

Subnote ➲ 41쪽

식의 모양을 바꿔서 ▲$+\frac{□}{▲}$ 모양으로 만들어 봐.

❶ $f(x)+\frac{1}{f(x)}$ $(f(x)>0)$ 꼴을 포함하도록 식을 변형한다.

❷ 산술평균과 기하평균의 관계를 이용한다.

다음 식의 최솟값을 구하여라.

0681 $a+\frac{1}{a+1}$ (단, $a>-1$)

sol $a>-1$에서 $a+1>0$이므로 산술평균과 기하평균의 관계에 의하여

$$a+\frac{1}{a+1}=a+1+\frac{1}{a+1}-1$$
$$\geq 2\sqrt{(a+1)\times\frac{1}{a+1}}-1$$
$$=\square-1=\square$$
$$\left(\text{단, 등호는 } a+1=\frac{1}{a+1}\text{, 즉 } a=\square \text{ 일 때 성립}\right)$$

따라서 $a+\frac{1}{a+1}$의 최솟값은 $\square$이다.

0682 $a+\frac{4}{a-2}$ (단, $a>2$)

0683 $4a+\frac{1}{2a+1}$ $\left(\text{단, } a>-\frac{1}{2}\right)$

■$+\frac{□}{▲}$ 식에서 분모 (▲)의 식을 바꾸기는 어려워. ■의 식을 변형해서 실수배를 하더라도 ▲를 만들어야 해.

0684 $3a-2+\frac{3}{a-1}$ (단, $a>1$)

0685 $a-1+\frac{9}{4a-1}$ $\left(\text{단, } a>\frac{1}{4}\right)$

0686 **학교 시험 맛보기**

$x>1$인 실수 x에 대하여 $2x+\frac{8}{x-1}$은 $x=m$일 때, 최솟값 n을 갖는다. 이때 $m+n$의 값을 구하여라.

key $2x+\frac{8}{x-1}$을 산술평균과 기하평균의 관계를 적용할 수 있는 꼴로 변형한다.

핵심 **13** 코시－슈바르츠의 부등식

날짜 : 월 일

Subnote ◐ 41쪽

실수 a, b, x, y가 주어지고 x^2+y^2의 최소 또는 $ax+by$의 최대를 구할 때 코시－슈바르츠의 부등식을 이용해.

a, b, x, y가 실수일 때,

$(a^2+b^2)(x^2+y^2) \geq (ax+by)^2$ $\left(\text{단, 등호는 } \frac{x}{a}=\frac{y}{b}\text{일 때 성립}\right)$

예 실수 x, y가 $x^2+y^2=2$를 만족할 때, $x+y$의 최댓값과 최솟값을 각각 구하여라.

$(1^2+1^2)(x^2+y^2) \geq (1\cdot x+1\cdot y)^2$

그런데 $x^2+y^2=2$이므로 $(x+y)^2 \leq 4$

$\therefore -2 \leq x+y \leq 2$ (단, 등호는 $x=y$일 때 성립)

따라서 $x+y$의 최댓값은 2, 최솟값은 -2이다.

실수 x, y가 주어진 조건을 만족할 때, 다음 식의 최댓값과 최솟값을 각각 구하여라.

0687 $x^2+y^2=9$

(1) $x+y$

sol x, y가 실수이므로 코시－슈바르츠의 부등식에 의하여

$(1^2+1^2)(x^2+y^2) \geq (1\cdot x+1\cdot y)^2$

그런데 $x^2+y^2=9$이므로 ______ $\geq (x+y)^2$

$\therefore$ ______ $\leq x+y \leq$ ______

(단, 등호는 $x=y$일 때 성립)

따라서 $x+y$의 최댓값은 ______, 최솟값은 ______이다.

(2) $x+2y$

sol x, y가 실수이므로 코시－슈바르츠의 부등식에 의하여

$(1^2+2^2)(x^2+y^2) \geq (1\cdot x+2\cdot y)^2$

그런데 $x^2+y^2=9$이므로 $45 \geq (x+2y)^2$

$\therefore$ ______ $\leq x+2y \leq$ ______

(단, 등호는 $2x=y$일 때 성립)

따라서 $x+2y$의 최댓값은 ______, 최솟값은 ______ 이다.

$(a^2+b^2)(x^2+y^2) \geq (ax+by)^2$의 모양을 만들기 위해 a, b의 값을 무엇으로 할지만 결정하면 어렵지 않아.

0688 $x^2+y^2=5$

(1) $2x+y$

(2) $3x+4y$

실수 x, y가 주어진 조건을 만족할 때, x^2+y^2의 최솟값을 구하여라.

0689 $x+2y=5$

sol x, y가 실수이므로 코시－슈바르츠의 부등식에 의하여

$(1^2+2^2)(x^2+y^2) \geq (x+2y)^2$

그런데 $x+2y=5$이므로

$5(x^2+y^2) \geq$ ______

$\therefore x^2+y^2 \geq$ ______ (단, 등호는 $2x=y$일 때 성립)

따라서 x^2+y^2의 최솟값은 ______ 이다.

0690 $3x+y=5$

0691 $x-y=1$

$x-y=x+(-1)\cdot y$로 생각할 수 있어.

0692 학교 시험 맛보기

실수 x, y에 대하여 $x^2+y^2=45$일 때, $(x+2y)^2$의 값이 최대가 되도록 하는 양수 x의 값을 구하여라.

Mini Review Test

날짜 : 월 일

Subnote ⊙ 42쪽

| 핵심 06 |

0693 $0<a<1$일 때, $\frac{1}{a+1}$, $\frac{a+1}{a+3}$의 대소를 비교하여라.

| 핵심 07 |

0694 세 수 $A=\sqrt{3}+\sqrt{10}$, $B=\sqrt{6}+\sqrt{7}$, $C=5$의 대소를 비교하여라.

key $5=2+3=\sqrt{4}+\sqrt{9}$

| 핵심 08 |

0695 x, y가 실수일 때, 옳은 것만을 보기에서 있는 대로 골라라.

| 보기 |

ㄱ. $x^2-2xy+2y^2\geq 0$
ㄴ. $x^2+x-2>0$
ㄷ. $x^2+y^2+1+x-y+xy\geq 0$
ㄹ. $5(x^2+y^2)\geq(2x+y)^2$

| 핵심 08 | UP

0696 모든 실수 x에 대하여 $x^2-2kx+3k-2>0$이 항상 성립하도록 하는 실수 k의 값의 범위를 구하여라.

key (실수)$^2\geq 0$임을 이용한다.

| 핵심 10 |

0697 a, b가 양수일 때, $\left(2a+\frac{1}{b}\right)\left(\frac{1}{a}+8b\right)$의 최솟값을 구하여라.

| 핵심 11 | UP

0698 양수 x, y에 대하여 $3x+4y=1$일 때, $\frac{1}{x}+\frac{1}{y}$의 최솟값을 구하여라.

key $1=3x+4y$의 양변에 $\frac{1}{x}+\frac{1}{y}$을 곱한 후 우변을 전개한다.

| 핵심 13 |

0699 실수 a, b, x, y에 대하여 $a^2+b^2=4$, $x^2+y^2=9$일 때, $ax+by$의 최댓값과 최솟값을 각각 구하여라.

| 핵심 13 | UP

0700 실수 x, y에 대하여 $x+2y=10$일 때, x^2+y^2의 최솟값을 α, 그때의 x, y의 값을 β, γ라 하자. $\alpha+\beta+\gamma$의 값을 구하여라.

5

함수

학습목표

1. 함수의 개념을 이해하고, 그 그래프를 이해한다.
2. 여러 가지 함수의 뜻을 알고, 이를 구분할 수 있다.

스스로 공부 계획 세우기

	학습 내용	공부한 날짜		반복하기
5. 함수	**01.** 대응	월	일	□□
	02. 함수의 뜻	월	일	□□
	03. 정의역, 공역, 치역 구하기 (1) – 대응	월	일	□□
	04. 정의역, 공역, 치역 구하기 (2) – 함수식	월	일	□□
	05. 함숫값 구하기	월	일	□□
	06. 치환을 이용하여 함숫값 구하기	월	일	□□
	Mini **Review** Test(**01~06**)	월	일	□□
	07. 서로 같은 함수	월	일	□□
	08. 서로 같은 함수일 때 미지수 구하기	월	일	□□
	09. 함수의 그래프	월	일	□□
	10. 일대일함수와 일대일대응	월	일	□□
	11. 일대일대응이 되기 위한 조건 (1) – 일차식	월	일	□□
	12. 일대일대응이 되기 위한 조건 (2) – 이차식	월	일	□□
	Mini **Review** Test(**07~12**)	월	일	□□
	13. 항등함수와 상수함수	월	일	□□
	14. 항등함수와 상수함수의 이해 – 함숫값 구하기	월	일	□□
	15. 일대일함수와 일대일대응의 개수	월	일	□□
	16. 조건을 만족시키는 함수의 개수	월	일	□□
	Mini **Review** Test(**13~16**)	월	일	□□

5 함수

개념 톡톡

개념 NOTE

1 함수

(1) 함수 핵심 01 핵심 02 핵심 03 핵심 04 핵심 05 핵심 06

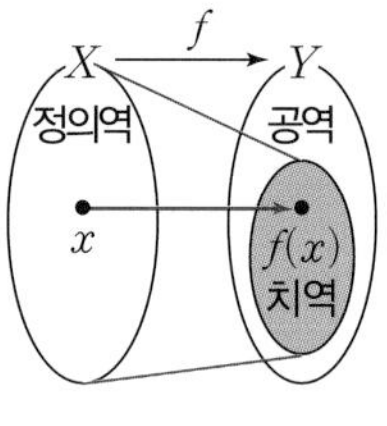

공집합이 아닌 두 집합 X, Y에 대하여 집합 X의 각 원소에 집합 Y의 원소가 오직 하나씩 대응할 때, 이 대응을 X에서 Y로의 함수라 하고, 기호로 $f: X \longrightarrow Y$와 같이 나타낸다.

① 정의역 : 집합 X

② 공역 : 집합 Y

③ 치역 : 함숫값 전체의 집합, 즉 $\{f(x) \mid x \in X\}$

정의역의 원소 x가 공역의 원소 y에 오직 하나씩만 대응되어야 함수이다.

(2) 서로 같은 함수 핵심 07 핵심 08

두 함수 f, g에 대하여 정의역과 공역이 각각 같고 정의역의 모든 원소 x에 대하여 $f(x)=g(x)$일 때, 두 함수 f와 g는 서로 같다고 하고, 기호로 $f=g$와 같이 나타낸다.

두 함수가 서로 같은 함수가 아닐 때, $f \neq g$로 나타낸다.

(3) 함수의 그래프 핵심 09

함수 $f: X \longrightarrow Y$에 대하여 정의역 원소 x와 이에 대응하는 함숫값 $f(x)$의 순서쌍 $(x, f(x))$ 전체의 집합, 즉 $\{(x, f(x)) \mid x \in X\}$를 함수 f의 그래프라 한다.

정의역의 임의의 원소 x에 대하여 y축과 평행한 직선을 그렸을 때 오직 한 점에서 만나는 그래프가 함수의 그래프이다.

2 여러 가지 함수 핵심 10 핵심 11 핵심 12 핵심 13 핵심 14 핵심 15 핵심 16

(1) 일대일함수

함수 $f: X \longrightarrow Y$에서 정의역 X의 임의의 두 원소 x_1, x_2에 대하여 $x_1 \neq x_2$이면 $f(x_1) \neq f(x_2)$인 함수

(2) 일대일대응

함수 $f: X \longrightarrow Y$가 일대일함수이고, 공역과 치역이 같은 함수

(3) 항등함수

함수 $f: X \longrightarrow X$에서 정의역 X의 각 원소 x에 그 자신 x가 대응하는 함수, 즉 $f(x)=x$인 함수

(4) 상수함수

함수 $f: X \longrightarrow Y$에서 정의역 X의 모든 원소 x가 공역 Y의 오직 하나의 원소 c에만 대응하는 함수, 즉 $f(x)=c$(c는 상수)인 함수

예 (1) 일대일함수 (2) 일대일대응 (3) 항등함수 (4) 상수함수

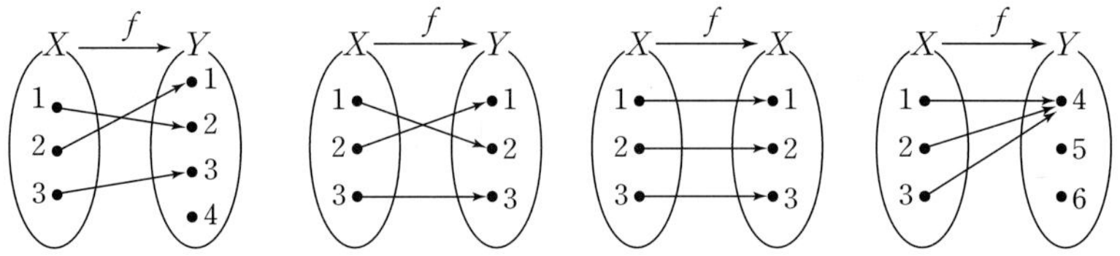

핵심 **01**

대응

날짜 : 월 일

Subnote ➡ 43쪽

X와 Y 사이의 대응이 아니라 X에서 Y로의 대응이므로 대응하는 두 집합 사이에는 화살표와 같은 '방향'이 있어.

두 집합 X, Y가 주어졌을 때, 집합 X의 원소 x에 집합 Y의 원소 y를 짝지어주는 것을 집합 X에서 집합 Y로의 대응이라 하고, 기호로 $x \longrightarrow y$와 같이 나타낸다.

예 두 집합 $X=\{1, 2, 3\}$, $Y=\{0, 1, 2, 3\}$에 대하여 집합 X의 각 원소 x에 집합 Y의 원소 y가 $y=x-1$의 관계로 대응할 때,

$1 \longrightarrow 0$, $2 \longrightarrow 1$, $3 \longrightarrow 2$

이므로 이 대응을 그림으로 나타내면 오른쪽 그림과 같다.

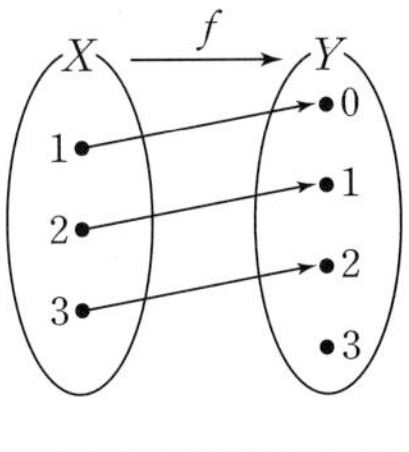

두 집합 X, Y에 대하여 집합 X의 원소 x에 집합 Y의 원소 y가 다음의 관계로 대응할 때, 이 대응을 그림으로 나타내어라.

0701 $X=\{1, 2, 3, 4\}$

$Y=\{0, 1, 2, 3\}$

$y=$(x의 양의 약수의 개수)

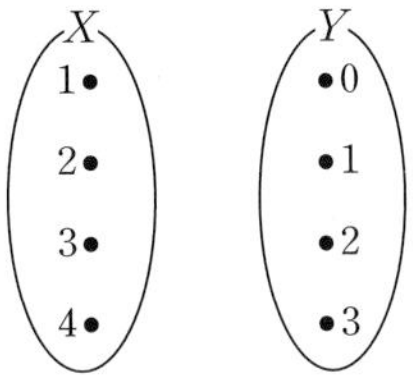

0702 $X=\{1, 2, 3\}$

$Y=\{1, 2, 3, 4\}$

$y=x^2$

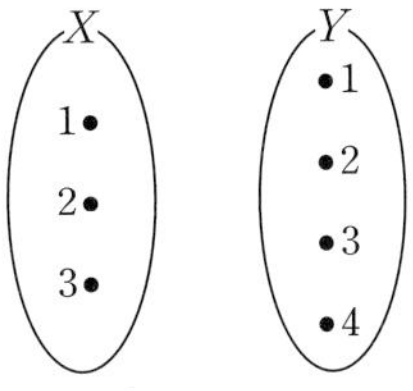

0703 $X=\{1, 2, 3, 4\}$

$Y=\{0, 1, 2\}$

$y=$(x를 3으로 나눈 나머지)

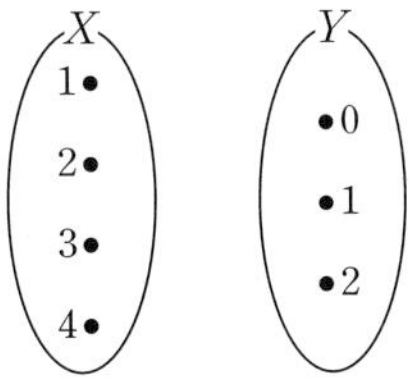

0704 $X=\{2, 3, 4\}$

$Y=\{2, 3, 4, 6\}$

$y=$(x와 서로소인 수)

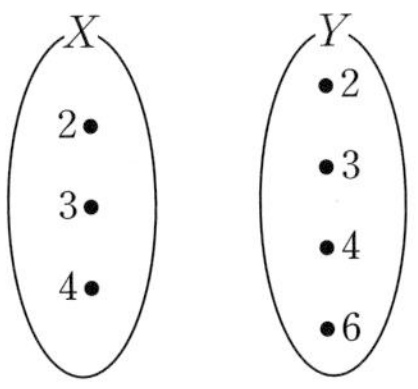

두 수의 공약수가 1뿐일 때, 두 수를 서로소라 해.

두 집합 $X=\{-1, 0, 1\}$, $Y=\{0, 1, 2\}$에 대하여 X의 원소 x에 Y의 원소 y를 다음과 같이 대응시킬 때, 이 대응을 그림으로 나타내어라.

0705 $x \longrightarrow |x|$

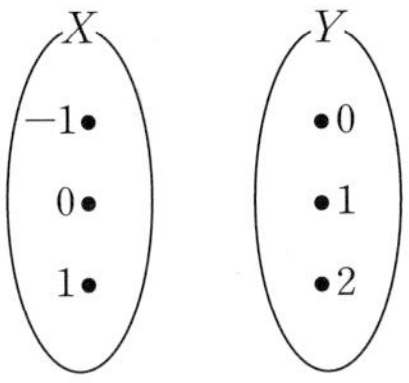

0706 $x \longrightarrow x+2$

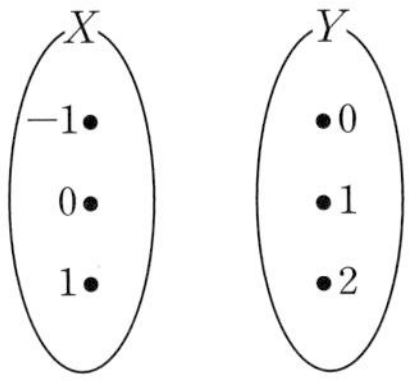

0707 $x \longrightarrow$ (x보다 큰 수)

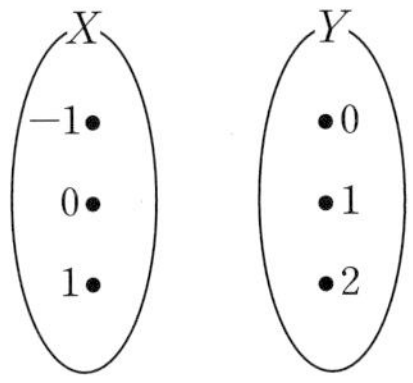

0708 $x \longrightarrow x+1$

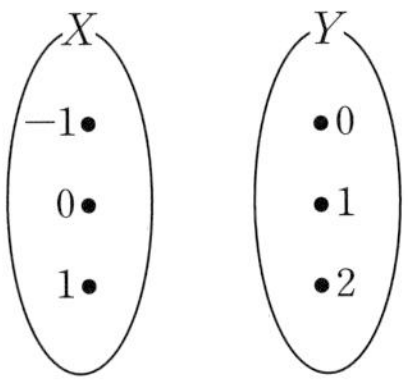

핵심 02

함수의 뜻

날짜 : 월 일

Subnote 43쪽

일단 그림으로 나타내면 함수인 것을 쉽게 찾을 수 있을 거야.

두 집합 X, Y에 대하여 X의 각 원소에 Y의 원소가 오직 하나씩 대응할 때, 이 대응을 X에서 Y로의 함수라 하고, 기호로 $f: X \longrightarrow Y$와 같이 나타낸다.

예 ①
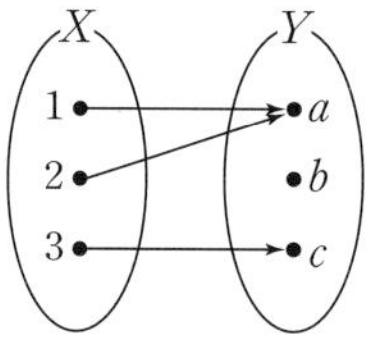

②
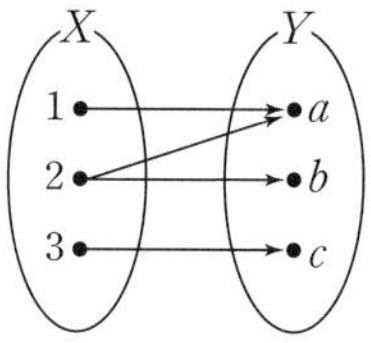

③
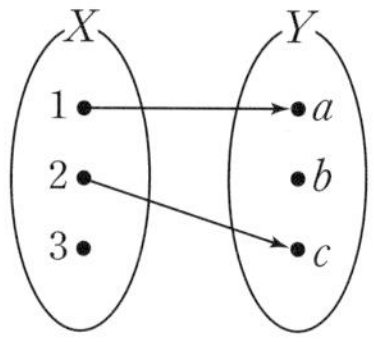

①은 X의 각 원소에 Y의 원소가 오직 하나씩 대응하므로 함수이다.

②는 X의 원소 2에 대응하는 Y의 원소가 a, b로 2개이므로 함수가 아니다.

③은 X의 원소 3에 대응하는 Y의 원소가 없으므로 함수가 아니다.

다음 대응이 집합 X에서 집합 Y로의 함수인지 아닌지 판별하여라.

0709

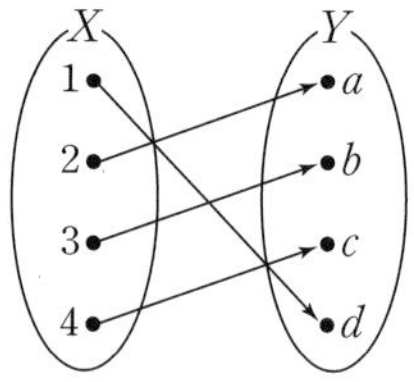

0710

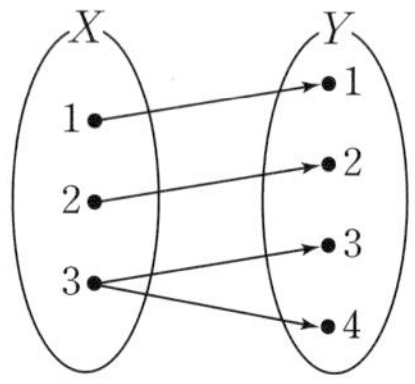

0711

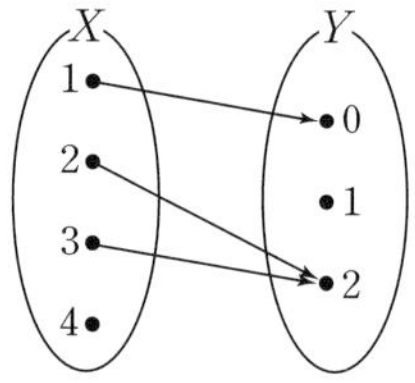

0712

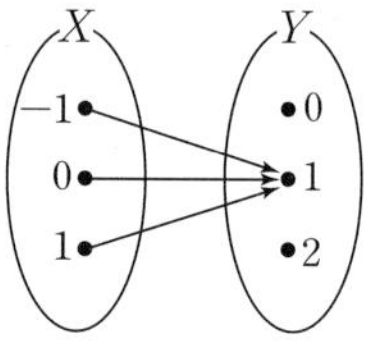

두 집합 $X=\{0, 1, 2\}$, $Y=\{1, 2, 3\}$에 대하여 다음 대응이 집합 X에서 집합 Y로의 함수인지 아닌지 판별하고, 그 이유를 말하여라.

0713 $f(x)=x+1$

집합 X에서 집합 Y로의 대응을 그림으로 나타내 봐.

0714 $g(x)=x^2+1$

0715 $h(x)=|x-3|$

0716 학교 시험 맛보기

두 집합 $X=\{-1, 1, 2\}$, $Y=\{1, 2, 3, 4\}$에 대하여 X의 원소 x에 Y의 원소를 다음과 같이 대응시킬 때, X에서 Y로의 함수인 것을 모두 고르면?

① $x \longrightarrow x+1$ ② $x \longrightarrow x^2$

③ $x \longrightarrow |x|-1$ ④ $x \longrightarrow \dfrac{x^2+2}{3}$

⑤ $x \longrightarrow \sqrt{x+3}$

key 집합 X의 원소 x를 집합 Y의 원소에 대응시키는 그림을 그려 본다.

핵심 **03**

정의역, 공역, 치역 구하기 (1) – 대응

날짜 : 월 일

Subnote ➡ 44쪽

함수 $f: X \longrightarrow Y$에서 X의 원소 x의 값에 대응하는 y의 값을 $y=f(x)$라 쓰고 함숫값이라 해.

함수 $f: X \longrightarrow Y$에 대하여

➡ 정의역 : 집합 X, 공역 : 집합 Y, 치역 : 함숫값 전체의 집합, 즉 $\{f(x) \mid x \in X\}$

예) 오른쪽 집합 X에서 집합 Y로의 대응은 함수이고,
정의역은 $X=\{1, 2, 3\}$, 공역은 $Y=\{a, b, c\}$, 치역은 $\{a, c\}$이다.

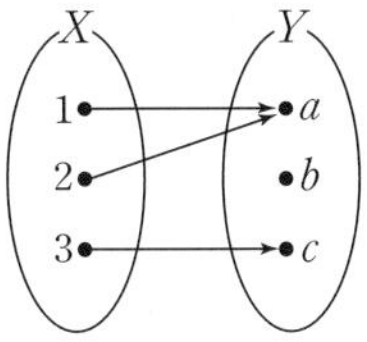

📂 다음 대응이 집합 X에서 집합 Y로의 함수인지 아닌지 판별하고, 함수인 것은 정의역, 공역, 치역을 구하여라.

0717

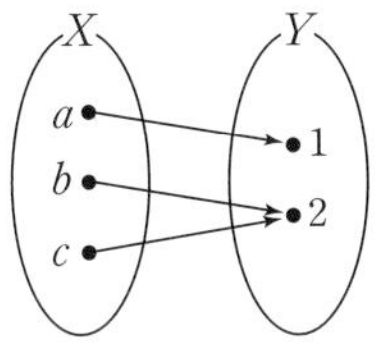

0718

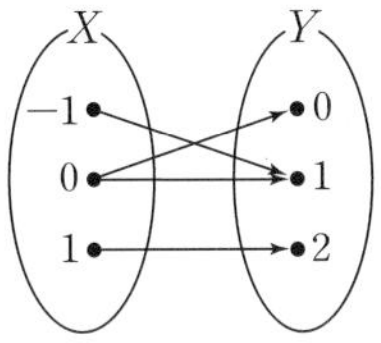

정의역의 원소 x마다 오직 하나의 값에만 대응되어야 해.

0719

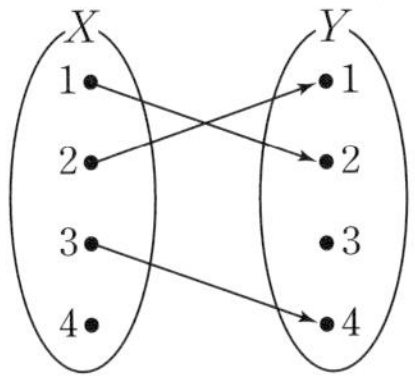

0720

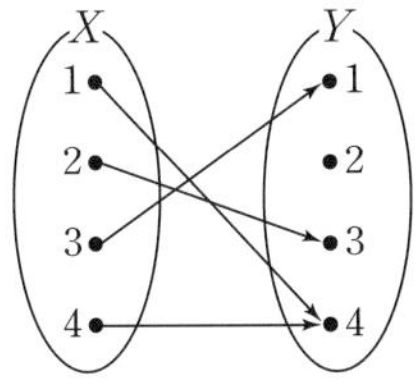

0721

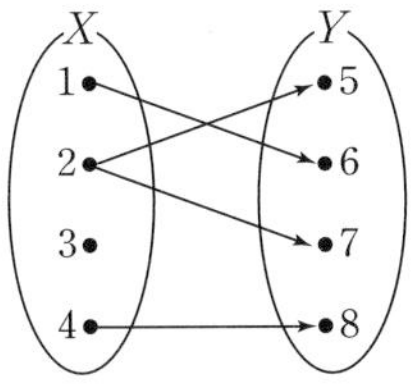

0722

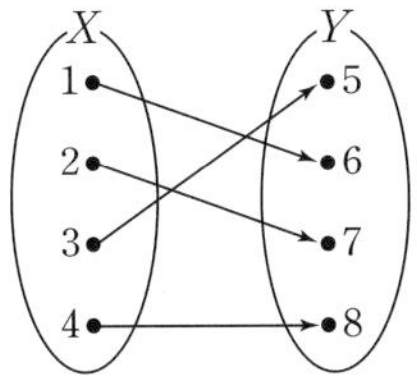

📂 다음 함수의 정의역, 공역, 치역을 구하여라.

0723

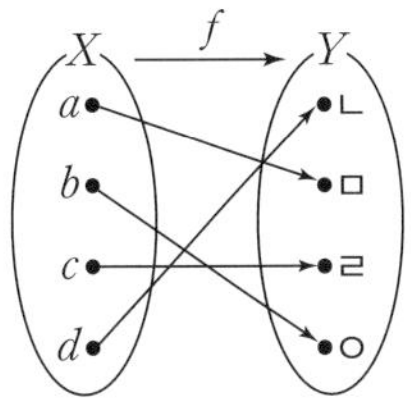

0724

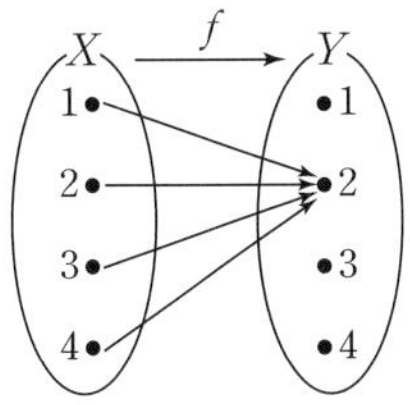

0725

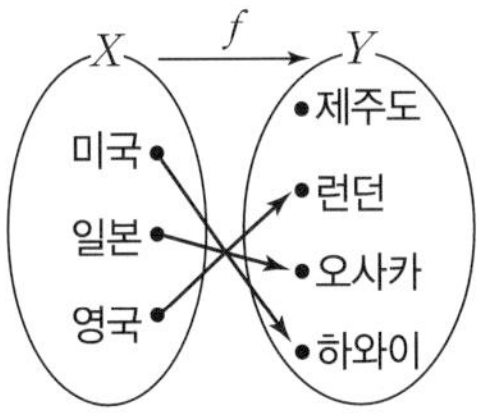

0726

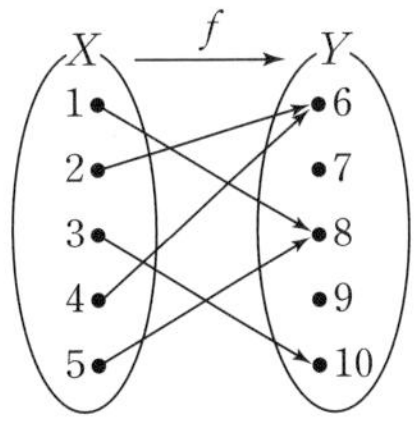

5주 함수

핵심 **04**

정의역, 공역, 치역 구하기 (2) – 함수식

날짜 : 월 일

Subnote ➡ 44쪽

예의 ②, ③과 같이 함수의 정의역이 주어지지 않은 경우, $f(x)$가 정의되는 x의 값 전체의 집합을 정의역으로 생각해.

함수 $f: X \longrightarrow Y$에 대하여

➡ 정의역 : 집합 X, 공역 : 집합 Y, 치역 : 함숫값 전체의 집합, 즉 $\{f(x) \mid x \in X\}$

예 ① 정의역이 $X=\{-1, 0, 1\}$인 함수 $y=2x+1$의 치역은 $\{-1, 1, 3\}$이다.

② 함수 $y=2x+1$의 정의역은 $\{x \mid x$는 실수$\}$, 치역은 $\{y \mid y$는 실수$\}$이다.

③ 함수 $y=x^2-1$의 정의역은 $\{x \mid x$는 실수$\}$, 치역은 $\{y \mid y \ge -1\}$이다.

다음 함수의 정의역은 $\{-2, -1, 0, 1, 2\}$이고 공역은 실수 전체의 집합일 때, 치역을 구하여라.

0727 $y=x^2$

0728 $y=x-2$

0729 $y=-2x+3$

0730 $y=|x|+1$

0731 $y=x^2-1$

다음 함수의 정의역, 치역을 구하여라.

0732 $y=-x+1$

다항함수는 모든 실수에서 정의되어 있어.

0733 $y=|x|$

0734 $y=3x^2+2$

0735 $y=\dfrac{2}{x}$

분모가 0인 값에 대해서는 함숫값이 정의되어 있지 않아.

0736 학교 시험 맛보기

두 집합 $X=\{1, 2, 3, 4\}$, $Y=\{0, 1, 2, 3, 4\}$에 대하여 함수 $f: X \longrightarrow Y$를

$y=(x^2$을 5로 나눈 나머지$)$

로 정의할 때, 함수 f의 치역을 구하여라.

key 정의역의 각 x에 대응하는 함숫값을 구한다.

핵심 05 함숫값 구하기

날짜 : 월 일

Subnote ➲ 45쪽

함수식의 x에 a만 대입하면 끝!

함수 $f(x)$에서 $f(a)$의 값 구하기

❶ $x=a$에 해당되는 함수식을 찾는다.

❷ 해당하는 함수에 x 대신 a를 대입하여 계산한다.

예 정의역이 $X=\{-1, 0, 1\}$이고 공역이 $Y=\{1, 2, 3\}$인 함수 f가

$f(x)=\begin{cases} 1 & (x<0) \\ 2 & (x\ge 0) \end{cases}$로 정의될 때, $f(-1)=1$, $f(0)=2$, $f(1)=2$이다.

실수 전체의 집합에서 정의된 함수 $f(x)$에 대하여

$$f(x)=\begin{cases} |x|+1 & (x\le 0) \\ -2x+1 & (x>0) \end{cases}$$

일 때, 다음 함숫값을 구하여라.

0737 $f(0)$

0738 $f(-2)$

0739 $f(3)$

실수 전체의 집합에서 정의된 함수 $f(x)$에 대하여

$$f(x)=\begin{cases} 2x+3 & (x\text{가 유리수}) \\ -x^2+1 & (x\text{가 무리수}) \end{cases}$$

일 때, 다음 함숫값을 구하여라.

0740 $f(2)$

0741 $f(\sqrt{5})$

0742 $f(2-\sqrt{3})$

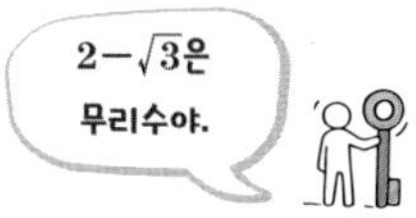

$x\ge 3$인 자연수의 집합에서 정의된 함수 $f(x)$에 대하여

$$f(x)=\begin{cases} x+3 & (x\text{가 홀수}) \\ f\left(\dfrac{x+2}{2}\right) & (x\text{가 짝수}) \end{cases}$$

일 때, 다음 함숫값을 구하여라.

0743 $f(3)$

0744 $f(8)$

0745 $f(10)$

0746 $f(5)+f(26)$

0747 **학교 시험 맛보기**

실수 전체의 집합에서 정의된 함수 $f(x)$에 대하여

$$f(x)=\begin{cases} x-1 & (x\text{는 유리수}) \\ -2x & (x\text{는 무리수}) \end{cases}$$

일 때, $f(5)-f(\sqrt{3}-2)$의 값을 구하여라.

5주 함수

핵심 06 치환을 이용하여 함숫값 구하기

날짜 : 월 일

Subnote 45쪽

$f(ax+b)$ 형태의 함수에서 $x=k$에서의 함숫값 $f(k)$의 값을 구하려면 $ax+b=k$가 되는 x의 값, 즉 $x=\frac{k-b}{a}$를 식에 대입하면 돼.

함수 $f(ax+b)$에서 $f(x)$ 구하기

❶ $ax+b=t$로 놓고 x를 t에 대한 식으로 나타낸다.

❷ 함수 $f(ax+b)$에 x 대신 t에 대한 식을 대입하여 정리한다.

❸ t에 다시 x를 대입하여 $f(x)$를 구한다.

예 함수 $f(x+1)=3x$에서

❶ $x+1=t$로 놓으면 $x=t-1$

❷ $f(t)=3(t-1)=3t-3$

❸ $f(x)=3x-3$

실수 전체의 집합에서 정의된 함수 f에 대하여 다음 등식이 성립할 때, $f(x)$를 구하여라.

0748 $f(x-2)=3x-1$

sol $f(x-2)=3x-1$에서
$x-2=t$로 놓으면
$x=t+$ ☐
$\therefore f(t)=3(t+$ ☐ $)-1=3t+$ ☐
$\therefore f(x)=$ ☐

0749 $f(x+2)=-2x+3$

0750 $f\left(\frac{x-1}{2}\right)=5x-1$

0751 $f(x+3)=x^2-x$

0752 $f(2x-1)=4x^2-1$

실수 전체의 집합에서 정의된 함수 f에 대하여 다음 등식이 성립할 때, $f(3)$의 값을 구하여라.

0753 $f(x+2)=3x+1$

sol $x+2=3$에서 $x=$ ☐
$f(x+2)=3x+1$에 $x=$ ☐ 을 대입하면
$f(3)=3\times$ ☐ $+1=$ ☐

0754 $f(x-3)=x^2-2x$

0755 $f\left(\frac{x-1}{2}\right)=-2x+5$

0756 $f\left(\frac{-x-1}{2}\right)=x^2+3$

0757 학교 시험 맛보기

함수 f가 $f\left(\frac{x-1}{2}\right)=\frac{1}{4}x^2+2x$를 만족시킬 때, $f\left(\frac{3}{2}\right)$의 값을 구하여라.

key $\frac{x-1}{2}=\frac{3}{2}$인 x의 값을 구한다.

핵심 01~06

Mini Review Test

날짜 : 월 일

Subnote ➜ 46쪽

| 핵심 02 |

0758 두 집합 $X=\{-1, 0, 1\}$, $Y=\{1, 2, 3, 4, 5, 6\}$에 대하여 집합 X에서 Y로의 함수인 것만을 보기에서 있는 대로 고른 것은?

보기

ㄱ. $x \longrightarrow 3x^2+2$ ㄴ. $x \longrightarrow x+1$

ㄷ. $x \longrightarrow \dfrac{6}{2-x}$

① ㄱ ② ㄴ ③ ㄱ, ㄷ
④ ㄴ, ㄷ ⑤ ㄱ, ㄴ, ㄷ

| 핵심 04 |

0759 집합 $X=\{1, 2, 3, 4, 5\}$에 대하여 함수 $f: X \longrightarrow X$를

$f(x)=(x^2$의 양의 약수의 개수$)$

로 정의할 때, 함수 f의 치역을 구하여라.

| 핵심 05 |

0760 집합 $A=\{1, 2, 3, 4, 5\}$에 대하여 함수 $f: A \longrightarrow A$를

$$f(x)=\begin{cases} 2x-1 & (1\le x\le 3) \\ 2 & (x=4, 5) \end{cases}$$

로 정의할 때, 함수 f의 치역을 구하여라.

| 핵심 05 |

0761 자연수 전체의 집합에서 정의된 함수 $f(x)$가

$$f(x)=\begin{cases} f(x+3) & (1\le x<20) \\ 2x+1 & (x\ge 20) \end{cases}$$

일 때, $f(4)-f(20)$의 값을 구하여라.

key $f(4)=f(7)=f(10)=\cdots$임을 이용한다.

| 핵심 06 | UP

0762 $x\ge -1$에서 정의된 함수 f에 대하여

$f(x^2-1)=x^4+2x^2-3$

이 성립할 때, $f(x)$를 구하여라.

key $x^2-1=t$로 놓고, $x^4=(x^2)^2$임을 이용한다.

| 핵심 06 | UP

0763 함수 $f\left(x+\dfrac{1}{x}\right)=x^2+\dfrac{1}{x^2}$일 때, $f(3)$의 값을 구하여라.

key $x^2+\dfrac{1}{x^2}=\left(x+\dfrac{1}{x}\right)^2-2$

핵심 07 서로 같은 함수

날짜 : 월 일

Subnote ➡ 47쪽

함수식이 달라도 정의역과 공역이 같고, 정의역의 모든 원소 x에 대하여 함숫값이 같으면 두 함수는 같은 함수야.

두 함수 f, g에 대하여

① 정의역과 공역이 각각 같다.
② 정의역의 모든 원소 x에 대하여 $f(x)=g(x)$

일 때, 두 함수 f와 g는 서로 같다고 하고 기호로 $f=g$와 같이 나타낸다.

예 정의역과 공역이 $X=\{-1, 0, 1\}$인 두 함수 $f: X \longrightarrow X$, $g: X \longrightarrow X$에 대하여
$f(x)=|x|$, $g(x)=x^2$일 때,
$f(-1)=g(-1)=1$, $f(0)=g(0)=0$, $f(1)=g(1)=1$이므로
두 함수 f와 g는 서로 같은 함수이다. 즉, $f=g$이다.

정의역이 $X=\{-1, 1\}$인 다음 두 함수 f, g가 서로 같은 함수인지 판별하여라.

0764 $f(x)=x^2+1$, $g(x)=x+1$

sol $f(x)$와 $g(x)$의 정의역과 공역이 각각 같고
$f(-1)=\square$, $g(-1)=\square$
$f(1)=g(1)=2$
따라서 $f(-1)\neq g(-1)$이므로 $f \square g$이다.
즉, 서로 같은 함수가 아니다.

공역이 정의되지 않으면 공역은 모든 실수야.

0765 $f(x)=x$, $g(x)=\dfrac{1}{x}$

0766 $f(x)=x^3-2$, $g(x)=x-2$

0767 $f(x)=\sqrt{x^2}$, $g(x)=-x$

0768 $f(x)=x^2+1$, $g(x)=|x|+1$

정의역이 $X=\{-1, 0, 1\}$인 다음 두 함수 f, g가 서로 같은 함수인지 판별하여라.

0769 $f(x)=2x^2-1$, $g(x)=x^2$

0770 $f(x)=x-2$, $g(x)=\dfrac{x^2-4}{x+2}$

0771 $f(x)=x$, $g(x)=\begin{cases} -2x-3 & (x<0) \\ 2x-1 & (x\geq 0) \end{cases}$

x의 값에 해당하는 범위의 함수식에 대입해.

0772 $f(x)=2x$, $g(x)=\begin{cases} \dfrac{2}{x} & (x\neq 0) \\ 0 & (x=0) \end{cases}$

0773 $f(x)=2x^2-x$, $g(x)=\begin{cases} -2x+1 & (x<0) \\ x^2 & (x\geq 0) \end{cases}$

서로 같은 함수일 때 미지수 구하기

날짜 : 월 일

Subnote ➡ 47쪽

$f(x)=g(x)$인 x의 값들로 정의역을 구성하면 $f=g$가 성립해.

정의역과 공역이 같은 두 함수 f, g에 대하여 $f=g$
➡ 정의역의 모든 원소 x에 대하여 $f(x)=g(x)$

예 집합 $X=\{0, 1\}$을 정의역으로 하는 두 함수
$f(x)=x^2$, $g(x)=ax+b$에 대하여 $f=g$가 성립하려면
$f(0)=g(0)$, $f(1)=g(1)$이어야 한다.
$f(0)=g(0)$에서 $b=0$ ······ ㉠, $f(1)=g(1)$에서 $1=a+b$ ······ ㉡
㉠, ㉡을 연립하여 풀면 $a=1$, $b=0$

다음 집합 X를 정의역으로 하는 두 함수 f, g에 대하여 $f=g$가 성립하도록 하는 상수 a, b의 값을 각각 구하여라.

0774 $X=\{-1, 1\}$
$f(x)=x^2+2$, $g(x)=ax+b$

sol $f=g$가 성립하려면 $f(-1)=g(-1)$, $f(1)=g(1)$이어야 한다.
$f(-1)=g(-1)$에서 □ $=-a+b$ ······ ㉠
$f(1)=g(1)$에서 □ $=a+b$ ······ ㉡
㉠, ㉡을 연립하여 풀면 $a=$ □, $b=$ □

0775 $X=\{1, 2\}$
$f(x)=x^2-1$, $g(x)=ax+b$

0776 $X=\{0, 2\}$
$f(x)=ax+4$, $g(x)=x^3-2x+b$

0777 $X=\{-1, 1\}$
$f(x)=x^2+ax-2$, $g(x)=|x|+b$

다음 집합 X를 정의역으로 두 함수 f, g에 대하여 $f=g$가 성립하도록 하는 상수 a, b의 값을 각각 구하여라.

0778 $X=\{0, a\}$ (단, $a\neq0$)
$f(x)=2x-3$, $g(x)=x^2+b$

sol $f=g$가 성립하려면 $f(0)=g(0)$, $f(a)=g(a)$이어야 한다.
$f(0)=g(0)$에서 □ $=b$ ······ ㉠
$f(a)=g(a)$에서 $2a-3=a^2+b$ ······ ㉡
㉠을 ㉡에 대입하여 풀면 $a=$ □ ($\because a\neq0$)

0779 $X=\{1, a\}$ (단, $a\neq1$)
$f(x)=x^2+2$, $g(x)=5x+b$

0780 $X=\{a, b\}$ (단, $a<b$)
$f(x)=x^2$, $g(x)=x+2$

$f(x)=g(x)$를 만족시키는 x의 값을 구해야 해.

0781 학교 시험 맛보기

집합 X를 정의역으로 하는 두 함수
$f(x)=x^2+1$, $g(x)=3x-1$
에 대하여 $f=g$가 성립하도록 하는 집합 X를 모두 구하여라. (단, $X\neq\varnothing$)

key $f(x)=g(x)$를 만족시키는 x의 값을 구한다.

5주 함수

핵심 09 **함수의 그래프**

날짜 : 월 일

Subnote 47쪽

함수의 그래프는 정의역의 각 원소 k에 대하여 y축과 평행한 직선 $x=k$와 오직 한 점에서 만나야 해.

함수 $f: X \longrightarrow Y$에 대하여 정의역 X의 원소 x와 그 함숫값 $f(x)$의 순서쌍 $(x, f(x))$ 전체의 집합 $\{(x, f(x)) \mid x \in X\}$를 함수 f의 그래프라 한다.

예 정의역이 $X=\{-1, 0, 1, 2\}$인 함수 $f(x)=x-1$의 그래프는 오른쪽 그림과 같다.

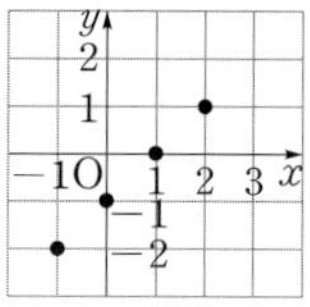

다음 그래프가 집합 $X=\{1, 2, 3, 4\}$에서 X로의 함수의 그래프인지 판별하여라.

0782

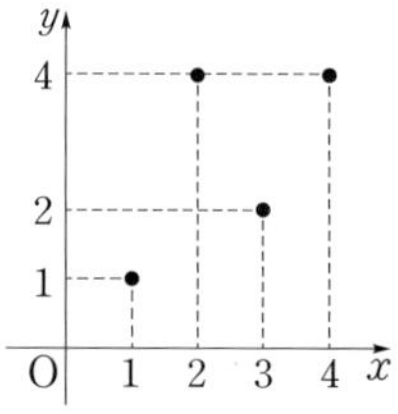

0783

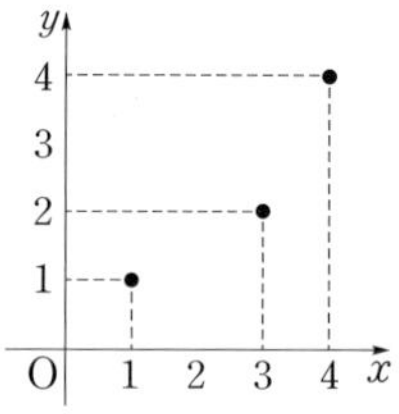

0784

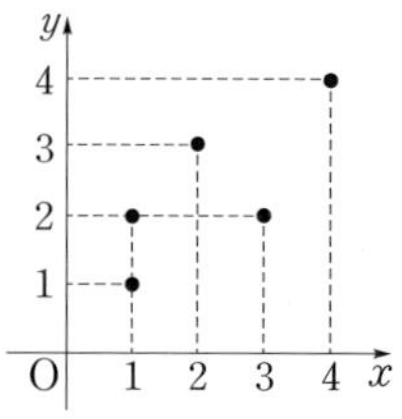

0785

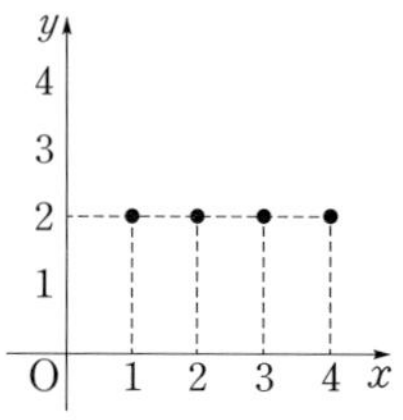

다음 그래프가 함수의 그래프인지 판별하여라.

0786

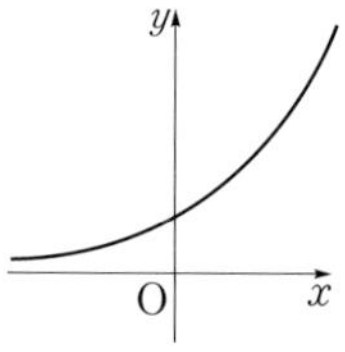

0787

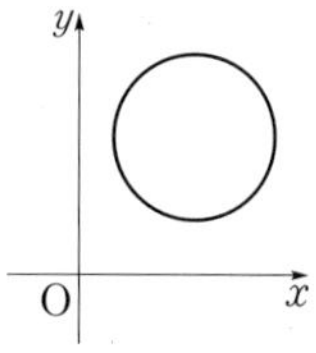

0788

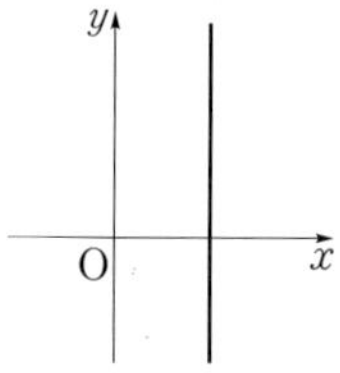

0789

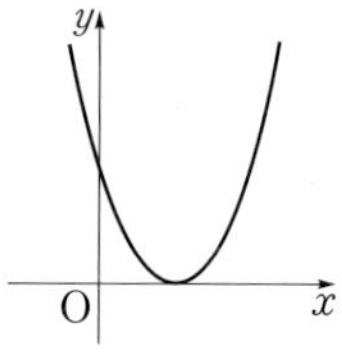

0790 **학교 시험 맛보기**

함수의 그래프인 것만을 보기에서 있는 대로 골라라.

보기

ㄱ.

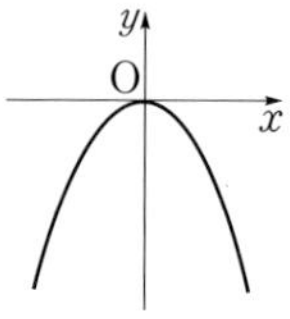

ㄴ.

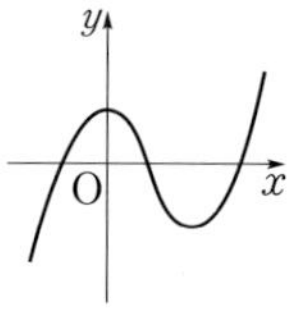

ㄷ.

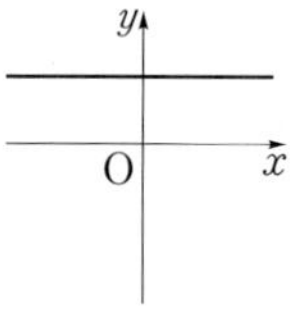

ㄹ.

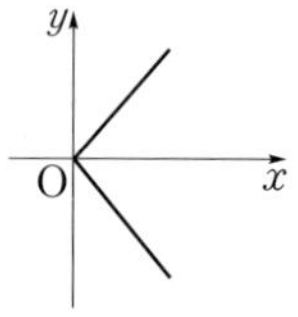

key y축과 평행한 직선을 그려서 그래프와 만나는 교점이 1개일 때 함수이다.

핵심 **10**

일대일함수와 일대일대응

날짜 : 월 일

Subnote ➜ 48쪽

일대일함수의 그래프는 치역의 각 원소 k에 대하여 x축에 평행한 직선 $y=k$와 오직 한 점에서 만나야 해.

(1) 일대일함수 : 함수 $f: X \longrightarrow Y$에서 정의역 X의 임의의 두 원소 x_1, x_2에 대하여 $x_1 \neq x_2$이면 $f(x_1) \neq f(x_2)$ ($\Longleftrightarrow$ $f(x_1)=f(x_2)$이면 $x_1=x_2$)

(2) 일대일대응 : 일대일함수 중에서 (치역)=(공역)인 함수

예 [그림1]은 일대일함수이지만 일대일대응은 아니고 [그림2]는 일대일대응이다.

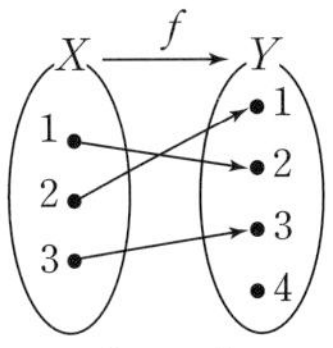

[그림1]

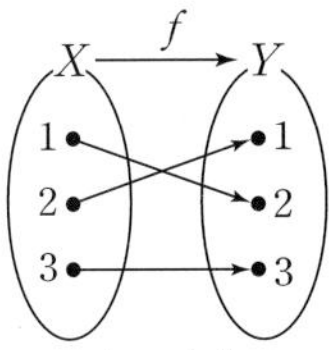

[그림2]

📁 **일대일대응의 그래프에는 ○표, 일대일함수이지만 일대일대응은 아닌 그래프에는 △표, 일대일함수의 그래프가 아니면 ×표를 (   ) 안에 써넣어라. (단, 정의역과 공역은 모두 실수 전체의 집합이다.)**

0791

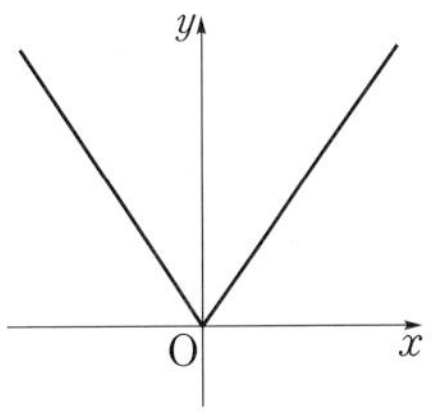

(   )

x축과 평행한 직선을 그려서 만나는 교점의 개수를 구해봐.

0792

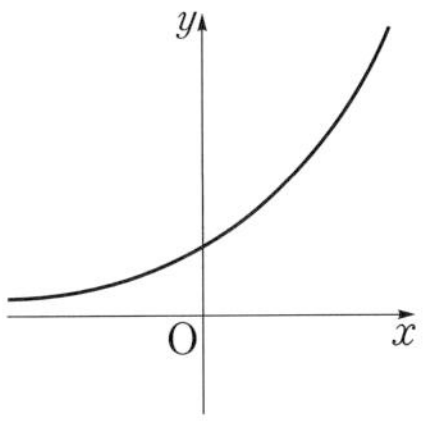

(   )

(치역)=(공역) 인지도 확인해.

0793

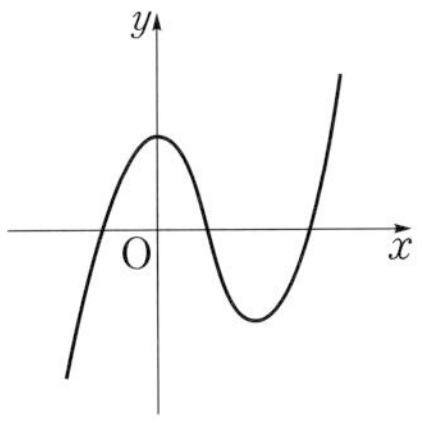

(   )

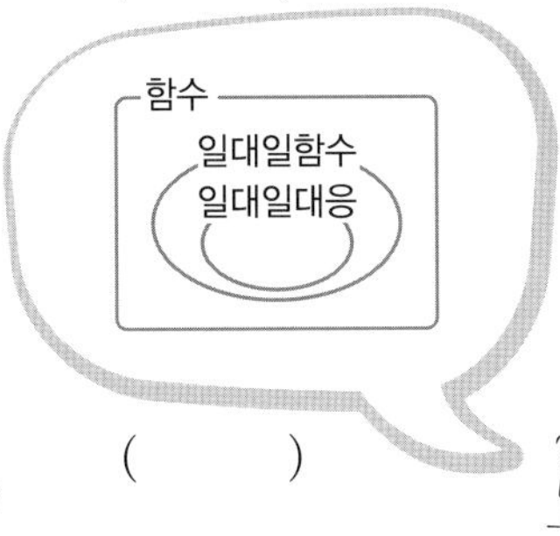

0794

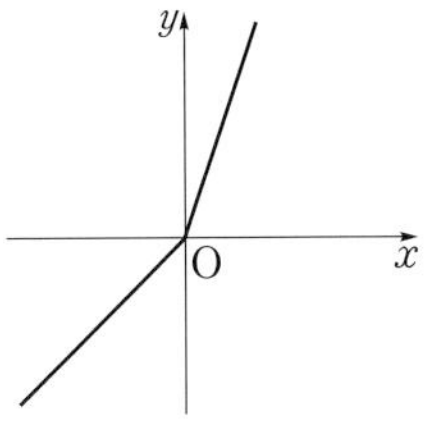

(   )

📁 **다음 물음에 답하여라.**

0795 실수 전체의 집합에서 정의된 함수 f에 대하여 일대일대응만을 보기에서 있는 대로 골라라.

보기
ㄱ. $f(x)=-2x+1$
ㄴ. $f(x)=x^2-2$
ㄷ. $f(x)=x^3+1$

0796 학교 시험 맛보기

다음 중 일대일함수의 그래프를 모두 고르면?

①
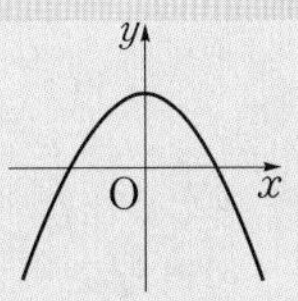

②
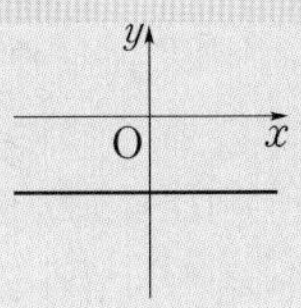

③
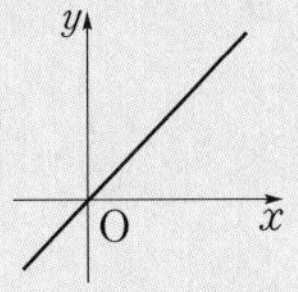

④
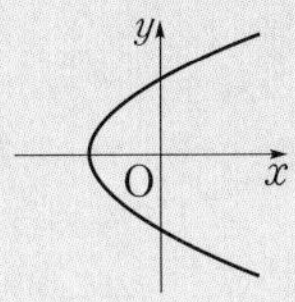

⑤
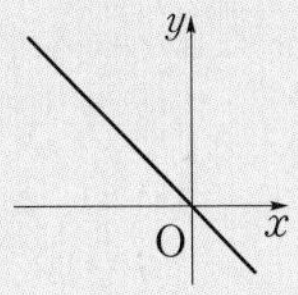

key x축과 평행한 직선을 그려서 그래프와 만나는 점의 개수를 구해본다.

핵심 **11**

일대일대응이 되기 위한 조건 (1) – 일차식

날짜 : 월 일

Subnote ▶ 48쪽

정의역과 치역이 모든 실수인 일차함수 $f(x)=ax+b$는 좌표평면에서 직선을 나타내므로 일대일대응이야.

정의역과 치역이 모든 실수인 함수 $f(x)$에서 x의 값이 증가할 때, $f(x)$의 값이 항상 증가하거나 항상 감소하면 일대일대응이다.

예 실수 전체에서 정의된 함수 $f(x)=\begin{cases} x & (x<0) \\ 3x & (x\ge 0)\end{cases}$는

x의 값이 증가함에 따라 $f(x)$의 값도 증가한다. 따라서 함수 $y=f(x)$는 일대일대응이다.

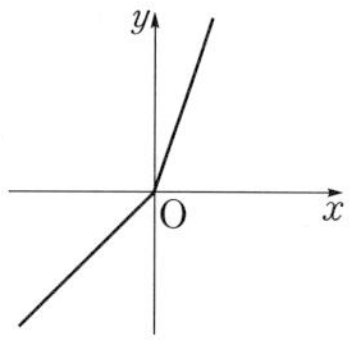

실수 전체의 집합에서 정의된 다음 함수가 일대일대응이 되도록 하는 실수 a의 값의 범위를 구하여라. (단, b는 상수)

0797 $f(x)=\begin{cases} 2x+1 & (x<0) \\ ax+1 & (x\ge 0)\end{cases}$

sol 함수 $f(x)$가 일대일대응이 되려면
$x<0$에서 x의 값이 증가할 때 $f(x)$의 값이 증가하므로
$x\ge 0$에서 x의 값이 증가할 때 $f(x)$의 값도 □ 해야 한다.
$\therefore a$ □ 0

0798 $f(x)=\begin{cases} (a+2)x+2 & (x<0) \\ -3x+2 & (x\ge 0)\end{cases}$

0799 $f(x)=\begin{cases} -2x-3 & (x\le -1) \\ (b-1)x+a & (x>-1)\end{cases}$

sol 함수 $f(x)$가 일대일대응이 되려면
$x\le -1$에서 x의 값이 증가할 때 $f(x)$의 값이 감소하므로
$x>-1$에서 x의 값이 증가할 때 $f(x)$의 값도 □ 해야 한다.
따라서 $b-1$ □ 0이므로 b □ 1 …… ㉠
또한 (치역)=(공역)이려면 직선 $y=(b-1)x+a$가 점 $(-1, -1)$을 지나야 하므로
$1=(b-1)\cdot(-1)+a$ $\therefore b=a+$□ …… ㉡
㉡을 ㉠에 대입하면 $a+$□<1 $\therefore a<$□

0800 $f(x)=\begin{cases} (b+1)x+a & (x<1) \\ -x+5 & (x\ge 1)\end{cases}$

다음 물음에 답하여라.

0801 두 집합 $X=\{x|-2\le x\le 2\}$, $Y=\{y|1\le y\le 9\}$에 대하여 집합 X에서 집합 Y로의 함수 $f(x)=ax+b$가 일대일대응이 되도록 하는 상수 a, b의 값을 각각 구하여라.

(1) $a>0$

sol $a>0$이면 함수 $f(x)$는 증가하므로 이 함수가 일대일대응이 되려면
$f(-2)=1$, $f(2)=$□ 이어야 한다.
$f(-2)=1$에서 $-2a+b=1$ …… ㉠
$f(2)=$□에서 $2a+b=$□ …… ㉡
㉠, ㉡을 연립하여 풀면 $a=$□, $b=$□

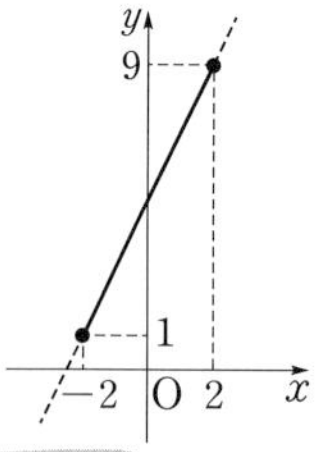

(2) $a<0$

일차함수 $y=ax+b$에서 $a<0$이면 항상 감소해.

0802 두 집합 $X=\{x|2\le x\le 4\}$, $Y=\{y|-1\le y\le 3\}$에 대하여 집합 X에서 집합 Y로의 함수 $f(x)=ax+b$가 일대일대응이 되도록 하는 상수 a, b의 값을 각각 구하여라.

(1) $a>0$

(2) $a<0$

핵심 12

일대일대응이 되기 위한 조건 (2) – 이차식

날짜 : 월 일

Subnote ➔ 48쪽

이차함수의 정의역이 축을 포함하지 않으면 이차함수는 증가만하거나 감소만 해. 이 경우 일대일대응이 되려면 치역과 공역이 같아야 해.

예 정의역이 $X=\{x|x\geq 1\}$, 공역이 $Y=\{y|y\geq 4\}$인 이차함수 $f(x)=x^2+a$에 대하여 $x\geq 1$에서 x의 값이 증가하면 $f(x)$의 값도 증가한다.
따라서 함수 $f(x)$가 일대일대응이 되려면 치역과 공역이 같아야 하므로 그래프는 오른쪽 그림과 같다. 즉, $f(1)=4$이어야 하므로
$4=1+a$ $\therefore a=3$

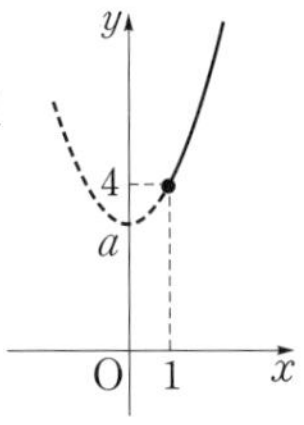

집합 X에 대하여 X에서 X로의 함수 $f(x)$가 일대일대응이 되도록 하는 상수 a의 값을 구하여라.

0803 $X=\{x|x\geq -1\}$, $f(x)=x^2+4x+a$

sol $f(x)=x^2+4x+a=(x+2)^2+a-4$이므로
$x\geq -1$일 때 x의 값이 증가하면 $f(x)$의 값도 증가한다.
따라서 함수 $f(x)$가 일대일대응이 되려면
$f(-1)=$ ▭ 이어야 하므로
$(-1)^2+4\times(-1)+a=$ ▭ $\therefore a=$ ▭

0804 $X=\{x|x\geq 2\}$, $f(x)=x^2-2x+a$

$x\leq -1$에서 x의 값이 증가하면 $f(x)$의 값도 증가해.

0805 $X=\{x|x\leq -1\}$, $f(x)=-x^2+2x+a$

0806 $X=\{x|x\leq 2\}$, $f(x)=-x^2+6x+a$

다음 두 집합 X, Y에 대하여 함수 X에서 Y로의 함수 $f(x)$가 일대일대응이 되도록 하는 상수 a의 값을 구하여라.

0807 $X=\{x|x\geq 1\}$, $Y=\{y|y\geq -1\}$
$f(x)=x^2+4x+a$

sol $f(x)=x^2+4x+a=(x+2)^2+a-4$이므로
$x\geq 1$일 때 x의 값이 증가하면 $f(x)$의 값도 증가한다.
따라서 함수 $f(x)$가 일대일대응이 되려면
$f(1)=$ ▭ 이어야 하므로
$1^2+4\times 1+a=$ ▭ $\therefore a=$ ▭

0808 $X=\{x|x\geq -1\}$, $Y=\{y|y\geq -2\}$
$f(x)=x^2+6x+a$

0809 $X=\{x|x\leq -1\}$, $Y=\{y|y\leq 3\}$
$f(x)=-x^2+2x+a$

0810 학교 시험 맛보기

두 집합 $X=\{x|x\geq 2\}$, $Y=\{y|y\geq a\}$에 대하여 X에서 Y로의 함수 $f(x)=x^2-x-3$일 때, 이 함수 f가 일대일대응이 되도록 하는 a의 값을 구하여라.

key $f(x)=x^2-x-3=\left(x-\frac{1}{2}\right)^2-\frac{13}{4}$

핵심 07~12

Mini Review Test

날짜 : 월 일

Subnote ➜ 48쪽

| 핵심 08 |

0811 정의역이 $X=\{1, 2\}$인 두 함수

$$f(x)=ax^2,\ g(x)=2x+b$$

에 대하여 $f=g$일 때, 상수 a, b의 값을 각각 구하여라.

| 핵심 10 |

0812 실수 전체의 집합에서 정의된 다음 보기의 그래프 중 함수의 그래프의 개수를 a, 일대일대응인 그래프의 개수를 b라 할 때, $a+b$의 값을 구하여라.

보기

ㄱ.

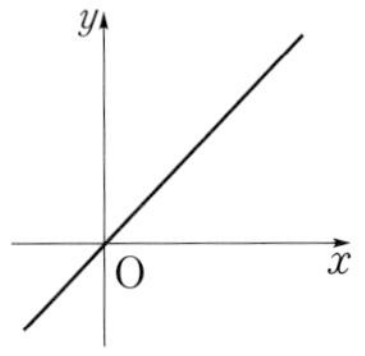

ㄴ.

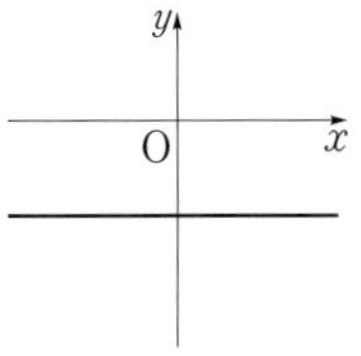

ㄷ.

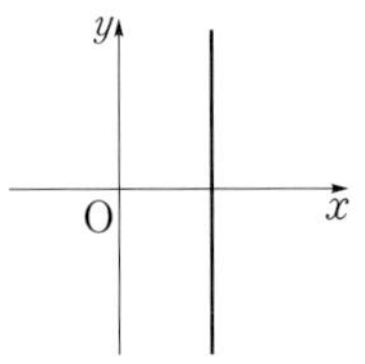

ㄹ.

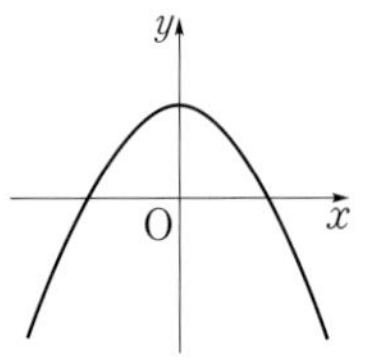

| 핵심 10 |

0813 실수 전체의 집합에서 정의된 다음 함수 중 일대일대응인 것은?

① $f(x)=|x|$

② $f(x)=x-|x|$

③ $f(x)=-2x^2+3$

④ $f(x)=\begin{cases} -x+3 & (x<0) \\ 2x+3 & (x\ge 0) \end{cases}$

⑤ $f(x)=\begin{cases} -x+1 & (x<1) \\ -2x+2 & (x\ge 1) \end{cases}$

| 핵심 11 |

0814 실수 전체의 집합에서 정의된 함수

$$f(x)=\begin{cases} -x+1 & (x<1) \\ (a^2-2a)x+2a-a^2 & (x\ge 1) \end{cases}$$

이 일대일대응이 되도록 하는 상수 a의 값의 범위를 구하여라.

key $x<1$에서 직선의 기울기가 음수이므로 x의 값이 증가할 때 $f(x)$의 값은 감소한다.

| 핵심 11 |

0815 두 집합 $X=\{x|2\le x\le a\}$, $Y=\{y|5\le y\le 9\}$에 대하여 집합 X에서 집합 Y로의 함수 $f(x)=2x+b$가 일대일대응일 때, a, b의 값을 각각 구하여라. (단, b는 상수)

key x의 값이 증가함에 따라 $f(x)$의 값도 증가한다.

| 핵심 12 | UP

0816 실수 전체의 집합에서 정의된 함수

$$f(x)=\begin{cases} x^2-ax-4+2a & (x<2) \\ -x+2 & (x\ge 2) \end{cases}$$

가 일대일대응일 때, 상수 a의 값의 범위를 구하여라.

key $x\ge 2$에서 함수 $f(x)$가 감소하므로 $x<2$에서도 함수 $f(x)$가 감소해야 한다.

항등함수와 상수함수

날짜 : 월 일

Subnote ➡ 49쪽

항등함수는 정의역의 각 원소 x가 그 자신 x로 대응해.
상수함수는 정의역의 모든 원소 x가 공역의 원소 1개에 대응하므로 치역이 1개인 함수야.

(1) 항등함수 : 함수 $f: X \longrightarrow X$에서 $f(x)=x$ $(x \in X)$

(2) 상수함수 : 함수 $f: X \longrightarrow Y$에서 $f(x)=c$ $(x \in X,\ c \in Y,\ c$는 상수$)$

예 $X=\{1, 2, 3\}$일 때, $f(x)=x$는 [그림 1]과 같고 항등함수이다.
$X=\{1, 2, 3\}$, $Y=\{4, 5, 6\}$일 때, $f(x)=4$는 [그림 2]와 같고 상수함수이다.

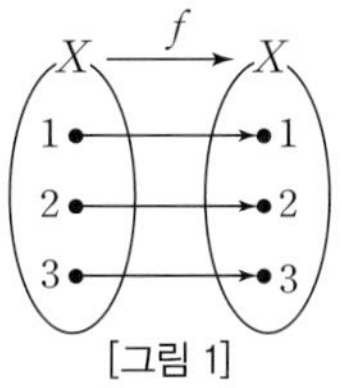

[그림 1]

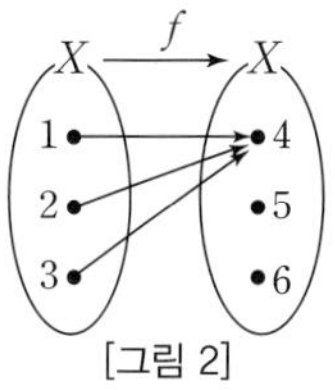

[그림 2]

집합 $X=\{-1, 1\}$에 대하여 X에서 X로의 함수 $f(x)$가 항등함수인지 상수함수인지 판별하여라.

0817 $f(x)=x$

sol $f(x)=x$에서
$f(-1)=-1$, $f(1)=$ ☐
따라서 주어진 함수는 ☐ 함수이다.

0818 $f(x)=\sqrt{x^2}$

0819 $f(x)=x^2-2$

0820 $f(x)=x^2+x-1$

0821 $f(x)=\dfrac{|x|}{x}$

집합 $X=\{0, 2, 4\}$에 대하여 X에서 X로의 함수 $f(x)$가 항등함수인지 상수함수인지 판별하여라.

0822 $f(x)=x^3-6x^2+8x$

0823 $f(x)=x^3-6x^2+9x$

0824 $f(x)=|x^2-3x|$

0825 $f(x)=(x$를 5로 나눈 나머지$)$

0826 $f(x)=(x^2$을 4로 나눈 나머지$)$

핵심 14 항등함수와 상수함수의 이해 – 함숫값 구하기

날짜 : 월 일

Subnote 50쪽

함수 g가 항등함수이면
$g(a)=a, g(b)=b, \cdots$
함수 h가 상수함수이면
$h(1)=c$**일 때**
$h(2)=h(3)=\cdots=c$

예 집합 X에 대하여 X에서 X로의 항등함수와 상수함수를 각각 g, h라 할 때,
$g(2)=h(2)$라 하면 $g(x)$가 항등함수이므로
$g(2)=2$에서 $g(2)=h(2)=2$
따라서 $h(x)$는 상수함수이므로 정의역의 모든 x에 대하여 $h(x)=2$이다.

집합 X에 대하여 X에서 X로의 세 함수 f, g, h가 각각 일대일대응, 항등함수, 상수함수일 때, 다음을 구하여라.

0827 $X=\{1, 2, 3\}$
$f(3)=g(3)=h(3)$, $h(1)=f(1)+g(1)$일 때,
$g(2)+f(2)+h(2)$의 값

sol $g(x)$가 항등함수이므로
$g(1)=1$, $g(2)=2$, $g(3)=3$
$f(3)=g(3)=h(3)$에서
$f(3)=h(3)=$ □ …… ㉠
$h(x)$는 상수함수이므로 $h(x)=$ □
$h(1)=f(1)+g(1)$에서
$h(1)=$ □, $g(1)=$ □ 이므로 $f(1)=$ □ …… ㉡
$f(x)$가 일대일대응이므로 ㉠, ㉡에서 $f(2)=$ □
$\therefore f(2)+g(2)+h(2)=$ □ $+2+3=$ □

0828 $X=\{2, 4, 8\}$
$f(2)=g(4)=h(8)$, $h(4)=f(4)+g(2)$일 때,
$f(8)+g(8)+h(2)$의 값

g(4)의 값을 먼저 구해봐.

0829 $X=\{1, 3, 5\}$
$f(1)=g(5)=h(3)$, $2f(3)=f(1)+f(5)$일 때,
$f(5)+g(3)+h(1)$의 값

0830 $X=\{2, 3, 6\}$
$f(3)=g(2)=h(2)$, $f(3)f(6)=f(2)$일 때,
$f(6)+g(6)+h(6)$의 값

0831 $X=\{1, 2, 4\}$
$f(1)=g(1)=h(1)$, $g(2)f(4)=f(1)f(2)$일 때,
$f(4)+g(4)+h(4)$의 값

0832 학교 시험 맛보기

집합 $X=\{1, 2, 3, 4, 5\}$에 대하여 X에서 X로의 일대일대응, 항등함수, 상수함수를 각각 f, g, h라 하자. 세 함수 f, g, h가 다음 조건을 만족시킬 때, $f(4)+g(4)+h(4)$의 값을 구하여라.
(단, f는 항등함수가 아니다.)

(가) $f(2)=g(2)=h(2)$
(나) $g(3)f(3)=f(4)+f(5)$

key $g(x)$가 항등함수임을 이용하여 $g(2)$, $g(3)$의 값을 먼저 구해 본다.

핵심 15

일대일함수와 일대일대응의 개수

Subnote ➡ 50쪽

일대일함수 또는 일대일대응이려면 정의역 X의 서로 다른 원소는 공역 Y의 서로 다른 원소에 대응되어야 해.

집합 X의 원소의 개수가 m, 집합 Y의 원소의 개수가 n일 때

(1) X에서 Y로의 일대일함수의 개수 (단, $n \geq m$)

➡ $n \times (n-1) \times (n-2) \times \cdots \times (n-m+1)$

(2) X에서 Y로의 일대일대응의 개수 (단, $n=m$)

➡ $n \times (n-1) \times (n-2) \times \cdots \times 2 \times 1$

예 집합 $X=\{1, 2, 3\}$에 대하여 X에서 X로의 일대일대응의 개수는 $3 \times 2 \times 1=6$

두 집합 X, Y에 대하여 X에서 Y로의 일대일함수의 개수를 구하여라.

0833 $X=\{1, 2, 3\}$, $Y=\{4, 5, 6, 7\}$

sol X에서 Y로의 함수를 f라 하자.
$f(1)$의 값이 될 수 있는 것은 4, 5, 6, 7 중 하나이므로 4개
$f(2)$의 값이 될 수 있는 것은 $f(1)$의 값을 제외한 $\square$개
$f(3)$의 값이 될 수 있는 것은 $f(1)$, $f(2)$의 값을 제외한 $\square$개
따라서 일대일함수의 개수는
$4 \times \square \times \square = \square$

0834 $X=\{1, 2\}$, $Y=\{3, 4, 5\}$

0835 $X=\{1, 2\}$, $Y=\{3, 4, 5, 6\}$

0836 $X=\{1, 2, 3\}$, $Y=\{4, 5, 6, 7, 8\}$

두 집합 X, Y에 대하여 X에서 Y로의 일대일대응의 개수를 구하여라.

0837 $X=\{1, 2, 3\}$, $Y=\{a, b, c\}$

sol X에서 Y로의 함수를 f라 하자.
$f(1)$의 값이 될 수 있는 것은 a, b, c 중 하나이므로 3개
$f(2)$의 값이 될 수 있는 것은 $f(1)$의 값을 제외한 $\square$개
$f(3)$의 값이 될 수 있는 것은 $f(1)$, $f(2)$의 값을 제외한 $\square$개
따라서 일대일대응의 개수는
$3 \times \square \times \square = \square$

0838 $X=\{1, 2, 3, 4\}$, $Y=\{5, 6, 7, 8\}$

0839 $X=\{1, 2, 3, 4, 5\}$, $Y=\{a, b, c, d, e\}$

0840 $X=\{x \mid x$는 10 이하의 소수$\}$
$Y=\{x \mid x$는 6의 양의 약수$\}$

핵심 **16**

조건을 만족시키는 함수의 개수

날짜 : ___ 월 ___ 일

Subnote ➡ 51쪽

상수함수의 개수는 정의역의 모든 원소가 공역의 원소 1개에 모두 대응되어야 해. 따라서 상수함수의 개수는 공역의 개수와 같아.

집합 X의 원소가 개수가 m, 집합 Y의 원소의 개수가 n일 때 X에서 Y로의

(1) 함수의 개수 ➡ n^m　　(2) 상수함수의 개수 ➡ n

(3) 일대일함수의 개수 ➡ $n\times(n-1)\times(n-2)\times\cdots\times(n-m+1)$ (단, $n\geq m$)

(4) 일대일대응의 개수 ➡ $n\times(n-1)\times(n-2)\times\cdots\times2\times1$ (단, $n=m$)

예 정의역 $X=\{1, 2\}$에서 공역 $Y=\{a, b, c\}$로의 상수함수의 개수는 3이다.

두 집합 X, Y에 대하여 X에서 Y로의 함수의 개수, 일대일함수의 개수, 상수함수의 개수를 차례로 구하여라.

0841 $X=\{1, 2, 3\}$, $Y=\{4, 5, 6, 7\}$

sol 함수의 개수는 $4\times$ ___ $\times$ ___ $=$ ___

일대일함수의 개수는 $4\times$ ___ $\times$ ___ $=$ ___

상수함수의 개수는 ___

0842 $X=\{1, 2\}$, $Y=\{3, 4, 5\}$

0843 $X=\{1, 2, 3\}$, $Y=\{4, 5, 6, 7, 8\}$

0844 $X=\{1, 2\}$, $Y=\{x\,|\,x$는 10의 양의 약수$\}$

두 집합 $X=\{1, 2, 3, 4\}$, $Y=\{0, 1, 2, 3\}$에 대하여 다음 조건을 만족시키는 X에서 Y로의 함수의 개수를 구하여라.

0845 일대일대응이고, $f(2)\neq3$인 함수

sol 함수 f는 일대일대응이므로 정의역 X의 임의의 두 원소 x_1, x_2에 대하여 $x_1\neq x_2$이면 $f(x_1)\neq f(x_2)$이다.

$f(2)\neq3$이므로 $f(2)$가 될 수 있는 것은 0, 1, 2 중 하나이므로 3개

$f(1)$의 값이 될 수 있는 것은 $f(2)$의 값을 제외한 ___ 개

$f(3)$의 값이 될 수 있는 것은 $f(1)$, $f(2)$의 값을 제외한 ___ 개

$f(4)$의 값이 될 수 있는 것은 $f(1)$, $f(2)$, $f(3)$의 값을 제외한 ___ 개

따라서 함수의 개수는 $3\times$ ___ $\times$ ___ $\times$ ___ $=$ ___

0846 일대일대응이고, $f(3)=3$인 함수

0847 일대일대응이고,
$x\in X$일 때 x가 홀수이면 $f(x)$가 홀수인 함수

Mini Review Test

날짜 : 월 일

Subnote ➔ 51쪽

| 핵심 13 |

0848 다음 보기에서 항등함수와 상수함수의 그래프를 골라라.

보기

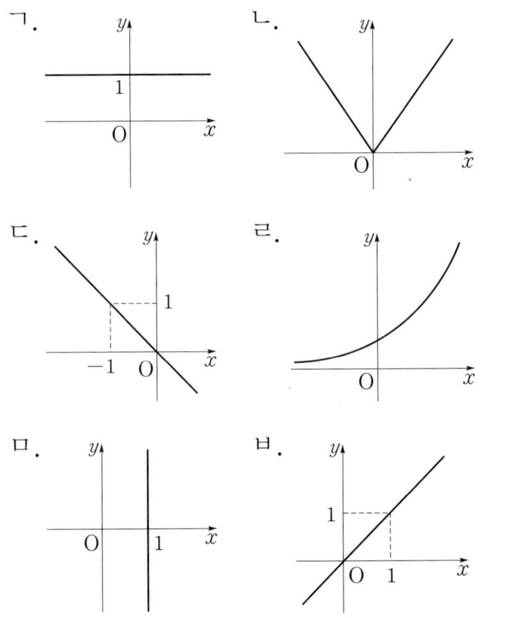

| 핵심 14 |

0849 집합 $X=\{-1,\ 3\}$에 대하여 X에서 X로의 함수 $f(x)=x^2+ax+b$가 항등함수가 되도록 하는 상수 a, b의 값을 각각 구하여라.

| 핵심 14 |

0850 집합 $X=\{1,\ 2,\ 3\}$, $Y=\{x\,|\,10$ 이하의 소수$\}$에 대하여 함수 $f : X \longrightarrow Y$가 상수함수일 때, $f(1)+f(2)+f(3)$의 최댓값을 M, 최솟값을 m이라 하자. $M+m$의 값을 구하여라.

key $f(x)$가 상수함수이므로 $f(x)=c$ $(c\in Y)$

| 핵심 15 |

0851 두 집합 $X=\{1,\ 2,\ 3\}$, $Y=\{4,\ 5,\ 6,\ 7,\ 8\}$에 대하여 다음 조건을 만족시키는 함수 $f : X \longrightarrow Y$의 개수를 구하여라.

> X의 임의의 두 원소 x_1, x_2에 대하여
> $x_1\neq x_2$이면 $f(x_1)\neq f(x_2)$이다.

| 핵심 16 |

0852 집합 $X=\{1,\ 2,\ 3,\ 4\}$에 대하여 X에서 X로의 함수 중 일대일대응의 개수를 a, 상수함수의 개수를 b, 항등함수의 개수를 c라 할 때, $a+b+c$의 값을 구하여라.

| 핵심 16 | UP

0853 집합 $X=\{1,\ 2,\ 3,\ 4,\ 5\}$에 대하여 다음 조건을 만족시키는 함수 $f : X \longrightarrow X$의 개수를 구하여라.

> (가) 함수 f는 일대일대응이다.
> (나) $x\in X$에 대하여 x가 소수이면 $f(x)$는 홀수이다.

key $\{2,\ 3,\ 5\}$가 $\{1,\ 3,\ 5\}$에, $\{1,\ 4\}$가 $\{2,\ 4\}$에 각각 일대일대응되어야 한다.

5주 함수

6

합성함수와 역함수

학습목표

1. 함수의 합성을 이해하고, 합성함수를 구할 수 있다.
2. 역함수의 의미를 이해하고, 주어진 함수의 역함수를 구할 수 있다.

스스로 공부 계획 세우기

	학습 내용	공부한 날짜	반복하기
6. 합성함수와 역함수	**01.** 합성함수	월 일	□□
	02. 합성함수의 함숫값 (1) − 일반식	월 일	□□
	03. 합성함수의 함숫값 (2) − 구간이 나누어진 식	월 일	□□
	04. $f\circ g=g\circ f$가 성립하게 하는 미지수 구하기	월 일	□□
	05. $f\circ h=g$를 만족시키는 함수 h 구하기	월 일	□□
	06. 합성함수의 추정	월 일	□□
	Mini **Review** Test(**01~06**)	월 일	□□
	07. 역함수의 함숫값 (1) − 대응	월 일	□□
	08. 역함수의 함숫값 (2) − 식	월 일	□□
	09. 역함수를 만족하는 미지수 구하기	월 일	□□
	10. 합성함수와 역함수에서 함숫값 구하기	월 일	□□
	11. 합성함수와 역함수에서 미지수 구하기	월 일	□□
	12. 역함수가 존재하기 위한 조건	월 일	□□
	13. 역함수의 성질	월 일	□□
	Mini **Review** Test(**07~13**)	월 일	□□
	14. 역함수 구하기 (1)	월 일	□□
	15. 역함수 구하기 (2)	월 일	□□
	16. 역함수의 그래프에서 함숫값 구하기	월 일	□□
	17. 역함수의 그래프의 성질 (1)	월 일	□□
	18. 역함수의 그래프의 성질 (2)	월 일	□□
	Mini **Review** Test(**14~18**)	월 일	□□

6 합성함수와 역함수

개념 톡톡

개념 NOTE

1 합성함수 핵심 01 핵심 02 핵심 03 핵심 04 핵심 05 핵심 06

(1) **합성함수** : 두 함수 $f : X \longrightarrow Y$, $g : Y \longrightarrow Z$가 주어졌을 때, 집합 X의 각 원소 x에 집합 Z의 원소 $g(f(x))$를 대응시켜 X를 정의역, Z를 공역으로 하는 함수를 f와 g의 합성함수라 하고, 기호로 $g \circ f$와 같이 나타낸다. 즉,

$$g \circ f : X \longrightarrow Z,\ (g \circ f)(x) = g(f(x))$$

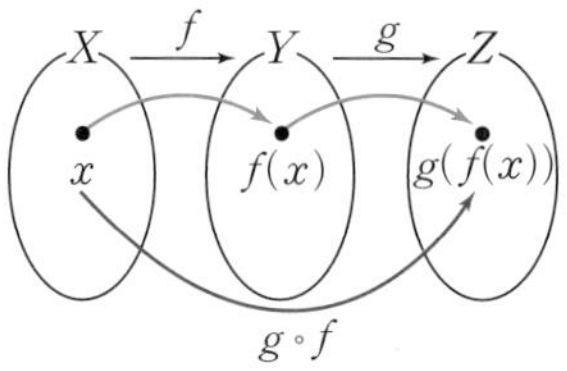

(2) **합성함수의 성질**

세 함수 f, g, h에 대하여

① $g \circ f \neq f \circ g$

② $(f \circ g) \circ h = f \circ (g \circ h)$

③ $f : X \longrightarrow X$일 때, $f \circ I = I \circ f = f$ (단, I는 집합 X에서의 항등함수)

결합법칙이 성립하므로 괄호를 생략하여 $f \circ g \circ h$로 나타내기도 한다.

2 역함수 핵심 07 핵심 12

(1) **역함수** : 함수 $f : X \longrightarrow Y$가 일대일대응일 때, 집합 Y의 각 원소 y에 $f(x)=y$인 집합 X의 원소 x를 대응시키는 함수를 f의 역함수라 하고, 기호로 f^{-1}와 같이 나타낸다. 즉,

$$f^{-1} : Y \longrightarrow X,\ x = f^{-1}(y)$$

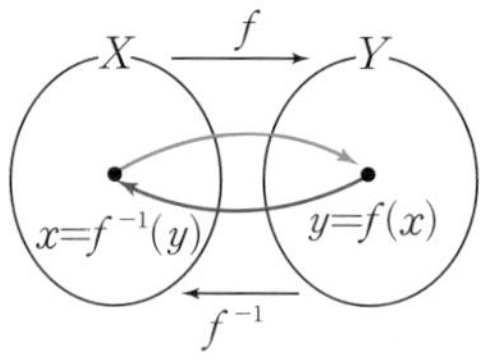

함수 $y=f(x)$의 역함수가 존재하기 위한 필요충분조건은 함수 $y=f(x)$가 일대일대응인 것이다.

(2) **역함수의 성질** 핵심 08 핵심 09 핵심 10 핵심 11 핵심 13

두 함수 f, g의 역함수가 각각 f^{-1}, g^{-1}일 때

① $f(a)=b \Longleftrightarrow f^{-1}(b)=a$　　② $(f^{-1})^{-1}=f$

③ $f^{-1} \circ f = I_X$, $f \circ f^{-1} = I_Y$　　④ $(g \circ f)^{-1} = f^{-1} \circ g^{-1}$

(단, I_X는 집합 X에서의 항등함수, I_Y는 집합 Y에서의 항등함수)

(3) **역함수 구하기** 핵심 14 핵심 15

❶ 주어진 함수 $y=f(x)$가 일대일대응인지 확인한다.

❷ $y=f(x)$에서 x를 y에 대한 식 $x=f^{-1}(y)$ 꼴로 나타낸다.

❸ x와 y를 서로 바꾸어 $y=f^{-1}(x)$ 꼴로 나타낸다.

❹ 주어진 함수 $y=f(x)$의 치역을 역함수의 정의역으로 한다.

3 역함수의 그래프의 성질 핵심 16 핵심 17 핵심 18

함수 $y=f(x)$의 그래프와 그 역함수 $y=f^{-1}(x)$의 그래프는 직선 $y=x$에 대하여 대칭이다.

$y=f(x)$의 그래프가 점 (a, b)를 지나면 $y=f^{-1}(x)$의 그래프는 점 (b, a)를 지난다.

핵심 01 합성함수

날짜 : 월 일

Subnote ➡ 52쪽

합성함수 $(g\circ f)(x)$는 함수 $g(x)$의 x에 $f(x)$를 대입한 것과 같아. 즉, $(g\circ f)(x)=g(f(x))$

세 집합 X, Y, Z에 대하여 두 함수 $f: X \longrightarrow Y$, $g: Y \longrightarrow Z$가 주어졌을 때, 합성함수 $g\circ f: X \longrightarrow Z$, $(g\circ f)(x)=g(f(x))$이다.

예 두 함수 $f(x)=x+1$, $g(x)=2x$에 대하여

$(g\circ f)(x)=g(f(x))=g(x+1)=2(x+1)=2x+2$

$(f\circ g)(x)=f(g(x))=f(2x)=2x+1$

참고 일반적으로 $(g\circ f)(x)\neq(f\circ g)(x)$이다.

두 함수 f, g가 다음 그림과 같을 때, 합성함수 $g\circ f$를 그림으로 나타내어라.

0854

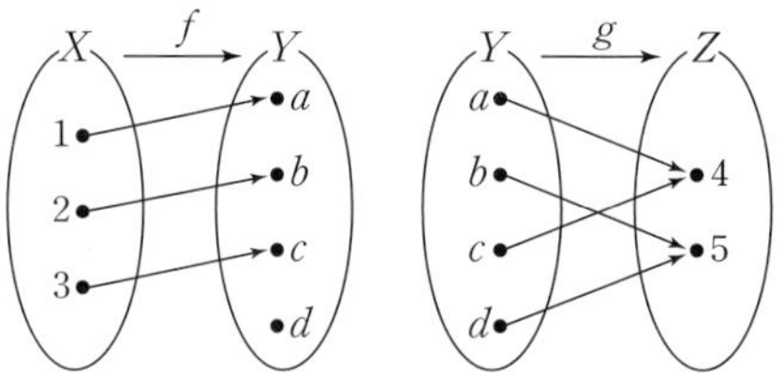

➡ 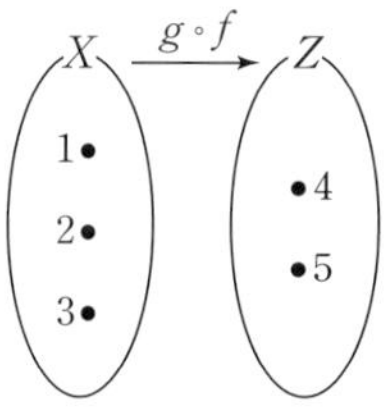

X의 1은 Y의 a를 거쳐 Z의 4에 대응돼. 즉, $1 \longrightarrow 4$

0855

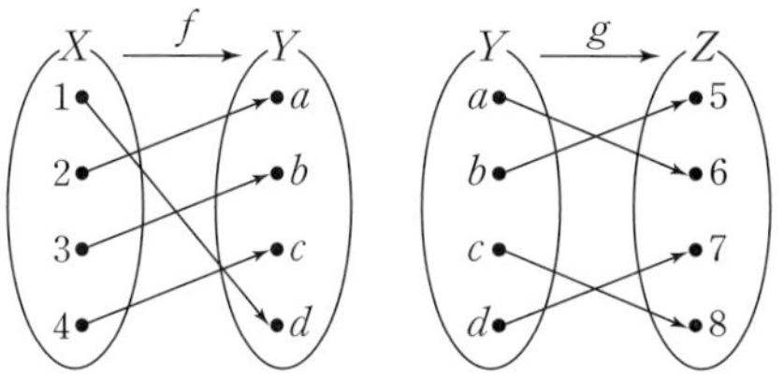

➡ 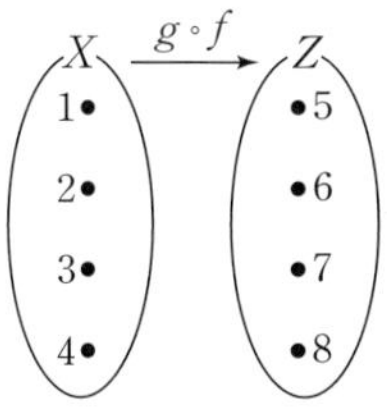

두 함수 $f(x)$, $g(x)$가 다음과 같을 때, 합성함수 $(g\circ f)(x)$, $(f\circ g)(x)$를 각각 구하여라.

0856 $f(x)=2x-1$, $g(x)=3x+2$

0857 $f(x)=-x+3$, $g(x)=2x+3$

0858 $f(x)=2x+3$, $g(x)=x^2$

0859 $f(x)=2x^2-1$, $g(x)=-2x-1$

0860 $f(x)=2x+4$, $g(x)=-\frac{1}{2}x+1$

0861 학교 시험 맛보기

세 함수 $f(x)=x-1$, $g(x)=2x+1$, $h(x)=x^2$에 대하여 $(f\circ g)\circ h=f\circ(g\circ h)$가 성립함을 확인하여라.

key $((f\circ g)\circ h)(x)$, $(f\circ(g\circ h))(x)$를 각각 구해 본다.

6주 합성함수와 역함수

핵심 **02**

합성함수의 함숫값 (1) – 일반식

날짜 : 월 일

Subnote ➲ 52쪽

$(g\circ f)(a)$의 값을 구할 때는 $x=a$를 먼저 $f(x)$에 대입해.

두 함수 f, g에 대하여 $(g\circ f)(a)$의 값 구하기

❶ $(g\circ f)(a)=g(f(a))$이므로 $x=a$를 $f(x)$에 대입하여 $f(a)$의 값을 구한다.

❷ $f(a)$의 값을 $g(x)$의 x에 대입하여 $g(f(a))$의 값을 구한다.

예 두 함수 $f(x)=2x-1$, $g(x)=-3x+2$에 대하여 $(g\circ f)(2)$의 값을 구하여라.

$f(2)=2\times2-1=3$이므로 $(g\circ f)(2)=g(f(2))=g(3)=-3\times3+2=-7$

세 함수 $f(x)=x^2+2$, $g(x)=2x+3$, $h(x)=3x-1$에 대하여 다음 함숫값을 구하여라.

0862 $(g\circ f)(-1)$

$(g\circ f)(-1)$의 값을 구할 때는 $f(-1)$의 값을 먼저 구하여 $g(x)$의 x에 대입해.

0863 $(f\circ h)(2)$

0864 $(f\circ f)(2)$

0865 $(h\circ f)(-2)$

0866 $(f\circ g)\left(-\frac{1}{2}\right)$

0867 $(g\circ h)\left(\frac{2}{3}\right)$

0868 $(h\circ g)(1)$

세 함수 $f(x)=x+3$, $g(x)=\frac{1}{2}x-1$, $h(x)=2x^2-1$에 대하여 다음 함숫값을 구하여라.

0869 $(g\circ f)(3)$

0870 $(h\circ f)(-5)$

0871 $(f\circ g)(-2)$

0872 $(h\circ g)(-4)$

0873 $(f\circ f\circ f)(2)$

0874 $(h\circ g\circ f)(-7)$

0875 **학교 시험 맛보기**

두 함수 $f(x)=2x$, $g(x)=-x^2+2$에 대하여 $(f\circ g)(a)=(g\circ f)(2)$가 성립할 때, 양수 a의 값을 구하여라.

key $(f\circ g)(a)=f(g(a))$, $(g\circ f)(2)=g(f(2))$를 구한다.

핵심 03

합성함수의 함숫값 (2) – 구간이 나누어진 식

날짜 : 월 일

Subnote ➔ 53쪽

구간이 나누어진 함수에서 함숫값을 구할 때는 a의 값에 맞는 구간의 함수식에 대입해야 해.

함수 f의 식이 구간에 따라 다를 때 $(f\circ f)(a)$의 값 구하기

❶ $x=a$에 맞는 구간의 함수식에 대입하여 $f(a)$의 값을 구한다.

❷ $f(a)$의 값에 맞는 구간의 함수식에 대입하여 $f(f(a))$의 값을 구한다.

예 정의역이 $X=\{-1, 0, 1\}$이고 공역이 $Y=\{0, 1, 2, 3\}$인 함수

$f(x)=\begin{cases} x+2 & (x<0) \\ 2x & (x\ge 0) \end{cases}$에 대하여 $(f\circ f)(-1)$의 값을 구하여라.

$x<0$일 때, $f(x)=x+2$이므로 $f(-1)=-1+2=1$

$x\ge 0$일 때, $f(x)=2x$이므로 $(f\circ f)(-1)=f(f(-1))=f(1)=2$

실수 전체의 집합에서 정의된 함수 $f(x)$에 대하여

$$f(x)=\begin{cases} x^2+1 & (x\le 0) \\ -2x+1 & (x>0) \end{cases}$$

일 때, 다음 함숫값을 구하여라.

0876 $(f\circ f)(0)$

$x=0$에 맞는 구간의 함수식에 대입해야 해.

0877 $(f\circ f)(-2)$

0878 $(f\circ f\circ f)(2)$

실수 전체의 집합에서 정의된 함수 $f(x)$에 대하여

$$f(x)=\begin{cases} \sqrt{2}x & (x\text{가 유리수}) \\ -x^2+5 & (x\text{가 무리수}) \end{cases}$$

일 때, 다음 함숫값을 구하여라.

0879 $(f\circ f)(1)$

0880 $(f\circ f)(-\sqrt{2})$

0881 $(f\circ f\circ f)(\sqrt{2})$

자연수 전체의 집합에서 정의된 함수 $f(x)$에 대하여

$$f(x)=\begin{cases} x+3 & (x\text{가 홀수}) \\ \frac{x}{2}+1 & (x\text{가 짝수}) \end{cases}$$

일 때, 다음 함숫값을 구하여라.

0882 $(f\circ f)(3)$

0883 $(f\circ f)(20)$

0884 $(f\circ f\circ f)(6)$

0885 학교 시험 맛보기

실수 전체의 집합에서 정의된 함수 $f(x)$에 대하여

$$f(x)=\begin{cases} x+3 & (x<0) \\ 3 & (x=0) \\ -x^2+3 & (x>0) \end{cases}$$

일 때, $(f\circ f)(\sqrt{5})+(f\circ f\circ f)(0)$의 값을 구하여라.

핵심 04 $f \circ g = g \circ f$가 성립하게 하는 미지수 구하기

날짜 : 월 일

Subnote ➜ 53쪽

일반적으로 $f \circ g \neq g \circ f$이지만 특수한 경우 $f \circ g = g \circ f$인 경우도 있어.

합성함수 $f \circ g$와 $g \circ f$를 각각 구하여 동류항의 계수를 비교한다.

➜ $ax+b=a'x+b'$이 x에 대한 항등식이면 $a=a'$, $b=b'$

참고 일반적으로 두 함수 f, g에 대하여 $f \circ g \neq g \circ f$이다.

예 두 함수 $f(x)=2x+a$, $g(x)=3x+1$에 대하여 $f \circ g = g \circ f$가 성립하도록 하는 상수 a의 값을 구하여라.

$(f \circ g)(x)=f(g(x))=f(3x+1)=2(3x+1)+a=6x+2+a$

$(g \circ f)(x)=g(f(x))=g(2x+a)=3(2x+a)+1=6x+3a+1$

$f \circ g = g \circ f$이므로 $6x+2+a=6x+3a+1$

$2+a=3a+1 \qquad \therefore a=\frac{1}{2}$

다음 두 함수 f, g에 대하여 $f \circ g = g \circ f$가 성립할 때, 상수 a의 값을 구하여라.

0886 $f(x)=3x+2$, $g(x)=-x+a$

sol $(f \circ g)(x)=f(g(x))=f(\square)$
$=3(\square)+2=-3x+3a+2$
$(g \circ f)(x)=g(f(x))=g(3x+2)$
$=-(\square)+a=-3x-2+a$
$f \circ g = g \circ f$이므로 $-3x+3a+2=-3x\square$
$3a+2=\square \qquad \therefore a=\square$

0887 $f(x)=2x+a$, $g(x)=-x+2$

0888 $f(x)=2x+2$, $g(x)=\frac{1}{2}x+a$

0889 $f(x)=2x+3$, $g(x)=ax-2$

0890 $f(x)=3x+a$, $g(x)=\frac{1}{3}x-3$

0891 $f(x)=2x-2$, $g(x)=4x+a$

0892 $f(x)=ax+3$, $g(x)=3x-2$

0893 학교 시험 맛보기

두 함수 $f(x)=-2x+a$, $g(x)=\frac{1}{3}x-2$에 대하여 $f \circ g = g \circ f$가 성립할 때, $(f \circ f)(-1)$의 값을 구하여라. (단, a는 상수)

key $(f \circ g)(x)=(g \circ f)(x)$를 만족시키는 상수 a의 값을 구한다.

핵심 **05**

$f\circ h=g$를 만족시키는 함수 h 구하기

날짜 : 월 일

Subnote ➜ 54쪽

$f(h(x))=g(x)$에서 $h(x)$를 하나의 수처럼 대입해.

$f\circ h=g$에서 $f(x)$와 $g(x)$가 주어졌을 때 $h(x)$ 구하기

❶ $f(h(x))=g(x)$를 이용하여 함수 $f(x)$의 x에 $h(x)$를 대입한다.

❷ $h(x)$를 x에 대한 식으로 정리한다.

예 두 함수 $f(x)=2x+3$, $g(x)=3x+1$에 대하여 $f\circ h=g$를 만족하는 함수 $h(x)$를 구하여라.

$f(h(x))=g(x)$에서 $2h(x)+3=3x+1$이므로

$2h(x)=3x-2$ $\therefore h(x)=\frac{3}{2}x-1$

다음 두 함수 f, g에 대하여 $f\circ h=g$를 만족하는 함수 $h(x)$를 구하여라.

0894 $f(x)=-x+2$, $g(x)=3x+2$

sol $(f\circ h)(x)=g(x)$에서 $f(h(x))=g(x)$이므로

$-$( ) $+2=3x+2$

$\therefore h(x)=$( )

0895 $f(x)=2x-2$, $g(x)=-4x+2$

0896 $f(x)=\frac{1}{2}x-3$, $g(x)=2x+1$

0897 $f(x)=2x+3$, $g(x)=4x-3$

0898 $f(x)=2x+3$, $g(x)=\frac{1}{3}x-3$

0899 $f(x)=3x+2$, $g(x)=6x-4$

0900 $f(x)=2x-2$, $g(x)=-3x+1$

0901 학교 시험 맛보기

두 함수 $f(x)=3x-1$, $g(x)=6x+2$가 있다. $(f\circ h)(x)=g(x)$를 만족시키는 함수 $h(x)$에 대하여 $h(2)$의 값을 구하여라.

key $f(h(x))=g(x)$임을 이용하여 $h(x)$를 구한다.

핵심 06 합성함수의 추정

날짜 : 월 일

Subnote ➡ 55쪽

$f(a)$,
$f^2(a)=(f\circ f)(a)$,
$f^3(a)=(f\circ f\circ f)(a)$,
…를 구해서 $f^n(a)=a$가 되는
n을 찾아야 해.

함수 f에 대하여 $f^1=f$, $f^{n+1}=f\circ f^n$ (n은 자연수)으로 정의할 때, $f^n(a)$의 값 구하기

[방법 1] $f(a)$, $f^2(a)$, $f^3(a)$, …에서 규칙을 찾아 $f^n(a)$의 값을 구한다.

[방법 2] $f^2(x)$, $f^3(x)$, $f^4(x)$, …를 구해서 $f^n(x)$를 추정한 다음 $f^n(a)$의 값을 구한다.

예 함수 $f(x)=x+3$에 대하여 $f^{10}(2)$의 값을 구하여라.

$f^2(x)=f(f(x))=f(x+3)=x+6$, $f^3(x)=(f\circ f^2)(x)=f(x+6)=x+9$, …

따라서 $f^n(x)=x+3n$이므로 $f^{10}(2)=2+3\times10=32$

집합 X에 대하여 함수 $f: X \longrightarrow X$가 아래 그림과 같을 때, 다음을 구하여라. (단, $f^1=f$, $f^{n+1}=f\circ f^n$, n은 자연수)

0902

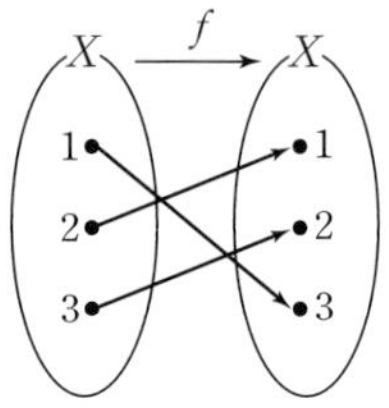

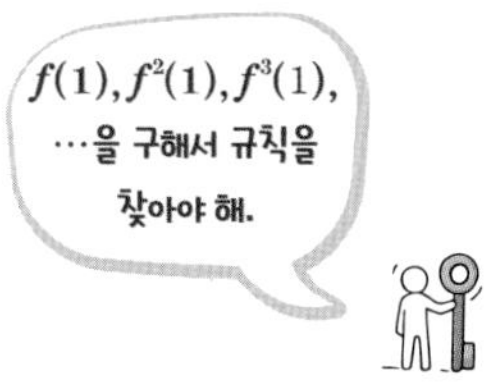

(1) $f^2(1)$, $f^3(1)$의 값

(2) $f^{10}(1)$의 값

(3) $f^{30}(1)$의 값

0903

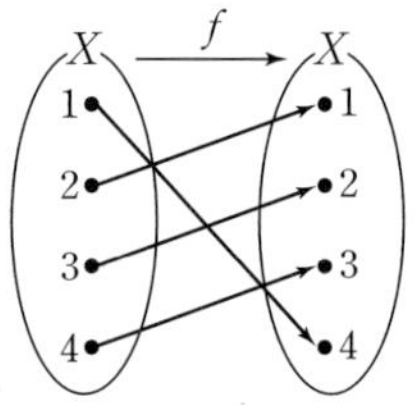

(1) $f^3(1)$, $f^4(1)$의 값

(2) $f^{20}(1)$의 값

(3) $f^{30}(1)$의 값

0904

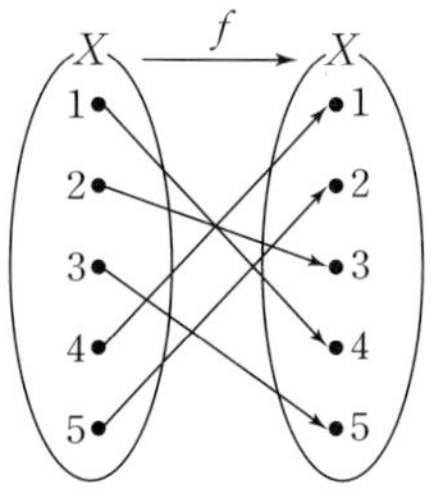

(1) $f^2(1)$, $f^3(3)$의 값

(2) $f^2(x)=x$가 되는 x의 값

(3) $f^3(x)=x$가 되는 x의 값

(4) $f^{20}(4)+f^{20}(5)$의 값

0905 정의역과 공역이 실수 전체의 집합인 함수 f가 $f(x)=x-2$일 때, $f^{30}(50)$의 값

Mini Review Test

날짜 : 월 일

Subnote ➡ 55쪽

| 핵심 01 |

0906 두 함수 f, g가 아래 그림과 같을 때, 다음을 구하여라.

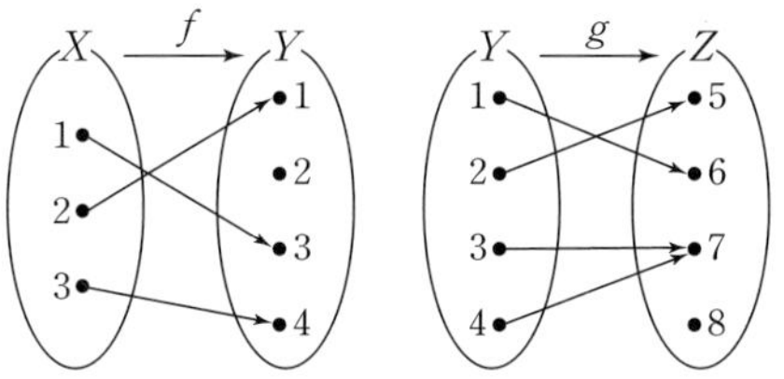

(1) $(g\circ f)(1)+(g\circ f)(3)$의 값

(2) 함수 $g\circ f$의 치역

| 핵심 02 |

0907 함수 $f(x)=2x+1$에 대하여 $(f\circ f\circ f)(a)=1$을 만족하는 상수 a의 값을 구하여라.

| 핵심 02 | UP

0908 두 함수 f, g에 대하여

$$f(x)=x^2+4x-2,\ g(2x-3)=f(x-1)$$

일 때, $(g\circ f)(1)$의 값을 구하여라.

key $(g\circ f)(1)=g(f(1))$이므로 $g(2x-3)=f(x-1)$에서 $2x-3=f(1)$인 x의 값을 구한다.

| 핵심 03 |

0909 실수 전체의 집합에서 정의된 함수 $f(x)$에 대하여

$$f(x)=\begin{cases} -2x+1 & (x<0) \\ -x^2+4 & (0\le x\le 3) \\ x-7 & (x>3) \end{cases}$$

일 때, $(f\circ f)(3)+(f\circ f\circ f)(6)$의 값을 구하여라.

key x의 조건에 맞는 함수식에 대입한다.

| 핵심 05 | UP

0910 두 함수 $f(x)=2x-3$, $g(x)=-2x+5$에 대하여 다음을 만족하는 함수 $h(x)$를 구하여라.

(1) $f\circ h=g$

(2) $h\circ f=g$

| 핵심 06 |

0911 집합 X에 대하여 함수 $f: X \longrightarrow X$가 아래 그림과 같을 때, $f^{2017}(1)+f^{2017}(5)$의 값을 구하여라. (단, $f^1=f$, $f^{n+1}=f\circ f^n$이고, n은 자연수)

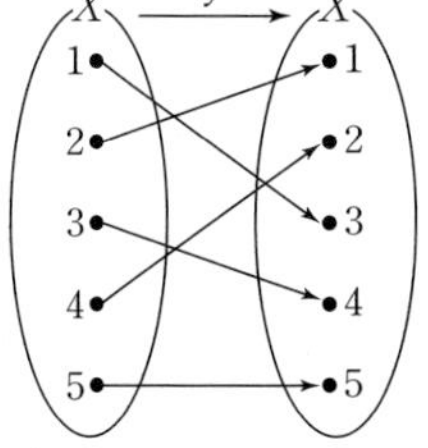

key $f^4(1)$을 구하여 $f^n(1)$을 추론해 본다.

핵심 **07**

역함수의 함숫값 (1) – 대응

날짜 : 월 일

Subnote 56쪽

함수 f가 a를 b에 대응시키는 함수라면 f^{-1}는 b를 a에 대응시키는 함수야.

$b=f(a) \Longleftrightarrow a=f^{-1}(b)$

함수 $f: X \longrightarrow Y$가 일대일대응이고 $x\in X$, $y\in Y$일 때

(1) $f^{-1}: Y \longrightarrow X$

(2) $y=f(x) \Longleftrightarrow x=f^{-1}(y)$

예 함수 $f(x)$와 그 역함수 $f^{-1}(x)$에 대하여 $f(3)=4$이면 $f^{-1}(4)=3$이다.

오른쪽 그림과 같은 함수 $f: X \longrightarrow Y$에 대하여 다음 물음에 답하여라.

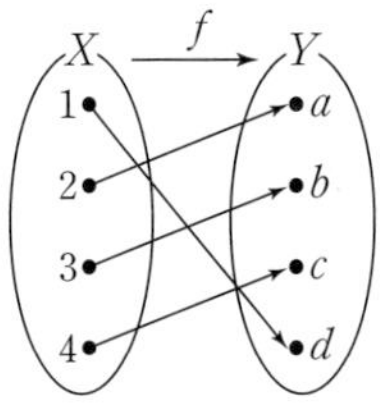

0912 역함수 f^{-1}를 그림으로 나타내어라.

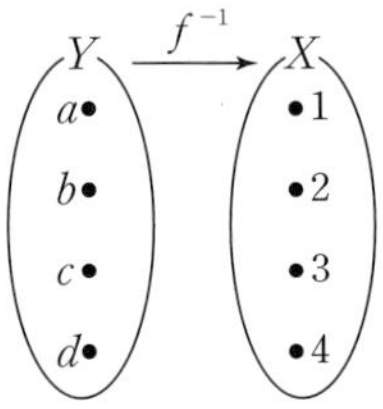

0913 함수 f^{-1}의 정의역과 공역을 각각 구하여라.

0914 $f^{-1}(a)$의 값을 구하여라.

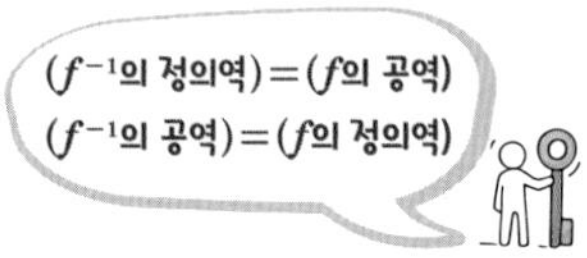

0915 $f^{-1}(b)$의 값을 구하여라.

0916 $f^{-1}(c)$의 값을 구하여라.

0917 $f^{-1}(d)$의 값을 구하여라.

0918 함수 f^{-1}의 치역을 구하여라.

오른쪽 그림과 같은 함수 $f: X \longrightarrow Y$에 대하여 다음 물음에 답하여라.

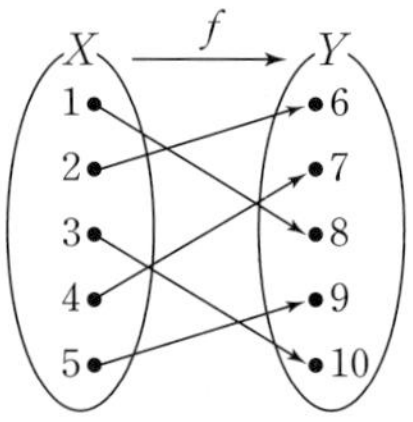

0919 역함수 f^{-1}를 그림으로 나타내어라.

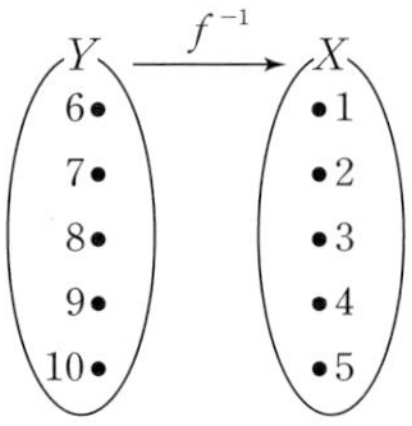

0920 함수 f^{-1}의 정의역과 공역을 각각 구하여라.

0921 $f^{-1}(6)$의 값을 구하여라.

0922 $f^{-1}(7)$의 값을 구하여라.

0923 $f^{-1}(8)$의 값을 구하여라.

0924 $f^{-1}(9)$의 값을 구하여라.

0925 $f^{-1}(10)$의 값을 구하여라.

0926 함수 f^{-1}의 치역을 구하여라.

핵심 **08**

역함수의 함숫값 (2) – 식

날짜 : 월 일

Subnote ➜ 56쪽

$f^{-1}(a)=k$로 놓고 역함수의 정의를 이용해.

$f(x)$를 이용하여 $f^{-1}(a)$의 값 구하기

❶ $f^{-1}(a)=k$라 하면 역함수의 정의에 의해 $f(k)=a$

❷ $f(k)=a$인 k의 값을 구한다.

예 실수 전체의 집합에서 정의된 일차함수 $f(x)=3x-2$에 대하여 $f^{-1}(4)$의 값을 구하여라.

$f^{-1}(4)=k$라 하면 역함수의 정의에 의해 $f(k)=4$

$3k-2=4,\ k=2 \qquad \therefore f^{-1}(4)=2$

실수 전체의 집합에서 정의된 함수 $f(x)=-2x+3$에 대하여 다음을 만족하는 상수 k의 값을 구하여라.

0927 $f^{-1}(1)=k$

sol $f^{-1}(1)=k$에서 $f(k)=$ ____ 이므로

$-2k+3=$ ____, $-2k=$ ____ $\qquad \therefore k=$ ____

0928 $f^{-1}(-3)=k$

0929 $f^{-1}(-2)=k$

0930 $f^{-1}(k)=5$

0931 $f^{-1}(k)=\frac{1}{2}$

0932 $f^{-1}(k)=-3$

0933 $f^{-1}(4)=k+1$

0934 $f^{-1}(k-2)=\frac{1}{2}$

함수 $f(x)$의 역함수를 $g(x)$라 할 때, 다음을 구하여라.

0935 $f(x)=3x-2$일 때, $g(-5)+g(7)$의 값

$g(-5)=k$라 하면 $f(k)=-5$

0936 $f(x)=-2x+4$일 때, $g(-6)+g(8)$의 값

0937 $f(x)=\frac{2}{3}x+2$일 때, $g\left(-\frac{4}{3}\right)+g\left(\frac{4}{3}\right)$의 값

0938 $f(x)=-\frac{1}{2}x-3$일 때, $g(0)+g(3)$의 값

0939 **학교 시험 맛보기**

함수 $f(x)=\frac{3}{2}x-2$에 대하여 $f^{-1}(3)$의 값을 구하여라.

key $f^{-1}(3)=k$라 하고 역함수의 정의를 이용한다.

6주 합성함수와 역함수

핵심 09 역함수를 만족하는 미지수 구하기

날짜 : 월 일

Subnote ◆ 57쪽

함수 f와 f^{-1}는 서로 역함수 관계에 있어.

$b=f(a) \Longleftrightarrow a=f^{-1}(b)$

$f^{-1}(y_1)=x_1$, $f^{-1}(y_2)=x_2$임을 이용하여 일차함수 $f(x)=ax+b$ 구하기

❶ $f(x_1)=y_1$, $f(x_2)=y_2$이므로 일차함수의 식에 대입하여 두 식을 만든다.

❷ 두 식을 연립하여 상수 a, b의 값을 각각 구한다.

예 함수 $f(x)=ax+b$에 대하여 $f^{-1}(0)=1$, $f^{-1}(3)=2$일 때, $f(x)$를 구하여라.
역함수의 정의에 의해 $f(1)=0$, $f(2)=3$이므로
$a+b=0$, $2a+b=3$
위의 두 식을 연립하여 풀면 $a=3$, $b=-3$
$\therefore f(x)=3x-3$

함수 $f(x)=2x+a$가 다음을 만족할 때, 상수 a의 값을 구하여라.

0940 $f^{-1}(4)=3$

sol $f^{-1}(4)=3$에서 $f(3)=\square$ 이므로
$2\times3+a=\square$ $\therefore a=\square$

0941 $f^{-1}(-2)=-3$

0942 $f^{-1}(0)=\frac{3}{2}$

일차함수 $f(x)=ax-3$이 다음을 만족할 때, 상수 a, b의 값을 각각 구하여라.

0943 $f(1)=2$, $f^{-1}(b)=2$

0944 $f^{-1}(0)=-3$, $f^{-1}(-2)=b$

0945 $f^{-1}(b)=6$, $f^{-1}(2)=3$

함수 $f(x)=ax+b$의 역함수를 $g(x)$라 할 때, 다음을 만족하는 상수 a, b의 값을 각각 구하여라.

0946 $g(1)=2$, $g(5)=3$

0947 $g(-3)=2$, $g(3)=\frac{1}{2}$

0948 $g(-4)=2$, $g(4)=\frac{2}{3}$

0949 $g(0)=3$, $g(2)=-1$

0950 학교 시험 맛보기

함수 $f(x)=ax+b$에 대하여 $f^{-1}(-8)=-1$, $f^{-1}(7)=2$일 때, $(f\circ f)\left(\frac{1}{5}\right)$의 값을 구하여라.

(단, a, b는 상수)

key $m=f^{-1}(n) \Longleftrightarrow n=f(m)$

핵심 **10**

합성함수와 역함수에서 함숫값 구하기

날짜 : 　월 　일

Subnote ➜ 58쪽

$g(a)$도 하나의 수야. $g(a)$라는 수를 함수 $f^{-1}(x)$에 대입하는 거야. 즉, $(f^{-1}\circ g)(a)=f^{-1}(g(a))$

두 함수 f, g의 역함수가 f^{-1}, g^{-1}일 때

(1) $(f^{-1}\circ g)(a)$의 값 구하기

❶ $g(a)$의 값을 구한다.

❷ $f^{-1}(g(a))=k$라 하고 $f(k)=g(a)$임을 이용하여 k의 값을 구한다.

(2) $(f\circ g^{-1})(a)$의 값 구하기

❶ $g^{-1}(a)=k$라 하고 $g(k)=a$임을 이용하여 k의 값을 구한다.

❷ $f(x)$에 x 대신 k의 값을 대입한다.

다음 두 함수 f, g에 대하여 주어진 합성함수의 함숫값을 구하여라. (단, f^{-1}, g^{-1}는 각각 f, g의 역함수이다.)

0951 $f(x)=2x+3$, $g(x)=-x+2$일 때, $(f^{-1}\circ g)(3)$의 값

sol $g(3)=-3+2=-1$이므로

$(f^{-1}\circ g)(3)=f^{-1}(g(3))=f^{-1}(\quad)$

$f^{-1}(\quad)=k$라 하면 $f(k)=\quad$ 이므로

$2k+3=\quad$ 　 $\therefore k=\quad$

$\therefore (f^{-1}\circ g)(3)=\quad$

0952 $f(x)=\frac{1}{2}x-3$, $g(x)=3x+2$일 때, $(f^{-1}\circ g)(-1)$의 값

$g(-1)$의 값을 먼저 구해.

0953 $f(x)=-2x+1$, $g(x)=\frac{1}{3}x+2$일 때, $(f^{-1}\circ g)(-3)$의 값

0954 $f(x)=-3x+1$, $g(x)=-4x+2$일 때, $(f^{-1}\circ g)\left(-\frac{1}{2}\right)$의 값

0955 $f(x)=2x+3$, $g(x)=-x+2$일 때, $(f\circ g^{-1})(3)$의 값

sol $g^{-1}(3)=k$라 하면 $g(k)=\quad$ 이므로

$-k+2=\quad$ 　 $\therefore k=\quad$

$\therefore (f\circ g^{-1})(3)=f(g^{-1}(3))$

$=f(\quad)$

$=2\times(\quad)+3=\quad$

0956 $f(x)=x-3$, $g(x)=3x+2$일 때, $(f\circ g^{-1})(-1)$의 값

$g^{-1}(-1)$의 값을 먼저 구해.

0957 $f(x)=-2x+1$, $g(x)=\frac{1}{3}x-1$일 때, $(f\circ g^{-1})(-2)$의 값

0958 $f(x)=-3x+1$, $g(x)=-4x+2$일 때, $(f\circ g^{-1})(6)$의 값

핵심 11

합성함수와 역함수에서 미지수 구하기

날짜 : 월 일

Subnote 58쪽

$g^{-1}(a)=k$라 하면
$(f\circ g^{-1})(a)=b$,
즉 $f(g^{-1}(a))=b$에서
$f(k)=b$

예 두 함수 $f(x)=4x+2$, $g(x)=2x-1$에 대하여 $(f\circ g^{-1})(a)=2$를 만족하는 상수 a의 값을 구하여라.

$g^{-1}(a)=k$라 하면 $g(k)=a$이므로

$2k-1=a \qquad \therefore\ k=\frac{a+1}{2}$

$\therefore\ (f\circ g^{-1})(a)=f(g^{-1}(a))=f(k)=f\left(\frac{a+1}{2}\right)=4\times\frac{a+1}{2}+2=2a+4$

따라서 $2a+4=2$이므로 $a=-1$

두 함수 $f(x)=x+1$, $g(x)=2x-3$에 대하여 다음 식을 만족하는 상수 a의 값을 구하여라.
(단, f^{-1}, g^{-1}는 각각 f, g의 역함수이다.)

0959 $(g\circ f^{-1})(a)=3$

sol $f^{-1}(a)=k$라 하면 $f(k)=$ ___ 이므로

$k+1=a \qquad \therefore\ k=a-1$

$\therefore\ (g\circ f^{-1})(a)=g(f^{-1}(a))=g(k)=g($ ___ $)$

$=$ ___

따라서 ___ $=3$이므로 $a=$ ___

0960 $(f\circ g^{-1})(a)=5$

$g^{-1}(a)=k$라 하고 $f(k)=5$를 풀어.

두 함수 $f(x)=3x-2$, $g(x)=-2x+1$에 대하여 다음 식을 만족하는 상수 a의 값을 구하여라.
(단, f^{-1}, g^{-1}는 각각 f, g의 역함수이다.)

0961 $(g\circ f^{-1})(a)=5$

0962 $(f\circ g^{-1})(a)=-5$

두 함수 $f(x)=x-5$, $g(x)=ax+b$에 대하여 $(g\circ f^{-1})(x)=x+2$일 때, 다음을 구하여라.
(단, a, b는 상수이고 f^{-1}, g^{-1}는 각각 f, g의 역함수이다.)

0963 a, b의 값

0964 $(f^{-1}\circ g)(2)$의 값

0965 $(f\circ g^{-1})(4)$의 값

0966 학교 시험 맛보기

두 함수 $f(x)=ax+b$, $g(x)=-x+2$에 대하여 $(f\circ g)(x)=2x-3$일 때, $(f\circ g^{-1})(-1)$의 값을 구하여라. (단, a, b는 상수이고 g^{-1}는 g의 역함수이다.)

key $(f\circ g)(x)=2x-3$을 이용해 a, b의 값을 먼저 구한다.

핵심 **12**

역함수가 존재하기 위한 조건

날짜 : 월 일

Subnote ➡ 59쪽

역함수가 존재하려면 함수가 증가함수이거나 감소함수이어야 해.

함수 f의 역함수 f^{-1}가 존재하려면 f가 일대일대응이어야 한다.
➡ ① 정의역의 임의의 두 원소 x_1, x_2에 대하여 $x_1 \neq x_2$이면 $f(x_1) \neq f(x_2)$
② 치역과 공역이 서로 같다.

실수 전체의 집합에서 정의된 다음 함수 $f(x)$의 역함수가 존재하도록 하는 상수 a의 값 또는 a의 값의 범위를 구하여라.

0967 $f(x)=\begin{cases} -2x+1 & (x<0) \\ (a-1)x+1 & (x\geq 0) \end{cases}$

0968 $f(x)=\begin{cases} (a+1)x+\frac{1}{2}-a & (x<1) \\ \frac{1}{2}x+1 & (x\geq 1) \end{cases}$

0969 $f(x)=\begin{cases} \frac{3}{2}x+3 & (x<2) \\ x+a & (x\geq 2) \end{cases}$

x가 증가할 때 $f(x)$도 증가하므로 치역이 모든 실수이어야 해.

두 집합 $X=\{x\mid -2\leq x\leq 3\}$, $Y=\{y\mid a\leq y\leq 6\}$에 대하여 X에서 Y로의 함수 $f(x)$의 역함수가 존재할 때, 상수 a, b의 값을 각각 구하여라.

0970 $f(x)=3x+b$

0971 $f(x)=-2x+b$

집합 $X=\{x\mid x\geq a\}$에 대하여 다음 함수 $f: X \longrightarrow X$의 역함수가 존재할 때, 상수 a의 값을 구하여라.

0972 $f(x)=x^2-4x$

sol $f(x)=x^2-4x=(x-\square)^2-4$
함수 f의 역함수가 존재하면 f는 일대일대응이므로
$a\geq \square$, $f(a)=\square$
$f(a)=a$에서 $a^2-4a=a$
$\therefore a=\square$ $(\because a\geq 2)$

0973 $f(x)=x^2-6x+10$

0974 학교 시험 맛보기

집합 $X=\{x\mid x\geq a\}$에 대하여 함수 $f: X \longrightarrow X$가 $f(x)=x^2-x-3$일 때, 이 함수 f가 일대일대응이 되도록 하는 상수 a의 값을 구하여라.

key 함수 $f(x)$가 일대일대응이 되려면 치역과 공역이 일치해야 한다.

6주 합성함수와 역함수

핵심 **13**

역함수의 성질

날짜 : 월 일

Subnote ➔ 59쪽

$f\circ g=I \iff f^{-1}=g$
$\iff g^{-1}=f$
$\iff g\circ f=I$
(단, I는 항등함수)

두 함수 f, g의 역함수가 각각 f^{-1}, g^{-1}일 때

(1) $(f^{-1})^{-1}=f$

(2) $(f^{-1}\circ f)(x)=x$
$(f\circ f^{-1})(y)=y$

(3) $(g\circ f)^{-1}=f^{-1}\circ g^{-1}$

두 함수 f, g에 대하여 다음 함숫값을 구하여라.
(단, f^{-1}, g^{-1}는 각각 f, g의 역함수이다.)

0975 $f(x)=-3x-1$, $g(x)=3x+2$일 때, $(f\circ(f\circ g)^{-1}\circ f)(-1)$의 값

$(f\circ g)^{-1}=g^{-1}\circ f^{-1}$

0976 $f(x)=\frac{1}{2}x-1$, $g(x)=4x+2$일 때, $(f\circ(g\circ f)^{-1}\circ f)(2)$의 값

0977 $f(x)=-x+3$, $g(x)=-\frac{1}{2}x+2$일 때, $(g\circ(g\circ f)^{-1}\circ g)(5)$의 값

0978 $f(x)=3x+3$, $g(x)=\frac{1}{3}x-1$일 때, $((g^{-1}\circ f\circ g)\circ(g\circ f))(2)$의 값

$(f\circ g)(x)$를 구해 봐.

일대일대응인 두 함수 f, g에 대하여 $(g\circ f)(x)=x$이고 $f(x)=3x-2$일 때, 다음을 구하여라.
(단, f^{-1}, g^{-1}는 각각 f, g의 역함수이다.)

0979 $(f\circ g^{-1}\circ f^{-1})(2)$의 값

$g\circ f=I$이면 $f^{-1}=g$, $g^{-1}=f$

0980 $(g^{-1}\circ f^{-1}\circ g)(4)$의 값

0981 $(g\circ f^{-1}\circ g^{-1})(1)$의 값

0982 $(f\circ(f\circ g)^{-1}\circ f)(-1)$의 값

Mini Review Test

날짜 : 월 일

Subnote ➡ 60쪽

| 핵심 08 |

0983 함수 $y=f(x)$의 그래프가 오른쪽 그림과 같을 때, $(f\circ f)(-2)+f^{-1}(1)$의 값을 구하여라.

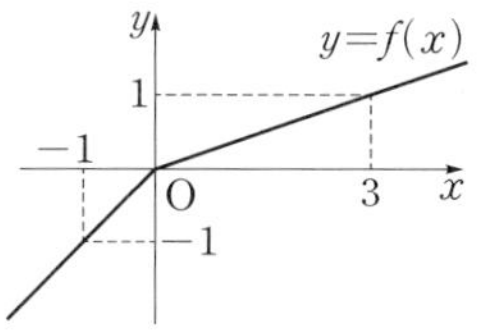

| 핵심 09 |

0984 일차함수 $f(x)=ax+b$에 대하여 $f^{-1}(3)=2$, $(f\circ f)(2)=5$일 때, $f^{-1}(4)$의 값을 구하여라. (단, a, b는 상수)

| 핵심 10 |

0985 두 함수 f, g가 아래 그림과 같을 때, $f^{-1}(3)+g^{-1}(4)+(g\circ f)^{-1}(5)$의 값을 구하여라.

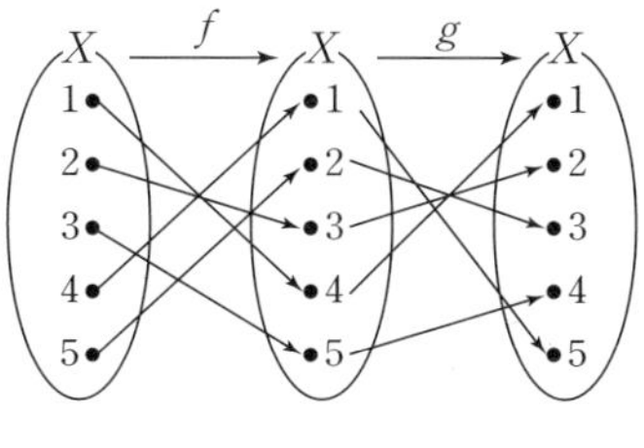

| 핵심 11 |

0986 두 함수 $f(x)=2x+a$, $g(x)=-x+2$에 대하여 $(f\circ g^{-1})(3)=5$일 때, 상수 a의 값을 구하여라.

| 핵심 12 | UP

0987 두 집합 $X=\{x|a\le x\le 3\}$, $Y=\{y|5\le y\le b\}$에 대하여 X에서 Y로의 함수 $f(x)=x^2+2x-3$의 역함수가 존재할 때, $a+b$의 값을 구하여라. (단, a, b는 상수)

key $f(x)=(x+1)^2-4$이므로 $a\ge -1$일 때 역함수가 존재한다.

| 핵심 13 | UP

0988 두 함수 f, g에 대하여 $f(x)=4x+2$이고 $(f\circ(g\circ f)^{-1}\circ f)(x)=x-2$일 때, $g(3)$의 값을 구하여라. (단, 함수 g는 역함수가 존재한다.)

key 역함수의 성질을 이용하여 합성함수를 간단히 한다.

| 핵심 13 | UP

0989 세 함수 $f(x)=-3x+2$, $g(x)=x+1$, $h(x)$에 대하여 $(f\circ g)^{-1}\circ h=g$일 때, $h(2)$의 값을 구하여라.

key $((f\circ g)^{-1}\circ h)(x)=x+1$에서 $h(x)=(f\circ g)(x+1)$

6주 합성함수와 역함수

핵심 **14**

역함수 구하기 (1)

날짜 : 월 일

Subnote 61쪽

역함수를 구할 때, x, y를 먼저 바꾼 후 y에 대하여 풀어도 돼.

함수 $y=f(x)$의 역함수는 다음과 같은 순서로 구한다.

❶ 함수 $y=f(x)$가 일대일대응인지 확인한다.

❷ x에 대하여 풀어 $x=f^{-1}(y)$ 꼴로 나타낸다.

❸ x와 y를 서로 바꾸어 $y=f^{-1}(x)$로 나타낸다.

예 함수 $y=\frac{1}{2}x-3$의 역함수를 구하여라.

❶ 함수 $y=\frac{1}{2}x-3$은 실수 전체의 집합 R에서 R로의 일대일대응이므로 역함수가 존재한다.

❷ $y=\frac{1}{2}x-3$을 x에 대하여 풀면 $x=2y+6$

❸ x와 y를 서로 바꾸면 구하는 역함수는 $y=2x+6$

다음 함수의 역함수를 구하여라.

0990 $y=2x-4$

sol $y=2x-4$는 실수 전체의 집합 R에서 R로의 일대일대응이므로 역함수가 존재한다.

$y=2x-4$를 x에 대하여 풀면 $x=\frac{1}{2}y+$ □

x, y를 서로 바꾸면 구하는 역함수는 $y=\frac{1}{2}x+$ □

0991 $y=3x+2$

0992 $y=-2x+3$

0993 $y=\frac{1}{2}x-4$

0994 $3x+y-6=0$

다음 두 일차함수 f, g가 서로 역함수가 되도록 하는 상수 a, b의 값을 각각 구하여라.

0995 $f(x)=ax+2$, $g(x)=2x+b$

sol $y=ax+2$라 하고 x에 대하여 풀면 $x=$ □ $y-\frac{2}{a}$

x, y를 서로 바꾸면 $y=$ □ $x-\frac{2}{a}$

$\therefore f^{-1}(x)=$ □ $x-\frac{2}{a}$

따라서 $\frac{1}{a}x-\frac{2}{a}=2x+b$이므로 $a=$ □, $b=$ □

0996 $f(x)=2x+a$, $g(x)=bx+5$

0997 $f(x)=ax-2$, $g(x)=\frac{3}{2}x+b$

0998 학교 시험 맛보기

일차함수 $f(x)=ax-4$와 그 역함수 $f^{-1}(x)$가 서로 같을 때, 상수 a의 값을 구하여라.

key 함수 $f(x)$와 그 역함수 $f^{-1}(x)$를 비교하여 상수 a의 값을 구한다.

핵심 15

역함수 구하기 (2)

날짜 : 월 일

Subnote 61쪽

f의 역함수 f^{-1}가 존재하면
$f\circ f^{-1}=f^{-1}\circ f=I$임을 이용해.
f의 역함수를 g라 하면
$f\circ g=g\circ f=I$가 성립해.
(단, I는 항등함수)

(1) $h\circ f=g$를 만족하는 함수 h 구하기
f^{-1}가 존재하면 $h\circ f=g$에서 $(h\circ f)\circ f^{-1}=g\circ f^{-1}$
$\therefore h=g\circ f^{-1}$ ($\because f\circ f^{-1}=I$)

(2) $y=f(ax+b)$ 꼴의 역함수 구하기
f의 역함수를 g라 하면 $y=f(ax+b)$에서 $ax+b=g(y)$
x에 대하여 풀면 $x=\frac{1}{a}g(y)-\frac{b}{a}$
x, y를 서로 바꾸면 구하는 역함수는 $y=\frac{1}{a}g(x)-\frac{b}{a}$

다음 두 함수 f, g에 대하여 $h\circ f=g$를 만족하는 함수 h를 f의 역함수를 이용하여 구하여라.

0999 $f(x)=x-2$, $g(x)=2x+3$

sol $h\circ f=g$이므로 $(h\circ f)\circ f^{-1}=g\circ f^{-1}$
$\therefore h=g\circ f^{-1}$ ($\because f\circ f^{-1}=I$)
$f(x)=x-2$에서 $y=x-2$라 하면 $x=y+$ ☐
x, y를 서로 바꾸면 $y=x+$ ☐
$\therefore f^{-1}(x)=x+2$
$\therefore h(x)=(g\circ f^{-1})(x)=g(f^{-1}(x))$
$=g(x+2)=2($ ☐ $)+3=$ ☐

1000 $f(x)=-x+3$, $g(x)=3x-2$

1001 $f(x)=\frac{1}{2}x-1$, $g(x)=-2x+1$

1002 $f(x)=-2x+4$, $g(x)=4x+3$

함수 f의 역함수를 g라 할 때, 다음 함수를 $g(x)$로 나타내어라. (단, $f(x)$는 일차함수이다.)

1003 $y=f(x+2)$의 역함수

sol $f^{-1}=g$이므로 $y=f(x+2)$에서
$g(y)=$ ☐
x에 대하여 풀면 $x=g(y)-$ ☐
x, y를 서로 바꾸면 구하는 역함수는 $y=g(x)-$ ☐

1004 $y=f(3x)$의 역함수

1005 $y=f(2x-3)$의 역함수

1006 $y=f\left(\frac{1}{2}x+4\right)$의 역함수

핵심 **16**

역함수의 그래프에서 함숫값 구하기

날짜 : 월 일

Subnote 62쪽

역함수의 그래프 문제에서 직선 $y=x$ 위의 점은 x좌표와 y좌표가 같은 점이야.

함수 $y=f(x)$의 그래프가 점 (a, b)를 지나면 그 역함수 $y=f^{-1}(x)$의 그래프는 점 (b, a)를 지나므로 함수 $y=f(x)$의 그래프와 그 역함수 $y=f^{-1}(x)$의 그래프는 직선 $y=x$에 대하여 대칭이다.

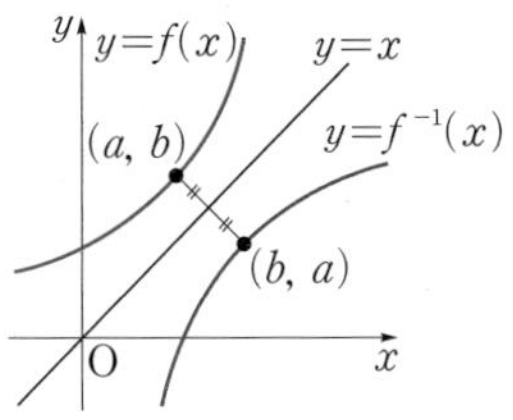

함수 $y=f(x)$의 그래프와 직선 $y=x$가 아래 그림과 같을 때, 다음을 구하여라.

(단, 모든 점선은 x축 또는 y축에 평행하다.)

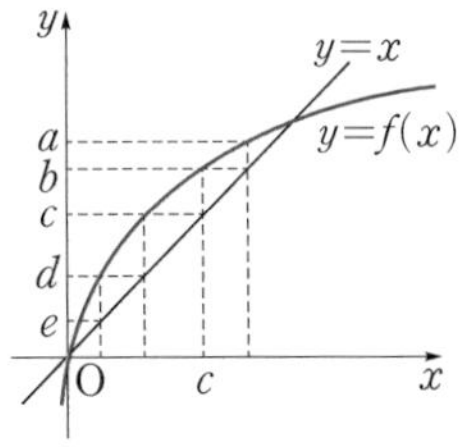

1007 $f^{-1}(d)$의 값

직선 $y=x$ 위의 점은 x좌표와 y좌표가 같은 점이야. $f^{-1}(d)=k$로 놓아봐.

1008 $(f^{-1}\circ f^{-1})(c)$의 값

1009 $(f\circ f)^{-1}(b)$의 값

1010 $(f^{-1}\circ f^{-1}\circ f^{-1})(b)$의 값

1011 $(f^{-1}\circ f^{-1}\circ f^{-1})(a)$의 값

함수 $y=f^{-1}(x)$의 그래프와 직선 $y=x$가 아래 그림과 같을 때, 다음을 구하여라.

(단, 모든 점선은 x축 또는 y축에 평행하다.)

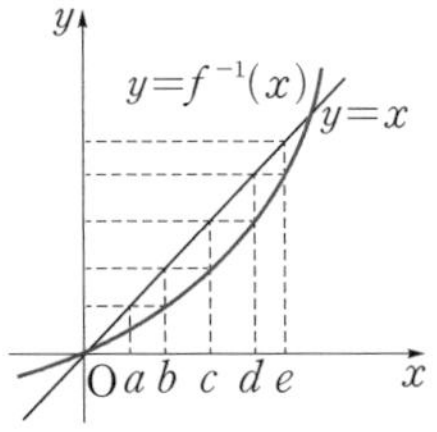

1012 $(f^{-1}\circ f^{-1})(d)$의 값

1013 $f(b)$의 값

$f(b)=k$로 놓고 $f^{-1}(k)=b$가 되는 k의 값을 찾아.

1014 $(f\circ f)(b)$의 값

1015 $((f\circ f)^{-1}\circ f)(b)$의 값

1016 $(f\circ f\circ f)(b)$의 값

핵심 17 역함수의 그래프의 성질 (1)

날짜 : 　월 　일

Subnote ➡ 63쪽

$y=f(x)$의 그래프가 점 (a, b)를 지난다.
➡ $f^{-1}(b)=a$

함수 f의 역함수가 f^{-1}일 때, $y=f(x)$의 그래프가 점 $(a,\ b)$를 지나면 $y=f^{-1}(x)$의 그래프는 점 $(b,\ a)$를 지난다.

예 함수 $f(x)=ax+2$에 대하여 그 역함수 $y=f^{-1}(x)$의 그래프가 점 $(4,\ 1)$을 지날 때, 상수 a의 값을 구하여라.
$y=f^{-1}(x)$의 그래프가 점 $(4,\ 1)$을 지나므로 $f^{-1}(4)=1$에서 $f(1)=4$
$a+2=4$ 　　 $\therefore\ a=2$

함수 $f(x)=ax+b$의 그래프는 점 P를 지나고, 그 역함수 $y=f^{-1}(x)$의 그래프는 점 Q를 지날 때, 상수 $a,\ b$의 값을 각각 구하여라.

1017 $\mathrm{P}(1,\ -2),\ \mathrm{Q}(7,\ -2)$

sol $y=f(x)$의 그래프가 점 $\mathrm{P}(1,\ -2)$를 지나므로
$f(1)=-2$에서 $a+b=-2$ 　 …… ㉠
$y=f^{-1}(x)$의 그래프가 점 $\mathrm{Q}(7,\ -2)$를 지나므로
$f^{-1}(7)=-2$에서 $f($ ___ $)=7$
$\therefore\ -2a+b=7$ 　 …… ㉡
㉠, ㉡을 연립하여 풀면 $a=$ ___, $b=$ ___

1018 $\mathrm{P}(2,\ -1),\ \mathrm{Q}(5,\ -2)$

1019 $\mathrm{P}(-3,\ 0),\ \mathrm{Q}(4,\ 3)$

1020 $\mathrm{P}(-1,\ 5),\ \mathrm{Q}(3,\ -2)$

1021 $\mathrm{P}(-1,\ 9),\ \mathrm{Q}(-3,\ 2)$

함수 $f(x)=ax+b$에 대하여 그 역함수 $y=f^{-1}(x)$의 그래프가 다음 두 점 P, Q를 지날 때, 상수 $a,\ b$의 값을 각각 구하여라.

1022 $\mathrm{P}(-4,\ -2),\ \mathrm{Q}(5,\ 1)$

sol $y=f^{-1}(x)$의 그래프가 두 점 $\mathrm{P}(-4,\ -2),\ \mathrm{Q}(5,\ 1)$을 지나므로
$f^{-1}(-4)=$ ___, $f^{-1}(5)=1$
즉, $f(-2)=$ ___, $f(1)=5$이므로
$-2a+b=$ ___, $a+b=5$
위의 두 식을 연립하여 풀면 $a=$ ___, $b=$ ___

1023 $\mathrm{P}(0,\ 2),\ \mathrm{Q}(6,\ -1)$

1024 $\mathrm{P}(2,\ 1),\ \mathrm{Q}(7,\ 2)$

1025 $\mathrm{P}(-3,\ -2),\ \mathrm{Q}(1,\ 6)$

1026 학교 시험 맛보기

함수 $f(x)=ax+2$의 그래프가 점 $\mathrm{P}(-2,\ 4)$를 지나고 그 역함수 $y=f^{-1}(x)$의 그래프가 점 $\mathrm{Q}(5,\ b)$를 지날 때, $a,\ b$의 값을 각각 구하여라.

key 점 $\mathrm{Q}(5, b)$가 $y=f^{-1}(x)$의 그래프 위의 점이므로 $f^{-1}(5)=b$

핵심 **18**

역함수의 그래프의 성질 (2)

날짜 : 월 일

Subnote ➡ 63쪽

두 그래프 $y=f(x)$와 $y=f^{-1}(x)$의 교점은 두 그래프 $y=f(x)$와 $y=x$의 교점을 찾는 게 편해.

함수 $y=f(x)$의 그래프와 그 역함수 $y=f^{-1}(x)$의 그래프는 직선 $y=x$에 대하여 대칭이므로 $y=f(x)$의 그래프와 직선 $y=x$의 교점이 존재하면 그 교점은 $y=f(x)$의 그래프와 $y=f^{-1}(x)$의 그래프의 교점이다.

예 함수 $f(x)=2x+5$의 그래프와 그 역함수 $y=f^{-1}(x)$의 그래프의 교점의 좌표를 구하여라.
함수 $y=2x+5$의 그래프와 그 역함수 $y=f^{-1}(x)$의 그래프의 교점은 $y=f(x)$의 그래프와 직선 $y=x$의 교점과 같다.
즉, $2x+5=x$에서 $x=-5$이므로 구하는 교점의 좌표는 $(-5, -5)$이다.

다음 함수 $y=f(x)$의 그래프와 그 역함수 $y=f^{-1}(x)$의 그래프의 교점의 좌표를 구하여라.

1027 $f(x)=-\frac{1}{2}x+3$

sol 함수 $y=f(x)$의 그래프와 그 역함수 $y=f^{-1}(x)$의 그래프의 교점은 함수 $y=f(x)$의 그래프와 직선 $y=x$의 교점과 같으므로

$-\frac{1}{2}x+3=$ □ $\therefore x=$ □

따라서 구하는 교점의 좌표는 (□, □)이다.

1028 $f(x)=2x+3$

1029 $f(x)=-2x-3$

1030 $f(x)=3x-4$

1031 $f(x)=\frac{1}{3}x+2$

다음 함수 $y=f(x)$의 그래프와 그 역함수 $y=f^{-1}(x)$의 그래프의 교점의 좌표를 구하여라.

1032 $f(x)=x^2-2x \ (x\geq 1)$

sol 함수 $y=f(x)$의 그래프와 그 역함수 $y=f^{-1}(x)$의 그래프의 교점은 함수 $y=f(x)$의 그래프와 직선 $y=x$의 교점과 같으므로

$x^2-2x=$ □, $x^2-3x=0$ $\therefore x=$ □ $(\because x\geq 1)$

따라서 구하는 교점의 좌표는 (□, □)이다.

1033 $f(x)=x^2-12 \ (x\geq 0)$

1034 $f(x)=x^2-2x+2 \ (x\geq 1)$

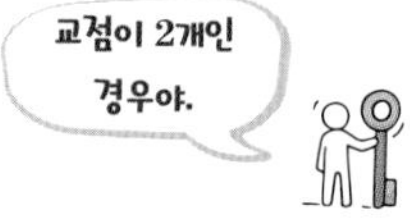

1035 $f(x)=\frac{1}{2}x^2-x+\frac{3}{2} \ (x\geq 1)$

1036 학교 시험 맛보기

함수 $f(x)=\frac{1}{3}x^2+\frac{2}{3} \ (x\geq 0)$의 역함수를 $g(x)$라 할 때, 두 함수 $y=f(x)$와 $y=g(x)$의 그래프의 두 교점 사이의 거리를 구하여라.

key 두 교점의 좌표를 먼저 구한다.

Mini Review Test

날짜 : 월 일

Subnote ➔ 64쪽

| 핵심 14 |

1037 두 함수 $f(x)=2x+a$, $g(x)=bx-4$에 대하여 $f^{-1}=g$일 때, 상수 a, b의 값을 각각 구하여라.

| 핵심 15 | UP

1038 함수 $f(x)$의 역함수가 $f^{-1}(x)=\frac{1}{2}x+2$일 때, 함수 $f(2x+1)$을 구하여라.

key $(f^{-1})^{-1}=f$이다.

| 핵심 16 |

1039 집합 $X=\{x|0\le x\le 1\}$에 대하여 X에서 X로의 함수 $y=f(x)$의 그래프가 아래 그림과 같다. 함수 $f(x)$의 역함수를 $g(x)$라 할 때, $(g\circ g)\left(\frac{1}{2}\right)$의 값을 구하여라.

(단, 모든 점선은 x축 또는 y축에 평행하다.)

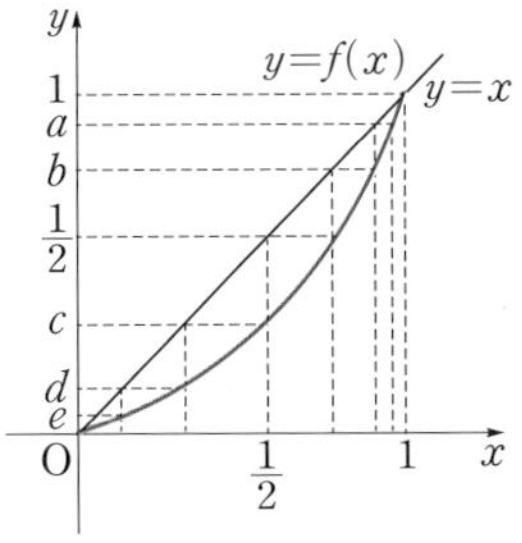

| 핵심 16 | UP

1040 다음 그림은 함수 $y=f(x)$와 $y=-x$의 그래프이다. $y=f(x)$의 그래프와 $y=g(x)$의 그래프가 원점에 대하여 대칭일 때, $f(b)+(f^{-1}\circ g^{-1})(c)$의 값을 구하여라.

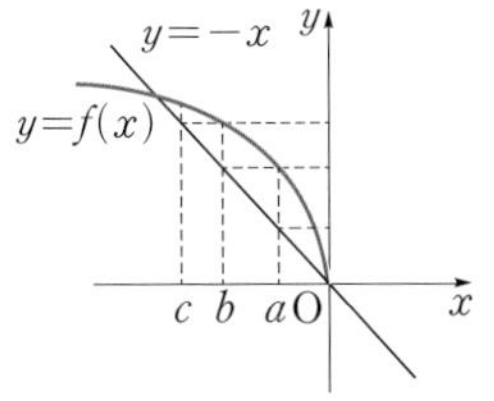

key 직선 $y=-x$ 위의 점의 좌표는 $(k, -k)$이다.

| 핵심 17 |

1041 함수 $f(x)=ax-2$에 대하여 그 역함수 $y=f^{-1}(x)$의 그래프가 두 점 P$(-1, 3)$, Q$(b, 9)$를 지날 때, 상수 a, b의 값을 각각 구하여라.

| 핵심 18 |

1042 함수 $f(x)=-x^2+4x-2$ $(x\le 2)$의 그래프와 그 역함수 $y=f^{-1}(x)$의 그래프의 교점을 P, Q라 할 때, 두 점 P, Q 사이의 거리를 구하여라.

key $y=f(x)$의 그래프와 직선 $y=x$의 교점을 구한다.

6주 합성함수와 역함수

7

유리함수

학습목표

1. 유리함수의 뜻을 안다.
2. 유리함수의 그래프를 그릴 수 있고, 그 그래프의 성질을 이해한다.

스스로 공부 계획 세우기

	학습 내용	공부한 날짜	반복하기
7. 유리함수	**01.** 유리식의 덧셈과 뺄셈	월 일	□□
	02. 유리식의 곱셈과 나눗셈	월 일	□□
	03. 유리식과 항등식	월 일	□□
	04. 부분분수로의 변형	월 일	□□
	05. 비례식이 주어진 경우 유리식의 값 구하기 (1)	월 일	□□
	06. 비례식이 주어진 경우 유리식의 값 구하기 (2)	월 일	□□
	Mini **Review** Test(**01**~**06**)	월 일	□□
	07. 유리함수 $y=\frac{k}{x}\ (k\neq0)$의 그래프	월 일	□□
	08. 평행이동한 식 구하기	월 일	□□
	09. 유리함수 $y=\frac{k}{x-p}+q\ (k\neq0)$의 그래프	월 일	□□
	10. 유리함수 $y=\frac{k}{x-p}+q\ (k\neq0)$의 그래프의 대칭	월 일	□□
	11. 유리함수 $y=\frac{k}{x-p}+q\ (k\neq0)$의 그래프의 성질	월 일	□□
	Mini **Review** Test(**07**~**11**)	월 일	□□
	12. 유리함수 $y=\frac{ax+b}{cx+d}\ (c\neq0,\ ad-bc\neq0)$의 그래프의 점근선	월 일	□□
	13. 유리함수 $y=\frac{ax+b}{cx+d}\ (c\neq0,\ ad-bc\neq0)$의 그래프	월 일	□□
	14. 유리함수의 그래프의 평행이동	월 일	□□
	15. 그래프를 이용하여 유리함수의 식 구하기	월 일	□□
	16. 유리함수의 최대, 최소	월 일	□□
	17. 유리함수의 그래프와 직선의 위치 관계	월 일	□□
	18. 유리함수의 역함수	월 일	□□
	19. 유리함수의 합성	월 일	□□
	20. 유리함수의 합성함수와 역함수	월 일	□□
	Mini **Review** Test(**12**~**20**)	월 일	□□

7 유리함수

개념 톡톡

1 유리식의 계산 핵심 01 핵심 02 핵심 03 핵심 04 핵심 05 핵심 06

네 다항식 A, B, C, D $(C\neq0,\ D\neq0)$에 대하여

(1) $\dfrac{A}{C}\pm\dfrac{B}{C}=\dfrac{A\pm B}{C}$, $\dfrac{A}{C}\pm\dfrac{B}{D}=\dfrac{AD\pm BC}{CD}$ (복부호 동순)

(2) $\dfrac{A}{B}\times\dfrac{C}{D}=\dfrac{AC}{BD}$, $\dfrac{A}{B}\div\dfrac{C}{D}=\dfrac{A}{B}\times\dfrac{D}{C}=\dfrac{AD}{BC}$ (단, $B\neq0$)

(3) $\dfrac{1}{AB}=\dfrac{1}{B-A}\left(\dfrac{1}{A}-\dfrac{1}{B}\right)$ (단, $AB\neq0,\ A\neq B$)

2 유리함수 $y=\dfrac{k}{x}$ $(k\neq0)$의 그래프 핵심 07

(1) 정의역과 치역은 모두 0이 아닌 실수 전체의 집합이다.

(2) $k>0$이면 그래프는 제1, 3사분면에 있고,
$k<0$이면 그래프는 제2, 4사분면에 있다.

(3) 원점 및 두 직선 $y=x$, $y=-x$에 대하여 대칭이다.

(4) 점근선은 x축과 y축이다.

(5) $|k|$의 값이 커질수록 그래프는 원점에서 멀어진다.

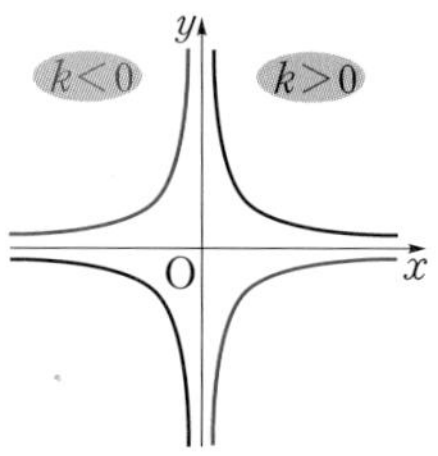

3 유리함수 $y=\dfrac{k}{x-p}+q$ $(k\neq0)$의 그래프 핵심 08 핵심 09 핵심 10 핵심 11

(1) 유리함수 $y=\dfrac{k}{x}$의 그래프를 x축의 방향으로 p만큼, y축의 방향으로 q만큼 평행이동한 것이다.

(2) 정의역은 $\{x|x\neq p$인 실수$\}$,
치역은 $\{y|y\neq q$인 실수$\}$이다.

(3) 점근선은 두 직선 $x=p$, $y=q$이다.

(4) 점 $(p,\ q)$에 대하여 대칭이다.

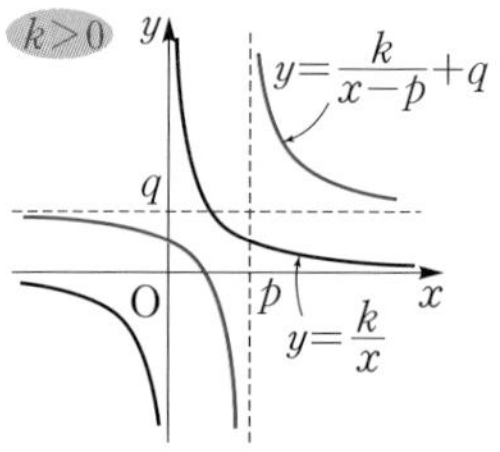

4 유리함수 $y=\dfrac{ax+b}{cx+d}$ $(c\neq0,\ ad-bc\neq0)$의 그래프 핵심 12 ~ 핵심 20

(1) $y=\dfrac{k}{x-p}+q$ $(k\neq0)$의 꼴로 변형하여 그린다.

(2) 점근선의 방정식은 $x=-\dfrac{d}{c}$, $y=\dfrac{a}{c}$이다.

참고 $y=\dfrac{ax+b}{cx+d}$의 역함수는 $y=\dfrac{-dx+b}{cx-a}$이다.

개념 NOTE

비례식의 계산
$x:y=a:b$
$\Longleftrightarrow x=ak,\ y=bk\ (k\neq0)$

$y=\dfrac{k}{x-p}+q$ $(k\neq0)$의 그래프
① 점 $(p,\ q)$에 대하여 대칭이다.
② 직선 $y-q=\pm(x-p)$에 대하여 대칭이다.

핵심 01

유리식의 덧셈과 뺄셈

날짜 : 월 일

Subnote 65쪽

유리수의 계산과 마찬가지로 유리식에서의 덧셈과 뺄셈의 기본은 통분과 약분이야.

네 다항식 A, B, C, D $(C\neq0,\ D\neq0)$에 대하여

(1) $\frac{A}{C}\pm\frac{B}{C}=\frac{A\pm B}{C}$ (복부호 동순)

(2) $\frac{A}{C}\pm\frac{B}{D}=\frac{AD\pm BC}{CD}$ (복부호 동순)

예 $\frac{3x-1}{x^2-1}-\frac{1}{x-1}=\frac{(3x-1)-(x+1)}{(x+1)(x-1)}=\frac{2(x-1)}{(x+1)(x-1)}=\frac{2}{x+1}$

다음 식을 계산하여라.

1043 $\frac{1}{x+1}+\frac{2}{x+2}$

sol $\frac{1}{x+1}+\frac{2}{x+2}=\frac{(x+2)+2(\quad)}{(x+1)(x+2)}$

$=\frac{\quad}{(x+1)(x+2)}$

1044 $\frac{2}{x+3}+\frac{3}{x+2}$

1045 $\frac{1}{x+3}+2$

$2=\frac{2(x+3)}{x+3}$이야.

1046 $\frac{3}{2x+1}-1$

1047 $\frac{1}{x+2}-\frac{2}{x-2}$

1048 $\frac{1}{x(x-1)}+\frac{2}{x-1}$

1049 $\frac{x+2}{x+1}-\frac{x}{x+2}$

1050 $\frac{x+5}{x^2-1}-\frac{2}{x^2+x}$

1051 $\frac{x+4}{x^2-x-2}-\frac{x+3}{x^2-1}$

1052 학교 시험 맛보기

$\frac{2}{x+1}-\frac{x-3}{x^2-1}$을 계산하여라.

key $x^2-1=(x+1)(x-1)$

핵심 02

유리식의 곱셈과 나눗셈

날짜 : 월 일

Subnote 65쪽

유리식의 곱셈은 분모와 분자를 각각 인수분해하여 공통인수를 약분해.

네 다항식 A, B, C, D ($B\neq0$, $C\neq0$, $D\neq0$)에 대하여

(1) $\frac{A}{B}\times\frac{C}{D}=\frac{AC}{BD}$

(2) $\frac{A}{B}\div\frac{C}{D}=\frac{A}{B}\times\frac{D}{C}=\frac{AD}{BC}$

예 $\frac{x+1}{x}\times\frac{x^2-x}{x^3+1}=\frac{x+1}{x}\times\frac{x(x-1)}{(x+1)(x^2-x+1)}=\frac{x-1}{x^2-x+1}$

$\frac{x^2-4x+3}{x^2-4}\div\frac{x-3}{x-2}=\frac{x^2-4x+3}{x^2-4}\times\frac{x-2}{x-3}=\frac{(x-1)(x-3)}{(x+2)(x-2)}\times\frac{x-2}{x-3}=\frac{x-1}{x+2}$

다음 식을 계산하여라.

1053 $\frac{x+2}{x^2-3x}\times\frac{x-3}{x}$

1054 $\frac{x}{x^2-1}\times\frac{x-1}{x^2+x}$

1055 $\frac{2x}{x^2-4}\times\frac{x-2}{2x^2+x}$

1056 $\frac{x^2-x-2}{x^2+2x-3}\times\frac{x+3}{x+1}$

1057 $\frac{2x+4}{x^2-3x}\times\frac{x^2-9}{x^2+4x+4}$

1058 $\frac{x-3}{x+2}\div\frac{x^2-4x+3}{x+4}$

1059 $\frac{x+2}{x-4}\div\frac{x^2-x-6}{x^2-16}$

1060 $\frac{x-2}{x^2-1}\div\frac{3x-6}{x^2-x}$

1061 $\frac{x+3}{x^2-3x+2}\div\frac{x^2+4x+3}{x^2-5x+4}$

1062 **학교 시험 맛보기**

$\frac{x^2+4x+3}{x^2-x-2}\div\frac{x^2+2x-3}{x^2-3x+2}$을 계산하여라.

핵심 **03**

유리식과 항등식

날짜 : 월 일

Subnote 66쪽

통분하여 유리식을 계산한 후에 항등식의 성질을 이용해.

항등식의 성질을 이용하여 미지수를 구한다.

(1) $ax+b=0$이 x에 대한 항등식 $\Longleftrightarrow$ $a=0$, $b=0$

(2) $ax+b=a'x+b'$이 x에 대한 항등식 $\Longleftrightarrow$ $a=a'$, $b=b'$

(3) $ax^2+bx+c=0$이 x에 대한 항등식 $\Longleftrightarrow$ $a=0$, $b=0$, $c=0$

(4) $ax^2+bx+c=a'x^2+b'x+c'$이 x에 대한 항등식 $\Longleftrightarrow$ $a=a'$, $b=b'$, $c=c'$

분모가 0이 되지 않도록 하는 모든 실수 x에 대하여 다음 등식이 성립할 때, 상수 a, b의 값을 각각 구하여라.

1063 $\dfrac{1}{x+1}+\dfrac{2}{x+2}=\dfrac{ax+b}{x^2+3x+2}$

sol $\dfrac{1}{x+1}+\dfrac{2}{x+2}=\dfrac{(x+2)+2(\quad)}{(x+1)(x+2)}=\dfrac{3x+\quad}{x^2+3x+2}$

따라서 주어진 등식은

$\dfrac{3x+\quad}{x^2+3x+2}=\dfrac{ax+b}{x^2+3x+2}$이므로

$3x+\quad=ax+b$

이 식이 x에 대한 항등식이므로

$a=\quad$, $b=\quad$

1064 $\dfrac{1}{x+2}-\dfrac{2}{x-1}=\dfrac{ax+b}{x^2+x-2}$

1065 $\dfrac{1}{2x-1}-\dfrac{1}{2x+1}=\dfrac{ax+b}{4x^2-1}$

1066 $\dfrac{2}{2x-1}+\dfrac{2}{x-2}=\dfrac{ax+b}{2x^2-5x+2}$

1067 $\dfrac{a}{x+1}+\dfrac{bx-2}{x^2-1}=\dfrac{2x+3}{x^2-1}$

1068 $\dfrac{a}{x-2}-\dfrac{2x}{x^2+2x+4}=\dfrac{8x+b}{x^3-8}$

$(x-2)(x^2+2x+4)=x^3-8$

1069 $\dfrac{a}{x^2+2x}+\dfrac{2x-1}{x^2+3x+2}=\dfrac{bx^2-3x+a}{x^3+3x^2+2x}$

$x(x+1)(x+2)$로 통분해.

1070 **학교 시험 맛보기**

$x\neq1$인 모든 실수 x에 대하여 다음 등식이 성립하도록 하는 상수 a, b의 값을 각각 구하여라.

$$\dfrac{a}{x-1}+\dfrac{bx+a}{x^2+x+1}=\dfrac{3x}{x^3-1}$$

key 좌변을 통분하여 계산한 후 항등식의 성질을 이용한다.

핵심 04 부분분수로의 변형

날짜 : 월 일

Subnote 67쪽

보통 A, B가 일차식이고, 일차항의 계수가 같을 때 $\frac{1}{AB}$을 부분분수로 나누고, 작은 수를 A로 쓰는 게 좋아. 예에서 보면 $A=x-1$, $B=x+1$이야.

$$\frac{1}{AB}=\frac{1}{B-A}\left(\frac{1}{A}-\frac{1}{B}\right) \text{ (단, } AB\neq0,\ A\neq B)$$

예 $\frac{1}{x^2-1}=\frac{1}{(x-1)(x+1)}$

$=\frac{1}{(x+1)-(x-1)}\left(\frac{1}{x-1}-\frac{1}{x+1}\right)$

$=\frac{1}{2}\left(\frac{1}{x-1}-\frac{1}{x+1}\right)$

분모를 0으로 하지 않는 모든 실수 x에 대하여 다음 등식이 성립하도록 하는 상수 a, b의 값을 각각 구하여라.

1071 $\frac{1}{x(x+2)}=\frac{1}{a}\left(\frac{1}{x}-\frac{1}{x+b}\right)$

1072 $\frac{1}{(x-1)(x+2)}=\frac{1}{a}\left(\frac{1}{x-1}-\frac{1}{x+b}\right)$

1073 $\frac{1}{x^2-4}=\frac{a}{x-2}+\frac{b}{x+2}$

1074 $\frac{1}{(2x+1)(2x+3)}=\frac{a}{2x+1}+\frac{b}{2x+3}$

1075 $\frac{1}{(x+1)(x+2)}+\frac{1}{(x+2)(x+3)}=\frac{1}{x+1}+\frac{a}{x+b}$

1076 $\frac{2}{(x+1)(x-1)}+\frac{3}{(x+1)(x+4)}=\frac{1}{x+a}-\frac{b}{x+4}$

1077 $\frac{1}{(x-1)x}+\frac{1}{x(x+1)}+\frac{1}{(x+1)(x+2)}=\frac{a}{x-1}+\frac{b}{x+2}$

1078 $\frac{1}{(2x-1)(2x+1)}+\frac{1}{(2x+1)(2x+3)}+\frac{1}{(2x+3)(2x+5)}=\frac{a}{(2x-1)(2x+b)}$

1079 학교 시험 맛보기

$\frac{1}{x(x+2)}+\frac{1}{(x+2)(x+4)}+\frac{1}{(x+4)(x+6)}$을 간단히 하면 $\frac{a}{x^2+bx}$이다. 이때 상수 a, b의 값을 각각 구하여라.

key 부분분수로 나누어 식을 간단히 하고 계산한다.

핵심 **05**

비례식이 주어진 경우 유리식의 값 구하기 (1)

날짜 : 월 일

Subnote ➡ 68쪽

계산하고자 하는 유리식의 분모와 분자의 다항식의 차수가 같기 때문에 비례상수 k는 약분돼.

$x:y:z=a:b:c$이면

➡ $x=ak,\ y=bk,\ z=ck\ (k\neq0)$임을 이용한다.

예 $x:y:z=1:2:3$일 때, $\frac{xy+yz}{zx}$의 값을 구하여라.

$x=k,\ y=2k,\ z=3k\ (k\neq0)$로 놓고 주어진 식에 대입하면

$\frac{xy+yz}{zx}=\frac{2k^2+6k^2}{3k^2}=\frac{8k^2}{3k^2}=\frac{8}{3}$

$x:y=2:3$일 때, 다음 식의 값을 구하여라.

1080 $\frac{2y}{x}+\frac{3x}{y}$

1081 $\frac{8x+3y}{x+y}$

1082 $\frac{x^2+y^2}{xy}$

$x:y:z=2:3:4$일 때, 다음 식의 값을 구하여라.

1083 $\frac{2x+y}{4z-x}$

1084 $\frac{x+2y+3z}{x+y+z}$

1085 $\frac{xy+yz+zx}{x^2+y^2+z^2}$

$(2x+y):(3x-y)=7:3$일 때, 다음 식의 값을 구하여라.

1086 $\frac{y}{x}+\frac{x}{y}$

sol $2x+y=7k,\ 3x-y=3k\ (k\neq0)$로 놓고
두 식을 연립하여 풀면
$x=$ □, $y=$ □
$\therefore \frac{y}{x}+\frac{x}{y}=\frac{□}{6}$

1087 $\frac{2x^2+xy-y^2}{xy}$

$(x+y):(y+z):(z+x)=4:5:3$일 때, 다음 식의 값을 구하여라.

1088 $\frac{y}{x}+\frac{z}{y}+\frac{x}{z}$

sol $x+y=4k,\ y+z=5k,\ z+x=3k\ (k\neq0)$ …… ㉠
로 놓고 세 식을 변끼리 더하면 $2(x+y+z)=12k$
$\therefore x+y+z=6k$ …… ㉡
㉠, ㉡을 연립하여 풀면
$x=$ □, $y=$ □, $z=$ □
$\therefore \frac{y}{x}+\frac{z}{y}+\frac{x}{z}=\frac{□}{6}$

1089 $\frac{(x+y-z)^3}{xyz}$

7주 유리함수

핵심 **06**

비례식이 주어진 경우 유리식의 값 구하기 (2)

날짜 : 월 일

Subnote ➡ 69쪽

$\frac{x}{a}=\frac{y}{b}=\frac{z}{c}$
$\Longleftrightarrow x:y:z=a:b:c$

$\frac{x}{a}=\frac{y}{b}=\frac{z}{c}$이면

➡ $\frac{x}{a}=\frac{y}{b}=\frac{z}{c}=k\ (k\neq0)$로 놓고 $x=ak,\ y=bk,\ z=ck$임을 이용한다.

예 $\frac{x}{1}=\frac{y}{2}=\frac{z}{3}$일 때, $\frac{xy+yz}{zx}$의 값을 구하여라.

$\frac{x}{1}=\frac{y}{2}=\frac{z}{3}=k\ (k\neq0)$로 놓으면 $x=k,\ y=2k,\ z=3k$

$\therefore\ \frac{xy+yz}{zx}=\frac{2k^2+6k^2}{3k^2}=\frac{8k^2}{3k^2}=\frac{8}{3}$

$\frac{x}{3}=\frac{y}{2}$일 때, 다음 식의 값을 구하여라. (단, $xy\neq0$)

1090 $\frac{3y}{x}+\frac{4x}{y}$

1091 $\frac{2x+3y}{2y-x}$

1092 $\frac{x^2-y^2}{xy}$

$x=\frac{y}{3}=\frac{z}{2}$일 때, 다음 식의 값을 구하여라. (단, $xyz\neq0$)

1093 $\frac{y}{x}+\frac{3z}{y}-\frac{2x}{z}$

1094 $\frac{2x+y+z}{x+3y-z}$

1095 $\frac{xy+yz-zx}{x^2+y^2-z^2}$

$\frac{x+y}{5}=\frac{y+z}{6}=\frac{z+x}{7}$일 때, 다음 식의 값을 구하여라.

(단, $xyz\neq0$)

1096 $\frac{x+2y+z}{x+y-z}$

sol $\frac{x+y}{5}=\frac{y+z}{6}=\frac{z+x}{7}=k\ (k\neq0)$로 놓으면

$x+y=5k,\ y+z=6k,\ z+x=7k$ …… ㉠

세 식을 변끼리 더하면

$2(x+y+z)=18k$

$\therefore\ x+y+z=9k$ …… ㉡

㉠, ㉡을 연립하여 풀면

$x=\square,\ y=\square,\ z=\square$

$\therefore\ \frac{x+2y+z}{x+y-z}=\square$

1097 $\frac{x^2-4y^2+z^2}{zx}$

1098 $\frac{(2z-x-y)^3}{xyz}$

1099 **학교 시험 맛보기**

$\frac{4x-3y}{2x-y}=\frac{5}{3}$일 때, $\frac{2x^2+y^2}{x^2-y^2}$의 값을 구하여라.

(단, $xy\neq0$)

key $\frac{4x-3y}{2x-y}=\frac{5}{3}$에서 $(4x-3y):(2x-y)=5:3$

핵심 01~06

Mini Review Test

날짜 : 월 일

Subnote ➜ 69쪽

| 핵심 01 |

1100 $\dfrac{2xy}{x^2-y^2}-\dfrac{x}{x+y}+\dfrac{y}{y-x}$를 계산하여라.

| 핵심 03 | UP

1101 분모를 0으로 하지 않는 모든 실수 x에 대하여 $\dfrac{x+a}{x^2+x-6}\times\dfrac{x+3}{x^2+x}=\dfrac{1}{x(x+b)}$이 성립할 때, 상수 a, b에 대하여 $2a-b$의 값을 구하여라. (단, $a>b$)

| 핵심 03 |

1102 $x>2$인 모든 실수 x에 대하여

$$\frac{a}{x^2-x-2}+\frac{b}{x^2+3x+2}=\frac{5x+6}{(x-2)(x+1)(x+2)}$$

이 성립할 때, 상수 a, b에 대하여 ab의 값을 구하여라.

| 핵심 03 |

1103 $x>0$인 모든 실수 x에 대하여 다음 등식이 성립하도록 하는 상수 a, b, c의 값을 각각 구하여라.

$$\frac{2x+1}{x(x+1)^2}=\frac{a}{x}+\frac{b}{x+1}+\frac{c}{(x+1)^2}$$

key 분모를 $x(x+1)^2$으로 통분한 다음 항등식의 성질을 이용한다.

| 핵심 04 |

1104 분모를 0으로 하지 않는 모든 실수 x에 대하여 $\dfrac{1}{x^2+4x+3}+\dfrac{1}{x^2+8x+15}=\dfrac{a}{x^2+6x+b}$가 성립할 때, 상수 a, b에 대하여 $a+b$의 값을 구하여라.

key 분모를 인수분해하여 부분분수로 나눈다.

| 핵심 05 |

1105 분모를 0으로 하지 않는 모든 실수 x에 대하여

$$\frac{1}{x(x+3)}+\frac{1}{(x+3)(x+6)}+\frac{1}{(x+6)(x+9)}+\frac{1}{(x+9)(x+12)}=\frac{a}{x^2+bx}$$

가 성립할 때, 상수 a, b에 대하여 $a+b$의 값을 구하여라.

| 핵심 05 | UP

1106 $x:y=1:2$이고, $y:z=3:2$일 때, $\dfrac{(x+y)^2-z^2}{xy+zx}$의 값을 구하여라.

key $x:y:z=3:6:4$이다.

| 핵심 06 |

1107 $x-2y=\dfrac{3x-7y}{2}$일 때, $\dfrac{x^2-y^2}{x^2+y^2}$의 값을 구하여라. (단, $xy\neq0$)

7주 유리함수

핵심 07 유리함수 $y=\frac{k}{x}$ $(k\neq0)$의 그래프

날짜 : 월 일

Subnote ➡ 71쪽

유리함수의 그래프에서 가장 중요한 것은 점근선이야. 점근선은 유리함수의 정의역, 치역과 밀접한 관계가 있어.

(1) 정의역과 치역은 모두 0이 아닌 실수 전체의 집합이다.
(2) $k>0$이면 그래프는 제1, 3사분면에 있고,
$k<0$이면 그래프는 제2, 4사분면에 있다.
(3) 원점 및 두 직선 $y=x$, $y=-x$에 대하여 대칭이다.
(4) 점근선은 x축과 y축이다.
(5) $|k|$의 값이 커질수록 그래프는 원점에서 멀어진다.

다음 함수의 그래프를 그려라.

1108 $y=\frac{2}{x}$

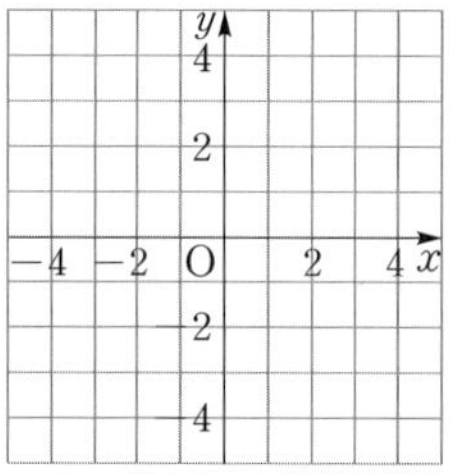

1109 $y=\frac{3}{x}$

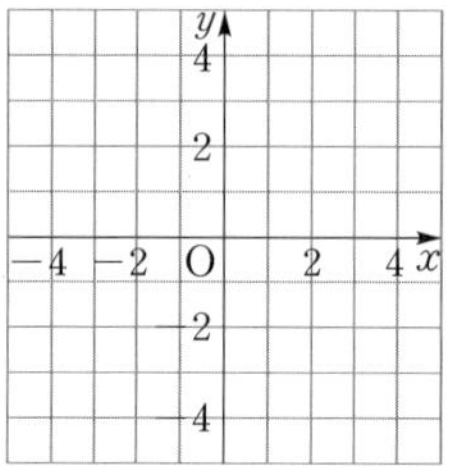

1110 $y=\frac{1}{2x}$

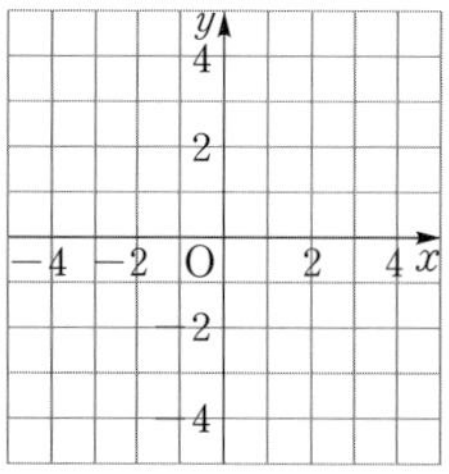

1111 $y=-\frac{2}{x}$

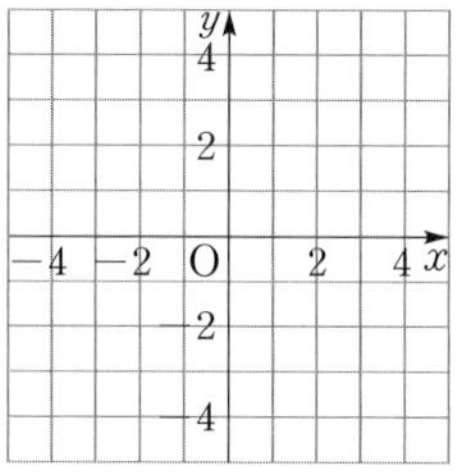

1112 $y=-\frac{3}{x}$

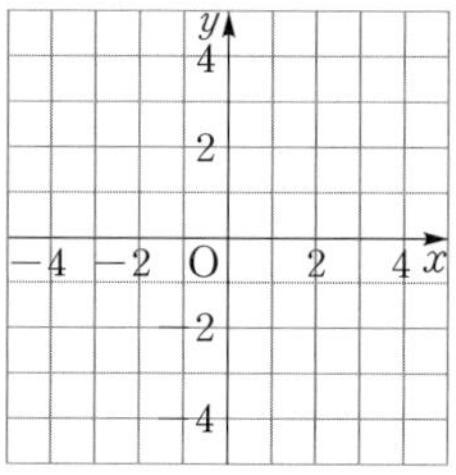

1113 $y=-\frac{1}{2x}$

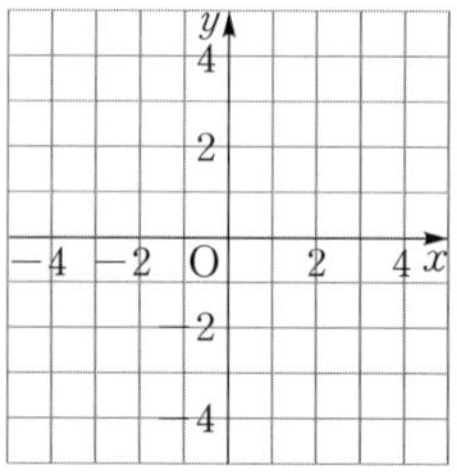

핵심 08 평행이동한 식 구하기

날짜 : 월 일

Subnote ➔ 71쪽

함수의 그래프를 x축의 방향으로 p만큼, y축의 방향으로 q만큼 평행이동한 그래프의 식은 x 대신 $x-p$, y 대신 $y-q$를 대입하면 돼.

유리함수 $y=\dfrac{k}{x-p}+q\ (k\neq0)$의 그래프

(1) $y=\dfrac{k}{x}$의 그래프를 x축의 방향으로 p만큼, y축의 방향으로 q만큼 평행이동한 것이다.

(2) 정의역 : $\{x\,|\,x\neq p$인 실수$\}$, 치역 $\{y\,|\,y\neq q$인 실수$\}$

(3) 점근선의 방정식 : $x=p$, $y=q$

(4) 점 $(p,\ q)$에 대하여 대칭이다.

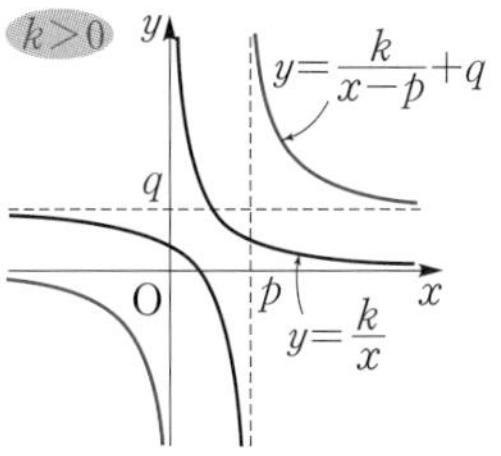

다음 함수의 그래프를 x축의 방향으로 p만큼, y축의 방향으로 q만큼 평행이동한 그래프의 식과 점근선의 방정식을 차례로 구하여라.

1114 $y=\dfrac{1}{x}$ $[p=2,\ q=3]$

sol $y=\dfrac{1}{x}$의 그래프를 x축의 방향으로 2만큼, y축의 방향으로 3만큼 평행이동한 그래프의 식은

$y-\square=\dfrac{1}{x-\square}$ $\quad\therefore y=\dfrac{1}{x-\square}+\square$

따라서 점근선의 방정식은 $x=\square$, $y=\square$

1115 $y=-\dfrac{2}{x}$ $[p=2,\ q=-1]$

1116 $y=\dfrac{1}{2x}$ $[p=-2,\ q=2]$

1117 $y=\dfrac{3}{x}$ $[p=-1,\ q=-3]$

1118 $y=-\dfrac{4}{x}$ $[p=-1,\ q=-2]$

1119 $y=-\dfrac{3}{x}$ $[p=-2,\ q=3]$

1120 $y=-\dfrac{1}{3x}$ $[p=1,\ q=3]$

1121 $y=\dfrac{1}{4x}$ $[p=2,\ q=-1]$

1122 $y=\dfrac{2}{3x}$ $[p=3,\ q=2]$

1123 학교 시험 맛보기

함수 $y=-\dfrac{2}{x}$의 그래프를 x축의 방향으로 2만큼, y축의 방향으로 -3만큼 평행이동한 그래프의 식과 점근선의 방정식을 차례로 구하여라.

key x 대신 $x-2$, y 대신 $y+3$을 대입한다.

7주 유리함수

핵심 **09**

유리함수 $y=\dfrac{k}{x-p}+q\ (k\neq0)$의 그래프

날짜 : 월 일

Subnote 71쪽

$y=\dfrac{k}{x-p}+q\ (k\neq0)$의 그래프

$k>0$이면 제1, 3사분면 쪽

$k<0$이면 제2, 4사분면 쪽

유리함수 $y=\dfrac{k}{x-p}+q\ (k\neq0)$의 그래프 그리기

❶ 두 점근선 $x=p$, $y=q$를 그린다.

❷ 그래프가 지나는 점과 x절편, y절편을 표시한다.

❸ ❷에서 표시한 점을 지나고 점근선에 가까워지도록 그린다.

주어진 함수에 대하여 다음 물음에 답하여라.

1124 $y=\dfrac{2}{x}+1$

(1) 점근선의 방정식을 구하여라.

(2) 정의역을 구하여라.

(3) 치역을 구하여라.

(4) 그래프를 그려라.

1125 $y=-\dfrac{1}{x-2}$

(1) 점근선의 방정식을 구하여라.

(2) 정의역을 구하여라.

(3) 치역을 구하여라.

(4) 그래프를 그려라.

1126 $y=\dfrac{1}{x-2}+2$

(1) 점근선의 방정식을 구하여라.

(2) 정의역을 구하여라.

(3) 치역을 구하여라.

(4) 그래프를 그려라.

1127 $y=-\dfrac{2}{x+1}+1$

(1) 점근선의 방정식을 구하여라.

(2) 정의역을 구하여라.

(3) 치역을 구하여라.

(4) 그래프를 그려라.

1128 $y=\dfrac{2}{x+2}+2$

(1) 점근선의 방정식을 구하여라.

(2) 정의역을 구하여라.

(3) 치역을 구하여라.

(4) 그래프를 그려라.

1129 $y=-\dfrac{2}{x-2}-2$

(1) 점근선의 방정식을 구하여라.

(2) 정의역을 구하여라.

(3) 치역을 구하여라.

(4) 그래프를 그려라.

유리함수 $y=\dfrac{k}{x-p}+q\ (k\neq0)$의 그래프의 대칭

날짜 : 월 일

Subnote ➔ 72쪽

$y=\dfrac{k}{x}\ (k\neq0)$의 그래프는 원점과 직선 $y=\pm x$에 대하여 대칭이야.

유리함수 $y=\dfrac{k}{x-p}+q\ \ (k\neq0)$의 그래프

(1) 두 점근선의 교점 $(p,\ q)$에 대하여 대칭이다.

(2) 직선 $y-q=x-p$와 $y-q=-(x-p)$에 대하여 대칭이다.

예 함수 $y=\dfrac{2}{x+2}+1$의 그래프는 두 점근선의 교점 $(-2,\ 1)$에 대하여 대칭이다.
또한, 점 $(-2,\ 1)$을 지나고 기울기가 ±1인 직선 $y-1=x+2$와 $y-1=-(x+2)$, 즉 $y=x+3$, $y=-x-1$에 대하여 대칭이다.

다음 함수의 그래프가 점 $(a,\ b)$에 대하여 대칭일 때, a, b의 값을 각각 구하여라.

1130 $y=\dfrac{2}{x+3}$

1131 $y=-\dfrac{2}{x-3}+2$

1132 $y=\dfrac{1}{2x+4}-2$

다음 함수의 그래프가 주어진 직선에 대하여 대칭일 때, 상수 a의 값을 구하여라.

1133 $y=\dfrac{2}{x}-3$, $y=x+a$

1134 $y=\dfrac{1}{x-1}+2$, $y=-x+a$

1135 $y=-\dfrac{3}{2x+4}-1$, $y=-x+a$

다음 함수의 그래프가 두 직선 l, m에 대하여 모두 대칭일 때, 두 직선 l, m의 방정식을 구하여라.

1136 $y=\dfrac{2}{x+2}-1$

sol 함수 $y=\dfrac{2}{x+2}-1$의 그래프의 점근선의 교점은
$(-2,\ \square)$이므로 주어진 함수는 직선
$y+1=x+2$, $y+\square=-(x+2)$
에 대하여 대칭이다.
따라서 두 직선 l, m의 방정식은
$y=x+1$, $y=-x-\square$

1137 $y=\dfrac{2}{3x-6}+4$

1138 $y=-\dfrac{2}{2x+4}-5$

1139 학교 시험 맛보기

함수 $y=-\dfrac{2}{x+a}-b$의 그래프가 두 직선 $y=x-2$와 $y=-x+4$에 대하여 모두 대칭일 때, 두 상수 a, b의 값을 각각 구하여라.

key 함수 $y=-\dfrac{2}{x+a}-b$의 그래프의 점근선의 교점은 $(-a,\ -b)$이다.

핵심 **11**

유리함수 $y=\frac{k}{x-p}+q\ (k\neq0)$의 그래프의 성질

날짜 : 월 일

Subnote 72쪽

$y=\frac{k}{x-p}+q$의 그래프를 그리면 그 성질을 쉽게 알 수 있어.

(1) $y=\frac{k}{x}$의 그래프를 x축의 방향으로 p만큼, y축의 방향으로 q만큼 평행이동한 것이다.
(2) 점근선의 방정식은 $x=p$, $y=q$이다.
(3) 정의역은 $\{x|x\neq p$인 실수$\}$이고, 치역은 $\{y|y\neq q$인 실수$\}$이다.
(4) 점 $(p,\ q)$에 대하여 대칭이다.

주어진 함수의 그래프에 대한 보기의 설명 중 옳은 것을 모두 골라라.

1140 $y=\frac{2}{x-1}+1$

보기
ㄱ. 점근선의 방정식은 $x=-1$, $y=1$이다.
ㄴ. 정의역은 $\{x|x\neq1$인 실수$\}$이다.
ㄷ. 치역은 $\{y|y\neq-1$인 실수$\}$이다.
ㄹ. 점 $(-1,\ 1)$에 대하여 대칭이다.
ㅁ. 제1, 2, 3, 4사분면을 지난다.
ㅂ. 함수 $y=\frac{2}{x}$의 그래프를 평행이동한 것이다.

1141 $y=-\frac{2}{x+1}+2$

보기
ㄱ. 점근선의 방정식은 $x=-1$, $y=2$이다.
ㄴ. 정의역은 $\{x|x\neq1$인 실수$\}$이다.
ㄷ. 치역은 $\{y|y\neq-2$인 실수$\}$이다.
ㄹ. 원점을 지난다.
ㅁ. 제4사분면을 지나지 않는다.
ㅂ. 함수 $y=\frac{2}{x}$의 그래프를 평행이동한 것이다.

1142 $y=\frac{1}{2x-1}-1$

보기
ㄱ. 점근선의 방정식은 $x=\frac{1}{2}$, $y=1$이다.
ㄴ. 치역은 $\{y|y\neq-1$인 실수$\}$이다.
ㄷ. x절편은 1이고 y절편은 -2이다.
ㄹ. 점 $(1,\ -1)$에 대하여 대칭이다.
ㅁ. 제2사분면을 지나지 않는다.
ㅂ. 함수 $y=\frac{1}{2x}$의 그래프를 평행이동한 것이다.

1143 $y=-\frac{2}{3x+6}+1$

보기
ㄱ. 점근선의 방정식은 $x=2$, $y=1$이다.
ㄴ. 정의역은 $\{x|x\neq-2$인 실수$\}$이다.
ㄷ. 치역은 $\{y|y\neq-1$인 실수$\}$이다.
ㄹ. 직선 $y=x+3$에 대하여 대칭이다.
ㅁ. 제4사분면을 지나지 않는다.
ㅂ. 함수 $y=-\frac{2}{x}$의 그래프를 평행이동한 것이다.

Mini Review Test

날짜 : 월 일

Subnote ✪ 73쪽

| 핵심 07 |

1144 다음 중 함수 $y=\frac{k}{x}$ $(k>0)$의 그래프에 대한 설명으로 옳은 것을 모두 고르면?

① 정의역과 치역은 모두 0을 제외한 실수 전체의 집합이다.
② 제2, 4사분면에 있다.
③ 원점을 지난다.
④ 점근선은 x축과 y축이다.
⑤ k의 값이 작아질수록 그래프는 원점에서 멀어진다.

| 핵심 08 |

1145 함수 $y=\frac{2}{x}$의 그래프를 x축의 방향으로 -2만큼, y축의 방향으로 2만큼 평행이동한 그래프의 x절편과 y절편을 각각 a, b라 할 때, ab의 값을 구하여라.

| 핵심 09 |

1146 함수 $y=\frac{3}{ax+4}+b$의 치역이 $\{y|y\neq2인\ 실수\}$이고, 그래프에서 y축에 평행한 점근선의 방정식이 $x=-2$일 때, 상수 a, b의 값을 각각 구하여라.

key 함수 $y=\frac{3}{ax+4}+b$의 그래프의 점근선의 방정식은 $x=-\frac{4}{a}$, $y=b$이다.

| 핵심 10 | UP

1147 함수 $y=-\frac{2}{x+a}-3$의 그래프는 점 (p, q)에 대하여 대칭이고, 두 직선 $y=x+2$와 $y=-x-b$에 대하여 모두 대칭일 때, $a+b+p+q$의 값을 구하여라. (단, a, b는 상수)

key 주어진 두 직선이 점근선의 교점 $(-a, -3)$을 지난다.

| 핵심 10 |

1148 함수 $y=-\frac{1}{2x+a}+2$의 정의역이 $\{x|x\neq-2인\ 실수\}$이고, 그래프가 직선 $y=x+b$에 대하여 대칭일 때, $a+b$의 값을 구하여라.
(단, a, b는 상수)

| 핵심 11 |

1149 다음 중 함수 $y=\frac{2}{2x+3}-1$의 그래프에 대한 설명으로 옳은 것을 모두 고르면?

① 점근선의 방정식은 $x=\frac{3}{2}$, $y=-1$이다.
② 치역은 $\{y|y\neq-1인\ 실수\}$이다.
③ 점 $\left(-\frac{3}{2}, 1\right)$에 대하여 대칭이다.
④ 제2, 3, 4사분면을 지난다.
⑤ 함수 $y=\frac{1}{2x}$의 그래프를 평행이동한 것이다.

핵심 **12**

유리함수 $y=\dfrac{ax+b}{cx+d}$ $(c\neq0,\ ad-bc\neq0)$의 그래프의 점근선

날짜 : 월 일

Subnote ◯ 74쪽

$y=\dfrac{ax+b}{cx+d}$의 그래프의 점근선의 방정식은 $x=-\dfrac{d}{c}$, $y=\dfrac{a}{c}$야.

유리함수 $y=\dfrac{ax+b}{cx+d}$ $(c\neq0,\ ad-bc\neq0)$를 $y=\dfrac{k}{x-p}+q$의 꼴로 변형하면

◯ 점근선의 방정식은 $x=p=-\dfrac{d}{c}$, $y=q=\dfrac{a}{c}$

예 함수 $y=\dfrac{2x-1}{x+1}$의 그래프의 점근선의 방정식을 구하여라.

$y=\dfrac{2x-1}{x+1}=\dfrac{2(x+1)-3}{x+1}=-\dfrac{3}{x+1}+2$

따라서 점근선의 방정식은 $x=-1$, $y=2$

다음 함수를 $y=\dfrac{k}{x-p}+q$의 꼴로 변형하여 함수의 그래프의 점근선의 방정식을 구하여라.

1150 $y=\dfrac{2x-1}{x-1}$

sol $y=\dfrac{2x-1}{x-1}=\dfrac{\square(x-1)+1}{x-1}=\dfrac{1}{x-1}+\square$

따라서 점근선의 방정식은 $x=1$, $y=\square$

1151 $y=\dfrac{-x+2}{x+1}$

1152 $y=\dfrac{3x+2}{x+1}$

1153 $y=\dfrac{2x-1}{-x+2}$

$y=\dfrac{2x-1}{-x+2}=\dfrac{-2x+1}{x-2}$이야.

1154 $y=\dfrac{3x-6}{x-4}$

1155 $y=\dfrac{2x-4}{1-x}$

1156 $y=\dfrac{3x-2}{2x-4}$

1157 $y=\dfrac{-x+1}{3x-1}$

1158 $y=\dfrac{-3x+2}{1-2x}$

1159 **학교 시험 맛보기**

함수 $y=\dfrac{ax-1}{x-b}$의 그래프가 두 직선 $x=3$, $y=2$와 만나지 않을 때, 두 상수 a, b에 대하여 $a+b$의 값을 구하여라.

key 그래프와 만나지 않는 두 직선 $x=3$, $y=2$가 점근선이다.

핵심 **13**

유리함수 $y=\dfrac{ax+b}{cx+d}$ $(c\neq0,\ ad-bc\neq0)$의 그래프

날짜 : 월 일

Subnote ➔ 74쪽

$y=\dfrac{ax+b}{cx+d}$

➡ $y=\dfrac{k}{cx+d}+\dfrac{a}{c}$

유리함수 $y=\dfrac{ax+b}{cx+d}$ $(c\neq0,\ ad-bc\neq0)$의 그래프 그리기

➔ $y=\dfrac{k}{x-p}+q$의 꼴로 변형하여 그린다.

예 함수 $y=\dfrac{3x-1}{x+1}$의 그래프를 그려라.

$y=\dfrac{3x-1}{x+1}=\dfrac{3(x+1)-4}{x+1}=-\dfrac{4}{x+1}+3$

따라서 점근선의 방정식은 $x=-1$, $y=3$이므로 그래프는 오른쪽 그림과 같다.

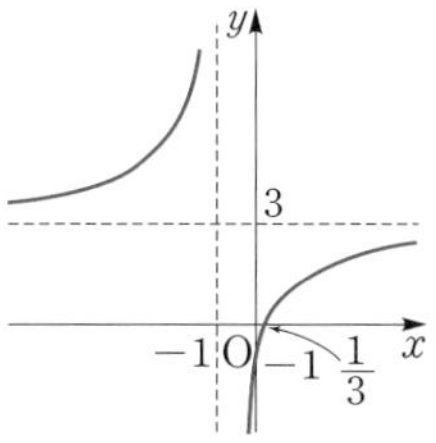

주어진 함수에 대하여 다음 물음에 답하여라.

1160 $y=\dfrac{3x+8}{x+3}$

(1) 점근선의 방정식을 구하여라.

(2) 그래프를 그려라.

1161 $y=\dfrac{2x+6}{x+2}$

(1) 점근선의 방정식을 구하여라.

(2) 그래프를 그려라.

1162 $y=\dfrac{-2x+2}{x-2}$

(1) 점근선의 방정식을 구하여라.

(2) 그래프를 그려라.

1163 $y=\dfrac{3x+4}{x+1}$

(1) 점근선의 방정식을 구하여라.

(2) 그래프를 그려라.

1164 $y=\dfrac{-2x+2}{x+1}$

(1) 점근선의 방정식을 구하여라.

(2) 그래프를 그려라.

1165 $y=\dfrac{x+2}{2x-4}$

(1) 점근선의 방정식을 구하여라.

(2) 그래프를 그려라.

핵심 **14**

유리함수의 그래프의 평행이동

날짜 : 월 일

Subnote ➡ 75쪽

두 유리함수

$y=\dfrac{k}{x-p}+q,\ y=\dfrac{k'}{x-p'}+q'$

의 그래프가

평행이동해서 겹쳐지려면

$k=k'\ (k\neq0)$**이어야 해.**

유리함수 $y=\dfrac{k}{x}\ (k\neq0)$의 그래프를 x축의 방향으로 p만큼, y축의 방향으로 q만큼 평행이동하면 $y=\dfrac{k}{x-p}+q$

➡ k의 값이 같으면 평행이동하여 겹쳐질 수 있다.

예 $y=\dfrac{3x-1}{x+1}=\dfrac{3(x+1)-4}{x+1}=-\dfrac{4}{x+1}+3$이므로 함수 $y=\dfrac{3x-1}{x+1}$의 그래프를 평행이동하면 함수 $y=-\dfrac{4}{x},\ y=-\dfrac{4}{x+1}+2$의 그래프와 겹쳐질 수 있지만 함수 $y=-\dfrac{3}{x},\ y=\dfrac{4}{x+1}-2$의 그래프와는 겹쳐질 수 없다.

다음 함수의 그래프가 $y=\dfrac{2}{x}$의 그래프를 평행이동해서 겹쳐질 수 있도록 하는 상수 k의 값을 구하여라.

1166 $y=\dfrac{2x+k}{x+1}$

sol $y=\dfrac{2x+k}{x+1}=\dfrac{\square(x+1)+k-2}{x+1}=\dfrac{k-2}{x+1}+\square$

따라서 함수 $y=\dfrac{2}{x}$의 그래프를 평행이동해서 겹쳐지려면

$k-2=\square$ $\therefore k=\square$

1167 $y=\dfrac{2x+k}{x-2}$

1168 $y=\dfrac{-3x+k}{x-2}$

1169 $y=\dfrac{2x+k}{4-x}$

$y=\dfrac{2x+k}{4-x}=\dfrac{-2x-k}{x-4}$야.

함수 $y=\dfrac{x}{x+2}$의 그래프를 x축의 방향으로 a만큼, y축의 방향으로 b만큼 평행이동하면 다음 함수의 그래프와 겹쳐진다. 이때 상수 $a,\ b$의 값을 각각 구하여라.

1170 $y=\dfrac{2x}{x+1}$

1171 $y=\dfrac{3x-5}{x-1}$

1172 $y=\dfrac{-2x+2}{x-2}$

1173 **학교 시험 맛보기**

함수 $y=-\dfrac{2}{x}$의 그래프를 x축의 방향으로 a만큼, y축의 방향으로 b만큼 평행이동하면 함수 $y=\dfrac{3x+k}{x-1}$의 그래프와 겹쳐진다. 이때 상수 $a,\ b,\ k$에 대하여 $a+b+k$의 값을 구하여라.

key $y=\dfrac{3x+k}{x-1}=\dfrac{3(x-1)+k+3}{x-1}=\dfrac{k+3}{x-1}+3$

핵심 **15**

그래프를 이용하여 유리함수의 식 구하기

날짜 : 월 일

Subnote ○ 76쪽

두 점근선의 방정식과 함수의 그래프가 지나는 점 1개를 알면 함수의 식을 구할 수 있어.

점근선의 방정식이 $x=p$, $y=q$이고 점 (a, b)를 지나는 유리함수의 식 구하기

❶ 유리함수의 식을 $y=\dfrac{k}{x-p}+q$ $(k\neq0)$로 놓는다.

❷ $x=a$, $y=b$를 대입하여 상수 k의 값을 구한다.

예 점근선의 방정식이 $x=2$, $y=1$이고 점 $(0, -1)$을 지나는 유리함수의 식을 구하여라.

$y=\dfrac{k}{x-2}+1$ $(k\neq0)$로 놓고 $x=0$, $y=-1$을 대입하면

$-1=\dfrac{k}{-2}+1$에서 $k=4$ $\quad\therefore y=\dfrac{4}{x-2}+1$

함수 $y=\dfrac{k}{x+p}+q$의 그래프가 다음 그림과 같을 때, 상수 k, p, q의 값을 각각 구하여라.

1174

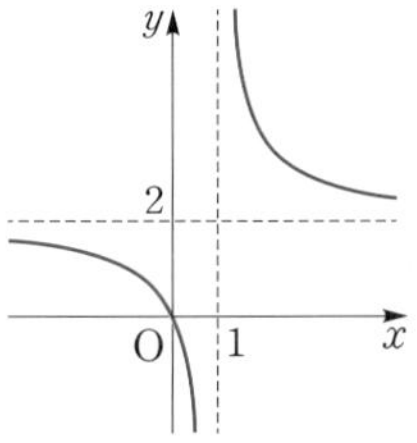

sol 점근선의 방정식이 $x=1$, $y=2$이므로 $y=\dfrac{k}{x-1}+2$ $(k>0)$라 하면

$p=\square$, $q=\square$

이 함수의 그래프가 점 $(0, 0)$을 지나므로

$0=\dfrac{k}{\square}+2$ $\quad\therefore k=\square$

1175

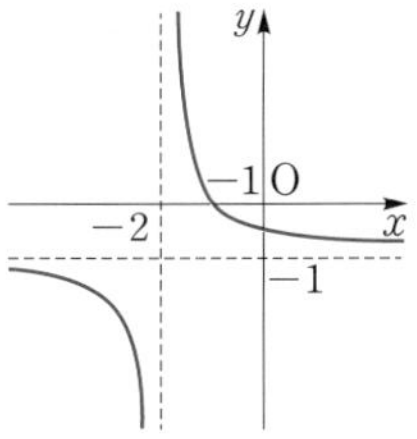

1176

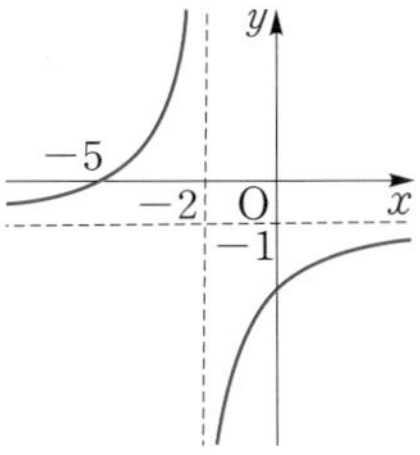

함수 $y=\dfrac{ax+b}{x+c}$의 그래프가 다음 그림과 같을 때, 상수 a, b, c의 값을 각각 구하여라.

1177

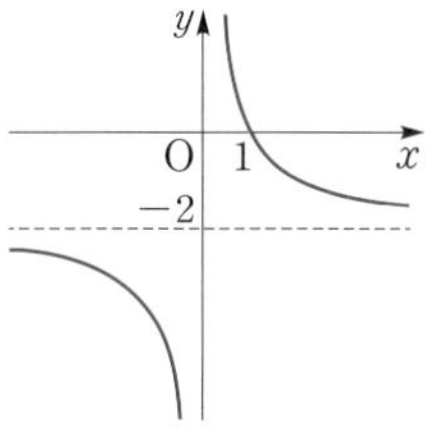

1178

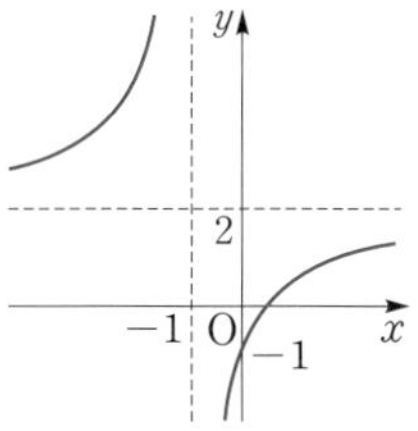

1179 학교 시험 맛보기

함수 $y=\dfrac{ax+b}{x+c}$의 그래프가 오른쪽 그림과 같을 때, 상수 a, b, c에 대하여 $a+b+c$의 값을 구하여라.

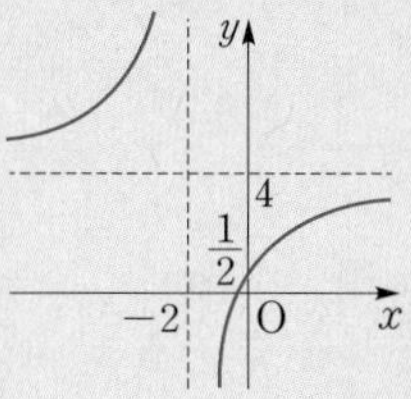

key 점근선의 방정식이 $x=-2$, $y=4$이므로 함수의 식을 $y=\dfrac{k}{x+2}+4$로 놓는다.

7주 유리함수

핵심 **16**

유리함수의 최대, 최소

날짜 : 　월 　일

Subnote ➜ 76쪽

유리함수의 최대, 최소를 구할 때는 유리함수의 식을 $y=\dfrac{k}{x-p}+q\ (k\neq0)$의 꼴로 변형하여 그래프를 그려야 해.

주어진 정의역에서 $y=f(x)$의 그래프를 그리고, y의 최댓값과 최솟값을 구한다.

예 $2\le x\le3$에서 함수 $y=\dfrac{2}{x-1}+2$의 최댓값과 최솟값을 구하여라.

$2\le x\le3$에서 함수 $y=\dfrac{2}{x-1}+2$의 그래프는 오른쪽 그림과 같으므로

$x=2$일 때 최댓값 4, $x=3$일 때 최솟값 3을 갖는다.

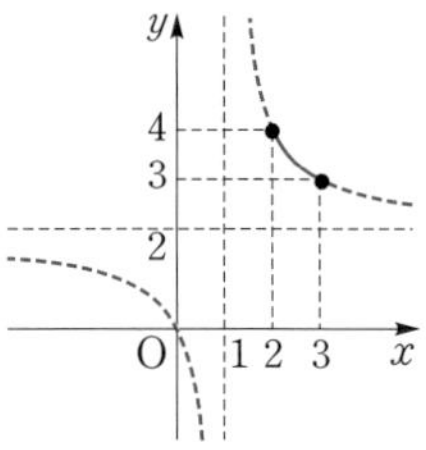

주어진 범위에서 함수의 최댓값과 최솟값을 구하여라.

1180 $y=\dfrac{x+2}{x-1}$ $[2\le x\le4]$

sol $y=\dfrac{x+2}{x-1}=\dfrac{(x-1)+3}{x-1}=\dfrac{3}{x-1}+1$

이므로 함수 $y=\dfrac{x+2}{x-1}$의 그래프는 $y=\dfrac{3}{x}$의 그래프를 x축의 방향으로 1만큼, y축의 방향으로 1만큼 평행이동한 것이다.

따라서 $2\le x\le4$에서

$y=\dfrac{x+2}{x-1}$의 그래프는 오른쪽 그림과 같으므로

$x=$ □ 일 때 최댓값 □,

$x=$ □ 일 때 최솟값 □ 를

갖는다.

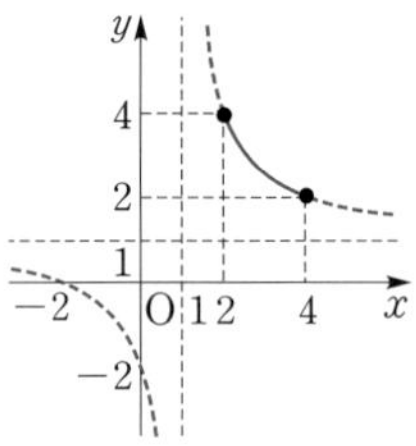

1181 $y=\dfrac{2x+3}{x+1}$ $[0\le x\le3]$

1182 $y=\dfrac{2x}{x-2}$ $[-2\le x\le-1]$

1183 $y=\dfrac{-2x-6}{x+2}$ $[-1\le x\le2]$

1184 $y=\dfrac{3x+4}{x+2}$ $[-4\le x\le-3]$

1185 $y=\dfrac{-2x+1}{x-2}$ $[3\le x\le5]$

1186 **학교 시험 맛보기**

정의역이 $\{x\mid-1\le x\le1\}$인 함수 $y=\dfrac{3x-3}{x-2}$의 최댓값을 M, 최솟값을 m이라 할 때, $M+m$의 값을 구하여라.

key 함수의 식을 $y=\dfrac{k}{x-p}+q$의 꼴로 바꾼다.

핵심 17 유리함수의 그래프와 직선의 위치 관계

날짜 : 월 일

Subnote 78쪽

직선 $y=m(x-a)+b$는 항상 점 (a, b)를 지나고 기울기 m이 변하는 직선이야. 즉, 기울기의 최대, 최소를 구하는 문제야.

(1) 함수의 식과 직선의 방정식을 연립하여 만든 이차방정식의 판별식을 이용한다.
(2) 정의역이 주어진 유리함수의 그래프를 좌표평면에 그리고, 직선 $y=m(x-a)+b$가 점 (a, b)를 지나는 직선임을 이용해서 기울기 m의 값의 범위를 구한다.

다음 함수의 그래프와 직선 $y=mx$가 만나지 않도록 하는 실수 m의 값의 범위를 구하여라. (단, $m\neq0$)

1187 $y=-\dfrac{2}{x+1}$

sol 함수 $y=-\dfrac{2}{x+1}$의 그래프와 직선 $y=mx$가 만나지 않으므로

$-\dfrac{2}{x+1}=$ □ 에서 mx^2+ □ $+2=0$

이 이차방정식의 판별식을 D라 하면

$D=$ □ $-4\times m\times2<0$

□ $-8m<0$ $\quad\therefore 0<m<8$

1188 $y=\dfrac{4x-1}{x+2}$

1189 $y=\dfrac{3x+1}{x-1}$

1190 $y=\dfrac{8x-2}{x+2}$

정의역이 주어진 다음 함수의 그래프와 직선이 만나도록 하는 실수 m의 값의 범위를 구하여라.

1191 $y=\dfrac{2x}{x-1}$ $(2\leq x\leq3)$, $y=mx$

sol 직선 $y=mx$는 m의 값에 관계없이 원점을 지난다.

$y=\dfrac{2x}{x-1}=\dfrac{2(x-1)+2}{x-1}=\dfrac{2}{x-1}+2$ $(2\leq x\leq3)$

이므로 그래프는 오른쪽 그림과 같다.

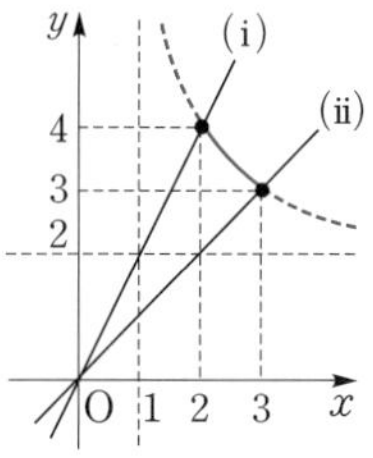

(i) 직선 $y=mx$가 점 (2, □)를 지날 때

$4=2m$ $\quad\therefore m=$ □

(ii) 직선 $y=mx$가 점 $(3, 3)$을 지날 때

$3=3m$ $\quad\therefore m=1$

(i), (ii)에서 $1\leq m\leq$ □

1192 $y=\dfrac{2x-1}{x+1}$ $(-4\leq x\leq-2)$, $y=mx-m$

1193 학교 시험 맛보기

$3\leq x\leq5$에서 부등식 $ax\leq\dfrac{3x}{x-2}\leq bx$가 항상 성립할 때, a의 최댓값과 b의 최솟값을 구하여라.

key 정의역 $\{x|3\leq x\leq5\}$에서 함수 $y=\dfrac{3x}{x-2}$의 그래프를 그려 본다.

핵심 18

유리함수의 역함수

날짜 : 월 일

Subnote ➔ 78쪽

유리함수 $y=\frac{ax+b}{cx+d}$의 역함수 $y=\frac{-dx+b}{cx-a}$는 원래 함수에서 a와 d의 위치와 부호가 서로 바뀐 것과 같아.

유리함수 $y=\frac{ax+b}{cx+d}$ $(c\neq0,\ ad-bc\neq0)$의 역함수 구하기

❶ x에 대하여 푼다. ➔ $x=\frac{-dy+b}{cy-a}$

❷ x와 y를 서로 바꾼다. ➔ $y=\frac{-dx+b}{cx-a}$

다음 함수의 역함수를 구하여라.

1194 $y=\frac{2x+1}{x-1}$

sol $y=\frac{2x+1}{x-1}$을 x에 대하여 풀면

$xy-\square=2x+1$, $xy-2x=y+1$

$(\square)x=y+1$ $\therefore\ x=\frac{y+1}{\square}$

x와 y를 서로 바꾸면 구하는 역함수는 $y=\frac{x+1}{\square}$

1195 $y=\frac{2x+3}{x+1}$

1196 $y=\frac{-4x+3}{2x-1}$

1197 $y=\frac{3x+2}{2x-1}$

다음 함수 $f(x)$의 역함수가 $f^{-1}(x)$일 때, 상수 a, b, c의 값을 각각 구하여라.

1198 $f(x)=\frac{3x+a}{x+2}$, $f^{-1}(x)=\frac{-2x+4}{bx+c}$

1199 $f(x)=\frac{2x+c}{ax+b}$, $f^{-1}(x)=\frac{4x-3}{x-2}$

1200 $f(x)=\frac{ax+3}{cx-2}$, $f^{-1}(x)=\frac{bx+3}{2x-5}$

1201 학교 시험 맛보기

함수 $f(x)=\frac{3x+2}{x+a}$의 역함수를 $g(x)$라 하자.
함수 $y=g(x)$의 그래프의 점근선의 방정식이 $x=p$, $y=2$일 때, $a+p$의 값을 구하여라. (단, a는 상수)

핵심 19
유리함수의 합성

날짜 : 월 일

Subnote ➡ 79쪽

$f^3(x)=x$이면
$f^3(x)=f^6(x)=\cdots$
$=f^{3n}(x)=x$
를 만족해.

자연수 n에 대하여 $f^1=f,\ f^{n+1}=f\circ f^n$으로 정의할 때

(1) 유리함수의 합성이 항등함수가 되는 경우
$f^1,\ f^2,\ f^3,\ \cdots$을 차례로 구하여 $f^n(x)=x$가 되는 자연수 n을 찾는다.

(2) 유리함수의 합성이 항등함수가 되지 않는 경우
$f^1,\ f^2,\ f^3,\ \cdots$을 차례로 구하여 함수의 규칙성을 찾는다.

주어진 함수 $f(x)$에 대하여
$f^1=f,\ f^{n+1}=f\circ f^n$ (n은 자연수)
으로 정의할 때, 다음을 구하여라.

1202 $f(x)=\dfrac{2x+1}{x-2}$일 때, $f^{99}(3)$의 값

sol $f(x)=\dfrac{2x+1}{x-2}$에서

$f^2(x)=(f\circ f)(x)=f(f(x))$

$=\dfrac{2\left(\dfrac{2x+1}{x-2}\right)+1}{\dfrac{2x+1}{x-2}-2}=\dfrac{2(2x+1)+(x-2)}{(2x+1)-2(x-2)}$

$=\dfrac{\square}{5}=\square$

$\therefore f^{99}(3)=f^{2\times49+1}(3)=f(\square)=\square$

1203 $f(x)=\dfrac{3x+1}{x-3}$일 때, $f^{50}(7)$의 값

1204 $f(x)=\dfrac{-x+1}{2x+1}$일 때, $f^{2017}(-1)$의 값

1205 $f(x)=\dfrac{x}{2x+1}$일 때, $f^{10}\left(\dfrac{1}{20}\right)$의 값

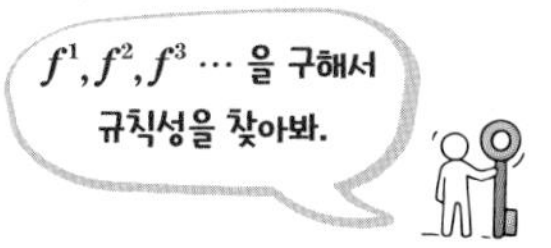

함수 $f(x)=\dfrac{x-1}{x}$에 대하여
$f^1=f,\ f^{n+1}=f\circ f^n$ (n은 자연수)
으로 정의할 때, 다음을 구하여라.

1206 $f^{30}(3)$의 값

sol $f(x)=\dfrac{x-1}{x}$에서

$f^2(x)=(f\circ f)(x)=f(f(x))=\dfrac{\dfrac{x-1}{x}-1}{\dfrac{x-1}{x}}=\dfrac{\square}{x-1}$

$f^3(x)=(f\circ f^2)(x)=f(f^2(x))=\dfrac{\dfrac{\square}{x-1}-1}{\dfrac{\square}{x-1}}=\square$

따라서 $f^3(x)=f^6(x)=f^9(x)=\cdots=f^{3n}(x)$($n$은 자연수)는 항등함수이므로

$f^{30}(x)=f^{3\times10}(x)=\square$

$\therefore f^{30}(3)=\square$

1207 $f^{40}(3)$의 값

1208 **학교 시험 맛보기**

함수 $f(x)=\dfrac{1}{1-x}$에 대하여
$f^1=f,\ f^{n+1}=f\circ f^n$ (n은 자연수)
으로 정의할 때, $f^{20}(5)$의 값을 구하여라.

key $f^1, f^2, f^3, \cdots$을 구해서 규칙성을 찾는다.

7주 유리함수

핵심 20 유리함수의 합성함수와 역함수

Subnote ✪ 80쪽

$f\circ f^{-1}=f^{-1}\circ f=I$
(단, I는 항등함수)

두 함수 $f(x)$, $g(x)$의 역함수를 각각 $f^{-1}(x)$, $g^{-1}(x)$라 할 때
(1) $(g\circ f^{-1})(x)=g(f^{-1}(x))$
(2) $(g^{-1}\circ f)^{-1}(x)=(f^{-1}\circ g)(x)=f^{-1}(g(x))$

다음 함수 $f(x)$와 그 역함수 $f^{-1}(x)$에 대하여 주어진 합성함수의 함숫값을 구하여라.

1209 $f(x)=\dfrac{3x+1}{x-1}$일 때, $f^{-1}(4)$의 값

sol $f^{-1}(4)=k$라 하면 $f(k)=$ 이므로
$\dfrac{3k+1}{k-1}=$, $3k+1=4k-4$
$\therefore k=$
$\therefore f^{-1}(4)=$

1210 $f(x)=\dfrac{2x-9}{1-x}$일 때, $(f^{-1}\circ f\circ f^{-1})(5)$의 값

1211 $f(x)=\dfrac{-x+3}{2x-1}$일 때, $(f^{-1}\circ f^{-1}\circ f)(2)$의 값

함수 $f(x)$와 그 역함수 $f^{-1}(x)=\dfrac{ax+b}{3x-2}$가 다음 조건을 만족할 때, 상수 a, b의 값을 각각 구하여라.

1212 $f(3)=1$, $(f^{-1}\circ f^{-1})(1)=-1$

$f(3)=1$이면
$f^{-1}(1)=3$

1213 $f(2)=0$, $(f\circ f)(x)=x$

$(f^{-1})^{-1}=f$
$f\circ f=I$(항등함수)이면
$f^{-1}=f$

다음 두 함수 $f(x)$, $g(x)$에 대하여 주어진 합성함수의 함숫값을 구하여라. (단, f^{-1}, g^{-1}는 각각 f, g의 역함수이다.)

1214 $f(x)=\dfrac{2x-1}{x-1}$, $g(x)=\dfrac{3x}{x-1}$일 때,
$(g\circ f^{-1})(3)$의 값

1215 $f(x)=\dfrac{-3x+2}{2x-1}$, $g(x)=\dfrac{2x+1}{x+2}$일 때,
$(f^{-1}\circ g^{-1})(-1)$의 값

1216 $f(x)=\dfrac{-2x+3}{x+1}$, $g(x)=\dfrac{-x+3}{x+2}$일 때,
$(f\circ g\circ f^{-1})(2)$의 값

1217 **학교 시험 맛보기**

두 함수 $y=f(x)$, $y=g(x)$의 그래프가 직선 $y=x$에 대하여 서로 대칭이다.

$$f(x)=\frac{2x+3}{ax-1},\ g(x)=\frac{bx+3}{x+c}$$

일 때, $(g\circ f\circ g\circ f^{-1})(3)$의 값을 구하여라.

key 두 함수 f, g는 역함수 관계이다. 즉, $f^{-1}=g$, $g^{-1}=f$이다.

Mini Review Test

날짜 : 월 일

Subnote ⊕ 81쪽

| 핵심 12 |

1218 함수 $y=\dfrac{ax+1}{x+b}$의 그래프의 점근선의 방정식이 $x=1$, $y=2$일 때, 상수 a, b에 대하여 ab의 값을 구하여라.

| 핵심 14 |

1219 함수 $y=\dfrac{2x+k}{x-1}$의 그래프를 x축의 방향으로 a만큼, y축의 방향으로 b만큼 평행이동하면 함수 $y=-\dfrac{3}{x}$의 그래프와 겹쳐진다. 이때 상수 a, b, k에 대하여 $a+b+k$의 값을 구하여라.

| 핵심 15 |

1220 함수 $y=\dfrac{k}{x+p}+q$의 그래프가 오른쪽 그림과 같을 때, 상수 k, p, q에 대하여 $k+p+q$의 값을 구하여라.

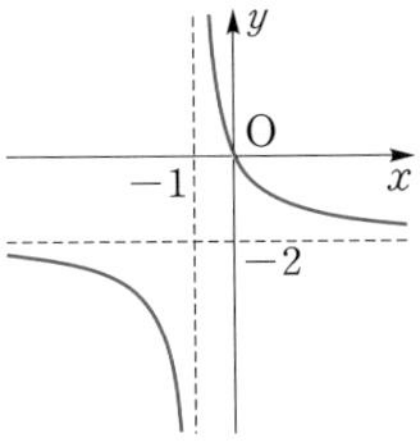

| 핵심 15 |

1221 함수 $y=\dfrac{x+3}{ax+b}$의 그래프가 점 $\left(2,\ \dfrac{5}{2}\right)$를 지나고, x축에 평행한 점근선의 방정식이 $y=\dfrac{1}{2}$일 때, 상수 a, b에 대하여 $a+b$의 값을 구하여라.

| 핵심 16 | UP

1222 정의역이 $\{x|-1\le x\le 1\}$인 함수 $y=\dfrac{3x+a}{x+2}$의 최댓값이 2일 때, 상수 a의 값을 구하여라. (단, $a<6$)

| 핵심 18 | UP

1223 함수 $y=f(x)$의 그래프가 오른쪽 그림과 같을 때, 역함수 $f^{-1}(x)$를 구하여라.

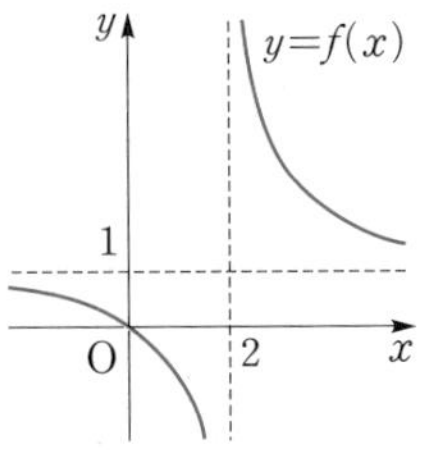

key 역함수 $y=f^{-1}(x)$의 그래프는 점근선의 방정식이 $x=1$, $y=2$이고, 원점을 지난다.

| 핵심 20 |

1224 오른쪽 그림은 함수 $y=f(x)$의 역함수 $y=f^{-1}(x)$의 그래프이다. $f(2)+(f\circ f)(2)+(f\circ f\circ f)(2)$의 값을 구하여라.

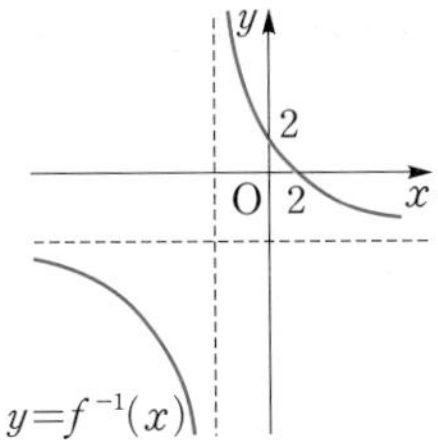

key $f^{-1}(0)=2$, $f^{-1}(2)=0$이다.

7주 유리함수

8

무리함수

학습목표

1. 무리함수의 뜻을 안다.
2. 무리함수의 그래프를 그릴 수 있고, 그 그래프의 성질을 이해한다.

스스로 공부 계획 세우기

	학습 내용	공부한 날짜	반복하기
8. 무리함수	**01.** 제곱근의 성질	월 일	☐☐
	02. 음수의 제곱근의 성질	월 일	☐☐
	03. 분모의 유리화	월 일	☐☐
	04. 무리식의 계산	월 일	☐☐
	05. 무리식의 값 구하기	월 일	☐☐
	Mini **Review** Test(**01**~**05**)	월 일	☐☐
	06. 무리함수의 정의역	월 일	☐☐
	07. 무리함수의 그래프와 정의역, 치역	월 일	☐☐
	08. 무리함수의 그래프의 대칭이동	월 일	☐☐
	09. 무리함수의 그래프의 평행이동 (1)	월 일	☐☐
	10. 무리함수의 그래프의 평행이동 (2)	월 일	☐☐
	11. 무리함수 $y=\sqrt{a(x-p)}+q\ (a\neq0)$의 그래프	월 일	☐☐
	12. 무리함수 $y=\sqrt{ax+b}+c\ (a\neq0)$의 그래프	월 일	☐☐
	13. 그래프를 이용하여 무리함수의 식 구하기	월 일	☐☐
	14. 무리함수 $y=\sqrt{ax+b}+c\ (a\neq0)$의 그래프의 성질	월 일	☐☐
	15. 무리함수의 최대, 최소	월 일	☐☐
	Mini **Review** Test(**06**~**15**)	월 일	☐☐
	16. 무리함수의 그래프와 직선의 위치 관계	월 일	☐☐
	17. 무리함수의 역함수	월 일	☐☐
	18. 무리함수와 그 역함수의 그래프의 교점	월 일	☐☐
	19. 무리함수의 합성함수와 역함수	월 일	☐☐
	Mini **Review** Test(**16**~**19**)	월 일	☐☐

8 무리함수

개념 톡톡

개념 NOTE

1 무리식

(1) 무리식

근호 안에 문자가 포함된 식 중에서 유리식으로 나타낼 수 없는 식

예 $\sqrt{3x+1}$, $\dfrac{x}{\sqrt{x+1}}$

(2) 무리식을 계산할 때는

(근호 안에 있는 식의 값)≥ 0, (분모에 있는 식의 값)$\neq 0$

이 되는 문자의 값의 범위에서만 생각한다.

예 무리식 $\sqrt{2x-1}$의 값이 실수가 되려면 $2x-1\geq 0$ $\quad\therefore x\geq \dfrac{1}{2}$

무리식 $\dfrac{1}{\sqrt{x+3}}$의 값이 실수가 되려면 $x+3>0$ $\quad\therefore x>-3$

> 식 ─ 유리식 ─ 다항식, 분수식 / 무리식

> $\sqrt{A}$가 실수 $\Longleftrightarrow A\geq 0$
>
> $\dfrac{1}{\sqrt{A}}$이 실수 $\Longleftrightarrow A>0$

2 무리식의 계산

(1) 제곱근의 성질 핵심 01

두 실수 a, b에 대하여

① $\sqrt{a^2}=|a|=\begin{cases} a & (a\geq 0) \\ -a & (a<0)\end{cases}$

② $a\geq 0$일 때, $(\sqrt{a})^2=a$

③ $a>0$, $b>0$일 때, $\sqrt{a}\sqrt{b}=\sqrt{ab}$, $\dfrac{\sqrt{a}}{\sqrt{b}}=\sqrt{\dfrac{a}{b}}$

(2) 음수의 제곱근의 성질 핵심 02

① $a<0$, $b<0$일 때, $\sqrt{a}\sqrt{b}=-\sqrt{ab}$

② $a>0$, $b<0$일 때, $\dfrac{\sqrt{a}}{\sqrt{b}}=-\sqrt{\dfrac{a}{b}}$

(3) 분모의 유리화 핵심 03 핵심 04 핵심 05

$a>0$, $b>0$일 때

① $\dfrac{a}{\sqrt{b}}=\dfrac{a\sqrt{b}}{\sqrt{b}\sqrt{b}}=\dfrac{a\sqrt{b}}{b}$

② $\dfrac{c}{\sqrt{a}+\sqrt{b}}=\dfrac{c(\sqrt{a}-\sqrt{b})}{(\sqrt{a}+\sqrt{b})(\sqrt{a}-\sqrt{b})}=\dfrac{c(\sqrt{a}-\sqrt{b})}{a-b}$

$\dfrac{c}{\sqrt{a}-\sqrt{b}}=\dfrac{c(\sqrt{a}+\sqrt{b})}{(\sqrt{a}-\sqrt{b})(\sqrt{a}+\sqrt{b})}=\dfrac{c(\sqrt{a}+\sqrt{b})}{a-b}$ (단, $a\neq b$)

예 $\dfrac{1}{\sqrt{2}+1}=\dfrac{\sqrt{2}-1}{(\sqrt{2}+1)(\sqrt{2}-1)}=\dfrac{\sqrt{2}-1}{2-1}=\sqrt{2}-1$

> 곱셈 공식
> $(a+b)(a-b)=a^2-b^2$
> 을 이용한다.

3 무리함수

(1) 무리함수

함수 $y=f(x)$에서 $f(x)$가 x에 대한 무리식인 함수

예 $y=\sqrt{x}$, $y=\sqrt{2x-1}$

(2) 무리함수의 정의역이 주어져 있지 않은 경우에는 근호 안의 식의 값이 0 이상이 되도록 하는 실수 전체의 집합을 정의역으로 한다. 핵심 06

예 $y=\sqrt{4x-1}$의 정의역은 $\left\{x \middle| x\geq\frac{1}{4}\right\}$이다.

4 무리함수의 그래프

(1) 무리함수 $y=\pm\sqrt{ax}$ $(a\neq0)$의 그래프 핵심 07 핵심 08

① $a>0$일 때, $y=\sqrt{ax}$의 정의역은 $\{x|x\geq0\}$, 치역은 $\{y|y\geq0\}$

② $a<0$일 때, $y=\sqrt{ax}$의 정의역은 $\{x|x\leq0\}$, 치역은 $\{y|y\geq0\}$

③ $a>0$일 때, $y=-\sqrt{ax}$의 정의역은 $\{x|x\geq0\}$, 치역은 $\{y|y\leq0\}$

④ $a<0$일 때, $y=-\sqrt{ax}$의 정의역은 $\{x|x\leq0\}$, 치역은 $\{y|y\leq0\}$

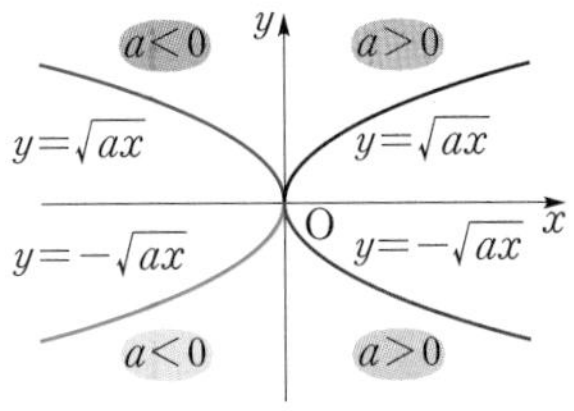

(2) 무리함수 $y=\sqrt{a(x-p)}+q$ $(a\neq0)$의 그래프 핵심 09 핵심 10 핵심 11

① $y=\sqrt{ax}$의 그래프를 x축의 방향으로 p만큼, y축의 방향으로 q만큼 평행이동한 것이다.

② $a>0$일 때, 정의역은 $\{x|x\geq p\}$, 치역은 $\{y|y\geq q\}$

$a<0$일 때, 정의역은 $\{x|x\leq p\}$, 치역은 $\{y|y\geq q\}$

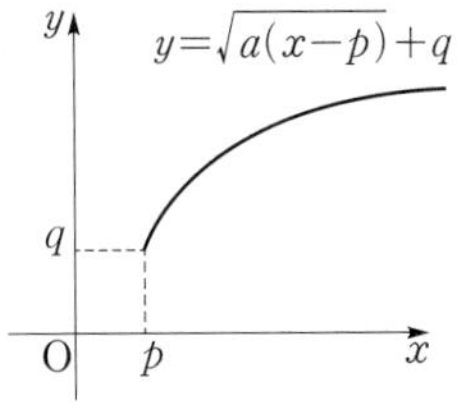

(3) 무리함수 $y=\sqrt{ax+b}+c$ $(a\neq0)$의 그래프 핵심 12 핵심 13 핵심 14 핵심 16 ~ 핵심 19

무리함수 $y=\sqrt{ax+b}+c$ $(a\neq0)$의 그래프는 $y=\sqrt{a(x-p)}+q$의 꼴로 변형하여 그린다.

(4) $x_1\leq x\leq x_2$일 때, 무리함수 $f(x)=\sqrt{a(x-p)}+q$의 최대, 최소 핵심 15

① $a>0$일 때, $f(x)=\sqrt{a(x-p)}+q$는 증가하는 함수이므로

➡ 최댓값 : $f(x_2)$, 최솟값 : $f(x_1)$

② $a<0$일 때, $f(x)=\sqrt{a(x-p)}+q$는 감소하는 함수이므로

➡ 최댓값 : $f(x_1)$, 최솟값 : $f(x_2)$

개념 NOTE

함수 $y=\pm\sqrt{ax}$ $(a\neq0)$의 그래프는 $|a|$의 값이 커질수록 x축으로부터 멀어진다.

함수 $y=-\sqrt{a(x-p)}+q$ $(a\neq0)$의 그래프

(1) $a>0$일 때, 정의역 : $\{x|x\geq p\}$ 치역 : $\{y|y\leq q\}$

(2) $a<0$일 때, 정의역 : $\{x|x\leq p\}$ 치역 : $\{y|y\leq q\}$

날짜 : 월 일

핵심 **01**

제곱근의 성질

Subnote ➡ 83쪽

무리식은 항상 범위를 잘 살펴야 해. 범위에 따라 계산 과정이 달라지기 때문이야.

a가 실수일 때

➡ $\sqrt{a^2}=|a|=\begin{cases} a & (a\geq 0) \\ -a & (a<0) \end{cases}$

예 $0<x<1$일 때, $\sqrt{x^2}+\sqrt{(x-1)^2}$을 간단히 하여라.

$0<x<1$에서 $x>0$, $x-1<0$이므로

$\sqrt{x^2}+\sqrt{(x-1)^2}=|x|+|x-1|=x-(x-1)=1$

x의 값의 범위가 다음과 같을 때, 주어진 식을 간단히 하여라.

1225 $x>0$일 때, $\sqrt{(-x)^2}+\sqrt{x^2}$

sol $x>0$에서 $-x<0$이므로

$\sqrt{(-x)^2}+\sqrt{x^2}=|-x|+|x|$

$=-(\quad)+x=\quad$

1226 $x>0$일 때, $\sqrt{x^2}-\sqrt{(x+3)^2}$

1227 $x<0$일 때, $\sqrt{x^2}+\sqrt{(x-2)^2}$

1228 $0<x<3$일 때, $\sqrt{x^2}-\sqrt{(x-3)^2}$

1229 $-1<x<1$일 때, $\sqrt{(x+1)^2}+\sqrt{(x-1)^2}$

1230 $2<x<3$일 때, $\sqrt{x^2-4x+4}+\sqrt{x^2-6x+9}$

sol $2<x<3$에서 $x-2 \quad 0$, $x-3 \quad 0$이므로

$\sqrt{x^2-4x+4}=\sqrt{(x-2)^2}=|x-2|=x-2$

$\sqrt{x^2-6x+9}=\sqrt{(x-3)^2}=|x-3|=\quad$

$\therefore \sqrt{x^2-4x+4}+\sqrt{x^2-6x+9}$

$=(x-2)+(\quad)=\quad$

1231 $-4<x<2$일 때, $\sqrt{x^2+8x+16}-\sqrt{x^2-4x+4}$

1232 $-1<x<\frac{1}{2}$일 때, $\sqrt{x^2+2x+1}+\sqrt{4x^2-4x+1}$

1233 **학교 시험 맛보기**

$-2<x<1$일 때, $\sqrt{x^2-2x+1}-\sqrt{x^2+4x+4}$를 간단히 하여라.

핵심 02

음수의 제곱근의 성질

날짜 : 월 일

Subnote ➔ 83쪽

근호 안의 식의 범위에 주의해야 해.

(1) $\sqrt{a}\sqrt{b}=-\sqrt{ab}$이면 $a\le 0,\ b\le 0$

(2) $\dfrac{\sqrt{a}}{\sqrt{b}}=-\sqrt{\dfrac{a}{b}}$이면 $a\ge 0,\ b<0$

예 $\dfrac{\sqrt{x+1}}{\sqrt{x}}=-\sqrt{\dfrac{x+1}{x}}$을 만족하는 x의 값의 범위를 구하여라.

$x<0,\ x+1\ge 0$이므로

$x<0,\ x\ge -1$

$\therefore\ -1\le x<0$

다음 등식을 만족하는 x의 값의 범위를 구하여라.

1234 $\sqrt{x}\sqrt{x-1}=-\sqrt{x^2-x}$

sol $\sqrt{x}\sqrt{x-1}=-\sqrt{x^2-x}=-\sqrt{x(x-1)}$에서

$x\le \square,\ x-1\le 0$

$\therefore\ x\le \square$

1235 $\sqrt{x+1}\sqrt{x-2}=-\sqrt{x^2-x-2}$

1236 $\sqrt{x-2}\sqrt{x-3}=-\sqrt{x^2-5x+6}$

1237 $\sqrt{x-4}\sqrt{x+2}=-\sqrt{x^2-2x-8}$

1238 $\sqrt{x-5}\sqrt{2-x}=-\sqrt{-x^2+7x-10}$

다음 등식을 만족하는 x의 값의 범위를 구하여라.

1239 $\dfrac{\sqrt{x+5}}{\sqrt{x-1}}=-\sqrt{\dfrac{x+5}{x-1}}$

sol $\dfrac{\sqrt{x+5}}{\sqrt{x-1}}=-\sqrt{\dfrac{x+5}{x-1}}$ 에서

$x+5 \square 0,\ x-1 \square 0$이므로

$\square \le x< \square$

1240 $\dfrac{\sqrt{x-2}}{\sqrt{x-4}}=-\sqrt{\dfrac{x-2}{x-4}}$

1241 $\dfrac{\sqrt{2x+1}}{\sqrt{x}}=-\sqrt{\dfrac{2x+1}{x}}$

1242 $\dfrac{\sqrt{3x+1}}{\sqrt{3x-2}}=-\sqrt{\dfrac{3x+1}{3x-2}}$

1243 **학교 시험 맛보기**

$\dfrac{\sqrt{2x+5}}{\sqrt{x-1}}=-\sqrt{\dfrac{2x+5}{x-1}}$를 만족하는 x의 값의 범위가 $a\le x<b$일 때, 실수 $a,\ b$에 대하여 $a+b$의 값을 구하여라.

8주 무리함수

핵심 03 분모의 유리화

날짜 : 　월 　일

Subnote ➡ 84쪽

분모의 유리화를 공식으로 생각하고
외워서 하는 것은 좋지 않아.
분자, 분모에 곱해야 하는 것만
제대로 알고 나면
나머지는 계산일 뿐이야.

$a>0$, $b>0$일 때

(1) $\dfrac{a}{\sqrt{b}}=\dfrac{a\sqrt{b}}{\sqrt{b}\sqrt{b}}=\dfrac{a\sqrt{b}}{b}$

(2) $\dfrac{c}{\sqrt{a}+\sqrt{b}}=\dfrac{c(\sqrt{a}-\sqrt{b})}{(\sqrt{a}+\sqrt{b})(\sqrt{a}-\sqrt{b})}=\dfrac{c(\sqrt{a}-\sqrt{b})}{a-b}$ (단, $a\neq b$)

예 $\dfrac{1}{\sqrt{x+1}+\sqrt{x}}=\dfrac{\sqrt{x+1}-\sqrt{x}}{(\sqrt{x+1}+\sqrt{x})(\sqrt{x+1}-\sqrt{x})}$

$=\dfrac{\sqrt{x+1}-\sqrt{x}}{(x+1)-x}=\sqrt{x+1}-\sqrt{x}$

다음 식의 분모를 유리화하여라.

1244 $\dfrac{3}{\sqrt{x}}$

sol $\dfrac{3\times\square}{\sqrt{x}\times\square}=\dfrac{\square}{x}$

1245 $\dfrac{1}{\sqrt{x+2}}$

1246 $\dfrac{\sqrt{3}}{\sqrt{x-1}}$

1247 $\dfrac{1}{\sqrt{x}-3}$

sol $\dfrac{\square}{(\sqrt{x}-3)(\square)}=\dfrac{\sqrt{x}+3}{\square}$

1248 $\dfrac{x-1}{\sqrt{x}+1}$

1249 $\dfrac{1}{\sqrt{x}+\sqrt{x-1}}$

sol $\dfrac{1}{\sqrt{x}+\sqrt{x-1}}=\dfrac{\square}{(\sqrt{x}+\sqrt{x-1})(\square)}$

$=\dfrac{\sqrt{x}-\sqrt{x-1}}{x-(\square)}=\square$

1250 $\dfrac{1}{\sqrt{x+2}+\sqrt{x}}$

1251 $\dfrac{1}{\sqrt{x+1}-\sqrt{x+2}}$

1252 $\dfrac{x-1}{\sqrt{x+3}-2}$

1253 학교 시험 맛보기

$\dfrac{x}{\sqrt{x^2-x}+x}$의 분모를 유리화하여라.

핵심 04 무리식의 계산

날짜 : 월 일

Subnote ➡ 84쪽

분모에 무리식이 있는 식의 계산은 분모의 유리화를 이용해.

$a>0,\ b>0$일 때

$$\frac{1}{\sqrt{a}+\sqrt{b}}-\frac{1}{\sqrt{a}-\sqrt{b}}=\frac{(\sqrt{a}-\sqrt{b})-(\sqrt{a}+\sqrt{b})}{(\sqrt{a}+\sqrt{b})(\sqrt{a}-\sqrt{b})}=\frac{-2\sqrt{b}}{a-b}$$

예 $\frac{1}{\sqrt{x}+1}-\frac{1}{\sqrt{x}-1}=\frac{(\sqrt{x}-1)-(\sqrt{x}+1)}{(\sqrt{x}+1)(\sqrt{x}-1)}=-\frac{2}{x-1}$

다음 식을 간단히 하여라.

1254 $\frac{1}{\sqrt{x}+\sqrt{2}}+\frac{1}{\sqrt{x}-\sqrt{2}}$

sol $\frac{1}{\sqrt{x}+\sqrt{2}}+\frac{1}{\sqrt{x}-\sqrt{2}}=\frac{(\sqrt{x}-\sqrt{2})+(\quad)}{(\sqrt{x}+\sqrt{2})(\sqrt{x}-\sqrt{2})}$

$=\frac{2\sqrt{x}}{\quad}$

1255 $\frac{2}{\sqrt{x+3}-2}-\frac{2}{\sqrt{x+3}+2}$

1256 $\frac{x}{1-\sqrt{x+1}}+\frac{x}{1+\sqrt{x+1}}$

1257 $\frac{1}{\sqrt{x+1}-\sqrt{x}}-\frac{1}{\sqrt{x+1}+\sqrt{x}}$

1258 $\frac{1}{\sqrt{x+4}+3}-\frac{1}{\sqrt{x+4}-3}$

1259 $\frac{\sqrt{x}}{\sqrt{x}+2}-\frac{\sqrt{x}}{\sqrt{x}-2}$

1260 $\frac{x}{\sqrt{x+9}-3}-\frac{x}{\sqrt{x+9}+3}$

1261 $\frac{1}{x-\sqrt{x^2+1}}+\sqrt{x^2+1}$

1262 $\frac{1}{2x+\sqrt{4x^2-1}}+\sqrt{4x^2-1}$

1263 학교 시험 맛보기

$(x+5)(\sqrt{x+4}+3)(\sqrt{x+4}-3)=ax^2+bx+c$가 x에 대한 항등식일 때, 상수 a, b, c에 대하여 $a+b+c$의 값을 구하여라.

8주 무리함수

핵심 05

무리식의 값 구하기

날짜 : 월 일

Subnote ➡ 85쪽

그대로 대입하면 너무 복잡해져.
분모의 유리화를 이용해서 식을
간단히 하고 대입해야 해.

분모의 유리화로 식을 간단히 한 후, 주어진 수를 대입한다.

예 $x=\sqrt{2}$일 때, $\dfrac{\sqrt{x-1}}{\sqrt{x+1}}$의 값을 구하여라.

$$\frac{\sqrt{x-1}}{\sqrt{x+1}}=\frac{\sqrt{x-1}\sqrt{x+1}}{\sqrt{x+1}\sqrt{x+1}}=\frac{\sqrt{x^2-1}}{x+1}$$

$\dfrac{\sqrt{x^2-1}}{x+1}$에 $x=\sqrt{2}$를 대입하면

$$\frac{\sqrt{2-1}}{\sqrt{2}+1}=\frac{1}{\sqrt{2}+1}=\frac{\sqrt{2}-1}{(\sqrt{2}+1)(\sqrt{2}-1)}=\sqrt{2}-1$$

다음 식의 값을 구하여라.

1264 $x=\sqrt{5}$일 때, $\dfrac{\sqrt{x+2}}{\sqrt{x-2}}$

1265 $x=\sqrt{3}$일 때, $\dfrac{1}{\sqrt{x}+1}-\dfrac{1}{\sqrt{x}-1}$

1266 $x=\sqrt{2}$일 때, $\dfrac{\sqrt{x}}{\sqrt{x}-1}+\dfrac{\sqrt{x}}{\sqrt{x}+1}$

1267 $x=2\sqrt{2}$일 때, $\dfrac{1}{\sqrt{x+4}-2}-\dfrac{1}{\sqrt{x+4}+2}$

1268 $x=\sqrt{2}$일 때, $\dfrac{\sqrt{x+1}+\sqrt{x-1}}{\sqrt{x+1}-\sqrt{x-1}}$

1269 $x=\sqrt{3}-1$일 때, $\dfrac{\sqrt{x+1}+\sqrt{x}}{\sqrt{x+1}-\sqrt{x}}+\dfrac{\sqrt{x+1}-\sqrt{x}}{\sqrt{x+1}+\sqrt{x}}$

1270 **학교 시험 맛보기**

$x=2\sqrt{2}+1$일 때, $\dfrac{\sqrt{x}+1}{\sqrt{x}-1}+\dfrac{\sqrt{x}-1}{\sqrt{x}+1}$의 값을 구하여라.

Mini Review Test

날짜 : 월 일

Subnote ➔ 86쪽

| 핵심 01 |

1271 $-3<x<2$일 때, $\sqrt{x^2-4x+4}+\sqrt{x^2+6x+9}$를 간단히 하여라.

| 핵심 02 |

1272 $\sqrt{x-2}\sqrt{1-x}=-\sqrt{-x^2+3x-2}$를 만족하는 x의 값의 범위를 구하여라.

key $\sqrt{a}\sqrt{b}=-\sqrt{ab}$이면 $a\le 0$, $b\le 0$

| 핵심 02 |

1273 $\dfrac{\sqrt{2x+4}}{\sqrt{3x-8}}=-\sqrt{\dfrac{2x+4}{3x-8}}$를 만족하는 정수 x의 개수를 구하여라.

| 핵심 04 |

1274 $\dfrac{\sqrt{x+3}+\sqrt{x}}{\sqrt{x+3}-\sqrt{x}}+\dfrac{\sqrt{x+3}-\sqrt{x}}{\sqrt{x+3}+\sqrt{x}}=ax+b$가 x에 대한 항등식일 때, 상수 a, b에 대하여 $a+b$의 값을 구하여라.

| 핵심 05 |

1275 $x=2\sqrt{3}$일 때, $\dfrac{1}{\sqrt{x}+2}-\dfrac{1}{\sqrt{x}-2}$의 값을 구하여라.

| 핵심 05 |

1276 $x=\sqrt{7}$일 때, $\dfrac{\sqrt{x+1}}{\sqrt{x-1}}-\dfrac{\sqrt{x-1}}{\sqrt{x+1}}$의 값을 구하여라.

핵심 06 무리함수의 정의역

날짜 : 　 월 　 일

Subnote ➡ 86쪽

정의역은 오로지 근호 안에 있는 식으로만 결정되는 거니까 그 외의 부호나 수에 흔들리지마. 그리고 정의역은 집합으로 나타내는 거야.

무리함수 ➡ $y=$(x에 대한 무리식)

무리함수의 정의역 ➡ (근호 안에 있는 식의 값)≥ 0 이 되는 x의 값의 범위

예 $y=\sqrt{x}$의 정의역 : $\{x|x\geq 0\}$, $y=\sqrt{x+2}$의 정의역 : $\{x|x\geq -2\}$

$y=\sqrt{2x-1}$의 정의역 : $\left\{x\middle|x\geq \frac{1}{2}\right\}$, $y=\sqrt{x+1}-3$의 정의역 : $\{x|x\geq -1\}$

다음 함수의 정의역을 구하여라.

1277 $y=-\sqrt{x}$

1278 $y=\sqrt{3x}$

sol $3x\geq$ ☐ 에서 $x\geq$ ☐

따라서 함수 $y=\sqrt{3x}$의 정의역은 $\{x|x\geq$ ☐ $\}$

1279 $y=\sqrt{x-3}$

sol $x-3\geq$ ☐ 에서 $x\geq$ ☐

따라서 함수 $y=\sqrt{x-3}$의 정의역은 $\{x|x\geq$ ☐ $\}$

1280 $y=\sqrt{x+4}$

1281 $y=\sqrt{1-x}$

sol $1-x\geq$ ☐ 에서 $x\leq$ ☐

따라서 함수 $y=\sqrt{1-x}$의 정의역은 $\{x|x\leq$ ☐ $\}$

1282 $y=\sqrt{5-x}$

1283 $y=-\sqrt{2x+4}$

sol $2x+4\geq$ ☐ 에서 $x\geq$ ☐

따라서 함수 $y=-\sqrt{2x+4}$의 정의역은 $\{x|x\geq$ ☐ $\}$

1284 $y=\sqrt{3x-1}$

1285 $y=-\sqrt{2x}-6$

1286 $y=\sqrt{2x+1}+3$

1287 $y=-\sqrt{1-4x}+5$

1288 $y=\sqrt{3-2x}-1$

핵심 07

무리함수의 그래프와 정의역, 치역

날짜 : 월 일

Subnote 87쪽

무리함수는 네 가지 형태의 그래프가 전부야. 잘 기억해. 그래프를 머릿 속에 그리고 x, y의 범위를 생각하는 연습이 필요해.

(1) 무리함수 $y=\sqrt{ax}$에 대하여

① $a>0$일 때,
정의역 : $\{x|x\geq0\}$, 치역 : $\{y|y\geq0\}$

② $a<0$일 때,
정의역 : $\{x|x\leq0\}$, 치역 : $\{y|y\geq0\}$

(2) 무리함수 $y=-\sqrt{ax}$에 대하여

① $a>0$일 때, 정의역 : $\{x|x\geq0\}$, 치역 : $\{y|y\leq0\}$

② $a<0$일 때, 정의역 : $\{x|x\leq0\}$, 치역 : $\{y|y\leq0\}$

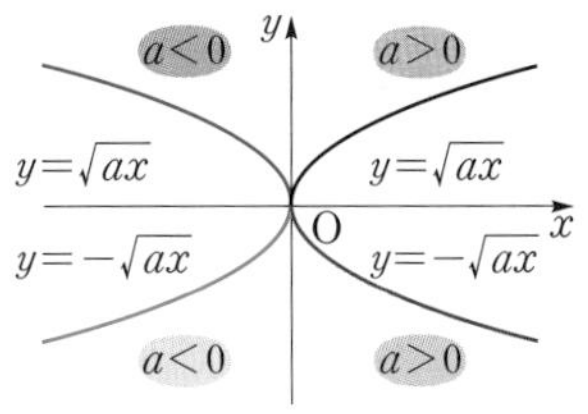

다음 함수의 그래프를 그리고, 정의역과 치역을 구하여라.

1289 $y=\sqrt{x}$

정의역 : ______

치역 : ______

1290 $y=\sqrt{-x}$

정의역 : ______

치역 : ______

1291 $y=-\sqrt{x}$

정의역 : ______

치역 : ______

1292 $y=-\sqrt{-x}$

정의역 : ______

치역 : ______

1293 $y=\sqrt{-2x}$

정의역 : ______

치역 : ______

1294 $y=-\sqrt{-3x}$

정의역 : ______

치역 : ______

1295 $y=\sqrt{2x}$

정의역 : ______

치역 : ______

1296 $y=-\sqrt{3x}$

정의역 : ______

치역 : ______

8주 무리함수

핵심 08 무리함수의 그래프의 대칭이동

Subnote ◐ 87쪽

그래프를 x축으로 접어서 찍히는 그래프가 x축 대칭, y축으로 접어서 찍히는 그래프가 y축 대칭인거지.

무리함수 $y=\sqrt{ax}$ $(a\neq0)$의 그래프를
(1) x축에 대하여 대칭이동 ◐ y 대신 $-y$를 대입 ◐ $y=-\sqrt{ax}$
(2) y축에 대하여 대칭이동 ◐ x 대신 $-x$를 대입 ◐ $y=\sqrt{-ax}$
(3) 원점에 대하여 대칭이동 ◐ x 대신 $-x$, y 대신 $-y$를 대입 ◐ $y=-\sqrt{-ax}$

함수 $y=\sqrt{-x}$의 그래프를 다음과 같이 대칭이동하였을 때, 대칭이동한 함수의 그래프를 그리고, 그래프의 식을 구하여라.

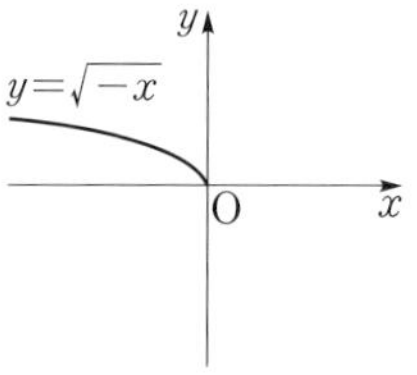

1297 x축에 대한 대칭이동

1298 y축에 대한 대칭이동

1299 원점에 대한 대칭이동

함수 $y=-\sqrt{-2x}$의 그래프를 다음과 같이 대칭이동하였을 때, 대칭이동한 함수의 그래프를 그리고, 그래프의 식을 구하여라.

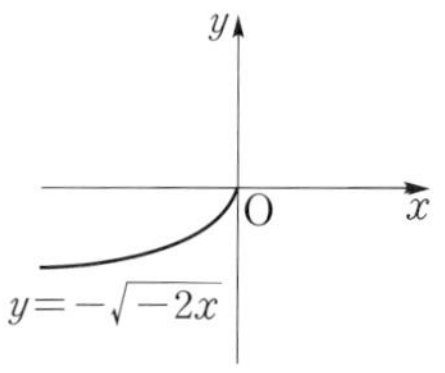

1300 x축에 대한 대칭이동

1301 y축에 대한 대칭이동

1302 원점에 대한 대칭이동

함수 $y=\sqrt{3x}$의 그래프를 다음과 같이 대칭이동하였을 때, 대칭이동한 함수의 그래프를 그리고, 그래프의 식을 구하여라.

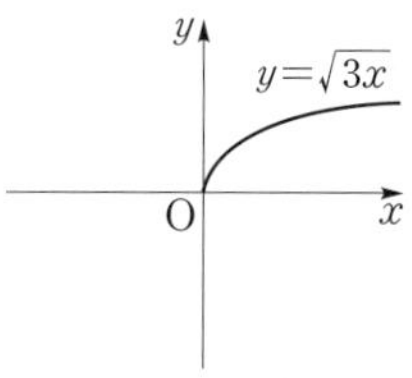

1303 x축에 대한 대칭이동

1304 y축에 대한 대칭이동

1305 원점에 대한 대칭이동

함수 $y=-2\sqrt{x}$의 그래프를 다음과 같이 대칭이동하였을 때, 대칭이동한 함수의 그래프를 그리고, 그래프의 식을 구하여라.

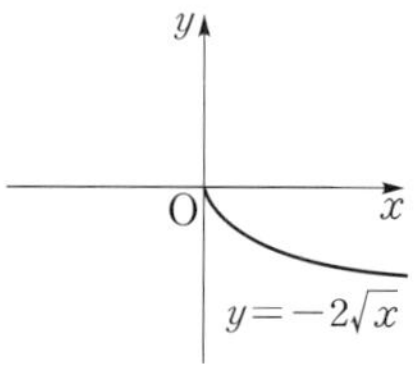

1306 x축에 대한 대칭이동

1307 y축에 대한 대칭이동

1308 원점에 대한 대칭이동

핵심 **09**

무리함수의 그래프의 평행이동 (1)

날짜 : 월 일

Subnote 88쪽

함수의 그래프를 평행이동하면 x 대신 $x-p$, y 대신 $y-q$를 대입했었지. 무리함수의 그래프도 같은 방법으로 하면 돼.

무리함수 $y=\sqrt{ax}$ $(a\neq 0)$의 그래프를 x축의 방향으로 p만큼, y축의 방향으로 q만큼 평행이동한 그래프의 식은

➡ $y=\sqrt{a(x-p)}+q$

예 함수 $y=\sqrt{2x}$의 그래프를 x축의 방향으로 2만큼, y축의 방향으로 1만큼 평행이동한 그래프의 식은 $y-1=\sqrt{2(x-2)}$ $\therefore y=\sqrt{2x-4}+1$

다음 함수의 그래프를 x축의 방향으로 p만큼, y축의 방향으로 q만큼 평행이동한 그래프의 식을 구하여라.

1309 $y=\sqrt{x}$ $[p=1, q=3]$

1310 $y=-\sqrt{x}$ $[p=2, q=4]$

1311 $y=\sqrt{-x}$ $[p=3, q=-1]$

1312 $y=\sqrt{-x}$ $[p=-2, q=-1]$

1313 $y=\sqrt{2x}$ $[p=-2, q=5]$

1314 $y=\sqrt{-2x}$ $[p=4, q=3]$

1315 $y=-\sqrt{-2x}$ $[p=-3, q=-2]$

1316 $y=\sqrt{-3x}$ $[p=2, q=1]$

1317 $y=\sqrt{3x}$ $[p=-1, q=-2]$

1318 $y=-\sqrt{3x}$ $[p=2, q=3]$

1319 $y=-\sqrt{-3x}$ $[p=2, q=2]$

1320 **학교 시험 맛보기**

함수 $y=-\sqrt{2x}$의 그래프를 x축의 방향으로 -3만큼, y축의 방향으로 2만큼 평행이동하면 $y=-\sqrt{ax+b}+c$의 그래프와 일치한다. 상수 a, b, c에 대하여 $a+b+c$의 값을 구하여라.

핵심 **10**

무리함수의 그래프의 평행이동 (2)

날짜 : 월 일

Subnote ➔ 88쪽

함수의 그래프의 평행이동은 매우 중요한 과정이야. 열심히 연습하고 익혀봐.

무리함수 $y=\sqrt{a(x-p)}+q\ (a\neq 0)$의 그래프는 $y=\sqrt{ax}$의 그래프를 x축의 방향으로 p만큼, y축의 방향으로 q만큼 평행이동한 것이다.

예 함수 $y=\sqrt{x-1}+2$의 그래프는 $y=\sqrt{x}$의 그래프를 x축의 방향으로 1만큼, y축의 방향으로 2만큼 평행이동한 것이다.

다음 함수의 그래프의 평행이동에 대하여 □ 안에 알맞은 것을 써넣어라.

1321 $y=\sqrt{x}-3$

➔ $y=$□의 그래프를 x축의 방향으로 □만큼, y축의 방향으로 □만큼 평행이동한 것이다.

1322 $y=\sqrt{x+4}+2$

➔ $y=$□의 그래프를 x축의 방향으로 □만큼, y축의 방향으로 □만큼 평행이동한 것이다.

1323 $y=\sqrt{3(x+2)}$

➔ $y=$□의 그래프를 x축의 방향으로 □만큼, y축의 방향으로 □만큼 평행이동한 것이다.

1324 $y=\sqrt{-(x-2)}-1$

➔ $y=$□의 그래프를 x축의 방향으로 □만큼, y축의 방향으로 □만큼 평행이동한 것이다.

1325 $y=-\sqrt{-2(x-1)}+2$

➔ $y=$□의 그래프를 x축의 방향으로 □만큼, y축의 방향으로 □만큼 평행이동한 것이다.

1326 $y=\sqrt{2x+4}-3=\sqrt{2(\square)}-3$

➔ $y=$□의 그래프를 x축의 방향으로 □만큼, y축의 방향으로 □만큼 평행이동한 것이다.

1327 $y=\sqrt{-x+5}-8=$□

➔ $y=$□의 그래프를 x축의 방향으로 □만큼, y축의 방향으로 □만큼 평행이동한 것이다.

1328 **학교 시험 맛보기**

함수 $y=\sqrt{3x-6}+4$의 그래프는 $y=\sqrt{ax}$의 그래프를 x축의 방향으로 p만큼, y축의 방향으로 q만큼 평행이동한 것이다. 이때 $a+p+q$의 값을 구하여라.

날짜 : 월 일

핵심 11 무리함수 $y=\sqrt{a(x-p)}+q$ $(a\neq 0)$의 그래프

Subnote ➡ 88쪽

무리함수는 네 가지의 그래프 모양이 있었지. 먼저 그래프 모양을 결정하고 평행이동해서 그리면 돼. 그래프 모양 결정, 평행이동 이 두 가지만 하면 그래프는 끝~

(1) $y=\sqrt{ax}$의 그래프를 x축의 방향으로 p만큼, y축의 방향으로 q만큼 평행이동한 것이다.

(2) $a>0$일 때, 정의역은 $\{x|x\geq p\}$, 치역은 $\{y|y\geq q\}$이고,
$a<0$일 때, 정의역은 $\{x|x\leq p\}$, 치역은 $\{y|y\geq q\}$이다.

예 함수 $y=\sqrt{2(x-1)}+1$의 그래프는 $y=\sqrt{2x}$의 그래프를 x축의 방향으로 1만큼, y축의 방향으로 1만큼 평행이동한 것이므로 오른쪽 그림과 같다.
정의역 : $\{x|x\geq 1\}$, 치역 : $\{y|y\geq 1\}$

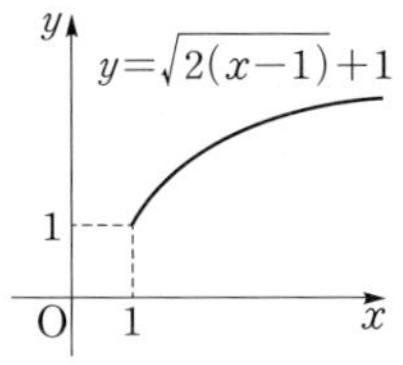

다음 함수의 그래프를 그리고, 정의역과 치역을 구하여라.

1329 $y=\sqrt{x}+1$

정의역 : ____________

치역 : ____________

1330 $y=\sqrt{x-2}$

정의역 : ____________

치역 : ____________

1331 $y=\sqrt{x+3}-1$

정의역 : ____________

치역 : ____________

1332 $y=\sqrt{2(x+1)}+2$

정의역 : ____________

치역 : ____________

1333 $y=\sqrt{2(x+2)}-4$

정의역 : ____________

치역 : ____________

1334 $y=\sqrt{-(x-2)}$

정의역 : ____________

치역 : ____________

1335 $y=-\sqrt{x-1}-2$

정의역 : ____________

치역 : ____________

1336 $y=-\sqrt{-x}+3$

정의역 : ____________

치역 : ____________

핵심 **12**

무리함수 $y=\sqrt{ax+b}+c$ $(a\neq 0)$의 그래프

날짜 : 월 일

Subnote 89쪽

주어진 식을 $y=\sqrt{a(x-p)}+q$의 꼴로 고치면 바로 핵심 ⑪의 내용이 되는 거지.

$y=\sqrt{ax+b}+c=\sqrt{a\left(x+\frac{b}{a}\right)}+c$이므로

$y=\sqrt{ax}$의 그래프를 x축의 방향으로 $-\frac{b}{a}$만큼, y축의 방향으로 c만큼 평행이동한 것이다.

예 $y=\sqrt{-x+2}+1=\sqrt{-(x-2)}+1$에서 이 함수의 그래프는 $y=\sqrt{-x}$의 그래프를 x축의 방향으로 2만큼, y축의 방향으로 1만큼 평행이동한 것이므로 오른쪽 그림과 같다.

정의역 : $\{x|x\leq 2\}$, 치역 : $\{y|y\geq 1\}$

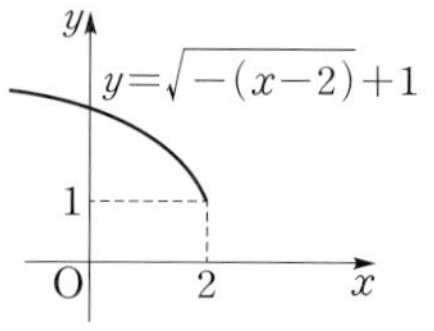

다음 함수의 그래프를 그리고, 정의역과 치역을 구하여라.

1337 $y=\sqrt{-x-2}+3$

정의역 : ____________

치역 : ____________

1338 $y=\sqrt{2x+4}-1$

정의역 : ____________

치역 : ____________

1339 $y=\sqrt{2x+6}+2$

정의역 : ____________

치역 : ____________

1340 $y=\sqrt{1-x}-1$

정의역 : ____________

치역 : ____________

1341 $y=\sqrt{-3x-3}+4$

정의역 : ____________

치역 : ____________

1342 $y=-\sqrt{4-2x}+1$

정의역 : ____________

치역 : ____________

1343 $y=-\sqrt{3x-6}-2$

정의역 : ____________

치역 : ____________

1344 $y=2-\sqrt{2x-1}$

정의역 : ____________

치역 : ____________

핵심 13 그래프를 이용하여 무리함수의 식 구하기

날짜 : 　월 　일

Subnote ➡ 90쪽

무리함수의 그래프가 시작하는 점과 그래프가 지나는 다른 1개의 점을 알면 함수의 식을 구할 수 있어.

그래프가 점 (p, q)에서 시작하는 무리함수의 식
➡ $y=\sqrt{a(x-p)}+q\ (a\neq 0)$로 놓고 그래프가 지나는 점의 좌표를 대입한다.

함수의 그래프가 다음과 같을 때, 상수 a, b, c의 값을 각각 구하여라.

1345 $y=\sqrt{ax+b}+c$

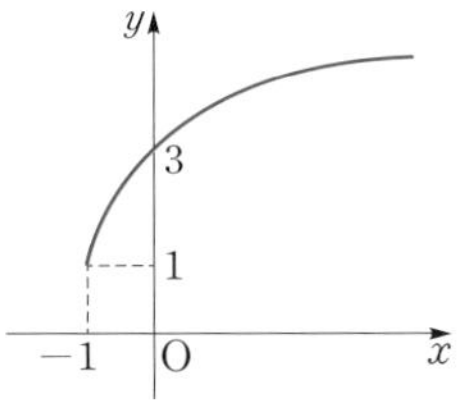

sol 주어진 함수의 그래프는
$y=\sqrt{ax}$의 그래프를 x축의 방향으로 -1만큼, y축의 방향으로 $\square$만큼 평행이동한 것이므로
$y=\sqrt{a(x+1)}+\square$ …… ㉠
㉠의 그래프가 점 $(0, 3)$을 지나므로
$\sqrt{a}+\square=3$
$\therefore a=\square$
$y=\sqrt{\square(x+1)}+\square=\square$
$\therefore b=\square,\ c=\square$

1346 $y=\sqrt{ax+b}+c$

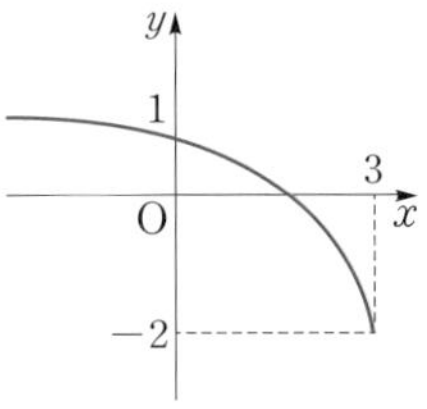

1347 $y=-\sqrt{ax+b}+c$

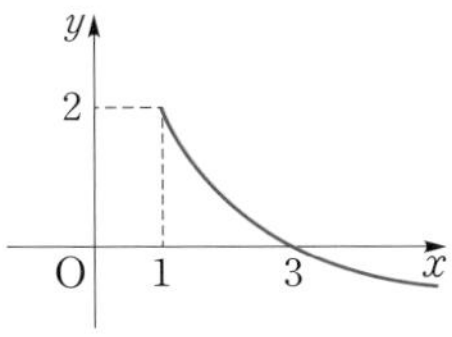

다음 물음에 답하여라.

1348 함수 $f(x)=-\sqrt{ax+b}+c$에 대하여 $y=f(x)$의 그래프가 오른쪽 그림과 같을 때, $f(6)$의 값을 구하여라.

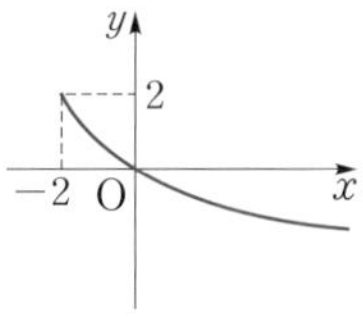

sol 주어진 함수의 그래프는
$y=-\sqrt{ax}$의 그래프를 x축의 방향으로 $\square$만큼, y축의 방향으로 $\square$만큼 평행이동한 것이므로
$y=-\sqrt{a(x+\square)}+\square$ …… ㉠
㉠의 그래프가 점 $(0, 0)$을 지나므로
$-\sqrt{2a}+\square=0 \qquad \therefore a=\square$
따라서 $f(x)=-\sqrt{\square(x+2)}+\square$이므로
$f(6)=-\sqrt{\square(6+2)}+\square=\square$

1349 함수 $y=\sqrt{a(x+b)}+c$의 그래프가 오른쪽 그림과 같을 때, 상수 a, b, c의 부호로 옳은 것은?

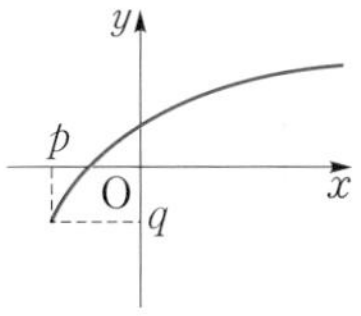

① $a>0,\ b>0,\ c>0$
② $a>0,\ b<0,\ c>0$
③ $a>0,\ b>0,\ c<0$
④ $a<0,\ b>0,\ c<0$
⑤ $a<0,\ b<0,\ c<0$

핵심 **14**

무리함수 $y=\sqrt{ax+b}+c$ $(a\neq0)$의 그래프의 성질

날짜 : 월 일

Subnote ➔ 90쪽

지금까지 공부한
무리함수 관련 내용을
총 동원하자!!!

(1) $y=\sqrt{ax+b}+c=\sqrt{a\left(x+\dfrac{b}{a}\right)}+c$이므로

$y=\sqrt{ax}$의 그래프를 x축의 방향으로 $-\dfrac{b}{a}$만큼, y축의 방향으로 c만큼 평행이동한 것이다.

(2) $a>0$일 때, 정의역 : $\left\{x\,\middle|\,x\geq-\dfrac{b}{a}\right\}$, 치역 : $\{y\,|\,y\geq c\}$

$a<0$일 때, 정의역 : $\left\{x\,\middle|\,x\leq-\dfrac{b}{a}\right\}$, 치역 : $\{y\,|\,y\geq c\}$

다음 물음에 답하여라.

1350 다음 중 함수 $y=\sqrt{x+2}+1$의 그래프에 대한 설명으로 옳은 것은?

① 정의역은 $\{x\,|\,x\geq2\}$이다.
② 치역은 $\{y\,|\,y\geq-1\}$이다.
③ $y=\sqrt{x}$의 그래프를 x축의 방향으로 -2만큼, y축의 방향으로 1만큼 평행이동한 것이다.
④ y절편은 $\sqrt{2}$이다.
⑤ 제4사분면을 지난다.

x절편 : $y=0$일 때, x의 값
y절편 : $x=0$일 때, y의 값

1351 다음 중 함수 $y=\sqrt{3x+3}-2$의 그래프에 대한 설명으로 옳지 않은 것은?

① 정의역은 $\{x\,|\,x\geq-1\}$이다.
② 치역은 $\{y\,|\,y\geq-2\}$이다.
③ 점 (2, 1)을 지난다.
④ 제1, 3, 4사분면을 지난다.
⑤ $y=\sqrt{3x}$의 그래프를 x축의 방향으로 1만큼, y축의 방향으로 -2만큼 평행이동한 것이다.

1352 다음 중 함수 $y=\sqrt{-2x+4}-1$의 그래프에 대한 설명으로 옳지 않은 것은?

① 정의역은 $\{x\,|\,x\leq2\}$이다.
② 치역은 $\{y\,|\,y\geq-1\}$이다.
③ y절편은 1이다.
④ 제1, 2, 3사분면을 지난다.
⑤ $y=\sqrt{-2x}$의 그래프를 x축의 방향으로 2만큼, y축의 방향으로 -1만큼 평행이동한 것이다.

1353 함수 $y=-\sqrt{6-3x}+2$의 그래프에 대한 다음 보기의 설명 중 옳은 것을 모두 골라라.

보기

ㄱ. 정의역은 $\{x\,|\,x\leq2\}$, 치역은 $\{y\,|\,y\leq2\}$이다.
ㄴ. $y=\sqrt{-3x}$의 그래프를 평행이동한 것이다.
ㄷ. x축과 점 $\left(\dfrac{2}{3},\ 0\right)$에서 만난다.
ㄹ. 제3사분면을 지나지 않는다.

핵심 15

무리함수의 최대, 최소

날짜 : 월 일

Subnote ➔ 91쪽

무리함수는 계속 증가, 계속 감소 두 가지 경우 밖에 없어. 따라서 x의 양 끝값 중 큰 값이 최댓값, 작은 값이 최솟값이야.

$x_1 \le x \le x_2$에서 무리함수 $f(x)=\sqrt{ax+b}+c$ $(a\ne 0)$의 최대, 최소

(1) $a>0$일 때, 최댓값은 $f(x_2)$, 최솟값은 $f(x_1)$

(2) $a<0$일 때, 최댓값은 $f(x_1)$, 최솟값은 $f(x_2)$

예 함수 $y=\sqrt{x+3}$ $(-2\le x\le 1)$의 최댓값, 최솟값을 각각 구하여라.

$x=1$일 때, 최댓값은 $\sqrt{1+3}=2$

$x=-2$일 때, 최솟값은 $\sqrt{-2+3}=1$

다음 함수의 최댓값과 최솟값을 각각 구하여라.

1354 $y=\sqrt{3x}+2$ $(0\le x\le 3)$

1355 $y=\sqrt{2x+6}+3$ $(-1\le x\le 5)$

1356 $y=\sqrt{-x-1}+2$ $(-5\le x\le -2)$

1357 $y=\sqrt{-2x+4}-1$ $(-6\le x\le 0)$

1358 $y=-\sqrt{x-2}$ $(3\le x\le 6)$

1359 $y=-\sqrt{3x+3}-2$ $(2\le x\le 8)$

1360 $y=-\sqrt{-x-3}+4$ $(-12\le x\le -4)$

1361 **학교 시험 맛보기**

$-1\le x\le 2$에서 함수 $y=\sqrt{4x+8}-1$의 최댓값을 a, 최솟값을 b라 할 때, $a+b$의 값을 구하여라.

핵심 06~15

Mini Review Test

날짜 : 월 일

Subnote ➡ 91쪽

| 핵심 09 |

1362 함수 $y=\sqrt{-3x}$의 그래프를 x축의 방향으로 -2만큼, y축의 방향으로 5만큼 평행이동한 그래프가 점 $(-5, a)$를 지날 때, a의 값을 구하여라.

| 핵심 12 |

1363 함수 $y=-\sqrt{4-x}+2$의 그래프를 그리고, 정의역과 치역을 구하여라.

| 핵심 13 |

1364 함수 $y=-\sqrt{ax+b}+c$의 그래프가 오른쪽 그림과 같을 때, abc의 값을 구하여라. (단, a, b, c는 상수)

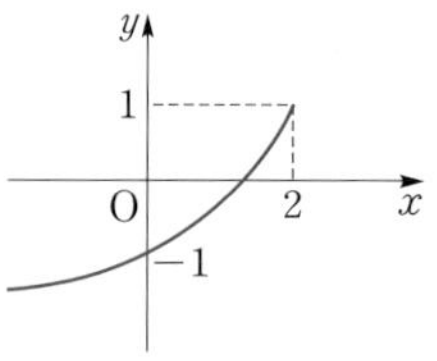

| 핵심 14 |

1365 함수 $y=\sqrt{2-2x}+3$의 그래프에 대한 다음 보기의 설명 중 옳은 것을 모두 골라라.

| 보기 |

ㄱ. 정의역은 $\{x|x\le1\}$, 치역은 $\{y|y\le3\}$이다.

ㄴ. $y=\sqrt{2x+2}+3$의 그래프와 y축에 대하여 대칭이다.

ㄷ. 제1, 4사분면을 지난다.

ㄹ. $y=\sqrt{-2x-4}$의 그래프를 평행이동하면 겹쳐질 수 있다.

| 핵심 15 |

1366 정의역이 $\{x|0\le x\le8\}$인 함수 $y=-\sqrt{x+1}-3$의 최댓값과 최솟값을 구하여라.

| 핵심 15 |

1367 $1\le x\le a$에서 함수 $y=\sqrt{3x+b}-1$의 최댓값이 5이고, 최솟값이 2일 때, $a+b$의 값을 구하여라.

(단, a, b는 상수)

핵심 16

무리함수의 그래프와 직선의 위치 관계

날짜 : 월 일

Subnote 92쪽

그래프를 그려서 두 그래프의 위치 관계를 확인하는 것이 가장 확실하고 좋은 방법이야.

(1) 무리함수 $y=f(x)$의 그래프와 직선 $y=g(x)$의 위치 관계
→ 그래프를 직접 그려 보고 판단한다.

(2) 무리함수 $y=f(x)$의 그래프와 직선 $y=g(x)$가 접할 때
→ 이차방정식 $\{f(x)\}^2=\{g(x)\}^2$의 판별식을 D라 하면 $D=0$임을 이용한다.

함수의 그래프와 직선의 위치 관계가 다음과 같을 때, 실수 k의 값 또는 k의 값의 범위를 구하여라.

1368 $y=\sqrt{x+1}$, $y=x+k$

(1) 만나지 않는다.

(2) 한 점에서 만난다.

(3) 서로 다른 두 점에서 만난다.

1369 $y=\sqrt{x-2}$, $y=x+k$

(1) 만나지 않는다.

(2) 한 점에서 만난다.

(3) 서로 다른 두 점에서 만난다.

1370 $y=\sqrt{2x+4}$, $y=x+k$

(1) 만나지 않는다.

(2) 한 점에서 만난다.

(3) 서로 다른 두 점에서 만난다.

1371 $y=\sqrt{-x}$, $y=-x+k$

(1) 만나지 않는다.

(2) 한 점에서 만난다.

(3) 서로 다른 두 점에서 만난다.

1372 $y=\sqrt{1-x}$, $y=-x+k$

(1) 만나지 않는다.

(2) 한 점에서 만난다.

(3) 서로 다른 두 점에서 만난다.

1373 **학교 시험 맛보기**

함수 $y=\sqrt{2-2x}$의 그래프와 직선 $y=-x+k$가 서로 다른 두 점에서 만나도록 하는 실수 k의 값의 범위를 구하여라.

8주 무리함수

핵심 17

무리함수의 역함수

날짜 : 월 일

Subnote 93쪽

무리함수의 역함수를 구할 때, 역함수의 정의역은 반드시 표시해 줘야해.

무리함수 $y=\sqrt{ax+b}+c\ (a\neq0)$의 역함수 구하기

❶ 정의역을 확인한다.

→ $y=\sqrt{ax+b}+c$의 치역이 $\{y|y\geq c\}$이므로 역함수의 정의역은 $\{x|x\geq c\}$

❷ x에 대하여 푼다.

→ $x=\frac{1}{a}\{(y-c)^2-b\}$

❸ x와 y를 서로 바꾼다.

→ $y=\frac{1}{a}\{(x-c)^2-b\}$

다음 함수의 역함수를 구하여라.

1374 $y=\sqrt{x}-1$

sol $y=\sqrt{x}-1$의 치역이 $\{y|y\geq \quad\}$이므로
역함수의 정의역은 $\{x|x\geq \quad\}$
$\sqrt{x}=\quad$의 양변을 제곱하면 $x=(\quad)^2$
$x=\quad$
x와 y를 바꾸면 $y=\quad$
따라서 구하는 역함수는
$y=\quad\ (x\geq \quad)$

1375 $y=\sqrt{2-x}$

1376 $y=-\sqrt{x+1}-2$

1377 $y=\sqrt{2x-4}+3$

다음 물음에 답하여라.

1378 함수 $y=-\sqrt{ax+6}$의 역함수의 그래프가 점 $(-3,\ 1)$을 지날 때, 상수 a의 값을 구하여라.

sol 역함수의 그래프가 점 $(-3,\ 1)$을 지나므로
$y=-\sqrt{ax+6}$의 그래프는 점 $(\quad,\ \quad)$을 지난다.
$\quad=-\sqrt{a+6}$
양변을 제곱하면 $\quad=a+6$ $\quad\therefore a=\quad$

1379 함수 $y=\sqrt{2x+b}-3$의 역함수의 그래프가 점 $(0,\ 5)$를 지날 때, 상수 b의 값을 구하여라.

1380 학교 시험 맛보기

함수 $y=-\sqrt{x+2}+4$의 역함수가
$y=ax^2+bx+c\ (x\leq4)$일 때, 상수 $a,\ b,\ c$에 대하여
$a+b+c$의 값을 구하여라.

핵심 18 무리함수와 그 역함수의 그래프의 교점

날짜 : ____ 월 ____ 일

Subnote ➡ 94쪽

무리함수와 그 역함수의 그래프의 교점을 구할 때 역함수를 꼭 구할 필요는 없어. 무리함수의 그래프와 직선 $y=x$의 교점을 구하는 게 편해.

무리함수 $y=f(x)$의 그래프와 그 역함수 $y=f^{-1}(x)$의 그래프는 직선 $y=x$에 대하여 대칭이다.

➡ 무리함수 $y=f(x)$의 그래프와 직선 $y=x$의 교점이 존재하면 그 교점은 $y=f(x)$의 그래프와 $y=f^{-1}(x)$의 그래프의 교점이다.

예 $y=\sqrt{4x-3}$의 그래프와 그 역함수의 그래프의 교점의 좌표를 구하여라.

$y=\sqrt{4x-3}$의 그래프와 그 역함수의 그래프의 교점은 $y=\sqrt{4x-3}$의 그래프와 직선 $y=x$의 교점과 같으므로 $\sqrt{4x-3}=x$

위 식의 양변을 제곱하면 $4x-3=x^2$, $x^2-4x+3=0$

$(x-1)(x-3)=0$ $\quad\therefore x=1$ 또는 $x=3$

따라서 교점의 좌표는 $(1, 1)$, $(3, 3)$이다.

다음 함수의 그래프와 그 역함수의 그래프의 교점의 좌표를 구하여라.

1381 $y=-\sqrt{-x}$

sol $y=-\sqrt{-x}$의 그래프와 그 역함수의 그래프의 교점은 $y=-\sqrt{-x}$의 그래프와 직선 $y=$ ____ 의 교점과 같으므로

$-\sqrt{-x}=$ ____

위 식의 양변을 제곱하면

$-x=x^2$, $x^2+x=0$, $x($ ____ $)=0$

$\therefore x=$ ____ 또는 $x=$ ____

따라서 교점의 좌표는 (____ , ____), (____ , ____)이다.

1382 $y=\sqrt{3x-2}$

1383 $y=\sqrt{2x-1}$

1384 $y=-\sqrt{-6x-9}$

1385 $y=\sqrt{4x-8}+2$

1386 $y=\sqrt{x-3}+3$

1387 $y=-\sqrt{4-2x}+2$

1388 학교 시험 맛보기

함수 $y=\sqrt{x+1}-1$의 그래프와 그 역함수의 그래프의 두 교점 사이의 거리를 구하여라.

8주 무리함수

핵심 **19**

무리함수의 합성함수와 역함수

날짜 : 월 일

Subnote 94쪽

합성함수, 역함수를 꼭 구할 필요는 없어. 합성함수, 역함수의 성질을 이용하면 함숫값을 구할 수 있으니까.

두 함수 $f(x)$, $g(x)$의 역함수를 각각 $f^{-1}(x)$, $g^{-1}(x)$라 할 때

(1) $f\circ f^{-1}=f^{-1}\circ f=I$, $f\circ I=I\circ f=f$ (단, I는 항등함수)

(2) $(f\circ g)^{-1}=g^{-1}\circ f^{-1}$

(3) $f^{-1}(b)=a \Longleftrightarrow f(a)=b$

다음 함수에 대하여 합성함수의 함숫값을 구하여라.
(단, f^{-1}, g^{-1}는 각각 f, g의 역함수이다.)

1389 $f(x)=\sqrt{x-2}-1$일 때, $(f\circ f^{-1}\circ f^{-1})(1)$의 값

sol $(f\circ f^{-1}\circ f^{-1})(1)=(\square\circ f^{-1})(1)=f^{-1}(1)$

$f^{-1}(1)=a$라 하면 $f(a)=\square$ 이므로

$\sqrt{a-2}-1=\square$, $\sqrt{a-2}=\square$

$a-2=\square$ $\therefore$ $a=\square$

$\therefore$ $(f\circ f^{-1}\circ f^{-1})(1)=\square$

1390 $f(x)=\sqrt{2x+5}+3$일 때, $(f^{-1}\circ f\circ f^{-1})(4)$의 값

1391 $f(x)=\sqrt{x+1}-3$, $g(x)=2x+4$일 때, $(g\circ f)(3)$의 값

sol $(g\circ f)(3)=g(f(3))$

$f(3)=\sqrt{\square+1}-3=\square$

$g(f(3))=g(\square)=\square$

$\therefore$ $(g\circ f)(3)=\square$

1392 $f(x)=\sqrt{-2x+2}-4$, $g(x)=3x-1$일 때, $(g\circ f)(-1)$의 값

1393 $f(x)=\dfrac{x-1}{x+1}$, $g(x)=\sqrt{x+4}$일 때, $(g^{-1}\circ f)(-2)$의 값

1394 $f(x)=\dfrac{2x+1}{x-1}$, $g(x)=\sqrt{2x+1}-1$일 때, $(f\circ g^{-1})(2)$의 값

1395 $f(x)=\dfrac{2x-1}{x-2}$, $g(x)=\sqrt{2x+5}$일 때, $(f^{-1}\circ g)^{-1}(3)$의 값

$(f^{-1}\circ g)^{-1}=g^{-1}\circ f$

1396 학교 시험 맛보기

두 함수 $f(x)=\dfrac{2x}{x-4}$, $g(x)=\sqrt{x+1}+3$에 대하여 $(f\circ g^{-1})(5)$의 값을 구하여라.

Mini Review Test

날짜 : 월 일

Subnote 95쪽

| 핵심 16 |

1397 함수 $y=\sqrt{2x+6}$의 그래프와 직선 $y=2x+k$가 서로 다른 두 점에서 만날 때, 실수 k의 값의 범위를 구하여라.

| 핵심 17 |

1398 함수 $y=\sqrt{4-x}+3$의 역함수가 $y=-x^2+ax+b\ (x\geq c)$일 때, $a+b+c$의 값을 구하여라. (단, a, b, c는 상수)

| 핵심 18 |

1399 함수 $y=\sqrt{2x+4}-2$의 그래프와 그 역함수의 그래프의 두 교점 사이의 거리를 구하여라.

| 핵심 18 |

1400 함수 $y=\sqrt{ax+b}-1$의 그래프와 그 역함수의 그래프가 모두 점 $(2,\ 1)$을 지날 때, 상수 a, b에 대하여 $b-a$의 값을 구하여라.

key $y=f(x)$의 역함수의 그래프가 점 $(m,\ n)$을 지나면 $y=f(x)$의 그래프는 점 $(n,\ m)$을 지난다.

| 핵심 19 |

1401 세 함수 $f(x)=\dfrac{x+3}{x-5}$, $g(x)=\sqrt{x+3}-2$, $h(x)=-2x+4$에 대하여 $(f\circ(h^{-1}\circ g)^{-1})(1)$의 값을 구하여라.

| 핵심 19 |

1402 2보다 큰 모든 실수의 집합에서 정의된 두 함수 $f(x)=\dfrac{3-x}{x-2}$, $g(x)=\sqrt{2x+3}-5$에 대하여 $(f\circ(g\circ f)^{-1}\circ f)(3)$의 값을 구하여라.

8주 무리함수

9

경우의 수

학습목표

1. 합의 법칙과 곱의 법칙을 이해하고, 이를 이용하여 경우의 수를 구할 수 있다.

스스로 공부 계획 세우기

	학습 내용	공부한 날짜	반복하기
9. 경우의 수	01. 경우의 수	월 일	□□
	02. 합의 법칙	월 일	□□
	03. 곱의 법칙	월 일	□□
	04. 항의 개수와 약수의 개수	월 일	□□
	05. 방정식과 부등식의 해의 개수	월 일	□□
	06. 색칠하는 방법의 수	월 일	□□
	07. 도로망에서의 방법의 수	월 일	□□
	08. 지불 방법의 수와 지불 금액의 수	월 일	□□
	Mini Review Test(01~08)	월 일	□□

9 경우의 수

개념 톡톡

개념 NOTE

1 사건과 경우의 수 핵심 01

(1) 사건 : 어떤 실험이나 관찰에 의하여 일어나는 결과

(2) 경우의 수 : 어떤 사건이 일어날 수 있는 모든 경우의 가짓수

예 한 개의 주사위를 던질 때, 홀수의 눈이 나오는 사건은 1, 3, 5의 눈이 나오는 것이므로 홀수의 눈이 나오는 경우의 수는 3이다.

2 합의 법칙 핵심 02 핵심 05

두 사건 A, B가 동시에 일어나지 않을 때, 사건 A가 일어나는 경우의 수가 m, 사건 B가 일어나는 경우의 수는 n이면 사건 A 또는 사건 B가 일어나는 경우의 수는 $m+n$

참고 두 사건 A, B가 일어나는 경우의 수가 각각 m, n이고, 두 사건 A, B가 동시에 일어나는 경우의 수가 l이면 사건 A 또는 사건 B가 일어나는 경우의 수는 $m+n-l$

예 빨간 구슬이 4개, 파란 구슬이 2개, 노란 구슬이 3개 들어 있는 주머니에서 한 개의 구슬을 꺼낼 때, 빨간 구슬 또는 노란 구슬이 나오는 경우의 수는 합의 법칙에 의해 $4+3=7$

합의 법칙은 어느 두 사건도 동시에 일어나지 않는 세 사건 이상에 대해서도 성립한다.

3 곱의 법칙 핵심 03 핵심 04 핵심 06 핵심 07 핵심 08

두 사건 A, B에 대하여 사건 A가 일어나는 경우의 수가 m이고, 그 각각에 대하여 사건 B가 일어나는 경우의 수가 n일 때, 두 사건 A, B가 잇달아 일어나는 경우의 수는 $m\times n$

예 오른쪽 그림과 같이 A지점에서 B지점으로 가는 길이 a_1, a_2, a_3으로 3가지, B지점에서 C지점으로 가는 길이 b_1, b_2로 2가지일 때, A지점에서 B지점을 거쳐 C지점으로 가는 방법의 수는 곱의 법칙에 의해 $3\times2=6$

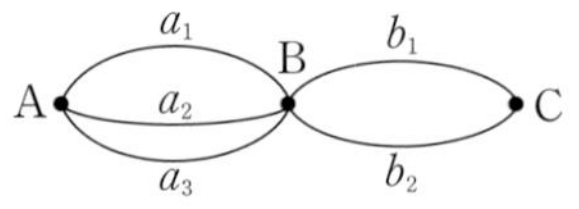

곱의 법칙은 잇달아 일어나는 세 사건 이상에 대해서도 성립한다.

핵심 01 경우의 수

날짜 : 월 일

Subnote ➔ 96쪽

경우의 수를 셀 때는 빠짐없이, 중복하지 않고 세는 것이 중요해.

어떤 사건이 일어날 수 있는 모든 경우의 가짓수를 경우의 수라 한다.

예 주사위를 던져서 나올 수 있는 눈의 수의 경우의 수는 6이다.
동전을 던져서 나올 수 있는 경우의 수는 2이다.

주사위를 한 개 던질 때, 다음을 구하여라.

1403 짝수의 눈이 나오는 경우의 수

1404 소수의 눈이 나오는 경우의 수

1405 6의 약수의 눈이 나오는 경우의 수

사과, 배, 감, 귤이 각각 1개씩 있을 때, 다음을 구하여라.

1406 과일 1개를 고르는 경우의 수

1407 서로 다른 과일 2개를 고르는 경우의 수

1408 서로 다른 과일 3개를 고르는 경우의 수

1409 서로 다른 과일 4개를 고르는 경우의 수

서로 다른 동전 3개를 던질 때, 다음을 구하여라.

1410 나올 수 있는 모든 경우의 수

sol 동전의 앞면을 H, 뒷면을 T라 하면
앞면이 3개 나오는 경우는 HHH
앞면이 2개 나오는 경우는 HHT, (   ), THH
앞면이 1개 나오는 경우는 HTT, THT, (   )
앞면의 0개 나오는 경우는 TTT
따라서 모든 경우의 수는 (   )이다.

1411 같은 면이 2개인 경우의 수

sol 동전의 앞면을 H, 뒷면을 T라 하면
앞면이 2개 나오는 경우는 HHT, HTH, (   )
뒷면이 2개 나오는 경우는 (   ), THT, TTH
따라서 동전의 같은 면이 2개인 경우의 수는 (   )이다.

1412 앞면이 반드시 나오는 경우의 수

1413 **학교 시험 맛보기**

1, 2, 3의 번호가 각각 적힌 3개의 공과 3개의 상자가 있다. 이때 공의 숫자와 상자의 숫자가 같지 않도록 공을 상자에 넣는 경우의 수를 구하여라.

핵심 **02**

합의 법칙

날짜 : 월 일

Subnote ◐ 97쪽

'또는'이라는 말이 나오면 합의 법칙을 쓰되, 동시에 일어나는 경우가 있는지를 꼭 확인해봐야 해.

두 사건 A, B가 일어나는 경우의 수가 각각 m, n이고

(1) 두 사건 A, B가 동시에 일어나지 않을 때
사건 A 또는 사건 B가 일어나는 경우의 수는 ◐ $m+n$

(2) 두 사건 A, B가 동시에 일어나는 경우의 수가 l일 때
사건 A 또는 사건 B가 일어나는 경우의 수는 ◐ $m+n-l$

예 1부터 10까지의 자연수가 각각 하나씩 적힌 10장의 카드에서 한 장을 뽑을 때 5의 배수 또는 7의 배수가 적힌 카드를 뽑는 경우의 수를 구하여라.
5의 배수는 5, 10의 2개, 7의 배수는 7의 1개이므로 구하는 경우의 수는 $2+1=3$

다음을 구하여라.

1414 소설책 6권, 시집 4권, 동화책 3권이 있을 때, 이 중 소설책 또는 시집 또는 동화책을 한 권 선택하는 경우의 수

세 사건 중 어느 두 사건도 동시에 일어나지 않을 때도 합의 법칙을 적용해.

1415 1부터 15까지의 자연수가 각각 하나씩 적힌 15장의 카드에서 한 장을 뽑을 때

(1) 카드에 적힌 수가 3의 배수 또는 7의 배수인 경우의 수

(2) 카드에 적힌 수가 4의 배수 또는 9의 배수인 경우의 수

1416 서로 다른 두 개의 주사위를 던질 때

(1) 두 주사위의 눈의 수의 합이 3 또는 5인 경우의 수

(2) 두 주사위의 눈의 수의 합이 2 또는 10인 경우의 수

1417 1부터 30까지의 자연수가 각각 하나씩 적힌 30장의 카드에서 한 장을 뽑을 때

(1) 카드에 적힌 수가 2의 배수 또는 3의 배수인 경우의 수

(2) 카드에 적힌 수가 4의 배수 또는 6의 배수인 경우의 수

1418 1부터 30까지의 자연수가 각각 하나씩 적힌 30장의 카드에서 한 장을 뽑을 때

(1) 카드에 적힌 수가 24의 약수 또는 18의 약수인 경우의 수

(2) 카드에 적힌 수가 20의 약수 또는 30의 약수인 경우의 수

1419 **학교 시험 맛보기**

서로 다른 두 개의 주사위를 던질 때, 두 주사위의 눈의 수의 합이 5 또는 두 주사위의 눈의 수의 차가 3인 경우의 수를 구하여라.

핵심 **03**

곱의 법칙

날짜 : 　월 　일

Subnote ➡ 97쪽

두 사건 A, B가 동시에 일어나는 경우에도 곱의 법칙을 이용할 수 있어.

두 사건 A, B에 대하여 사건 A가 일어나는 경우의 수가 m이고, 그 각각에 대하여 사건 B가 일어나는 경우의 수가 n이면
두 사건 A, B가 잇달아 일어나는 경우의 수는 ➡ $m \times n$

예 햄버거 4종류, 음료수 3종류가 있을 때, 햄버거와 음료수를 각각 한 종류씩 고르는 경우의 수는 $4 \times 3 = 12$
A, B 두 사람이 가위바위보를 할 때, A, B가 각각 가위, 바위, 보 3가지를 낼 수 있으므로 모든 경우의 수는 $3 \times 3 = 9$

다음을 구하여라.

1420 서로 다른 모자 5개와 서로 다른 가방 4개를 가지고 있을 때, 모자와 가방을 각각 하나씩 선택하는 경우의 수

두 사건이 잇달아 또는 동시에 일어날 수 있는지를 먼저 확인하도록 해.

1421 서로 다른 과일 3개와 서로 다른 야채 5개가 있을 때, 과일과 야채를 각각 하나씩 선택하는 경우의 수

1422 소설책 6권, 시집 4권, 동화책 3권이 있다. 이 중에서 소설책, 시집, 동화책을 각각 한 권씩 선택하는 경우의 수

세 가지 사건에 대해서도 잇달아 일어날 수 있다면 곱의 법칙을 적용할 수 있어

1423 서로 다른 주사위 2개와 동전 1개를 동시에 던졌을 때 나올 수 있는 모든 경우의 수

1424 두 상자 A, B에 각각 1부터 5까지의 자연수가 하나씩 적힌 카드가 5장씩 들어 있다. A, B에서 각각 1장씩 꺼내어 숫자를 만들 때

(1) 두 자리의 자연수의 개수

sol 십의 자리에 올 수 있는 숫자는 5개
일의 자리에 올 수 있는 숫자는 □개
따라서 만들 수 있는 두 자리의 자연수의 개수는
$5 \times □ = □$

(2) 두 자리의 짝수의 개수

(3) 두 수의 곱이 홀수인 경우의 수

1425 **학교 시험 맛보기**

백의 자리의 숫자는 짝수, 십의 자리의 숫자는 소수, 일의 자리의 숫자는 홀수인 세 자리의 자연수의 개수를 구하여라.

key 1부터 9까지의 자연수 중에서 짝수, 소수, 홀수인 경우의 수를 각각 구한다.

핵심 **04**

항의 개수와 약수의 개수

날짜 : 월 일

Subnote ➡ 98쪽

식을 전개해서 항의 개수를 구할 때는 동류항이 생기지 않는지를 확인하고 곱의 법칙을 적용해야 해.

곱의 법칙을 활용하여 항의 개수와 약수의 개수를 구할 수 있다.

(1) 서로 다른 문자로 이루어진 m개의 항 각각에 n개의 항이 곱해지면 전개한 항의 개수는 ➡ $m\times n$

(2) 자연수 N이 $N=a^pb^qc^r$ (a, b, c는 서로 다른 소수, p, q, r는 자연수) 꼴로 소인수분해될 때
N의 양의 약수의 개수는 ➡ $(p+1)(q+1)(r+1)$

예 $(a+b)(x+y+z)$의 항의 개수는 $2\times3=6$
$60=2^2\times3\times5$이므로 60의 양의 약수의 개수는 $(2+1)\times(1+1)\times(1+1)=12$

다음 식을 전개했을 때, 서로 다른 항의 개수를 구하여라.

1426 $(a+b)(x+y)$

두 식의 곱에서 동류항이 생기는지를 확인하도록 해.

1427 $(a+b)(x+y+z+w)$

1428 $(a+b+c)(x+y+z)$

1429 $(a+b)(p+q)(x+y)$

동류항이 만들어지지 않는다면 세 식의 항의 개수를 각각 곱하면 돼.

1430 $(a+b+c)(p+q)(x+y)$

1431 $(a+b+c)(p+q+r)(x+y)$

다음 수의 양의 약수의 개수를 구하여라.

1432 18

주어진 수를 먼저 소인수분해하고 소인수의 지수를 구해봐.

1433 63

1434 100

1435 252

1436 360

1437 학교 시험 맛보기

180과 240의 양의 공약수의 개수를 구하여라.

key 180과 240의 양의 공약수는 180과 240의 최대공약수의 양의 약수와 같다.

핵심 05 방정식과 부등식의 해의 개수

날짜 : 월 일

Subnote ➡ 99쪽

방정식과 부등식 모두 계수의 절댓값이 큰 문자부터 수를 대입하도록 해.

(1) 방정식 $ax+by+cz=d$ (a, b, c, d는 상수)를 만족시키는 순서쌍 (x, y, z)의 개수는 x, y, z 중 계수의 절댓값이 큰 것부터 수를 대입하여 구한다.

(2) 부등식 $ax+by\le c$ (a, b, c는 상수)를 만족시키는 순서쌍 (x, y)의 개수는 x, y 중 계수의 절댓값이 큰 것부터 수를 대입하여 구한다.

다음을 구하여라.

1438 방정식 $2x+3y=11$을 만족시키는 자연수 x, y의 순서쌍 (x, y)의 개수

1439 방정식 $3x+y+2z=10$을 만족시키는 자연수 x, y, z의 순서쌍 (x, y, z)의 개수

1440 방정식 $3x+y=9$를 만족시키는 음이 아닌 정수 x, y의 순서쌍 (x, y)의 개수

음이 아닌 정수에는 0을 포함시켜야 돼.

1441 방정식 $x+2y+z=5$를 만족시키는 음이 아닌 정수 x, y, z의 순서쌍 (x, y, z)의 개수

1442 부등식 $x+2y\le6$을 만족시키는 자연수 x, y의 순서쌍 (x, y)의 개수

1443 부등식 $3x+4y\le11$을 만족시키는 자연수 x, y의 순서쌍 (x, y)의 개수

1444 부등식 $2x+3y\le6$을 만족시키는 음이 아닌 정수 x, y의 순서쌍 (x, y)의 개수

1445 학교 시험 맛보기

두 개의 주사위 A, B를 던져 나온 눈의 수를 각각 a, b라 할 때, 부등식 $2a-3b\ge0$을 만족시키는 a, b의 순서쌍 (a, b)의 개수를 구하여라.

key b의 값이 1, 2, ⋯, 6일 때, 조건을 만족하는 a의 개수를 각각 구한다.

핵심 06 **색칠하는 방법의 수**

날짜 : 월 일

Subnote ➜ 99쪽

인접한 영역이 가장 많은 영역에 색칠하는 방법의 수를 먼저 생각하도록 해.

예 오른쪽 그림과 같은 3개의 영역 A, B, C를 서로 다른 3가지 색을 사용하여 칠할 때, 같은 색을 사용할 수 있으나 인접한 영역은 서로 다른 색으로 칠하는 방법의 수를 구하여라.

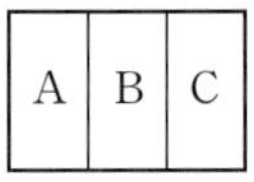

A에 칠할 수 있는 색은 3가지
B에 칠할 수 있는 색은 A에 칠한 색을 제외한 2가지
C에 칠할 수 있는 색은 B에 칠한 색을 제외한 2가지
따라서 구하는 방법의 수는 $3\times2\times2=12$

다음 그림과 같은 4개의 영역 A, B, C, D를 서로 다른 4가지 색으로 칠하려고 한다. 같은 색을 중복해서 사용해도 좋으나 인접한 영역은 서로 다른 색으로 칠하는 방법의 수를 구하여라.

1446

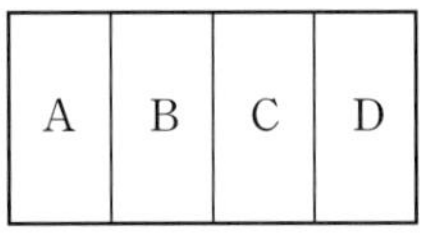

sol A에 칠할 수 있는 색은 4가지
B에 칠할 수 있는 색은 A에 칠한 색을 제외한 ___가지
C에 칠할 수 있는 색은 B에 칠한 색을 제외한 3가지
D에 칠할 수 있는 색은 C에 칠한 색을 제외한 ___가지
따라서 구하는 방법의 수는
$4\times$ ___ $\times3\times$ ___ $=$ ___

1447

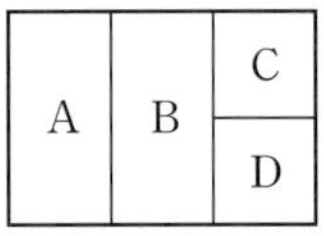

인접한 영역이 가장 많은 B부터 색칠하도록 해.

1448

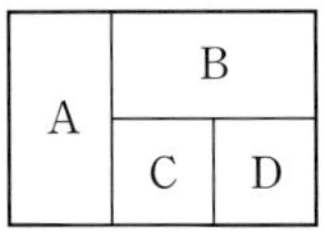

1449

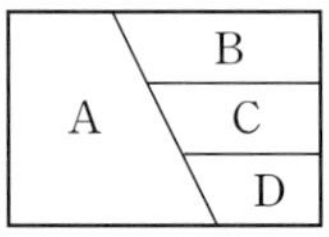

1450

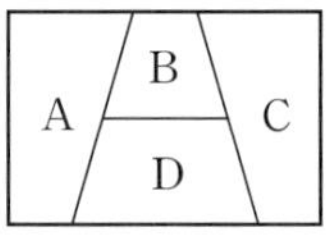

1451 학교 시험 맛보기

오른쪽 그림과 같은 4개의 영역 A, B, C, D를 서로 다른 4가지 색으로 칠하려고 한다. 같은 색을 중복해서 사용해도 좋으나 인접한 영역은 서로 다른 색으로 칠하는 방법의 수를 구하여라.

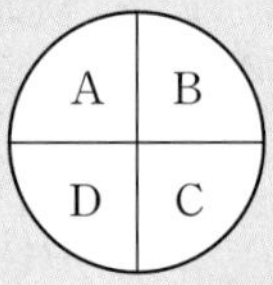

key A와 C에 같은 색을 칠하는 경우와 A와 C에 다른 색을 칠하는 경우로 나누어 구한다.

핵심 07 **도로망에서의 방법의 수**

날짜 : 월 일

Subnote ➔ 100쪽

동시에 갈 수 없는 길 ➡ 합의 법칙
이어지는 길 ➡ 곱의 법칙

예 오른쪽 그림과 같이 세 지점 A, B, C를 연결하는 도로망이 있다. A지점에서 C지점으로 가는 방법의 수를 구하여라.

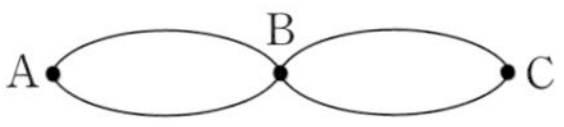

A지점에서 B지점으로 가는 방법은 2가지
B지점에서 C지점으로 가는 방법은 2가지
따라서 A지점에서 B지점을 거쳐 C지점으로 가는 방법의 수는 $2\times2=4$

다음 그림과 같이 세 지점 A, B, C를 연결하는 도로망이 있다. A지점에서 C지점으로 가는 방법의 수를 구하여라. (단, 같은 지점을 두 번 이상 지나지 않는다.)

1452

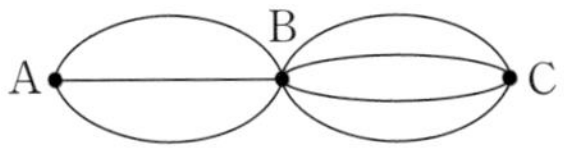

1453

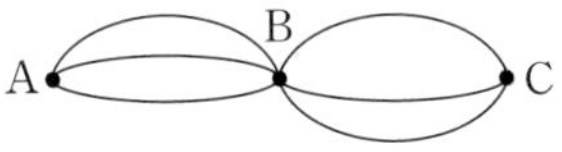

1454

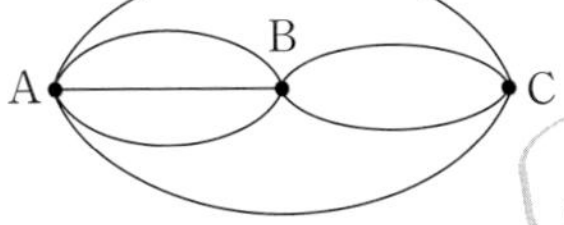

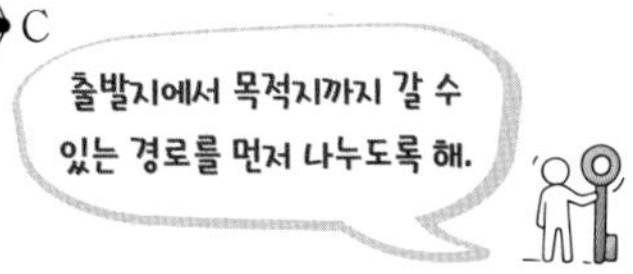

1455

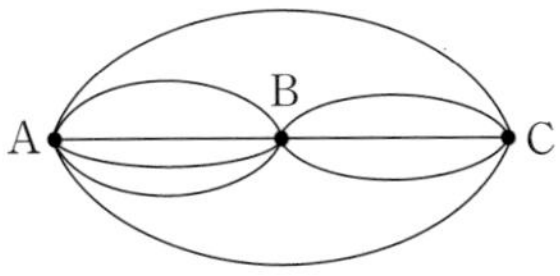

다음 그림과 같이 네 지점 A, B, C, D를 연결하는 도로망이 있다. A지점에서 C지점으로 가는 방법의 수를 구하여라. (단, 같은 지점을 두 번 이상 지나지 않는다.)

1456

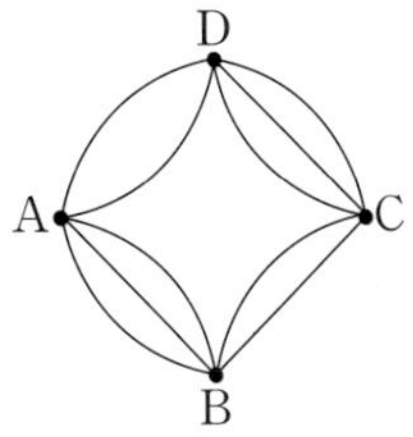

1457

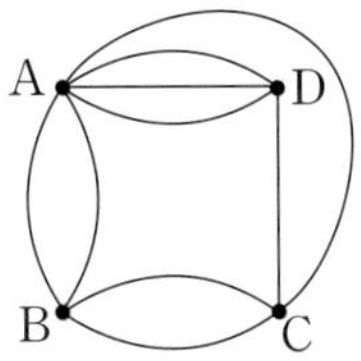

1458 **학교 시험 맛보기**

오른쪽 그림과 같이 네 지점 A, B, C, D를 연결하는 도로망이 있다. B지점에서 D지점으로 가는 방법의 수를 구하여라.
(단, 같은 지점을 두 번 이상 지나지 않는다.)

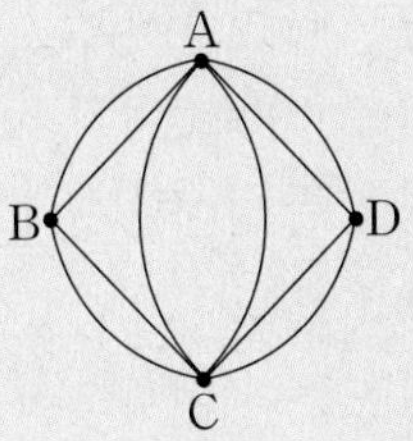

9주 경우의 수

핵심 08 지불 방법의 수와 지불 금액의 수

날짜 :   월   일

Subnote ➔ 101쪽

지불 금액의 수에서 지불 금액이 중복될 때는 큰 단위의 화폐를 작은 단위의 화폐로 바꿔서 생각하도록 해.

(1) 지불 방법의 수
단위가 다른 화폐가 각각 m개, n개일 때
➔ $(m+1)(n+1)-1$ (단, 0원을 지불하는 경우는 제외)

(2) 지불 금액의 수
x원짜리 화폐 n개로 지불할 수 있는 금액과 y원짜리 화폐 1개로 지불할 수 있는 금액이 같을 때
➔ y원짜리 화폐 1개를 x원짜리 화폐 n개로 바꾸어 생각한다.

다음에서 주어진 동전 또는 지폐를 이용하여 지불할 수 있는 방법의 수를 구하여라.
(단, 0원을 지불하는 것은 제외한다.)

1459 500원짜리 동전 5개, 100원짜리 동전 5개

1460 1000원짜리 지폐 3장, 500원짜리 동전 4개

1461 1000원짜리 지폐 2장, 500원짜리 동전 6개, 100원짜리 동전 5개

1462 1000원짜리 지폐 4장, 500원짜리 동전 3개, 100원짜리 동전 8개

다음에서 주어진 동전 또는 지폐를 이용하여 지불할 수 있는 금액의 수를 구하여라.
(단, 0원을 지불하는 것은 제외한다.)

1463 500원짜리 동전 5개, 100원짜리 동전 5개

sol 100원짜리 동전 5개로 지불할 수 있는 금액과 500원짜리 동전 1개로 지불할 수 있는 금액이 같으므로 500원짜리 동전 5개를 100원짜리 동전 ☐개로 바꾸면 지불할 수 있는 금액의 수는 100원짜리 동전 ☐개로 지불할 수 있는 금액의 수와 같다.
이때 0원을 지불하는 경우는 제외해야 하므로 지불할 수 있는 금액의 수는
☐$-1=$☐

작은 단위의 화폐의 개수가 많아서 큰 단위의 화폐 1개의 금액과 중복이 되는지 먼저 확인해.

1464 500원짜리 동전 5개, 100원짜리 동전 3개

1465 1000원짜리 지폐 1장, 500원짜리 동전 3개, 100원짜리 동전 5개

1466 학교 시험 맛보기

1000원짜리 지폐 2장, 500원짜리 동전 2개, 100원짜리 동전 3개로 지불할 수 있는 금액의 수를 구하여라.

핵심 01~08

Mini Review Test

날짜 :   월   일

Subnote ➲ 102쪽

| 핵심 02 |

1467 1부터 100까지의 자연수 중에서 3의 배수 또는 5의 배수의 개수를 구하여라.

| 핵심 04 | UP

1468 120의 양의 약수의 개수를 a, 양의 약수 중 짝수의 개수를 b라 할 때, $a+b$의 값을 구하여라.

key 120을 소인수분해한다.

| 핵심 05 |

1469 x, y가 음이 아닌 정수일 때, $3x+4y\le 12$를 만족하는 순서쌍 (x, y)의 개수를 구하여라.

| 핵심 05 | UP

1470 5 g, 10 g, 20 g의 추를 사용하여 60 g의 물건을 측정하는 경우의 수를 구하여라.

(단, 추의 개수의 제한은 없다.)

key 사용하는 추의 개수를 각각 a, b, c라 했을 때의 관계식을 세운다.

| 핵심 06 |

1471 오른쪽 그림과 같은 5개의 영역 A, B, C, D, E를 서로 다른 5가지 색으로 칠하려고 한다. 같은 색을 중복해도 좋으나 인접한 영역은 서로 다른 색으로 칠하는 방법의 수를 구하여라.

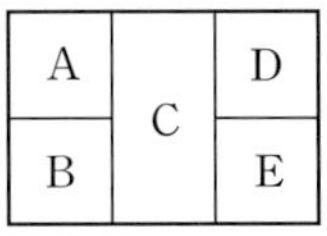

key 인접한 영역이 가장 많은 영역부터 색칠을 한다.

| 핵심 07 |

1472 오른쪽 그림과 같이 네 지점 A, B, C, D를 연결하는 도로가 있다. A지점에서 C지점으로 가는 방법의 수를 구하여라. (단, 같은 지점을 두 번 이상 지나지 않는다.)

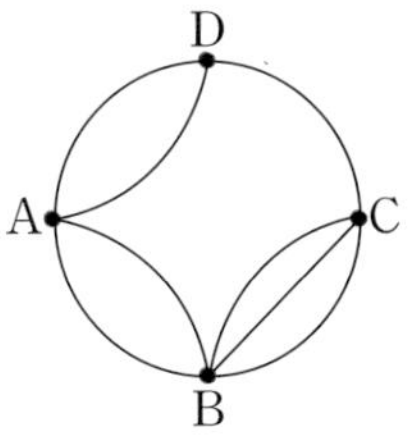

key A지점에서 C지점으로 가는 방법은 B지점을 거치는 방법과 D지점을 거치는 방법이 있다.

| 핵심 08 |

1473 10원짜리 동전 3개, 100원짜리 동전 6개, 500원짜리 동전 2개의 일부 또는 전부를 사용하여 지불할 수 있는 금액의 수를 구하여라.

(단, 0원을 지불하는 경우는 제외한다.)

key 500원짜리 동전 1개와 100원짜리 동전 5개의 금액이 같음을 고려한다.

9주 경우의 수

10

순열과 조합

학습목표

1. 순열의 의미를 이해하고, 순열의 수를 구할 수 있다.
2. 조합의 의미를 이해하고, 조합의 수를 구할 수 있다.

스스로 공부 계획 세우기

	학습 내용	공부한 날짜	반복하기
10. 순열과 조합	**01.** 순열의 계산	월 일	□□
	02. 순열의 수 (1)	월 일	□□
	03. 순열의 수 (2)	월 일	□□
	04. 일렬로 세울 때의 순열의 수	월 일	□□
	05. 순열을 이용한 자연수의 개수	월 일	□□
	Mini **Review** Test(**01**~**05**)	월 일	□□
	06. 이웃하는 순열의 수	월 일	□□
	07. 이웃하지 않는 순열의 수	월 일	□□
	08. 자리에 대한 조건이 있는 순열의 수	월 일	□□
	09. '적어도'의 조건이 있는 순열의 수	월 일	□□
	10. 사전식 배열의 경우의 수	월 일	□□
	Mini **Review** Test(**06**~**10**)	월 일	□□
	11. 조합의 계산	월 일	□□
	12. 조합의 수 (1)	월 일	□□
	13. 조합의 수 (2)	월 일	□□
	14. ${}_n\mathrm{P}_r$와 ${}_n\mathrm{C}_r$의 계산	월 일	□□
	15. 조합의 수	월 일	□□
	16. 특정한 것을 포함하는 조합의 수	월 일	□□
	17. 특정한 것을 포함하지 않는 조합의 수	월 일	□□
	Mini **Review** Test(**11**~**17**)	월 일	□□
	18. '적어도'의 조건이 있는 조합의 수	월 일	□□
	19. 뽑아서 배열하는 경우의 수	월 일	□□
	20. 직선의 개수	월 일	□□
	21. 다각형의 대각선의 개수	월 일	□□
	22. 삼각형의 개수	월 일	□□
	23. 사각형의 개수	월 일	□□
	Mini **Review** Test(**18**~**23**)	월 일	□□

10 순열과 조합

개념 톡톡

개념 NOTE

1 순열 핵심 01 ~ 핵심 10

(1) 순열 : 서로 다른 n개에서 r $(0<r\le n)$개를 택하여 일렬로 배열하는 것을 n개에서 r개를 택하는 순열이라 하고, 이 순열의 수를 기호로 ${}_{n}\mathrm{P}_{r}$와 같이 나타낸다.

(2) 순열의 수

서로 다른 n개에서 r개를 택하는 순열의 수는

$${}_{n}\mathrm{P}_{r}=\underbrace{n(n-1)(n-2)\cdots(n-r+1)}_{r\text{개}}\ (\text{단, } 0<r\le n)$$

(3) 계승 : 1부터 n까지의 자연수를 차례로 곱한 것을 n의 계승이라 하고, 기호로 $n!$과 같이 나타낸다.

$n!=n\times(n-1)\times(n-2)\times\cdots\times3\times2\times1$

(4) 순열의 수와 관련된 공식

① ${}_{n}\mathrm{P}_{r}=\dfrac{n!}{(n-r)!}$ (단, $0\le r\le n$)

② ${}_{n}\mathrm{P}_{n}=n!$, ${}_{n}\mathrm{P}_{0}=1$, $0!=1$

예 a, b, c, d 중에서 서로 다른 2개를 택하여 일렬로 배열하는 경우의 수는

${}_{4}\mathrm{P}_{2}=4\times3=12$

a, b, c, d 중에서 서로 다른 3개를 택하여 일렬로 배열하는 경우의 수는

${}_{4}\mathrm{P}_{3}=4\times3\times2=24$

${}_{n}\mathrm{P}_{r}$의 P는 순열을 뜻하는 Permutation의 첫 글자이다.

${}_{n}\mathrm{P}_{r}$: 서로 다른 것의 개수(n), 택하는 것의 개수(r)

2 조합 핵심 11 ~ 핵심 23

(1) 조합 : 서로 다른 n개에서 순서를 생각하지 않고 r $(0<r\le n)$개를 택하는 것을 n개에서 r개를 택하는 조합이라 하고, 이 조합의 수를 기호로 ${}_{n}\mathrm{C}_{r}$와 같이 나타낸다.

(2) 조합의 수

서로 다른 n개에서 r개를 택하는 조합의 수는

$${}_{n}\mathrm{C}_{r}=\frac{{}_{n}\mathrm{P}_{r}}{r!}=\frac{n!}{r!(n-r)!}\ (\text{단, } 0\le r\le n)$$

(3) 조합의 수와 관련된 공식

① ${}_{n}\mathrm{C}_{n}=1$, ${}_{n}\mathrm{C}_{0}=1$

② ${}_{n}\mathrm{C}_{r}={}_{n}\mathrm{C}_{n-r}$ (단, $0\le r\le n$)

예 a, b, c, d 중에서 서로 다른 2개를 택하는 경우의 수는 ${}_{4}\mathrm{C}_{2}=\dfrac{4\times3}{2\times1}=6$

a, b, c, d 중에서 서로 다른 3개를 택하는 경우의 수는 ${}_{4}\mathrm{C}_{3}=\dfrac{4\times3\times2}{3\times2\times1}=4$

${}_{n}\mathrm{C}_{r}$의 C는 조합을 뜻하는 Combination의 첫 글자이다.

${}_{n}\mathrm{C}_{r}$: 서로 다른 것의 개수(n), 택하는 것의 개수(r)

서로 다른 n개에서 r개를 택할 때 순서를 생각하는 것이 순열, 순서를 생각하지 않는 것이 조합이다.

핵심 01

순열의 계산

날짜 : 월 일

Subnote ➔ 103쪽

${}_{n}P_{r}$는 n부터 시작해서 하나씩 작아지는 수를 r개 곱하는 것과 같아.

(1) ${}_{n}P_{r}=n(n-1)(n-2)\cdots(n-r+1)$ (단, $0<r\le n$)

$=\dfrac{n!}{(n-r)!}$ (단, $0\le r\le n$)

(2) ${}_{n}P_{n}=n!$, ${}_{n}P_{0}=1$, $0!=1$

(3) $n!=n\times(n-1)\times(n-2)\times\cdots\times3\times2\times1$

예 ${}_{5}P_{3}=5\times4\times3=60$, ${}_{9}P_{2}=9\times8=72$, ${}_{6}P_{0}=1$, $3!=3\times2\times1=6$

다음 값을 구하여라.

1474 ${}_{5}P_{4}$

1475 ${}_{5}P_{2}$

1476 ${}_{5}P_{0}$

1477 ${}_{6}P_{3}$

1478 ${}_{6}P_{5}$

1479 ${}_{6}P_{4}$

1480 ${}_{4}P_{0}$

1481 ${}_{4}P_{4}$

1482 ${}_{4}P_{3}$

다음을 계산하여라.

1483 $4!$

1484 $6!$

1485 $5!$

1486 $3\times0!$

1487 $2\times4!$

1488 $6\times5!$

1489 $\dfrac{6!}{4!}$

1490 $\dfrac{7!}{3!}$

1491 $\dfrac{10!}{7!}$

핵심 02 순열의 수 (1)

날짜 : 월 일

Subnote ▶ 103쪽

n 또는 r를 포함한 방정식은 자연수를 연속한 자연수의 곱으로 나타내면 편리한 경우가 있어.

${}_{n}\mathrm{P}_{r}=n(n-1)(n-2)\cdots(n-r+1)$ (단, $0<r\le n$)

예 ${}_{n}\mathrm{P}_{2}=6$일 때, $n(n-1)=6=3\times2$이므로 $n=3$

${}_{n}\mathrm{P}_{2}=12$일 때, $n(n-1)=12=4\times3$이므로 $n=4$

다음 등식을 만족시키는 n의 값을 구하여라.

1492 ${}_{n}\mathrm{P}_{2}=30$

sol ${}_{n}\mathrm{P}_{2}=30$에서 $n(n-1)=30$

30을 연속한 2개의 자연수의 곱으로 나타내면

$30=\square\times5$

$n(n-1)=\square\times5$

$\therefore n=\square$

1493 ${}_{n}\mathrm{P}_{3}=60$

1494 ${}_{n}\mathrm{P}_{2}=90$

1495 ${}_{n}\mathrm{P}_{3}=4{}_{n}\mathrm{P}_{2}$

식의 모양을 바꾸고 약분할 수 있는 것이 있는지 찾아봐.

1496 ${}_{n}\mathrm{P}_{5}=56{}_{n}\mathrm{P}_{3}$

1497 ${}_{n}\mathrm{P}_{4}=42{}_{n}\mathrm{P}_{2}$

다음 등식을 만족시키는 r의 값을 구하여라.

1498 ${}_{4}\mathrm{P}_{r}=12$

12를 4로 시작하는 연속한 자연수의 곱으로 나타내 봐.

1499 ${}_{7}\mathrm{P}_{r}=210$

1500 ${}_{7}\mathrm{P}_{r}=1$

1501 ${}_{8}\mathrm{P}_{r}=336$

1502 ${}_{5}\mathrm{P}_{r}=120$

1503 학교 시험 맛보기

${}_{n}\mathrm{P}_{6}=60{}_{n}\mathrm{P}_{3}$을 만족시키는 자연수 n의 값을 구하여라.

key 순열의 수를 이용하여 ${}_{n}\mathrm{P}_{6}$, $60{}_{n}\mathrm{P}_{3}$의 모양을 바꾼다.

핵심 **03** 순열의 수 (2)

날짜 : 월 일

Subnote 104쪽

n에 대한 고차방정식을 풀 때는 조립제법을 이용하도록 해.

순열의 수 ${}_n\mathrm{P}_r$가 포함된 식에서 미지수 n을 구할 때

❶ ${}_n\mathrm{P}_r=n(n-1)(n-2)\cdots(n-r+1)$ (단, $0<r\le n$)을 이용하여 식을 바꾼다.

❷ 식을 정리하여 n에 대한 방정식을 만든다.

❸ n에 대한 방정식을 푼다.

예 ${}_n\mathrm{P}_2+{}_n\mathrm{P}_1=9$를 만족시키는 n의 값을 구하여라.

${}_n\mathrm{P}_2+{}_n\mathrm{P}_1=9$에서 $n(n-1)+n=9$, $n^2=9$

이때 $n\ge2$이므로 $n=3$

다음 등식을 만족시키는 n의 값을 구하여라.

1504 ${}_n\mathrm{P}_2+5{}_n\mathrm{P}_1=12$

sol ${}_n\mathrm{P}_2+5{}_n\mathrm{P}_1=12$에서

$n(n-1)+5\square=12$이므로

$n^2+\square-12=0$, $(n+6)(n-2)=0$

이때 $n\ge2$이므로 $n=\square$

1505 ${}_n\mathrm{P}_2+2{}_n\mathrm{P}_1=42$

1506 $2{}_n\mathrm{P}_2+3{}_n\mathrm{P}_1=21$

1507 $3{}_n\mathrm{P}_2+2{}_n\mathrm{P}_1=24$

1508 ${}_n\mathrm{P}_3-4{}_n\mathrm{P}_1=8$

sol ${}_n\mathrm{P}_3-4{}_n\mathrm{P}_1=8$에서

$n(n-1)(n-2)-4n=8$이므로

$n^3-3n^2-2n-8=0$

$\square$	1	-3	-2	-8
		4	$\square$	8
	1	1	2	0

$\therefore n^3-3n^2-2n-8=(n-\square)(n^2+n+2)$

$(n-\square)(n^2+n+2)=0$

이때 $n\ge3$이고 $n^2+n+2>0$이므로

$n=\square$

1509 ${}_{n+1}\mathrm{P}_3-2{}_n\mathrm{P}_2=80$

1510 학교 시험 맛보기

$2{}_{n+1}\mathrm{P}_2-{}_{n-1}\mathrm{P}_2=22$를 만족시키는 자연수 n의 값을 구하여라.

key 순열의 수를 이용하여 ${}_{n+1}\mathrm{P}_2$, ${}_{n-1}\mathrm{P}_2$의 모양을 바꾼다.

핵심 **04**

일렬로 세울 때의 순열의 수

날짜 : 월 일

Subnote ➔ 104쪽

서로 다른 n개에서 r개를 택하여 일렬로 배열하는 방법의 수

➔ ${}_{n}\mathrm{P}_{r}=n(n-1)(n-2)\cdots(n-r+1)$ (단, $0<r\leq n$)

예 4명의 학생 중에서 2명을 택하여 일렬로 세우는 방법의 수는 ${}_{4}\mathrm{P}_{2}=4\times3=12$

서로 다른 상의 5벌 중에서 3벌을 택하여 일렬로 배열하는 방법의 수는 ${}_{5}\mathrm{P}_{3}=5\times4\times3=60$

다음을 구하여라.

1511 6명의 학생 중에서 2명을 뽑아서 일렬로 세우는 방법의 수

1512 10명의 학생 중에서 회장, 부회장을 각각 1명씩 뽑는 방법의 수

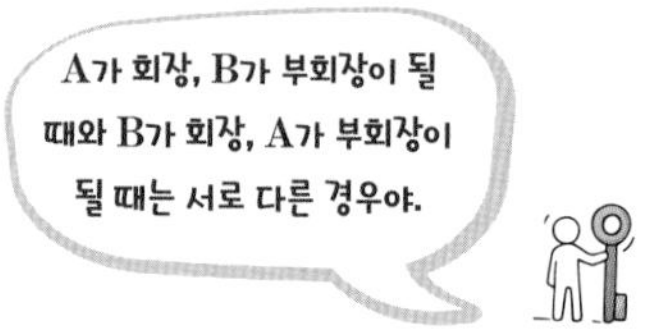

1513 7개의 과목 중에서 4개를 택하여 공부하는 순서를 정하는 방법의 수

1514 서로 다른 6권의 책 중에서 3권을 택하여 읽는 순서를 정하는 방법의 수

1515 서로 다른 아이스크림 5개 중에서 4개를 택하여 4명에게 나누어 주는 방법의 수

1516 5개의 문자 a, b, c, d, e 중에서 2개를 뽑아 일렬로 배열하는 방법의 수

1517 8명의 선수 중에서 4명을 택하여 쇼트트랙 3000 m 계주 순서를 정하는 방법의 수

1518 경림, 주환, 대수, 경미 중에서 3명을 택하여 3군데의 청소 구역에 배정하는 방법의 수

1519 5권의 국어, 수학, 영어, 과학, 사회 교과서 중에서 2권을 택하여 책꽂이에 일렬로 꽂는 방법의 수

1520 남자 4명과 여자 4명 중에서 회장 1명, 부회장 1명을 뽑는 방법의 수

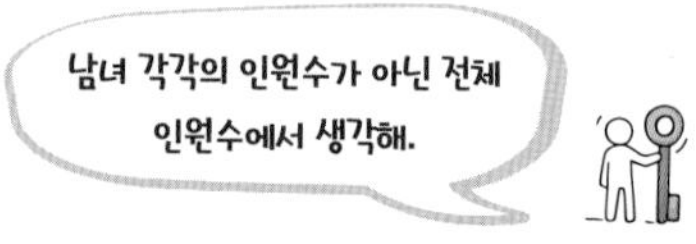

핵심 05 순열을 이용한 자연수의 개수

날짜 : 월 일

Subnote ➔ 105쪽

기준이 되는 자리부터 먼저 배열하고 나머지 자리에는 남은 숫자를 배열해.

서로 다른 n개의 숫자를 한 번씩 사용하여 만들 수 있는 세 자리의 자연수의 개수는

(1) 0이 포함되지 않는 경우 ➔ ${}_nP_3$

(2) 0이 포함되는 경우 ➔ $(n-1)\times{}_{n-1}P_2$

예 4개의 숫자 1, 2, 3, 4 중에서 서로 다른 3개의 숫자를 택하여 만들 수 있는 세 자리의 자연수의 개수는 ${}_4P_3=4\times3\times2=24$

4개의 숫자 0, 1, 2, 3 중에서 서로 다른 3개의 숫자를 택하여 만들 수 있는 세 자리의 자연수의 개수는 $3\times{}_3P_2=3\times3\times2=18$

물음에 답하여라.

1521 5개의 숫자 1, 2, 3, 4, 5 중에서 서로 다른 3개의 숫자를 택하여 세 자리의 자연수를 만들려고 한다. 다음을 구하여라.

(1) 세 자리의 자연수의 개수

(2) 짝수의 개수

sol 짝수가 되기 위해서 일의 자리에 올 수 있는 숫자는 ☐와 ☐이다.

십의 자리와 백의 자리에는 일의 자리의 숫자를 제외한 4개의 숫자 중에서 2개를 택하여 배열하면 되므로

${}_4P_2=4\times3=12$

따라서 구하는 짝수의 개수는 $2\times$ ☐ $=$ ☐

(3) 홀수의 개수

1522 5개의 숫자 0, 1, 2, 3, 4 중에서 서로 다른 3개의 숫자를 택하여 세 자리의 자연수를 만들려고 한다. 다음을 구하여라.

(1) 세 자리의 자연수의 개수

(2) 5의 배수의 개수

1523 0, 1, 2, 3, 4의 숫자가 각각 적힌 5장의 카드에서 서로 다른 3장을 택하여 세 자리의 자연수를 만들려고 한다. 다음을 구하여라.

(1) 9의 배수의 개수

(2) 3의 배수의 개수

sol 3의 배수가 되려면 각 자리의 숫자의 합이 3의 배수이어야 한다.

(i) 각 자리의 숫자의 합이 3이 되는 경우는 0, 1, 2로 세 자리의 자연수를 만드는 경우이다.

백의 자리가 1인 경우는 ${}_2P_2=2$

백의 자리가 2인 경우는 ${}_2P_2=2$

(ii) 각 자리의 숫자의 합이 6이 되는 경우는 0, 2, 4와 1, 2, 3으로 세 자리의 자연수를 만드는 경우이다.

0, 2, 4로 만드는 세 자리의 자연수의 개수는 ☐

1, 2, 3으로 만드는 세 자리의 자연수의 개수는 ${}_3P_3=6$

(iii) 각 자리의 숫자의 합이 9가 되는 경우는 2, 3, 4로 세 자리의 자연수를 만드는 경우이다.

2, 3, 4로 만드는 세 자리의 자연수의 개수는 ☐ $=$ ☐

(i), (ii), (iii)에서 구하는 3의 배수의 개수는 ☐

1524 학교 시험 맛보기

0, 1, 2, 3, 4, 5 중에서 서로 다른 4개의 숫자를 택하여 만들 수 있는 네 자리의 짝수의 개수를 구하여라.

key 짝수가 되기 위한 조건을 먼저 구한다.

Mini Review Test

날짜 : 월 일

Subnote 105쪽

| 핵심 02 |

1525 ${}_{n+1}\mathrm{P}_4=18{}_n\mathrm{P}_2$를 만족시키는 자연수 n의 값을 구하여라.

| 핵심 03 |

1526 ${}_n\mathrm{P}_3-2{}_{n+1}\mathrm{P}_2=36$을 만족시키는 자연수 n의 값을 구하시오.

| 핵심 04 |

1527 남학생 4명, 여학생 5명 중에서 교육부장, 환경부장, 체육부장을 각각 1명씩 뽑을 때, 3명 모두 여학생인 경우의 수를 구하여라.

key 여학생의 인원수만을 고려한다.

| 핵심 04 | UP

1528 두 집합 $X=\{1, 2, 3, 4\}$, $Y=\{0, 1, 2, 3, 4, 5\}$에 대하여 다음을 만족시키는 함수 $f: X \longrightarrow Y$의 개수를 구하여라.

> $x_1 \in X$, $x_2 \in X$일 때,
> $x_1 \neq x_2$이면 $f(x_1) \neq f(x_2)$이다.

key 정의역의 원소가 다를 때 함숫값이 서로 달라야 하므로 공역의 원소 중에서 중복되지 않게 선택을 한다.

| 핵심 05 |

1529 0, 1, 2, 3, 4, 5, 6의 숫자가 각각 적힌 7장의 카드에서 서로 다른 4장을 뽑아 만들 수 있는 네 자리의 자연수 중 짝수의 개수를 구하여라.

key 일의 자리의 숫자가 0인 짝수와 0이 아닌 짝수로 구분한다.

| 핵심 05 | UP

1530 5개의 숫자 0, 1, 2, 3, 4 중에서 서로 다른 4개의 숫자를 택하여 네 자리의 자연수를 만들 때, 3000 이하의 짝수의 개수를 구하여라.

핵심 06

이웃하는 순열의 수

날짜 : □ 월 □ 일

Subnote ◆ 106쪽

'이웃한다'는 조건이 주어질 때는 '이웃한다'는 조건을 먼저 고려해서 경우의 수를 구하도록 해.

❶ 이웃하는 것을 한 묶음으로 생각하여 일렬로 배열하는 방법의 수를 구한다.

❷ ❶의 결과와 이웃하는 것끼리 자리를 바꾸는 방법의 수를 곱한다.

예 남학생 3명, 여학생 3명을 일렬로 세울 때, 남학생끼리 이웃하게 세우는 방법의 수를 구하여라.

남학생 3명을 한 사람으로 생각하여 4명을 일렬로 세우는 방법의 수는 $4!=24$

남학생 3명이 자리를 바꾸는 방법의 수는 $3!=6$

따라서 구하는 방법의 수는 $24\times6=144$

물음에 답하여라.

1531 남학생 3명과 여학생 4명을 일렬로 세울 때, 다음을 구하여라.

(1) 남학생끼리 이웃하게 세우는 방법의 수

sol 남학생 3명을 한 사람으로 생각하여 일렬로 세우는 방법의 수는 □ = □

남학생 3명이 자리를 바꾸는 방법의 수는 $3!=6$

따라서 구하는 방법의 수는

□ $\times 6=$ □

(2) 여학생끼리 이웃하게 세우는 방법의 수

1532 야구 선수 3명과 농구 선수 2명을 일렬로 세울 때, 다음을 구하여라.

(1) 야구 선수끼리 이웃하게 세우는 방법의 수

(2) 농구 선수끼리 이웃하게 세우는 방법의 수

1533 남학생 3명과 여학생 4명을 일렬로 세울 때, 남학생은 남학생끼리, 여학생은 여학생끼리 이웃하여 세우는 방법의 수를 구하여라.

sol 남학생 3명을 한 사람으로, 여학생 4명을 한 사람으로 생각하여 2명을 일렬로 세우는 방법의 수는 $2!=2$

남학생 3명이 자리를 바꾸는 방법의 수는 □ = □

여학생 4명이 자리를 바꾸는 방법의 수는 □ = □

따라서 구하는 방법의 수는

$2\times$ □ $\times$ □ $\times$ □

1534 서로 다른 소설책 2권과 서로 다른 시집 5권을 일렬로 책꽂이에 꽂을 때, 소설책은 소설책끼리, 시집은 시집끼리 이웃하게 꽂는 방법의 수를 구하여라.

1535 학교 시험 맛보기

야구 선수 3명, 농구 선수 4명, 축구 선수 2명을 일렬로 세울 때, 같은 종목의 선수끼리 이웃하게 세우는 방법의 수를 구하여라.

key 같은 종목의 선수들을 각각 1명으로 놓고 생각한다.

핵심 **07**

이웃하지 않는 순열의 수

날짜 : 월 일

Subnote ➡ 107쪽

이웃하지 않아야 하는 조건을 구할 때는 이웃해도 되는 것들을 먼저 배열한 뒤에 이웃하지 않아야 되는 것들이 들어갈 수 있는 자리를 확보하도록 해.

❶ 이웃해도 되는 것을 일렬로 배열하는 방법의 수를 구한다.
❷ ❶에서 나열한 것 사이사이와 양 끝에 이웃하지 않는 것을 배열하는 방법의 수를 구한다.
❸ ❶, ❷의 결과를 곱한다.

예 남학생 3명, 여학생 3명을 일렬로 세울 때, 남학생이 서로 이웃하지 않는 방법의 수를 구하여라.
여학생 3명을 일렬로 세우는 방법의 수는 $3!=6$
여학생 사이사이와 양 끝 4개의 자리에 남학생 3명을 세우는 방법의 수는 ${}_4P_3=24$
따라서 구하는 방법의 수는 $6\times24=144$

물음에 답하여라.

1536 남학생 4명, 여학생 3명을 일렬로 세울 때, 다음을 구하여라.

(1) 남학생이 서로 이웃하지 않는 방법의 수

sol 여학생 3명을 일렬로 세우는 방법의 수는 $3!=6$
여학생 사이사이와 양 끝 4개의 자리에 남학생 4명을 세우는 방법의 수는 □ = □
따라서 구하는 방법의 수는
$6\times$ □ = □

(2) 여학생이 서로 이웃하지 않는 방법의 수

1537 5개의 문자 a, b, c, d, e를 일렬로 배열할 때, 모음 a, e가 서로 이웃하지 않도록 배열하는 방법의 수를 구하여라.

1538 서로 다른 수학책 2권, 서로 다른 과학책 5권을 일렬로 책꽂이에 꽂을 때, 수학책이 서로 이웃하지 않게 꽂는 방법의 수를 구하여라.

1539 어른 2명, 아이 2명을 일렬로 세울 때, 어른과 아이가 교대로 서는 방법의 수를 구하여라.

1540 문자 a, b, c, d, e, i를 일렬로 나열할 때, 자음과 모음이 교대로 배열되는 방법의 수를 구하여라.

자음은 b, c, d
모음은 a, e, i

1541 학교 시험 맛보기

남학생 4명, 여학생 3명을 일렬로 세울 때, 남학생과 여학생이 교대로 서는 방법의 수를 구하여라.

핵심 **08**

자리에 대한 조건이 있는 순열의 수

날짜 : 　월 　일

Subnote ➡ 107쪽

어떤 조건을 먼저 고려할지를 결정하는 것이 중요해.

특정한 자리에 대한 조건이 있을 때

❶ 특정한 조건을 먼저 고려하여 자리를 배열한다.

❷ 나머지 자리를 배열한다.

예 4개의 숫자 1, 2, 3, 4를 일렬로 배열할 때, 2가 맨 처음에, 4가 맨 마지막에 오도록 배열하는 방법의 수를 구하여라.

2를 맨 처음에, 4를 맨 마지막에 고정시키고 그 사이사이에 나머지 1, 3의 2개의 숫자를 일렬로 배열하는 방법의 수와 같으므로 $2!=2$

물음에 답하여라.

1542 6개의 문자 b, e, a, u, t, y를 일렬로 배열할 때, 다음을 구하여라.

(1) b와 t가 양 끝에 오도록 배열하는 방법의 수

(2) b와 t 사이에 1개의 문자가 오도록 배열하는 방법의 수

sol b○t를 한 문자로 생각하여 4개의 문자를 일렬로 배열하는 방법의 수는 ☐ = ☐
b와 t 사이에 b와 t를 제외한 문자 4개 중 1개를 택하는 방법의 수는 ☐
b와 t가 자리를 바꾸는 방법의 수는 $2!=2$
따라서 구하는 방법의 수는
☐ × ☐ × 2 = ☐

1543 남학생 2명, 여학생 3명을 일렬로 세울 때, 다음을 구하여라.

(1) 남학생을 양 끝에 세우는 방법의 수

(2) 남학생 사이에 여학생 2명이 서는 방법의 수

남학생 사이에 오는 여학생 2명과 남학생 2명을 모두 한 묶음으로 생각해.

1544 7개의 문자 A, B, C, D, E, F, G를 일렬로 배열할 때, 다음을 구하여라.

(1) A가 두 번째, G가 다섯 번째에 오도록 배열하는 방법의 수

(2) B와 D 사이에 2개의 문자가 오는 방법의 수

1545 8개의 문자 t, r, o, p, i, c, a, l을 일렬로 배열할 때, 알파벳의 모음이 첫 번째, 자음이 여덟 번째에 오도록 배열하는 방법의 수를 구하여라.

1546 **학교 시험 맛보기**

4개의 문자 A, B, C, D와 4개의 숫자 1, 2, 3, 4에서 문자와 숫자를 각각 2개씩 선택하여 일렬로 배열하려고 한다. 이때 양 끝에 숫자가 오도록 배열하는 방법의 수를 구하여라.

10주 순열과 조합

핵심 **09** ## '적어도'의 조건이 있는 순열의 수

날짜 : 월 일

Subnote ✪ 108쪽

'적어도'의 조건이 있으면 (모든 경우의 수) −(반대인 경우의 수) 를 이용해.

(어떤 사건이 적어도 한 번 일어나는 경우의 수)
=(모든 경우의 수)−(이 사건이 일어나지 않는 경우의 수)

예 서로 다른 2개의 주사위를 던질 때, 나오는 눈의 수의 합이 적어도 3인 경우의 수를 구하여라.
2개의 주사위를 던질 때, 나오는 모든 경우의 수는 $6\times6=36$
주사위의 눈의 수의 합이 2인 경우의 수는 1
따라서 구하는 경우의 수는 $36-1=35$

다음을 구하여라.

1547 어른 2명, 아이 3명을 일렬로 세울 때, 어른 사이에 적어도 1명의 아이를 세우는 경우의 수

sol 어른 사이에 적어도 1명의 아이가 오지 않는 경우는 어른 2명을 이웃하여 세우는 경우이다.
(i) 어른 2명, 아이 3명을 일렬로 세우는 경우의 수는 $5!=120$
(ii) 어른 2명을 한 명으로 생각하여 4명을 일렬로 세우는 경우의 수는 ______ = ______
어른 2명이 자리를 바꾸는 경우의 수는 $2!=2$
따라서 어른 2명을 이웃하여 세우는 경우의 수는 ______ $\times2=$ ______
(i), (ii)에서 구하는 경우의 수는
$120-$ ______ $=$ ______

1548 남학생 4명, 여학생 4명 중에서 회장, 부회장을 각각 1명씩 뽑을 때, 적어도 1명은 여학생을 뽑는 경우의 수

'적어도'라는 표현이 있으니까 구하고자 하는 사건의 반대 사건을 생각해 봐.

1549 6개의 문자 a, b, c, d, e, f를 일렬로 배열할 때, 적어도 한 쪽 끝에 자음이 오는 경우의 수

1550 6개의 문자 a, b, c, d, e, f를 일렬로 배열할 때, 적어도 한 쪽 끝에 모음이 오는 경우의 수

1551 4개의 문자 a, b, c, d와 3개의 숫자 1, 2, 3을 일렬로 배열할 때, 적어도 한 쪽 끝에 숫자가 오는 경우의 수

'적어도'라는 표현은 없지만 구하고자 하는 사건의 반대 사건을 생각해 봐.

1552 **학교 시험 맛보기**

1, 2, 3, 4, 5, 6, 7이 각각 적힌 7장의 카드에서 3장을 선택하여 세 자리의 자연수를 만들 때, 각 자리의 숫자의 곱이 짝수인 경우의 수를 구하여라.

key (각 자리의 숫자의 곱이 짝수인 경우의 수)
=(모든 경우의 수)−(각 자리의 숫자의 곱이 홀수인 경우의 수)

핵심 **10**

사전식 배열의 경우의 수

날짜 : 월 일

Subnote 109쪽

사전식 배열은 차례대로 배열하는 것이므로 앞에 배열되는 것부터 차례대로 경우의 수를 구해 나가도록 해.

(1) 사전식 배열
① 영문자는 알파벳 순서로 배열한다.
② 숫자는 작은 수 또는 큰 수의 순서로 배열한다.

(2) 사전식 배열의 경우의 수 구하기
❶ 주어진 문자 또는 숫자를 순서대로 적는다.
❷ 시작하는 첫 번째 문자(숫자)에 따른 단어(수)의 개수를 구한다.

예 3개의 숫자 1, 2, 3을 모두 한 번씩 사용하여 만들 수 있는 세 자리의 자연수를 작은 수부터 배열할 때, 213은 몇 번째에 오는지 구하여라.

1□□ 꼴인 자연수의 개수는 $2!=2$

213, 231, …이므로 213은 3번째에 온다.

물음에 답하여라.

1553 4개의 문자 p, a, r, k를 모두 한 번씩 사용하여 사전식 배열을 하려고 한다.

(1) 19번째에 배열되는 문자열을 구하여라.

sol p, a, r, k를 알파벳 순서로 나열하면 a, k, p, r
a□□□ 꼴인 문자열의 개수는 ( ) = ( )
k□□□ 꼴인 문자열의 개수는 $3!=6$
p□□□ 꼴인 문자열의 개수는 $3!=6$
따라서 a로 시작하는 것부터 p로 시작하는 것까지의 총 개수는
( ) +6+6= ( )
이므로 19번째에 오는 것은 ( ) 이다.

(2) park는 몇 번째에 배열되는지 구하여라.

1554 5개의 문자 s, n, a, c, k를 모두 한 번씩 사용하여 사전식 배열을 하려고 한다.

(1) 40번째에 배열되는 문자열을 구하여라.

(2) snack는 몇 번째에 배열되는지 구하여라.

1555 5개의 숫자 1, 2, 3, 4, 5를 모두 한 번씩 사용하여 다섯 자리의 자연수를 만들 때, 100번째로 작은 수를 구하여라.

1556 6개의 숫자 1, 2, 3, 4, 5, 6에서 서로 다른 4개의 숫자를 택하여 네 자리의 자연수를 만들려고 한다. 다음을 구하여라.

(1) 35번째로 큰 수

(2) 5300보다 작은 자연수의 개수

1557 **학교 시험 맛보기**

5개의 숫자 0, 1, 2, 3, 4에서 서로 다른 4개의 숫자를 택하여 네 자리의 자연수를 만들 때, 70번째로 작은 수를 구하여라.

Mini Review Test

날짜 : 월 일

Subnote 110쪽

| 핵심 06 |

1558 5개의 숫자 1, 2, 3, 4, 5를 일렬로 배열할 때, 짝수는 짝수끼리, 홀수는 홀수끼리 이웃하게 배열하는 방법의 수를 구하여라.

| 핵심 07 |

1559 남학생 2명, 여학생 4명을 일렬로 세울 때, 남학생을 서로 이웃하지 않게 세우는 방법의 수를 구하여라.

| 핵심 08 |

1560 6개의 숫자 1, 2, 3, 4, 5, 6을 모두 한 번씩 사용하여 여섯 자리의 자연수를 만들 때, 천의 자리와 백의 자리의 숫자가 모두 3의 배수인 자연수의 개수를 구하여라.

key 3의 배수 3, 6을 천의 자리와 백의 자리에 먼저 배열한다.

| 핵심 08 |

1561 7개의 문자 a, b, c, d, e, f, g를 일렬로 배열할 때, a와 e 사이에 3개의 문자가 오도록 배열하는 방법의 수를 구하여라.

| 핵심 09 |

1562 3개의 문자 a, b, c와 3개의 숫자 1, 2, 3을 일렬로 배열할 때, 적어도 한 쪽 끝에 문자가 오는 경우의 수를 구하여라.

key 양쪽 끝에 모두 숫자가 오는 경우의 수를 이용한다.

| 핵심 09 | UP

1563 6개의 문자 a, b, c, d, e, f를 일렬로 배열할 때, a와 e 사이에 적어도 2개의 문자가 오도록 배열하는 경우의 수를 구하여라.

key a와 e 사이에 적어도 2개의 문자가 오지 않는 경우의 수를 이용한다.

| 핵심 10 |

1564 0, 1, 2, 3, 4의 숫자가 각각 적힌 5장의 카드에서 3장의 카드를 뽑아 세 자리의 자연수를 만들 때, 29번째로 큰 수를 구하여라.

| 핵심 10 |

1565 6개의 숫자 1, 2, 3, 4, 5, 6 중에서 4개를 택하여 네 자리의 자연수를 만들 때, 3500 이상인 자연수의 개수를 구하여라.

핵심 11 조합의 계산

Subnote 110쪽

n개에서 순서를 고려하지 않고 r개를 택하는 것과 $(n-r)$개를 택하는 경우의 수는 같아.

(1) ${}_nC_r=\frac{{}_nP_r}{r!}=\frac{n!}{r!(n-r)!}$ (단, $0\le r\le n$)

(2) ${}_nC_n=1$, ${}_nC_0=1$, ${}_nC_r={}_nC_{n-r}$ (단, $0\le r\le n$)

예 ${}_3C_2=\frac{3\times2}{2\times1}=3$, ${}_4C_3={}_4C_{4-3}={}_4C_1=4$

다음 값을 구하여라.

1566 ${}_5C_1$

1567 ${}_5C_2$

1568 ${}_5C_3$

${}_nC_r={}_nC_{n-r}$이니까 r와 $n-r$ 중에서 더 작은 값으로 계산하도록 해.

1569 ${}_5C_4$

1570 ${}_7C_2$

1571 ${}_7C_0$

1572 ${}_7C_5$

1573 ${}_7C_4$

1574 ${}_8C_6$

1575 ${}_8C_4$

1576 ${}_8C_7$

1577 ${}_8C_2$

1578 ${}_{10}C_3$

1579 ${}_{10}C_4$

1580 ${}_{10}C_9$

1581 ${}_{10}C_7$

핵심 12 **조합의 수 (1)**

날짜 : 월 일

Subnote ➡ 111쪽

n 또는 r를 포함한 방정식은 자연수를 연속한 자연수의 곱으로 나타내면 편리한 경우가 있어.

(1) ${}_{n}C_{r}=\frac{{}_{n}P_{r}}{r!}=\frac{n!}{r!(n-r)!}$ (단, $0\le r\le n$)

(2) ${}_{n}C_{r}={}_{n}C_{n-r}$ (단, $0\le r\le n$)

예 ${}_{n}C_{2}=6$을 만족시키는 n의 값을 구하여라.

${}_{n}C_{2}=6$에서 $\frac{n(n-1)}{2\times1}=6$이므로 $n(n-1)=12=4\times3$ $\quad\therefore n=4$

다음 등식을 만족시키는 n의 값을 구하여라.

1582 ${}_{n}C_{2}=15$

sol ${}_{n}C_{2}=15$에서 $\frac{n(n-1)}{2\times1}=15$이므로 $n(n-1)=30$

30을 연속한 2개의 자연수의 곱으로 나타내면

$30=\square\times5$

$n(n-1)=\square\times5$

$\therefore n=\square$

1583 ${}_{n}C_{2}=21$

1584 ${}_{n}C_{3}=20$

1585 ${}_{n}C_{3}=56$

1586 ${}_{n}C_{3}=165$

1587 ${}_{n}C_{3}={}_{n}C_{6}$

sol ${}_{n}C_{3}={}_{n}C_{n-3}$이므로 ${}_{n}C_{n-3}={}_{n}C_{6}$

따라서 $n-3=\square$에서 $n=\square$

${}_{n}C_{r}={}_{n}C_{n-r}$를 이용해서 식을 간단히 하도록 해.

1588 ${}_{n}C_{7}={}_{n}C_{2}$

1589 ${}_{n}C_{9}={}_{n}C_{6}$

1590 ${}_{n+3}C_{n}=10$

1591 ${}_{n+2}C_{n}=21$

핵심 **13** ## 조합의 수 (2)

날짜 : 월 일

Subnote ➜ 111쪽

n에 대한 고차방정식을 풀 때는 조립제법을 이용하도록 해.

조합의 수 ${}_nC_r$가 포함된 식에서 미지수 n을 구할 때

❶ ${}_nC_r=\frac{{}_nP_r}{r!}$, ${}_nC_r={}_nC_{n-r}$ (단, $0\le r\le n$)를 이용하여 식을 바꾼다.

❷ 식을 정리하여 n에 대한 방정식을 만든다.

❸ n에 대한 방정식을 푼다.

다음 등식을 만족시키는 n의 값을 구하여라.

1592 ${}_nC_2+{}_nC_1=15$

sol ${}_nC_2+{}_nC_1=15$에서 $\frac{n(n-1)}{2\times1}+n=15$이므로

$n(n-1)+2n=30$, $n(\quad)=30$

30을 연속한 2개의 자연수의 곱으로 나타내면

$30=5\times6$이므로

$n(\quad)=5\times6$ $\quad\therefore n=\quad$

1593 ${}_{n+1}C_2+{}_nC_1=14$

1594 ${}_nC_3+{}_nC_2=20$

1595 $2{}_nC_2-{}_{n+1}C_2=5$

1596 ${}_{n+2}C_2-3{}_{n+1}C_3=3$

다음 등식을 만족시키는 r의 값을 구하여라.

1597 ${}_{10}C_{r+2}={}_{10}C_{3r}$

sol (i) ${}_{10}C_{r+2}={}_{10}C_{3r}$이므로

$r+2=\quad$ $\quad\therefore r=1$

(ii) ${}_{10}C_{r+2}={}_{10}C_{10-(r+2)}={}_{10}C_{8-r}={}_{10}C_{3r}$이므로

$8-r=\quad$ $\quad\therefore r=2$

(i), (ii)에서 $r=1$ 또는 $r=2$

1598 ${}_8C_{r+1}={}_8C_{2r-1}$

${}_nC_r$에서 r는 0 이상의 정수야.

1599 ${}_{11}C_{3r-1}={}_{11}C_{r+3}$

1600 ${}_{12}C_{r-6}={}_{12}C_{2r-6}$

1601 **학교 시험 맛보기**

${}_nC_3-2{}_nC_{n-2}=0$을 만족시키는 자연수 n의 값을 구하여라.

key ${}_nC_r={}_nC_{n-r}$임을 이용한다.

핵심 **14** ${}_nP_r$와 ${}_nC_r$의 계산

날짜 : 월 일

Subnote 112쪽

순열의 수와 조합의 수에 대한 식을 이용해.

(1) ${}_nP_r=n(n-1)(n-2)\cdots(n-r+1)$ (단, $0<r\le n$)

(2) ${}_nC_r=\dfrac{{}_nP_r}{r!}=\dfrac{n!}{r!(n-r)!}$ (단, $0\le r\le n$)

(3) ${}_nP_n=n!$, ${}_nP_0=1$, $0!=1$, ${}_nC_0=1$, ${}_nC_n=1$

(4) ${}_nC_r={}_nC_{n-r}$ (단, $0\le r\le n$)

다음 등식을 만족시키는 n의 값을 구하여라.

1602 $2{}_nC_3={}_nP_2$

sol $2{}_nC_3={}_nP_2$에서

$2\times\dfrac{n(n-1)(n-2)}{3\times2\times1}=$ ______

${}_nC_3$에서 $n\ge3$이므로 등식의 양변을 ______로 나누면

$\dfrac{n-2}{3}=$ ___, $n-2=$ ___ $\therefore n=$ ___

1603 $8{}_nC_2={}_nP_3$

1604 $24{}_nC_3={}_nP_4$

1605 $24{}_nC_2={}_nP_4$

1606 $15{}_{n+1}C_3={}_nP_4$

1607 ${}_nP_2+{}_nC_2=18$

sol ${}_nP_2+{}_nC_2=18$에서

$n(n-1)+\dfrac{n(n-1)}{2\times1}=18$

n^2-n- ___ $=0$, $(n+3)(n-$ ___ $)=0$

이때 $n\ge2$이므로 $n=$ ___

1608 $2{}_nP_2+{}_nC_2=50$

1609 ${}_nP_3-4{}_nC_2={}_{n-1}P_3$

1610 $2{}_nP_2+4{}_nC_{n-1}={}_nP_3$

${}_nC_r={}_nC_{n-r}$를 이용해서 식을 간단히 하도록 해.

1611 학교 시험 맛보기

${}_{n+1}P_2-2{}_nC_{n-2}=12$를 만족시키는 자연수 n의 값을 구하여라.

핵심 15 조합의 수

날짜 : 월 일

Subnote ➔ 112쪽

선택한 것들에 대하여 순서를 바꿨을 때 결과가 달라지면 순열이고 결과가 달라지지 않으면 조합을 이용해야 해.

다음 조건을 만족할 때, 조합의 수 ${}_{n}C_{r}$를 이용한다.
① 서로 다른 n개에서 r개를 선택한다.
② 선택한 r개의 순서를 생각하지 않는다.

예 4명의 학생 중에서 대표 2명을 뽑는 방법의 수는 ${}_{4}C_{2}=\frac{4\times3}{2\times1}=6$

서로 다른 옷 5벌 중에서 3벌을 택하는 방법의 수는 ${}_{5}C_{3}={}_{5}C_{2}=\frac{5\times4}{2\times1}=10$

다음을 구하여라.

1612 6명의 학생 중에서 농구 선수 3명을 뽑는 경우의 수

1613 10명의 학생 중에서 대표 2명을 뽑는 경우의 수

회장, 부회장 1명씩과 대표 2명은 서로 달라. 대표는 구분이 되지 않기 때문에 순서가 중요하지 않아.

1614 서로 다른 5개의 과일 중에서 3개를 선택하는 경우의 수

1615 4장의 카드 A, B, C, D에서 2장을 뽑는 경우의 수

1616 서로 다른 7권의 책에서 5권을 선택하는 경우의 수

1617 축구 공격수 4명, 수비수 5명 중에서 공격수 2명, 수비수 3명을 뽑는 경우의 수

공격수를 뽑는 사건과 수비수를 뽑는 사건은 잇달아 일어나는 사건이기 때문에 곱의 법칙을 적용해야 해.

1618 남자 계주 선수 5명, 여자 계주 선수 3명 중에서 남자 선수 2명, 여자 선수 2명을 뽑는 경우의 수

1619 서로 다른 빨간 공 10개, 서로 다른 파란 공 10개가 들어 있는 주머니에서 빨간 공 3개, 파란 공 3개를 뽑는 경우의 수

1620 5종류의 빵과 6종류의 음료수 중에서 빵 3종류, 음료수 4종류를 선택하는 경우의 수

1621 5명씩으로 이루어져 있는 A, B, C 모둠에서 각각 2명씩 뽑는 경우의 수

핵심 **16**

특정한 것을 포함하는 조합의 수

날짜 : 월 일

Subnote ➔ 113쪽

특정한 대상을 포함하는 경우는 그 개수는 처음부터 없는 것으로 생각하고 나머지만 생각하는 거야.

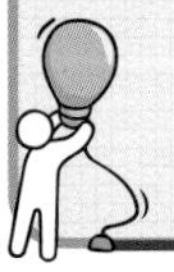

서로 다른 n개에서 특정한 k개를 포함하여 r개를 뽑는 방법의 수

➔ $(n-k)$개에서 $(r-k)$개를 뽑는 방법의 수와 같다.

➔ ${}_{n-k}\mathrm{C}_{r-k}$

예 A, B, C, D, E가 각각 적힌 5장의 카드에서 3장을 뽑을 때, A가 적힌 카드를 반드시 뽑는 방법의 수를 구하여라.

A가 적힌 카드를 제외한 4장의 카드에서 2장을 뽑는 방법의 수와 같으므로 ${}_4\mathrm{C}_2=6$

물음에 답하여라.

1622 5개의 과일 사과, 배, 귤, 수박, 참외 중에서 3개를 선택할 때, 다음을 구하여라.

(1) 사과를 반드시 선택하는 방법의 수

(2) 수박과 참외를 반드시 선택하는 방법의 수

1623 준수와 경림이를 포함한 10명 중에서 4명의 대표를 뽑을 때, 다음을 구하여라.

(1) 준수를 반드시 뽑는 방법의 수

(2) 준수와 경림이를 반드시 뽑는 방법의 수

1624 빨간색, 파란색, 초록색을 포함하는 서로 다른 7개의 색 중에서 4개를 선택할 때, 다음을 구하여라.

(1) 빨간색과 초록색이 반드시 선택되는 방법의 수

(2) 빨간색, 파란색, 초록색이 반드시 선택되는 방법의 수

1625 남학생 6명, 여학생 6명 중에서 배드민턴 대표 선수 4명을 뽑을 때, 다음을 구하여라.

(1) 특정한 남학생 3명을 반드시 뽑는 방법의 수

(2) 특정한 남학생 1명, 특정한 여학생 1명을 반드시 뽑는 방법의 수

1626 A, B, C, D, 1, 2, 3, 4가 각각 적혀 있는 8장의 카드에서 5장을 뽑을 때, 다음을 구하여라.

(1) 1, 3이 적혀 있는 카드를 반드시 뽑는 방법의 수

(2) A, 2, 4가 적혀 있는 카드를 반드시 뽑는 방법의 수

1627 서로 다른 초콜릿 3개와 서로 다른 사탕 5개에서 3개를 선택할 때, 다음을 구하여라.

(1) 특정한 사탕 2개가 반드시 포함되는 방법의 수

(2) 특정한 초콜릿 1개와 특정한 사탕 1개가 반드시 포함되는 방법의 수

핵심 17

특정한 것을 포함하지 않는 조합의 수

날짜 : 월 일

Subnote ➜ 114쪽

특정한 것을 포함하지 않는 경우의 수는 그 개수는 제외하고 생각해.

서로 다른 n개에서 특정한 k개를 제외하고 r개를 뽑는 방법의 수

➜ $(n-k)$개에서 r개를 뽑는 방법의 수와 같다.

➜ ${}_{n-k}C_r$

예 A, B, C, D, E가 각각 적힌 5장의 카드에서 2장을 뽑을 때, B가 적힌 카드를 뽑지 않는 방법의 수를 구하여라.

B가 적힌 카드를 제외한 4장의 카드에서 2장을 뽑는 방법의 수와 같으므로 ${}_4C_2=6$

물음에 답하여라.

1628 A, B를 포함한 학생 10명 중에서 대표 2명을 뽑을 때, 다음을 구하여라.

(1) A는 뽑지 않는 방법의 수

(2) A, B를 뽑지 않는 방법의 수

제외시키는 경우에는 고를 수 있는 대상은 줄어들어도 선택하는 개수는 줄어들지 않아.

1629 1, 2, 3, 4, 5, 6, 7이 적힌 7장의 카드에서 3장을 뽑을 때, 다음을 구하여라.

(1) 1, 4가 적힌 카드를 뽑지 않는 방법의 수

(2) 짝수가 적힌 카드를 뽑지 않는 방법의 수

1630 빨간색, 파란색, 노란색 색연필을 포함하여 색이 서로 다른 색연필 10개 중에서 4개를 선택할 때, 다음을 구하여라.

(1) 빨간색, 파란색 색연필을 포함하지 않는 방법의 수

(2) 빨간색, 파란색, 노란색 색연필을 포함하지 않는 방법의 수

1631 A, B를 포함한 학생 8명 중에서 대표 2명을 뽑을 때, A는 뽑고, B는 뽑지 않는 방법의 수를 구하여라.

sol A, B를 제외한 6명의 학생 중에서 1명을 뽑는 방법의 수와 같으므로 구하는 방법의 수는

$\square = \square$

1632 진우와 예은이를 포함한 12명의 학생 중에서 3명을 뽑을 때, 진우와 예은이 중에서 한 명만 뽑는 방법의 수를 구하여라.

반드시 포함하는 것과 포함하지 않는 것을 동시에 구할 때는 실제로 선택해야 하는 개수를 정확하게 하도록 해.

1633 학교 시험 맛보기

1부터 10까지의 자연수가 각각 적힌 구슬 10개가 들어 있는 주머니에서 5개의 구슬을 꺼낼 때, 4의 배수가 적힌 구슬은 모두 꺼내고 소수가 적힌 구슬은 꺼내지 않는 방법의 수를 구하여라.

key 10 이하의 4의 배수와 소수를 각각 찾는다.

Mini Review Test

날짜 : 월 일

Subnote ▶ 114쪽

| 핵심 13 |

1634 등식 ${}_{n}\mathrm{C}_{3}+{}_{n}\mathrm{C}_{2}=2{}_{2n}\mathrm{C}_{1}$을 만족시키는 n의 값을 구하여라.

| 핵심 13 |

1635 등식 ${}_{n+1}\mathrm{C}_{n-2}+{}_{n+1}\mathrm{C}_{2}=56$을 만족시키는 n의 값을 구하여라.

| 핵심 15 |

1636 농구 선수 6명과 축구 선수 7명 중에서 농구 선수 2명, 축구 선수 3명을 뽑는 경우의 수를 구하여라.

| 핵심 15 | UP

1637 서로 다른 빨간 공 4개, 서로 다른 노란 공 6개가 들어 있는 주머니에서 3개의 공을 꺼내는 경우의 수를 a, 빨간 공 2개, 노란 공 1개를 꺼내는 경우의 수를 b라 할 때, $a+b$의 값을 구하여라.

key 3개의 공을 꺼내는 경우는 색을 구분하지 않는다.

| 핵심 15 |

1638 집합 $A=\{1, 2, 3, 4, 5\}$의 부분집합 중에서 원소의 개수가 3개인 부분집합의 개수를 구하여라.

key 집합에서는 원소의 순서를 고려하지 않는다.

| 핵심 15 | UP

1639 두 집합 $X=\{1, 2, 3, 4\}$, $Y=\{1, 2, 3, 4, 5\}$에 대하여 다음을 만족시키는 함수 $f: X \longrightarrow Y$의 개수를 구하여라.

> $x_1 \in X$, $x_2 \in X$일 때,
> $x_1 < x_2$이면 $f(x_1) < f(x_2)$

key Y의 원소 중에서 순서를 고려하지 않고 4개를 선택한 후에 $f(x_1) < f(x_2)$를 만족하도록 할 수 있다.

| 핵심 17 |

1640 사과, 바나나, 오렌지를 포함하는 서로 다른 8개의 과일 중에서 5개를 선택하여 과일바구니를 만들려고 한다. 오렌지는 포함하지 않고, 사과와 바나나는 포함하는 방법의 수를 구하여라.

'적어도'의 조건이 있는 조합의 수

날짜 : 월 일

Subnote ◐ 115쪽

순열이든 조합이든
'적어도'라는 조건이 있는 문제는
구하려고 하는 것의
반대를 생각해서 푸는 거야.

(어떤 사건이 적어도 한 번 일어나는 경우의 수)
=(모든 경우의 수)−(이 사건이 일어나지 않는 경우의 수)

예 A, B, C, D, E가 각각 적힌 5장의 카드에서 2장을 뽑을 때, 카드에 적힌 문자 중 적어도 1장이 모음인 경우의 수를 구하여라.

5장의 카드에서 2장을 뽑는 경우의 수는 ${}_5C_2=10$

카드에 적힌 문자가 모두 자음인 경우의 수는 ${}_3C_2={}_3C_1=3$

따라서 구하는 경우의 수는 $10-3=7$

물음에 답하여라.

1641 1부터 10까지의 자연수가 각각 적힌 10개의 공 중에서 3개의 공을 꺼낼 때, 다음을 구하여라.

(1) 공에 적힌 수 중 적어도 한 개가 소수인 경우의 수

(2) 공에 적힌 수 중 적어도 한 개가 3의 배수인 경우의 수

(3) 공에 적힌 세 수의 곱이 짝수인 경우의 수

key (짝수)×(짝수)=(짝수), (짝수)×(홀수)=(짝수)
(홀수)×(짝수)=(짝수), (홀수)×(홀수)=(홀수)

1642 서로 다른 볼펜 6개와 서로 다른 색연필 4개에서 3개를 택할 때, 다음을 구하여라.

(1) 적어도 한 개는 볼펜을 택하는 경우의 수

(2) 적어도 한 개는 색연필을 택하는 경우의 수

1643 남자 5명, 여자 6명의 모임에서 4명을 뽑아 상품을 줄 때, 다음을 구하여라.

(1) 적어도 한 명은 남자가 뽑히는 경우의 수

(2) 적어도 한 명은 여자가 뽑히는 경우의 수

(3) 적어도 두 명은 여자가 뽑히는 경우의 수

(4) 남자와 여자가 적어도 한 명씩은 뽑히는 경우의 수

1644 학교 시험 맛보기

1부터 11까지의 자연수가 각각 적힌 11장의 카드 중에서 3장을 뽑을 때, 홀수와 짝수가 적힌 카드가 적어도 한 장씩 나오는 경우의 수를 구하여라.

key 홀수와 짝수가 적힌 카드가 적어도 한 장씩 나오는 경우는 모든 경우에서 3장의 카드에 적힌 수가 모두 홀수인 경우와 모두 짝수인 경우만 제외한 것이다.

핵심 **19**

뽑아서 배열하는 경우의 수

날짜 : 월 일

Subnote ➡ 116쪽

뽑은 것을 배열한다는 것은 순서를 정하는 일이므로 뽑은 후에는 순열을 이용하는 거야.

뽑은 것을 배열하는 경우는
① 뽑을 때는 조합을 이용한다.
② 뽑은 것을 배열할 때는 순열을 이용한다.

예 남자 4명, 여자 3명 중에서 남자와 여자를 각각 2명씩 뽑아 일렬로 세우는 경우의 수를 구하여라.
남자와 여자를 각각 2명씩 뽑는 경우의 수는 ${}_4C_2 \times {}_3C_2 = 6 \times 3 = 18$
4명을 일렬로 세우는 경우의 수는 $4! = 24$
따라서 구하는 경우의 수는 $18 \times 24 = 432$

물음에 답하여라.

1645 6개의 알파벳 A, B, C, D, E, F가 있을 때, 다음을 구하여라.

(1) 3개를 뽑아 일렬로 배열하는 경우의 수

sol 6개의 알파벳 중에서 3개를 뽑는 경우의 수는
$\square = 20$
3개를 일렬로 배열하는 경우의 수는 $\square = 6$
따라서 구하는 경우의 수는 $20 \times 6 = 120$

(2) 4개를 뽑아 일렬로 배열하는 경우의 수

(3) 3개를 뽑아 일렬로 배열할 때, A를 포함하지 않는 경우의 수

1646 A, B, C를 포함한 7명의 남학생이 있을 때, 다음을 구하여라.

(1) 5명을 뽑아 일렬로 세우는 경우의 수

(2) 4명을 뽑아 일렬로 세울 때, A, B를 포함하는 경우의 수

(3) 3명을 뽑아 일렬로 세울 때, A는 포함하고 B, C는 포함하지 않는 경우의 수

1647 남자 4명, 여자 5명 중에서 남자 3명, 여자 2명을 뽑아 일렬로 세울 때, 다음을 구하여라.

(1) 여자 2명이 서로 이웃하는 경우의 수

(2) 남자가 서로 이웃하지 않는 경우의 수

1648 1부터 10까지의 자연수 중에서 짝수 2개, 홀수 2개를 택하여 일렬로 배열할 때, 다음을 구하여라.

(1) 홀수는 홀수끼리, 짝수는 짝수끼리 서로 이웃하는 경우의 수

(2) 홀수와 짝수를 교대로 배열하는 경우의 수

1649 학교 시험 맛보기

회장과 부회장이 포함된 10명의 학생 중에서 4명을 뽑아서 일렬로 세울 때, 회장과 부회장이 양 끝에 서는 경우의 수를 구하여라.

key 회장과 부회장을 양 끝에 고정하고 생각한다.

날짜 : 월 일

핵심 20

직선의 개수

Subnote 117쪽

직선은 2개의 점으로 유일하게 결정되기 때문에 한 직선 위에 있는 점들은 모두 같은 직선을 결정해.

서로 다른 n개의 점 중에서 어느 세 점도 한 직선 위에 있지 않을 때, 주어진 점으로 만들 수 있는 서로 다른 직선의 개수

➡ ${}_{n}\mathrm{C}_{2}$

예 오른쪽 그림과 같이 평행한 두 직선 위에 6개의 점이 있을 때, 2개의 점을 이어서 만들 수 있는 서로 다른 직선의 개수를 구하여라.

두 직선 위의 점을 각각 하나씩 택하여 연결하면 한 개의 직선을 만들 수 있으므로

${}_{3}\mathrm{C}_{1}\times{}_{3}\mathrm{C}_{1}=3\times3=9$

한 직선 위에 있는 점 중에서 2개를 택하여 연결한 직선의 개수는 2

따라서 구하는 직선의 개수는 $9+2=11$

다음 그림과 같이 원 위에 점들이 있을 때, 2개의 점을 이어서 만들 수 있는 서로 다른 직선의 개수를 구하여라.

일직선 위에 점들이 놓여 있지 않을 때는 같은 직선이 만들어지는 경우를 생각할 필요 없어.

1650

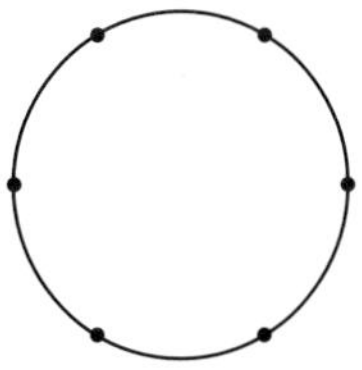

1651

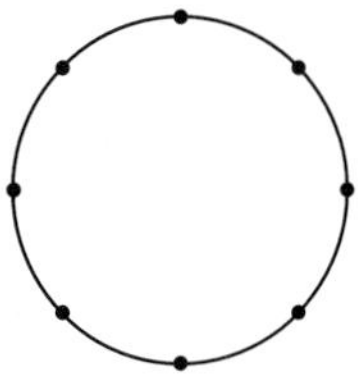

1652

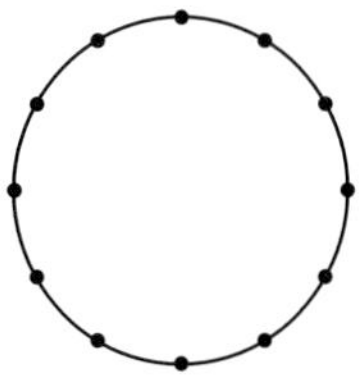

1653

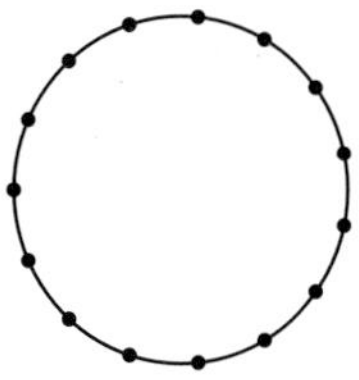

다음 그림과 같이 평행한 두 직선 위에 점들이 있을 때, 2개의 점을 이어서 만들 수 있는 서로 다른 직선의 개수를 구하여라.

2개의 직선에서 같은 직선이 만들어지는 경우를 각각 생각해야 해.

1654

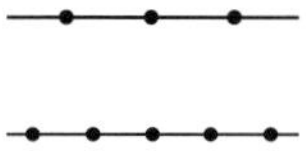

1655

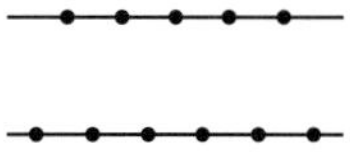

1656

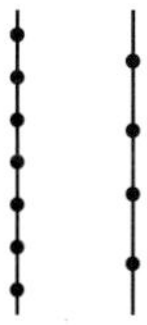

1657 **학교 시험 맛보기**

오른쪽 그림과 같이 반원 위에 있는 7개의 점 중에서 2개의 점을 연결하여 만들 수 있는 서로 다른 직선의 개수를 구하여라.

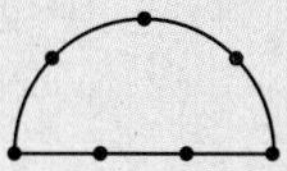

key 지름 위에 있는 4개의 점은 한 직선 위에 있다.

10주 순열과 조합

핵심 21

다각형의 대각선의 개수

날짜 : 월 일

Subnote ➡ 118쪽

이웃한 2개의 점과 자기 자신을 제외한 $(n-3)$개의 점에 그은 선분의 개수를 2로 나눈 $\frac{n(n-3)}{2}$으로 생각해도 돼.

n각형의 대각선의 개수

➡ n개의 꼭짓점 중에서 2개를 택하여 만들 수 있는 선분의 개수에서 변의 개수 n을 뺀 것과 같다.

➡ ${}_nC_2-n$

예 사각형의 대각선의 개수는 ${}_4C_2-4=6-4=2$

오각형의 대각선의 개수는 ${}_5C_2-5=10-5=5$

다음 다각형의 대각선의 개수를 구하여라.

1658 육각형

1659 구각형

1660 십각형

1661 십이각형

1662 십오각형

대각선의 개수가 다음과 같은 다각형의 변의 개수를 구하여라.

1663 대각선의 개수 : 65

1664 대각선의 개수 : 170

1665 대각선의 개수 : 44

1666 대각선의 개수 : 20

1667 **학교 시험 맛보기**

n각형의 대각선의 개수가 77일 때, n의 값을 구하여라.

key ${}_nC_2-n=77$

핵심 22

삼각형의 개수

날짜 : 월 일

Subnote ➡ 118쪽

한 직선 위에 있는 3개의 점으로는 삼각형을 만들 수 없어.

서로 다른 n개의 점 중에서 어느 세 점도 한 직선 위에 있지 않을 때, 3개의 점을 꼭짓점으로 하는 삼각형의 개수

➡ ${}_{n}C_{3}$

예 원 위의 5개의 점 중에서 3개의 점을 꼭짓점으로 하는 삼각형의 개수는 ${}_{5}C_{3}=10$
원 위의 6개의 점 중에서 3개의 점을 꼭짓점으로 하는 삼각형의 개수는 ${}_{6}C_{3}=20$

다음 그림과 같이 도형 위에 점들이 있을 때, 3개의 점을 꼭짓점으로 하는 삼각형의 개수를 구하여라.

1668

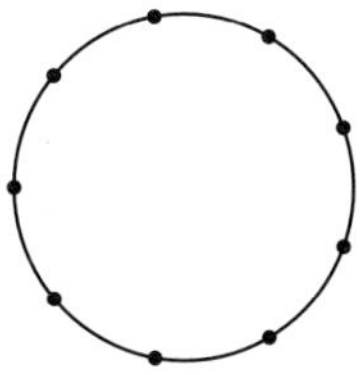

일직선 위에 점들이 놓여 있지 않을 때는 삼각형이 안 만들어지는 경우를 생각할 필요가 없어.

1669

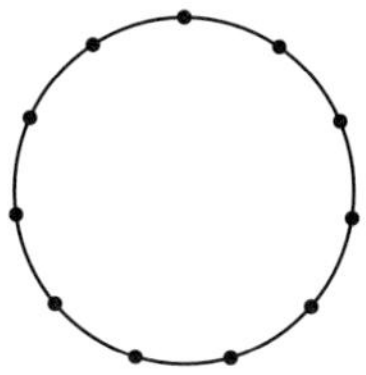

1670

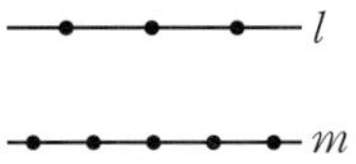

2개의 직선에서 삼각형이 만들어지지 않는 경우를 각각 생각해야 해.

1671

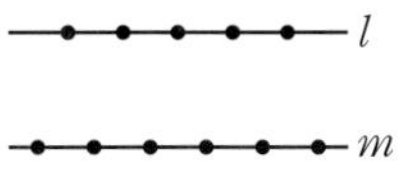

1672

1673

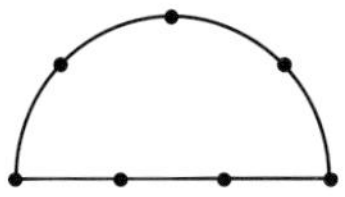

1674 학교 시험 맛보기

오른쪽 그림과 같은 도형 위의 11개의 점 중에서 3개의 점을 꼭짓점으로 하는 삼각형의 개수를 구하여라.

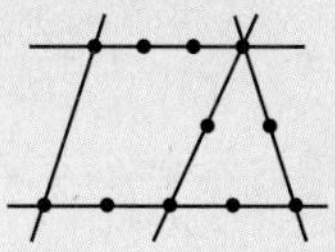

key 한 직선 위에 있는 3개의 점으로는 삼각형을 만들 수 없다.

핵심 23 사각형의 개수

날짜 : 월 일

Subnote 119쪽

가로와 세로의 평행선으로 이루어지는 도형에서 평행사변형을 만들 때는 가로 방향의 평행선에서 2개, 세로 방향의 평행선에서 2개를 각각 고르면 돼.

(1) 서로 다른 n개의 점 중에서 어느 세 점도 한 직선 위에 있지 않을 때, 4개의 점을 꼭짓점으로 하는 사각형의 개수

➡ ${}_{n}C_{4}$

(2) m개의 평행선과 n개의 평행선이 만날 때, 이 평행선으로 만들어지는 평행사변형의 개수

➡ ${}_{m}C_{2}\times{}_{n}C_{2}$

예 원 위의 5개의 점 중에서 4개의 점을 꼭짓점으로 하는 사각형의 개수는 ${}_{5}C_{4}=5$

원 위의 6개의 점 중에서 4개의 점을 꼭짓점으로 하는 사각형의 개수는 ${}_{6}C_{4}=15$

다음 그림과 같이 도형 위에 점들이 있을 때, 4개의 점을 꼭짓점으로 하는 사각형의 개수를 구하여라.

1675

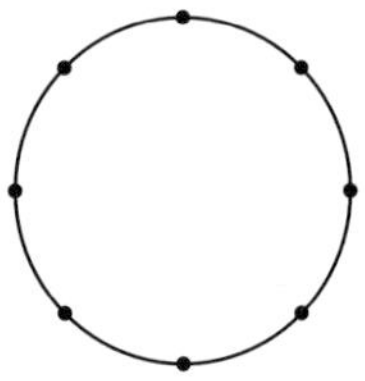

1676

1677

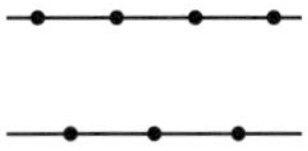

한 직선에서 3개의 점을 택해서는 사각형을 만들 수 없어.

1678

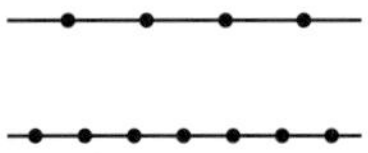

다음 그림과 같이 평행선과 평행선이 만날 때, 이 평행선으로 만들어지는 평행사변형의 개수를 구하여라.

1679

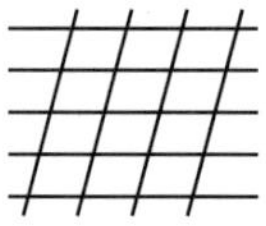

가로 방향의 평행선 중에서 2개, 세로 방향의 평행선 중에서 2개를 고르도록 해.

1680

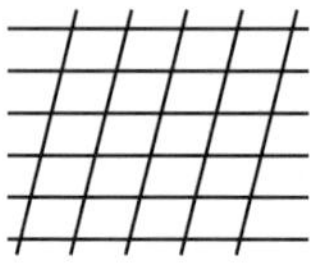

1681 학교 시험 맛보기

오른쪽 그림과 같이 한 변의 길이가 1인 정사각형 16개를 이어붙인 도형에서 다음을 구하여라.

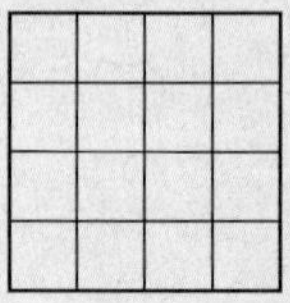

(1) 정사각형의 개수를 구하여라.

(2) 정사각형이 아닌 직사각형의 개수를 구하여라.

key 한 변의 길이가 1, 2, 3, 4인 정사각형의 개수를 각각 구한다.

핵심 18~23

Mini Review Test

날짜 : 월 일

Subnote ➡ 120쪽

| 핵심 18 |

1682 1부터 7까지의 숫자가 각각 적힌 7개의 공 중에서 3개를 뽑을 때, 공에 적힌 세 수의 곱이 짝수인 경우의 수를 구하여라.

| 핵심 18 | UP

1683 남학생과 여학생이 합해서 8명이 있다. 이 중에서 2명을 대표로 뽑을 때, 남학생을 적어도 한 명 포함시키는 경우의 수가 18이다. 이때 남학생의 수를 구하여라.

| 핵심 19 |

1684 서로 다른 알파벳 5개와 서로 다른 숫자 4개 중에서 알파벳 3개, 숫자 2개를 택하여 일렬로 배열하는 경우의 수를 구하여라.

key 뽑을 때는 조합, 배열할 때는 순열을 이용한다.

| 핵심 20 | UP

1685 오른쪽 그림과 같이 별 모양의 도형 위에 있는 10개의 점 중에서 2개의 점을 연결하여 만들 수 있는 서로 다른 직선의 개수를 구하여라.

key 한 직선 위에 있어서 서로 같은 직선이 되는 경우의 수를 구한다.

| 핵심 21 |

1686 n각형의 대각선의 개수가 27일 때, n의 값을 구하여라.

| 핵심 22 |

1687 오른쪽 그림과 같은 도형 위에 있는 15개의 점 중에서 3개의 점을 꼭짓점으로 하는 삼각형의 개수를 구하여라.

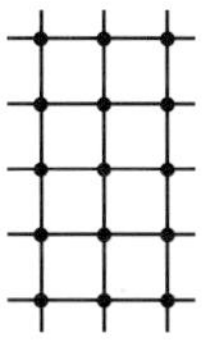

key 한 직선 위에 있는 세 점으로는 삼각형을 만들 수 없다.

| 핵심 23 | UP

1688 오른쪽 그림과 같이 반원 위에 있는 8개의 점 중에서 4개의 점을 꼭짓점으로 하는 사각형의 개수를 구하여라.

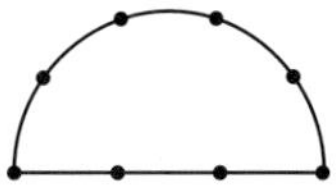

key 4개의 점을 택했을 때, 사각형이 실제로 만들어지지 않는 경우의 수를 구한다.

10주 순열과 조합

Memo

Memo

Memo

숨마쿰라우데
[반복 수학 문제집]

한 개념씩 쉬운 문제로 **매일매일 공부하자!**

스타트업 고등 수학 (하)

자기주도 학습서 베스트 1위
새교육 과정
숨마쿰라우데

정답 및 해설

스타트업 고등 수학(하)

SUB NOTE
정답 및 해설

이룸이앤비
Education&Books

1. 집합의 뜻과 표현

핵심 01 본문 ○ 11쪽

0001 × **0002** ○ **0003** ○ **0004** ×
0005 ○ **0006** ○ **0007** × **0008** ×
0009 ○ **0010** ○ **0011** × **0012** ○
0013 × **0014** ○ **0015** ㄱ, ㄷ

핵심 02 본문 ○ 12쪽

0016 (1) 1, 3, 5, 7, 9 (2) $\in$, $\in$, $\notin$, $\in$
0017 (1) 4, 6, 8, 10, 12 (2) $\notin$, $\notin$, $\in$, $\in$
0018 (1) 1, 2, 4, 8 (2) $\in$, $\notin$, $\in$, $\notin$
0019 (1) 1, 2, 3, 4, 6, 12 (2) $\in$, $\in$, $\notin$, $\in$
0020 (1) 3, 6, 9, $\cdots$ (2) $\notin$, $\in$, $\in$, $\notin$
0021 (1) 4, 8, 12, $\cdots$, 96, 100 (2) $\notin$, $\in$, $\in$, $\notin$
0022 (1) 1, 2, 3, $\cdots$ (2) $\notin$, $\notin$, $\in$, $\in$
0023 ㄷ, ㅁ, ㅂ

0023 10 이하의 소수는 2, 3, 5, 7이므로
$1\notin A$, $2\in A$, $3\in A$, $5\in A$, $7\in A$, $9\notin A$
따라서 옳은 것은 ㄷ, ㅁ, ㅂ이다.

핵심 03 본문 ○ 13쪽

0024~0027 풀이 참조
0028 $A=\{1, 2, 4, 5, 10, 20\}$
0029 $B=\{5, 10, 15, \cdots\}$
0030 $C=\{1, 3, 5, \cdots, 97, 99\}$
0031 $D=\{x|x$는 7의 양의 배수$\}$
0032 $E=\{x|x$는 16의 양의 약수$\}$
0033 $F=\{x|x$는 두 자리의 자연수$\}$
(또는 $F=\{x|10\le x\le 99$, x는 자연수$\}$)
0034 원소나열법 : $A=\{1, 2, 4\}$
조건제시법 : $A=\{x|x$는 4의 양의 약수$\}$
0035 원소나열법 : $B=\{5, 10, 15, 20, 25\}$
조건제시법 : $B=\{x|x$는 25 이하의 5의 양의 배수$\}$

0024 (1) $A=\{2, 4, 6, 8\}$
(2) $A=\{x|x$는 10보다 작은 짝수$\}$
(3)
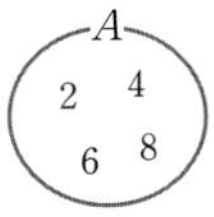

0025 (1) $B=\{3, 4, 5, 6, 7, 8\}$
(2) $B=\{x|x$는 3 이상 8 이하의 자연수$\}$
(3)
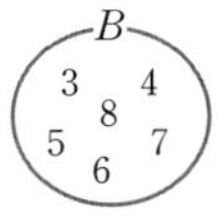

0026 (1) $C=\{1, 3, 5, 15\}$
(2) $C=\{x|x$는 15의 양의 약수$\}$
(3)
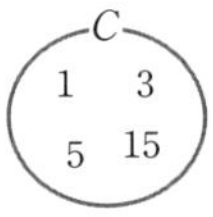

0027 (1) $D=\{2, 3, 5, 7, 11\}$
(2) $D=\{x|x$는 12보다 작은 소수$\}$
(3)
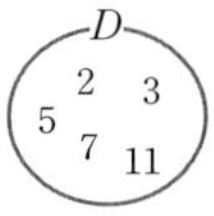

핵심 04 본문 ○ 14쪽

0036~0041 풀이 참조

0036

$x+y$	1	2
3	4	5
4	5	6

➡ $C=\{4, 5, 6\}$

0037

$x+y$	1	3	5
2	3	5	7
4	5	7	9

➡ $C=\{3, 5, 7, 9\}$

0038

xy	-1	0	1
1	-1	0	1
2	-2	0	2

➡ $C=\{-2, -1, 0, 1, 2\}$

0039

xy	-1	0	1
-1	1	0	-1
0	0	0	0
1	-1	0	1

➡ $B=\{-1, 0, 1\}$

0040

$x+y$	0	1	2
0	0	1	2
1	1	2	3
2	2	3	4

➡ $B=\{0, 1, 2, 3, 4\}$

0041

xy	1	2	3
1	1	2	3
2	2	4	6
3	3	6	9

➡ $B=\{1, 2, 3, 4, 6, 9\}$

핵심 05 본문 15쪽

0042 유 **0043** 유 **0044** 무 **0045** 유
0046 무 **0047** 유 **0048** 유, ∅ **0049** 무
0050 유 **0051** 유, ∅ **0052** 무 **0053** 유
0054 무 **0055** ㄱ, ㄷ, ㄹ

0050 $x^2+x-2=0$에서 $(x+2)(x-1)=0$
$\therefore x=-2$ 또는 $x=1$
따라서 $\{x \mid x^2+x-2=0\}=\{-2, 1\}$이므로 유한집합이다.

0051 $2x+1=0$에서 $x=-\frac{1}{2}$
그런데 $-\frac{1}{2}$은 자연수가 아니므로 공집합이다.

0052 -1보다 크고 1보다 작은 실수는 무수히 많으므로 무한집합이다.

0053 $\{x \mid x$는 $|x| \le 50$인 정수$\}$
$=\{-50, -49, \cdots, -1, 0, 1, \cdots, 49, 50\}$
이므로 유한집합이다.

0054 $\{x \mid x=3n+1, n$은 정수$\}=\{\cdots, -2, 1, 4, \cdots\}$
이므로 무한집합이다.

0055 ㄱ. $\{x \mid x$는 0보다 작은 자연수$\}=\varnothing$ (유한집합)
ㄴ. $\{x \mid x$는 8의 양의 배수$\}=\{8, 16, 24, \cdots\}$ (무한집합)
ㄷ. $\{x \mid x$는 72의 양의 약수$\}$
$=\{1, 2, 3, 4, 6, 8, 9, 12, 18, 24, 36, 72\}$ (유한집합)
ㄹ. 유한집합
따라서 유한집합인 것은 ㄱ, ㄷ, ㄹ이다.

핵심 06 본문 16쪽

0056 4 **0057** 1 **0058** 5 **0059** 3
0060 7 **0061** 8 **0062** 21 **0063** 24
0064 90 **0065** 0 **0066** 2 **0067** 1
0068 ③

0059 $A=\{1, 3, 9\}$이므로 $n(A)=3$

0060 $B=\{4, 8, 12, 16, 20, 24, 28\}$이므로 $n(B)=7$

0061 $C=\{2, 3, 5, 7, 11, 13, 17, 19\}$이므로 $n(C)=8$

0062 $A=\{-10, -9, -8, \cdots, 8, 9, 10\}$이므로 $n(A)=21$

0063 $B=\{2, 4, 6, \cdots, 46, 48\}$이므로 $n(B)=24$

0064 $C=\{10, 11, 12, \cdots, 98, 99\}$이므로 $n(C)=90$

0065 $x^2=3$에서 $x=\pm\sqrt{3}$
그런데 x는 유리수이므로 $A=\varnothing$
$\therefore n(A)=0$

0066 $x^2+x-6=0$에서 $(x+3)(x-2)=0$
따라서 $B=\{-3, 2\}$이므로
$n(B)=2$

0067 $x^2-4x-5=0$에서 $(x+1)(x-5)=0$
그런데 $x>0$이므로 $C=\{5\}$
$\therefore n(C)=1$

0068 ① $n(\{0, \varnothing\})=2$
② $n(\{0\})=1$
③ $n(\{-1\})=n(\{1\})=1$
④ $n(\{0, 1, 2\})-n(\{0, 1\})=3-2=1$

⑤ $3x-2=7$에서 $x=3$

따라서 $A=\{3\}$이므로 $n(A)=1$

그러므로 옳은 것은 ③이다.

핵심 01~06 Mini Review Test 본문 17쪽

0069 ㄴ, ㄷ, ㄹ **0070** ㄴ, ㄷ

0071 (1) $A=\{2, 3, 5, 7, 11, 13\}$

(2) 예 $A=\{x|x$는 13 이하의 소수$\}$

0072 $C=\{-5, -4, -3, 3, 4, 5\}$, $D=\{5, 7, 9, 11\}$

0073 ㄱ, ㄴ, ㄹ **0074** 17

0070 18의 양의 약수는 1, 2, 3, 6, 9, 18이므로

$1\in A$, $2\in A$, $6\in A$, $8\notin A$, $9\in A$, $18\in A$

따라서 옳은 것은 ㄴ, ㄷ이다.

0072

xy	3	4	5
-1	-3	-4	-5
1	3	4	5

➡ $C=\{-5, -4, -3, 3, 4, 5\}$

$2x-y$	3	4	5
-1	7	9	11
1	5	7	9

➡ $D=\{5, 7, 9, 11\}$

0073 ㄱ. $\{100, 101, 102, \cdots, 998, 999\}$이므로 유한집합이다.

ㄴ. $x^2+2=0$, 즉 $x^2=-2$를 만족시키는 실수 x는 없으므로 공집합이다.

따라서 유한집합이다.

ㄷ. $\{102, 104, 106, \cdots\}$이므로 무한집합이다.

ㄹ. $360=2^3\times3^2\times5$이므로 360의 양의 약수의 개수는

$(3+1)(2+1)(1+1)=24$

따라서 유한집합이다.

ㅁ. 무리수는 무수히 많으므로 무한집합이다.

따라서 유한집합인 것은 ㄱ, ㄴ, ㄹ이다.

0074 $A=\{0, 1, 2, 3\}$이므로 $n(A)=4$

$B=\{-5, -4, -3, \cdots, 3, 4, 5\}$이므로 $n(B)=11$

$x^2-x-2=0$에서 $(x+1)(x-2)=0$

즉, $C=\{-1, 2\}$이므로 $n(C)=2$

$\therefore n(A)+n(B)+n(C)=4+11+2=17$

핵심 07 본문 18쪽

0075 $\subset$, $\not\subset$ **0076** $\not\subset$, $\subset$ **0077** $\not\subset$, $\not\subset$ **0078** $\not\subset$, $\subset$

0079 $\not\subset$, $\not\subset$ **0080** $\subset$, $\not\subset$ **0081** $\subset$, $\subset$, $\not\subset$

0082 $\subset$, $\not\subset$, $\subset$ **0083** $\subset$, $\subset$, $\not\subset$

0084 $\not\subset$, $\not\subset$, $\subset$ **0085** ㄴ, ㄹ, ㅁ

0077 $x^2-2x-3=0$에서 $(x+1)(x-3)=0$이므로 $A=\{-1, 3\}$

$\therefore A\not\subset B$, $B\not\subset A$

0078 $A=\{3, 6, 9, \cdots\}$, $B=\{6, 12, 18, \cdots\}$이므로

$A\not\subset B$, $B\subset A$

0079 $A=\{1, 2, 4, 8\}$, $B=\{2, 4, 6, 8, \cdots\}$이므로

$A\not\subset B$, $B\not\subset A$

0080 $\varnothing$은 모든 집합의 부분집합이므로 $A\subset B$, $B\not\subset A$

0083 $x^2+2x=0$에서 $x(x+2)=0$이므로 $C=\{0, -2\}$

$\varnothing\subset C$, $\{0, -2\}\subset C$, $\{0, 2\}\not\subset C$

0084 $D=\{2, 3, 5, 7\}$이므로

$\{9\}\not\subset D$, $\{3, 11\}\not\subset D$, $\{2, 5, 7\}\subset D$

0085 ㄱ. $5\in A$

ㄷ. $\{2, 10\}\subset A$

따라서 옳은 것은 ㄴ, ㄹ, ㅁ이다.

핵심 08 본문 19쪽

0086 $\varnothing$, $\{1\}$, $\{0, 1\}$

0087 $\varnothing$, $\{1\}$, $\{2\}$, $\{1, 3\}$, $\{2, 3\}$

0088 $\varnothing$, $\{2\}$, $\{4\}$, $\{6\}$, $\{2, 4\}$, $\{2, 6\}$, $\{4, 6\}$, $\{2, 4, 6\}$

0089 $\varnothing$, $\{1\}$, $\{3\}$, $\{5\}$, $\{7\}$, $\{1, 3\}$, $\{1, 5\}$, $\{1, 7\}$, $\{3, 5\}$, $\{3, 7\}$, $\{5, 7\}$, $\{1, 3, 5\}$, $\{1, 3, 7\}$, $\{1, 5, 7\}$, $\{3, 5, 7\}$, $\{1, 3, 5, 7\}$

0090 3, 3, $\{3\}$, $\{-2, 3\}$

0091 $\varnothing$, $\{1\}$, $\{2\}$, $\{5\}$, $\{10\}$, $\{1, 2\}$, $\{1, 5\}$, $\{1, 10\}$, $\{2, 5\}$, $\{2, 10\}$, $\{5, 10\}$, $\{1, 2, 5\}$, $\{1, 2, 10\}$, $\{1, 5, 10\}$, $\{2, 5, 10\}$, $\{1, 2, 5, 10\}$

0092 $\{a, b, c\}$, $\{a, b, d\}$, $\{a, c, d\}$, $\{b, c, d\}$

0093 $\{1, 7\}$, $\{1, 2, 7\}$, $\{1, 7, 14\}$, $\{1, 2, 7, 14\}$

0093 $\{x|x$는 14의 양의 약수$\}=\{1, 2, 7, 14\}$이므로
1, 7을 반드시 원소로 갖는 부분집합은
$\{1, 7\}$, $\{1, 2, 7\}$, $\{1, 7, 14\}$, $\{1, 2, 7, 14\}$

핵심 **09** 본문 ○ 20쪽

0094 (1) $\varnothing$, 1 (2) $\varnothing$, $\{\varnothing\}$, $\{1\}$, $\{\varnothing, 1\}$
(3) ○, ○, ×, ×, ○, ○
0095 (1) a, $\{b\}$ (2) $\varnothing$, $\{a\}$, $\{\{b\}\}$, $\{a, \{b\}\}$
(3) ○, ×, ○, ○, ○, ×
0096 (1) $\varnothing$, 1, $\{2\}$
(2) $\varnothing$, $\{\varnothing\}$, $\{1\}$, $\{\{2\}\}$, $\{\varnothing, 1\}$, $\{\varnothing, \{2\}\}$,
$\{1, \{2\}\}$, $\{\varnothing, 1, \{2\}\}$
(3) ○, ○, ×, ○, ○, ×, ○, ×
0097 ○, ×, ○, ○, ×, ○
0098 ×, ×, ×, ○, ×, ○, ○, ×, ×, ×, ○, ○
0099 ④

0097 집합 A의 원소 : 0, $\{2\}$, $\{0, 2\}$
집합 A의 부분집합 : $\varnothing$, $\{0\}$, $\{\{2\}\}$, $\{\{0, 2\}\}$, $\{0, \{2\}\}$,
$\{0, \{0, 2\}\}$, $\{\{2\}, \{0, 2\}\}$,
$\{0, \{2\}, \{0, 2\}\}$

0098 집합 B의 원소 : 0, $\{\varnothing\}$, $\{\varnothing, 1\}$
집합 B의 부분집합 : $\varnothing$, $\{0\}$, $\{\{\varnothing\}\}$, $\{\{\varnothing, 1\}\}$,
$\{0, \{\varnothing\}\}$, $\{0, \{\varnothing, 1\}\}$,
$\{\{\varnothing\}, \{\varnothing, 1\}\}$, $\{0, \{\varnothing\}, \{\varnothing, 1\}\}$

0099 집합 A의 원소 : 0, 1, $\{0\}$, $\varnothing$
집합 A의 부분집합 : $\varnothing$, $\{0\}$, $\{1\}$, $\{\{0\}\}$, $\{\varnothing\}$, $\{0, 1\}$,
$\{0, \{0\}\}$, $\{0, \varnothing\}$, $\{1, \{0\}\}$, $\{1, \varnothing\}$,
$\{\{0\}, \varnothing\}$, $\{0, 1, \{0\}\}$, $\{0, 1, \varnothing\}$,
$\{0, \{0\}, \varnothing\}$, $\{1, \{0\}, \varnothing\}$,
$\{0, 1, \{0\}, \varnothing\}$
④ $\varnothing \in A$

핵심 **10** 본문 ○ 21쪽

0100 8, 7, $\not\subset$, 1, 2, 1, $\subset$, 1
0101 -2 **0102** 1 **0103** 2
0104 1, -1 **0105** $a\le -2$, $b\ge 3$
0106 $a\le 1$, $b\ge 2$ **0107** 3

0101 $A\subset B$이려면 $2a+1=1$ 또는 $2a+5=1$이어야 하므로
(i) $2a+1=1$, 즉 $a=0$일 때
$A=\{-1, 1\}$, $B=\{1, 3, 5\}$ $\therefore A\not\subset B$
(ii) $2a+5=1$, 즉 $a=-2$일 때
$A=\{-3, 1\}$, $B=\{-3, 1, 3\}$ $\therefore A\subset B$
(i), (ii)에서 $a=-2$

0102 $A\subset B$이려면 $-a+2=-1$ 또는 $2a-3=-1$이어야 하므로
(i) $-a+2=-1$, 즉 $a=3$일 때
$A=\{-1, 2\}$, $B=\{-1, 0, 3\}$ $\therefore A\not\subset B$
(ii) $2a-3=-1$, 즉 $a=1$일 때
$A=\{-1, 0\}$, $B=\{-1, 0, 1\}$ $\therefore A\subset B$
(i), (ii)에서 $a=1$

0103 $a\ne a-1$, $a\ne a+2$이므로 $A\subset B$이려면 $a=a^2-2$이어야 한다.
$a^2-a-2=0$, $(a+1)(a-2)=0$ $\therefore a=-1$ 또는 $a=2$
(i) $a=-1$일 때
$A=\{-1, 4\}$, $B=\{-2, -1, 1\}$ $\therefore A\not\subset B$
(ii) $a=2$일 때
$A=\{2, 4\}$, $B=\{1, 2, 4\}$ $\therefore A\subset B$
(i), (ii)에서 $a=2$

0105 $A\subset B$가 되도록 두 집합 A, B를 수직선 위에 나타내면

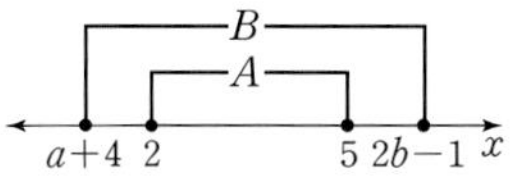

$a+4\le 2$, $2b-1\ge 5$
$\therefore a\le -2$, $b\ge 3$

0106 $A\subset B$가 되도록 두 집합 A, B를 수직선 위에 나타내면

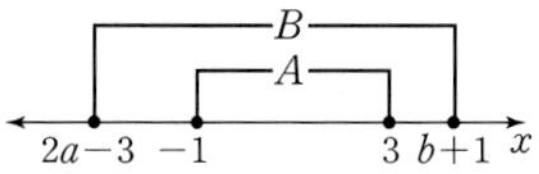

$2a-3\le -1$, $b+1\ge 3$
$\therefore a\le 1$, $b\ge 2$

0107 $A\subset B$가 되도록 두 집합 A, B를 수직선 위에 나타내면

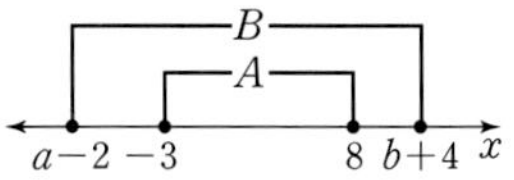

$a-2\le -3$, $b+4\ge 8$
$\therefore a\le -1$, $b\ge 4$
따라서 a의 최댓값은 -1, b의 최솟값은 4이므로 그 합은
$-1+4=3$

핵심 11

본문 ➔ 22쪽

0108 $\neq$ **0109** $=$ **0110** $\neq$ **0111** $=$
0112 $=$ **0113** $\neq$ **0114** $\neq$ **0115** $=$
0116 풀이 참조 **0117** 풀이 참조

0112 $x^2-2x-3=0$에서 $(x+1)(x-3)=0$
$\therefore x=-1$ 또는 $x=3$
$\therefore \{-1,\ 3\}=\{x\,|\,x^2-2x-3=0\}$

0113 $x^2+x-6=0$에서 $(x+3)(x-2)=0$
$\therefore x=-3$ 또는 $x=2$
$\therefore \{-3,\ -2\}\neq\{x\,|\,x^2+x-6=0\}$

0114 5보다 작은 자연수는 1, 2, 3, 4이므로
$\{0,\ 1,\ 2,\ 3,\ 4\}\neq\{1,\ 2,\ 3,\ 4\}$

0116
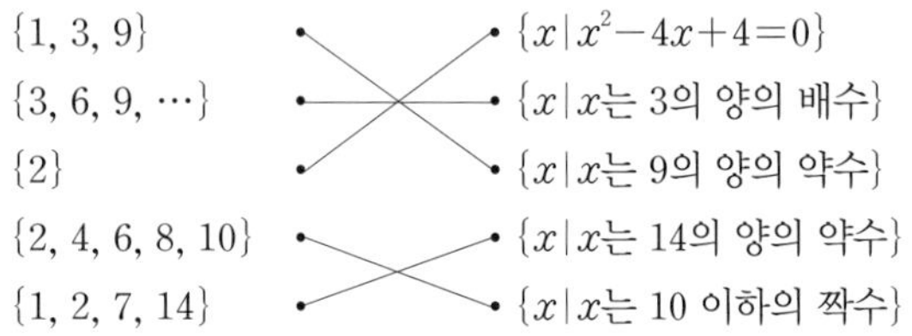

0117
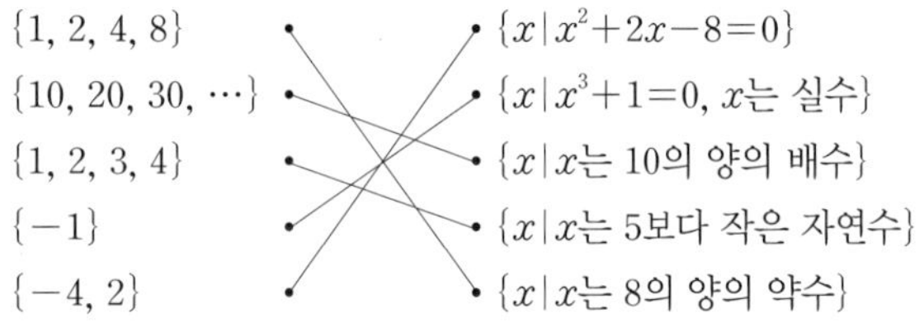

핵심 12

본문 ➔ 23쪽

0118 $a=2,\ b=-1$ **0119** $a=-6,\ b=5$
0120 $a=6,\ b=-1$ **0121** $a=-2,\ b=0$
0122 $a=0,\ b=3$ **0123** $a=-3,\ b=1$
0124 $a=3,\ b=4$ **0125** $a=-2,\ b=2$
0126 $a=3,\ b=-2$ **0127** $a=-1,\ b=3$
0128 $a=4,\ b=1$ **0129** 3

0119 $a+3=-3,\ b-4=1 \qquad \therefore a=-6,\ b=5$

0120 $a-1=5,\ b+3=2 \qquad \therefore a=6,\ b=-1$

0121 $2a=-4,\ b+2=2 \qquad \therefore a=-2,\ b=0$

0123 $a+1=-2,\ 2b=2 \qquad \therefore a=-3,\ b=1$

0124 $2a=6,\ b-1=3 \qquad \therefore a=3,\ b=4$

0125 $3a-2=-8,\ 3a=-6 \qquad \therefore a=-2$
$2b+1=5,\ 2b=4 \qquad \therefore b=2$

0126 $a\neq a-2$이므로
$a+b=a-2 \qquad \therefore b=-2$
$a=b+5 \qquad \therefore a=3$

0127 $a^2+2a-3=-4,\ a^2+2a+1=0$
$(a+1)^2=0 \qquad \therefore a=-1$
$b-2=1 \qquad \therefore b=3$

0128 $a+4=8 \qquad \therefore a=4$
$2a-5=3b,\ 3b=3 \qquad \therefore b=1$

0129 $A\subset B,\ B\subset A$이면 $A=B$이므로
$a^2-4a+1=-3,\ a^2-4a+4=0$
$(a-2)^2=0 \qquad \therefore a=2$
$2b-3=-1,\ 2b=2 \qquad \therefore b=1$
$\therefore a+b=2+1=3$

핵심 07~12 Mini Review Test

본문 ➔ 24쪽

0130 ㄷ, ㄹ, ㅁ **0131** ㄱ, ㄹ, ㅂ
0132 $-1\le a\le 3,\ b\le 1$ **0133** 5
0134 ㄱ, ㄷ **0135** -2

0130 ㄱ. $\varnothing\subset\{0\}$ ㄴ. $\{3\}\subset\{3,\ 5\}$
따라서 옳은 것은 ㄷ, ㄹ, ㅁ이다.

0131 ㄴ. $2\notin A$ ㄷ. $\varnothing\in A$
ㅁ. $\{1,\ 2\}\in A$
따라서 옳은 것은 ㄱ, ㄹ, ㅂ이다.

0132 $A\subset B$가 되도록 두 집합 A, B를 수직선 위에 나타내면

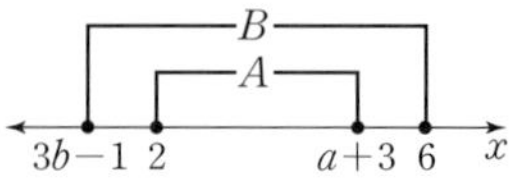

$3b-1\le 2,\ 2\le a+3\le 6$
$\therefore -1\le a\le 3,\ b\le 1$

0133 $a+1\neq a$, $a+1\neq a-2$이므로 $A\subset B$이려면
$a+1=a^2-4a+1$이어야 한다.
$a^2-5a=0$, $a(a-5)=0$ $\quad\therefore a=0$ 또는 $a=5$
(i) $a=0$일 때
$A=\{1, 3\}$, $B=\{-2, 0, 1\}$ $\quad\therefore A\not\subset B$
(ii) $a=5$일 때
$A=\{3, 6\}$, $B=\{3, 5, 6\}$ $\quad\therefore A\subset B$
(i), (ii)에서 $a=5$

0134 ㄴ. $\{x|x$는 4의 양의 약수$\}=\{1, 2, 4\}$이므로
$\{1, 2, 4\}\neq\{1, 2, 4, 8\}$
ㄷ. $x^2+x-12=0$에서 $(x+4)(x-3)=0$
$\therefore x=-4$ 또는 $x=3$
$\therefore \{x|x^2+x-12=0\}=\{-4, 3\}$
ㄹ. $\{x|x$는 5의 양의 배수$\}=\{5, 10, 15, \cdots\}$이므로
$\{5, 10, 15, \cdots\}\neq\{5, 10, 15, 20\}$
따라서 두 집합이 서로 같은 것은 ㄱ, ㄷ이다.

0135 $A\subset B$, $B\subset A$이므로 $A=B$이다.
$a+3\neq a-4$이므로
$a+3=b-3$, $a-2b=a-4$
$a-2b=a-4$에서 $-2b=-4$ $\quad\therefore b=2$
$b=2$를 $a+3=b-3$에 대입하면
$a+3=-1$ $\quad\therefore a=-4$
$\therefore a+b=-4+2=-2$

핵심 13

본문 ➔ 25쪽

0136 4	**0137** 2	**0138** 16	**0139** 8
0140 32	**0141** 4	**0142** 4	**0143** 8
0144 4	**0145** 64	**0146** $\varnothing$, $\{0\}$, $\{1\}$, 4, 16	
0147 256			

0142 $\{x|x$는 3의 양의 약수$\}=\{1, 3\}$
따라서 부분집합의 개수는 $2^2=4$

0143 $\{x|x$는 6 이하의 홀수$\}=\{1, 3, 5\}$
따라서 부분집합의 개수는 $2^3=8$

0144 $x^2+4x-12=0$에서 $(x+6)(x-2)=0$
$\therefore x=-6$ 또는 $x=2$
따라서 $\{x|x^2+4x-12=0\}=\{-6, 2\}$이므로
부분집합의 개수는 $2^2=4$

0145 $\{x|x$는 15 이하의 소수$\}=\{2, 3, 5, 7, 11, 13\}$
따라서 부분집합의 개수는 $2^6=64$

0147 $A=\{\varnothing, \{1\}, \{2\}, \{3\}, \{1, 2\}, \{1, 3\}, \{2, 3\}, \{1, 2, 3\}\}$
따라서 집합 A의 원소의 개수는 8이므로 집합 A의 부분집합의 개수는 $2^8=256$

핵심 14

본문 ➔ 26쪽

0148 $\varnothing$, $\{a\}$, $\{b\}$ **0149** $\varnothing$, $\{\varnothing\}$, $\{\{2\}\}$

0150 $\varnothing$, $\{0\}$, $\{\{1\}\}$, $\{\{0, 1\}\}$, $\{0, \{1\}\}$, $\{0, \{0, 1\}\}$, $\{\{1\}, \{0, 1\}\}$

0151 $\varnothing$, $\{-1\}$, $\{1\}$, $\{-i\}$, $\{i\}$, $\{-1, 1\}$, $\{-1, -i\}$, $\{-1, i\}$, $\{1, -i\}$, $\{1, i\}$, $\{-i, i\}$, $\{-1, 1, -i\}$, $\{-1, 1, i\}$, $\{-1, -i, i\}$, $\{1, -i, i\}$

0152 31	**0153** 7	**0154** 7	**0155** 15
0156 1	**0157** 63		

0151 $x^4-1=0$에서 $(x^2+1)(x^2-1)=0$
$\therefore x=\pm i$ 또는 $x=\pm 1$
따라서 $\{x|x^4-1=0, x$는 복소수$\}=\{-1, 1, -i, i\}$이므로 진부분집합은
$\varnothing$, $\{-1\}$, $\{1\}$, $\{-i\}$, $\{i\}$, $\{-1, 1\}$, $\{-1, -i\}$,
$\{-1, i\}$, $\{1, -i\}$, $\{1, i\}$, $\{-i, i\}$, $\{-1, 1, -i\}$,
$\{-1, 1, i\}$, $\{-1, -i, i\}$, $\{1, -i, i\}$

0155 $\{x|x$는 30보다 작은 6의 양의 배수$\}=\{6, 12, 18, 24\}$
따라서 진부분집합의 개수는 $2^4-1=15$

0156 $\{x|x^3+1=0, x$는 실수$\}=\{-1\}$
따라서 진부분집합의 개수는 $2^1-1=1$

0157 $A=\{1, 2, 4, 5, 10, 20\}$이므로 진부분집합의 개수는
$2^6-1=63$

핵심 15

본문 ➔ 27쪽

0158 4	**0159** 8	**0160** 4	**0161** 16
0162 8	**0163** 2	**0164** 4	**0165** 64
0166 32	**0167** 16	**0168** 16	**0169** 8

0158 $2^{3-1}=2^2=4$

0162 $2^{4-1}=2^3=8$

0163 $2^{3-2}=2^1=2$

0164 $\{x|x$는 10보다 작은 홀수$\}=\{1, 3, 5, 7, 9\}$
따라서 구하는 부분집합의 개수는 $2^{5-3}=2^2=4$

0165 $\{x|x$는 24의 양의 약수$\}=\{1, 2, 3, 4, 6, 8, 12, 24\}$
따라서 구하는 부분집합의 개수는 $2^{8-2}=2^6=64$

0166 $\{x|x$는 20 이하의 소수$\}=\{2, 3, 5, 7, 11, 13, 17, 19\}$
따라서 구하는 부분집합의 개수는 $2^{8-3}=2^5=32$

0167 $\{x|x$는 30의 양의 약수$\}=\{1, 2, 3, 5, 6, 10, 15, 30\}$
따라서 구하는 부분집합의 개수는 $2^{8-4}=2^4=16$

0168 $\{x|x$는 25 이하의 4의 양의 배수$\}=\{4, 8, 12, 16, 20, 24\}$
따라서 구하는 부분집합의 개수는 $2^{6-2}=2^4=16$

0169 $2^{5-2}=2^3=8$

핵심 16

본문 ➔ 28쪽

0170 8	**0171** 4	**0172** 32	**0173** 16
0174 8	**0175** 8	**0176** 4	**0177** 16
0178 8	**0179** 32	**0180** 64	**0181** 16

0176 $\{x|x$는 2보다 크고 6보다 작은 자연수$\}=\{3, 4, 5\}$
따라서 구하는 부분집합의 개수는 $2^{3-1}=2^2=4$

0177 $\{x|x$는 15보다 작은 짝수$\}=\{2, 4, 6, 8, 10, 12, 14\}$
따라서 구하는 부분집합의 개수는 $2^{7-3}=2^4=16$

0178 $\{x|x$는 18의 양의 약수$\}=\{1, 2, 3, 6, 9, 18\}$
따라서 구하는 부분집합의 개수는 $2^{6-3}=2^3=8$

0179 $\{x|x$는 50 이하의 7의 양의 배수$\}=\{7, 14, 21, 28, 35, 42, 49\}$
따라서 구하는 부분집합의 개수는 $2^{7-2}=2^5=32$

0180 $\{x|x$는 36의 양의 약수$\}=\{1, 2, 3, 4, 6, 9, 12, 18, 36\}$
따라서 구하는 부분집합의 개수는 $2^{9-3}=2^6=64$

0181 $A=\{3, 6, 9, 12, 15, 18\}$
따라서 구하는 부분집합의 개수는 $2^{6-2}=2^4=16$

핵심 17

본문 ➔ 29쪽

0182 2, 3, 3, 2, 4		**0183** 2, 5, 2, 3, 8	
0184 4	**0185** 16	**0186** 8	**0187** 32
0188 6, 12, 18, 3, 3, 8		**0189** 4	**0190** 16
0191 32	**0192** 64		

0184 집합 X의 개수는 집합 $\{a, b, c\}$의 부분집합 중에서 b를 반드시 원소로 갖는 부분집합의 개수와 같으므로
$2^{3-1}=2^2=4$

0185 집합 X의 개수는 집합 $\{a, b, c, d, e, f\}$의 부분집합 중에서 c, f를 반드시 원소로 갖는 부분집합의 개수와 같으므로
$2^{6-2}=2^4=16$

0186 집합 X의 개수는 집합 $\{1, 2, 4, 5, 10, 20\}$의 부분집합 중에서 1, 5, 10을 반드시 원소로 갖는 부분집합의 개수와 같으므로
$2^{6-3}=2^3=8$

0187 집합 X의 개수는 집합 $\{1, 2, 4, 8, 16, 32, 64\}$의 부분집합 중에서 8, 16을 반드시 원소로 갖는 부분집합의 개수와 같으므로
$2^{7-2}=2^5=32$

0189 $B=\{2, 3, 4, 5, 6\}$
따라서 집합 X의 개수는 집합 B의 부분집합 중에서 2, 4, 6을 반드시 원소로 갖는 부분집합의 개수와 같으므로
$2^{5-3}=2^2=4$

0190 $B=\{-3, -2, -1, 0, 1, 2\}$
따라서 집합 X의 개수는 집합 B의 부분집합 중에서 -3, 1을 반드시 원소로 갖는 부분집합의 개수와 같으므로
$2^{6-2}=2^4=16$

0191 $A=\{1, 2, 4, 8\}$
따라서 집합 X의 개수는 집합 B의 부분집합 중에서 1, 2, 4, 8을 반드시 원소로 갖는 부분집합의 개수와 같으므로
$2^{9-4}=2^5=32$

0192 $A=\{2, 4, 6, 8\}$
$B=\{1, 2, 3, 4, 6, 8, 12, 16, 24, 48\}$
따라서 집합 X의 개수는 집합 B의 부분집합 중에서 2, 4, 6, 8을 반드시 원소로 갖는 부분집합의 개수와 같으므로
$2^{10-4}=2^6=64$

핵심 18 본문 ◎ 30쪽

0193 8	**0194** 4	**0195** 4	**0196** 32
0197 8	**0198** 16	**0199** 16	**0200** 4
0201 8	**0202** 16	**0203** 8	**0204** 4

0193 $2^{5-1-1}=2^3=8$

0194 $2^{5-2-1}=2^2=4$

0195 짝수는 2, 4의 2개이므로 구하는 부분집합의 개수는
$2^{5-1-2}=2^2=4$

0196 $2^{7-1-1}=2^5=32$

0197 $2^{7-2-2}=2^3=8$

0198 절댓값이 2인 수는 -2, 2의 2개이므로 구하는 부분집합의 개수는
$2^{7-1-2}=2^4=16$

0199 집합 X의 개수는 집합 A의 부분집합 중에서 3은 반드시 원소로 갖고, 6은 원소로 갖지 않는 부분집합의 개수와 같으므로
$2^{6-1-1}=2^4=16$

0200 집합 X의 개수는 집합 A의 부분집합 중에서 4, 5는 반드시 원소로 갖고, 2, 7은 원소로 갖지 않는 부분집합의 개수와 같으므로
$2^{6-2-2}=2^2=4$

0201 집합 X의 개수는 집합 A의 부분집합 중에서 3, 7은 반드시 원소로 갖고, 5는 원소로 갖지 않는 부분집합의 개수와 같으므로
$2^{6-2-1}=2^3=8$

0202 $B=\{1, 2, 3, 4, 6, 12\}$
따라서 집합 X의 개수는 집합 B의 부분집합 중에서 1은 반드시 원소로 갖고, 3은 원소로 갖지 않는 부분집합의 개수와 같으므로
$2^{6-1-1}=2^4=16$

0203 집합 X의 개수는 집합 B의 부분집합 중에서 6은 반드시 원소로 갖고, 2, 4는 원소로 갖지 않는 부분집합의 개수와 같으므로
$2^{6-1-2}=2^3=8$

0204 집합 X의 개수는 집합 B의 부분집합 중에서 1, 2, 4는 반드시 원소로 갖고, 12는 원소로 갖지 않는 부분집합의 개수와 같으므로
$2^{6-3-1}=2^2=4$

핵심 13~18 Mini Review Test 본문 ◎ 31쪽

0205 16	**0206** 15	**0207** 8	**0208** 16
0209 8	**0210** 64		

0205 $A=\{1, 3, 5, 15\}$이므로 구하는 부분집합의 개수는
$2^4=16$

0206 $A=\{\varnothing, \{a\}, \{b\}, \{a, b\}\}$이므로 구하는 진부분집합의 개수는
$2^4-1=16-1=15$

0207 $A=\{2, 4, 6, 8, 10\}$이므로 구하는 부분집합의 개수는
$2^{5-2}=2^3=8$

0208 $A=\{1, 2, 4, 5, 10, 20\}$에서 4의 배수는 4, 20이므로 구하는 부분집합의 개수는
$2^{6-2}=2^4=16$

0209 $A=\{1, 2, 4\}$, $B=\{1, 2, 3, 4, 6, 12\}$
따라서 집합 X의 개수는 집합 B의 부분집합 중에서 1, 2, 4를 반드시 원소로 갖는 부분집합의 개수와 같으므로
$2^{6-3}=2^3=8$

0210 $A=\{1, 2, 3, 4, 5, 6, 10, 12, 15, 20, 30, 60\}$
집합 A의 원소 중에서
5의 약수는 1, 5의 2개
4의 배수는 4, 12, 20, 60의 4개
따라서 구하는 부분집합의 개수는
$2^{12-2-4}=2^6=64$

2. 집합의 연산

핵심 01
본문 ◐ 36쪽

0211~0214 풀이 참조

0215 $A\cup B=\{a, b, c, d, e, f\}$, $A\cap B=\{d\}$

0216 $A\cup B=\{1, 2, 3, 4, 6, 9\}$, $A\cap B=\{6\}$

0217 $A\cup B=\{1, 2, 3, 5, 7, 9, 10\}$, $A\cap B=\{1, 5\}$

0218 $A\cup B=\{1, 2, 3, 4, 5, 6, 10, 20\}$, $A\cap B=\{1, 2, 4, 5\}$

0219 $A\cup B=\{1, 2, 3, 5, 6, 15\}$, $A\cap B=\{1, 3\}$

0220 $A\cup B=\{x|x$는 3의 양의 배수$\}$, $A\cap B=\{x|x$는 9의 양의 배수$\}$

0211 $A\cup B=\{1, 3, 5, 7, 10\}$
$A\cap B=\{1, 5\}$

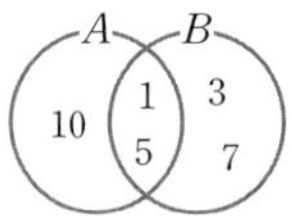

0212 $A\cup B=\{1, 2, 3, 4, 5, 7\}$
$A\cap B=\{2, 3\}$

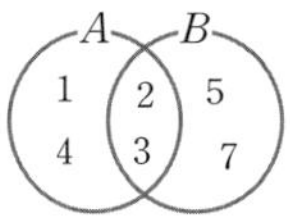

0213 $B=\{1, 2, 4\}$
$A\cup B=\{1, 2, 4, 6, 8\}$
$A\cap B=\{2, 4\}$

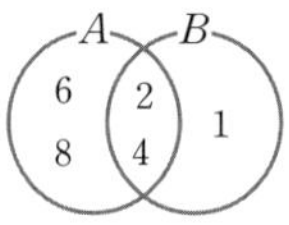

0214 $A=\{1, 2, 4, 8\}$, $B=\{1, 2, 3, 4, 6, 12\}$이므로
$A\cup B=\{1, 2, 3, 4, 6, 8, 12\}$
$A\cap B=\{1, 2, 4\}$

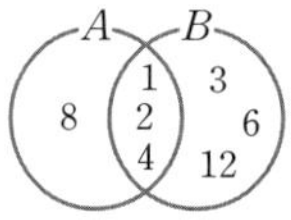

0217 $B=\{1, 3, 5, 7, 9\}$이므로
$A\cup B=\{1, 2, 3, 5, 7, 9, 10\}$
$A\cap B=\{1, 5\}$

0218 $B=\{1, 2, 4, 5, 10, 20\}$이므로
$A\cup B=\{1, 2, 3, 4, 5, 6, 10, 20\}$
$A\cap B=\{1, 2, 4, 5\}$

0219 $A=\{1, 2, 3, 6\}$, $B=\{1, 3, 5, 15\}$이므로
$A\cup B=\{1, 2, 3, 5, 6, 15\}$
$A\cap B=\{1, 3\}$

0220 $A=\{3, 6, 9, \cdots\}$, $B=\{9, 18, 27, \cdots\}$이므로
$A\cup B=\{3, 6, 9, \cdots\}=\{x|x$는 3의 양의 배수$\}$
$A\cap B=\{9, 18, 27, \cdots\}=\{x|x$는 9의 양의 배수$\}$

핵심 02
본문 ◐ 37쪽

0221 $a=2$, $b=5$, $A\cup B=\{2, 4, 7, 8\}$

0222 $a=1$, $b=3$, $A\cup B=\{1, 2, 3, 5\}$

0223 4, 7, 8, 4, 2, 4, 6, 4, 8, 2, 4, 6, 8

0224 $a=4$, $b=9$, $A\cup B=\{3, 5, 7, 14\}$

0225 $a=4$, $A\cap B=\{3, 4\}$

0226 $a=8$, $b=8$, $A\cap B=\{9\}$

0227 $a=4$, $b=3$, $A\cap B=\{3, 5\}$

0228 2, 14

0221 $A\cap B=\{2, 4\}$에서 $4\in A$, $2\in B$이므로
$a+2=4$, $b-3=2$ $\quad\therefore a=2, b=5$
따라서 $A=\{2, 4, 8\}$, $B=\{2, 4, 7\}$이므로
$A\cup B=\{2, 4, 7, 8\}$

0222 $A\cap B=\{3, 5\}$에서 $3\in A$, $5\in B$이므로
$2a+1=3$, $b+2=5$ $\quad\therefore a=1, b=3$
따라서 $A=\{1, 3, 5\}$, $B=\{2, 3, 5\}$이므로
$A\cup B=\{1, 2, 3, 5\}$

0224 $A\cap B=\{7\}$에서 $7\in A$이므로
$2a-1=7$ $\quad\therefore a=4$
a의 값을 대입하면 $B=\{14, b-2\}$이고
$7\in B$이므로 $b-2=7$ $\quad\therefore b=9$
따라서 $A=\{3, 5, 7\}$, $B=\{7, 14\}$이므로
$A\cup B=\{3, 5, 7, 14\}$

0225 $A\cup B=\{1, 2, 3, 4, 6\}$이고 $A=\{1, 2, 3, a\}$이므로
$a=4$ 또는 $a=6$
(i) $a=4$일 때
$A=\{1, 2, 3, 4\}$, $B=\{3, 4, 6\}$이므로
$A\cup B=\{1, 2, 3, 4, 6\}$
(ii) $a=6$일 때
$A=\{1, 2, 3, 6\}$, $B=\{3, 4, 8\}$이므로
$A\cup B=\{1, 2, 3, 4, 6, 8\}$
따라서 주어진 조건을 만족시키지 않는다.
(i), (ii)에서 $a=4$이고 $A\cap B=\{3, 4\}$

0226 $A\cup B=\{4, 5, 6, 8, 9\}$이고 $A=\{4, 9, a\}$이므로
$a=5$ 또는 $a=6$ 또는 $a=8$

(i) $a=5$일 때

$B=\{2,\ b-2,\ 9\}$에서

$2\notin A\cup B$이므로 주어진 조건을 만족시키지 않는다.

(ii) $a=6$일 때

$B=\{3,\ b-2,\ 9\}$에서

$3\notin A\cup B$이므로 주어진 조건을 만족시키지 않는다.

(iii) $a=8$일 때

$B=\{5,\ b-2,\ 9\}$에서

$b-2=6 \qquad \therefore b=8$

$A=\{4, 8, 9\}$, $B=\{5, 6, 9\}$

(i), (ii), (iii)에서 $a=8$, $b=8$이고 $A\cap B=\{9\}$

0227 $A\cup B=\{1, 2, 3, 5, 10\}$이고 $A=\{1, 3, a+1\}$이므로

$a+1=2$ 또는 $a+1=5$ 또는 $a+1=10$

$\therefore a=1$ 또는 $a=4$ 또는 $a=9$

(i) $a=1$일 때

$B=\{0, 2, 5, 3b+1\}$에서

$0\notin A\cup B$이므로 주어진 조건을 만족시키지 않는다.

(ii) $a=4$일 때

$B=\{2, 3, 5, 3b+1\}$에서

$3b+1=10 \qquad \therefore b=3$

따라서 $A=\{1, 3, 5\}$, $B=\{2, 3, 5, 10\}$이므로

$A\cap B=\{3, 5\}$

(iii) $a=9$일 때

$B=\{2, 5, 8, 3b+1\}$에서

$8\notin A\cup B$이므로 주어진 조건을 만족시키지 않는다.

(i), (ii), (iii)에서 $a=4$, $b=3$이고 $A\cap B=\{3, 5\}$

0228 $A\cap B=\{1\}$에서 $1\in A$이므로

$2-a=1 \qquad \therefore a=1$

a의 값을 대입하면 $B=\{4, 6, 2b-3\}$이고

$1\in B$이므로 $2b-3=1 \qquad \therefore b=2$

따라서 $A=\{1, 3\}$, $B=\{1, 4, 6\}$이므로

$A\cup B=\{1, 3, 4, 6\}$

즉, 집합 $A\cup B$의 모든 원소의 합은

$1+3+4+6=14$

핵심 **03** 본문 ⊙ 38쪽

0229 ○	**0230** ○	**0231** ×	**0232** ○
0233 ○	**0234** ×	**0235** ○	**0236** ○
0237 ○	**0238** ×	**0239** ×	**0240** ○
0241 ×	**0242** ④		

0236 $B=\{-2, 2\}$이므로 $A\cap B=\varnothing$

0237 $x^2-x-12=0$에서 $(x+3)(x-4)=0$이므로

$A=\{-3, 4\}$

$x^2+4x+4=0$에서 $(x+2)^2=0$이므로

$B=\{-2\}$

$\therefore A\cap B=\varnothing$

0238 $x^3-9x=0$에서 $x(x+3)(x-3)=0$이므로

$A=\{-3, 0, 3\}$

$x^2+2x-3=0$에서 $(x+3)(x-1)=0$이므로

$B=\{-3, 1\}$

$\therefore A\cap B=\{-3\}$

0239 $A=\{2, 4, 6, 8, 10, \cdots\}$, $B=\{5, 10, 15, 20, \cdots\}$

$\therefore A\cap B=\{10, 20, 30, \cdots\}=\{x\mid x$는 10의 양의 배수$\}$

0240 $A=\{1, 2, 5, 10\}$, $B=\{3, 6, 9, 12, \cdots\}$

$\therefore A\cap B=\varnothing$

0241 $A=\{2, 4, 6, 8, \cdots\}$, $B=\{2, 3, 5, 7, \cdots\}$

$\therefore A\cap B=\{2\}$

0242 ① $A\cap B=\{1\}$

② $A\cap B=\{d\}$

③ $A=\{4, 8, 12, 16, \cdots\}$

$\therefore A\cap B=\{4, 12\}$

⑤ $A=\{-1, 1\}$, $B=\{-1\}$

$\therefore A\cap B=\{-1\}$

따라서 두 집합 A, B가 서로소인 것은 ④이다.

핵심 **04** 본문 ⊙ 39쪽

0243 3, 4, 2, 5, 2, 3, 8	**0244** 4	**0245** 32
0246 4	**0247** 16	**0248** 64	**0249** 16
0250 8	**0251** 32	**0252** 16

0248 $A=\{0, 1, 2, 3, 4, 5, 6, 7, 8, 9\}$, $B=\{1, 3, 5, 7\}$

구하는 집합의 개수는 집합 A의 부분집합 중에서 1, 3, 5, 7을 원소로 갖지 않는 집합의 개수, 즉 $\{0, 2, 4, 6, 8, 9\}$의 부분집합의 개수와 같다.

$\therefore 2^{10-4}=2^6=64$

0249 $A=\{1, 2, 3, 4, 6, 12\}$, $B=\{6, 12\}$
구하는 집합의 개수는 집합 A의 부분집합 중에서 6, 12를 원소로 갖지 않는 부분집합의 개수, 즉 $\{1, 2, 3, 4\}$의 부분집합의 개수와 같다.
$\therefore 2^{6-2}=2^4=16$

0250 $A=\{5, 10, 15, 20, 25, 30\}$, $B=\{10, 20, 30\}$
구하는 집합의 개수는 집합 A의 부분집합 중에서 10, 20, 30을 원소로 갖지 않는 집합의 개수, 즉 $\{5, 15, 25\}$의 부분집합의 개수와 같다.
$\therefore 2^{6-3}=2^3=8$

0251 $A=\{2, 3, 5, 7, 11, 13, 17, 19\}$, $B=\{3, 5, 7\}$
구하는 집합의 개수는 집합 A의 부분집합 중에서 3, 5, 7을 원소로 갖지 않는 집합의 개수, 즉 $\{2, 11, 13, 17, 19\}$의 부분집합의 개수와 같다.
$\therefore 2^{8-3}=2^5=32$

0252 $A=\{1, 2, 4, 7, 14, 28\}$, $B=\{1, 7\}$
구하는 집합의 개수는 집합 A의 부분집합 중에서 1, 7을 원소로 갖지 않는 집합의 개수, 즉 $\{2, 4, 14, 28\}$의 부분집합의 개수와 같다.
$\therefore 2^{6-2}=2^4=16$

핵심 05 본문 ➜ 40쪽

0253~0256 풀이 참조
0257 $A^C=\{a, c, f\}$, $B^C=\{c, e\}$
0258 $A^C=\{4, 5, 7, 8\}$, $B^C=\{4, 6, 8\}$
0259 $A^C=\{-3, -2, 2, 3\}$, $B^C=\{-2, 1, 3\}$
0260 $A^C=\{1, 5, 7\}$, $B^C=\{3, 7, 9\}$
0261 $A^C=\{9, 18\}$, $B^C=\{1, 3, 9\}$
0262 $A^C=\{1, 3, 12, 24\}$, $B^C=\{8, 24\}$

0253 $A^C=\{1, 3, 5\}$

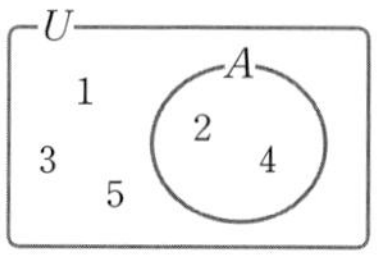

0254 $A^C=\{-2, -1\}$

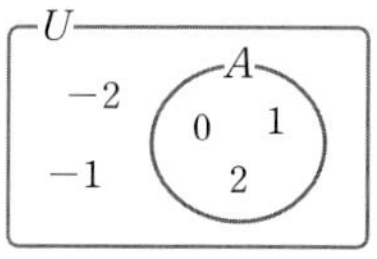

0255 $A^C=\{2, 4, 6, 8\}$

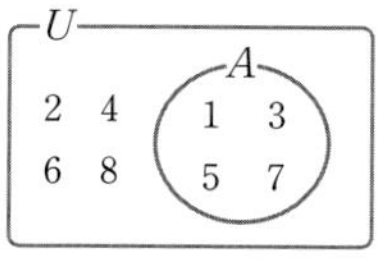

0256 $U=\{1, 2, 3, 4, 6, 12\}$
$A^C=\{1, 2, 4, 12\}$

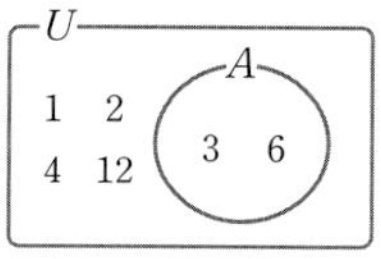

0260 $U=\{1, 3, 5, 7, 9\}$이므로
$A^C=\{1, 5, 7\}$, $B^C=\{3, 7, 9\}$

핵심 06 본문 ➜ 41쪽

0263~0266 풀이 참조
0267 $A-B=\{a, d\}$, $B-A=\{b, f\}$
0268 $A-B=\{2, 4\}$, $B-A=\varnothing$
0269 $A-B=\{5, 7, 10\}$, $B-A=\{1, 8\}$
0270 $A-B=\{3, 9, 15\}$, $B-A=\{8, 10\}$
0271 $A-B=\{1, 15\}$, $B-A=\{2, 7\}$
0272 $A-B=\{2, 6, 18\}$, $B-A=\varnothing$

0263 $A-B=\{1\}$
$B-A=\{4\}$

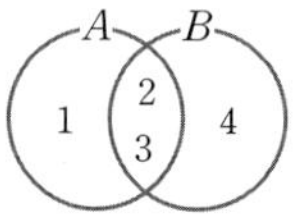

0264 $A-B=\{1, 5, 7\}$
$B-A=\{6, 12\}$

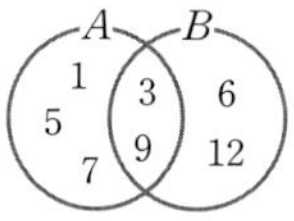

0265 $A=\{4, 5, 6, 7, 8, 9\}$, $B=\{4, 6, 8, 10\}$이므로
$A-B=\{5, 7, 9\}$
$B-A=\{10\}$

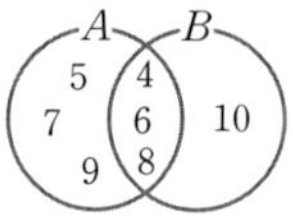

0266 $A=\{2, 4, 6, 8, 10\}$, $B=\{1, 2, 3, 6\}$이므로
$A-B=\{4, 8, 10\}$
$B-A=\{1, 3\}$

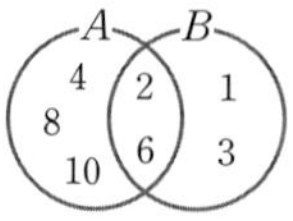

0269 $A=\{2, 4, 5, 7, 10\}$, $B=\{1, 2, 4, 8\}$이므로
$A-B=\{5, 7, 10\}$, $B-A=\{1, 8\}$

0270 $A=\{3, 6, 9, 12, 15\}$, $B=\{6, 8, 10, 12\}$이므로
$A-B=\{3, 9, 15\}$, $B-A=\{8, 10\}$

0271 $A=\{1, 3, 5, 15\}$, $B=\{2, 3, 5, 7\}$이므로
$A-B=\{1, 15\}$, $B-A=\{2, 7\}$

0272 $A=\{1, 2, 3, 6, 9, 18\}$, $B=\{1, 3, 9\}$이므로
$A-B=\{2, 6, 18\}$, $B-A=\varnothing$

핵심 07

본문 ➡ 42쪽

0273 ㄱ, ㄴ, ㄹ **0274** ㄷ, ㄹ **0275** ㄴ
0276 ㄴ, ㄹ **0277** ㄱ, ㄷ, ㄹ **0278** ③

0273 ㄱ, ㄴ, ㄹ.
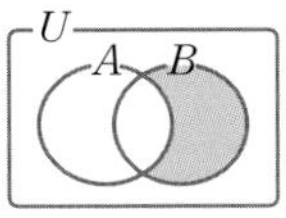

ㄷ.
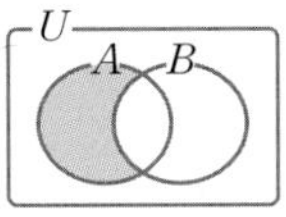

0274 ㄱ.
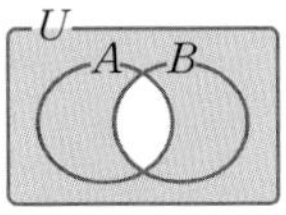

ㄴ.
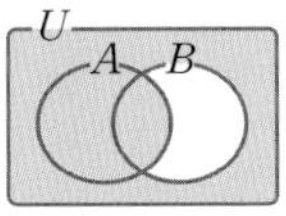

ㄷ, ㄹ.
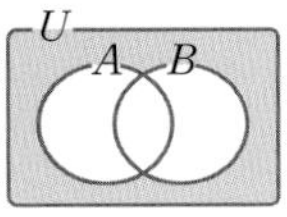

0275 ㄱ.
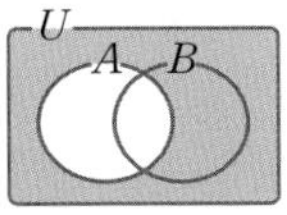

ㄴ.
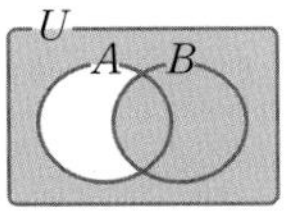

ㄷ.
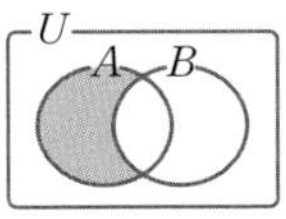

ㄹ.
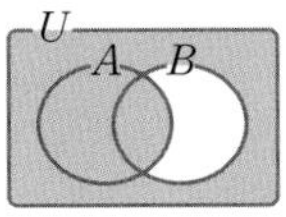

0276 ㄱ.
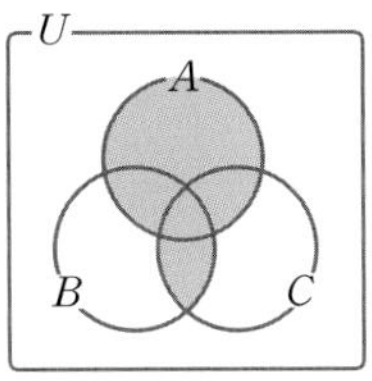

ㄴ, ㄹ.
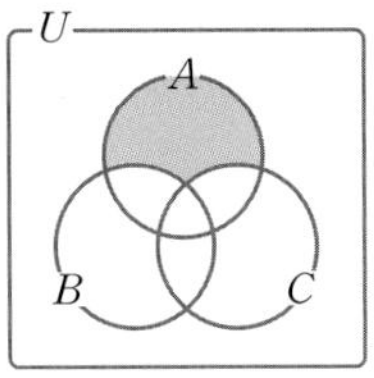

ㄷ.
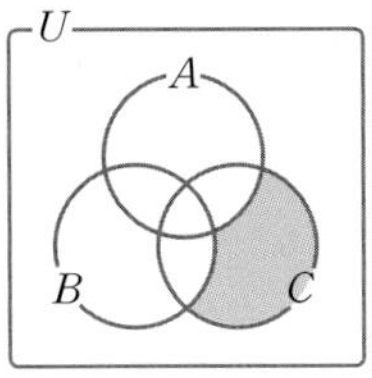

0277 ㄱ, ㄷ, ㄹ.
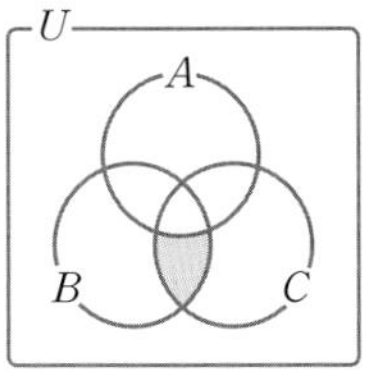

ㄴ.
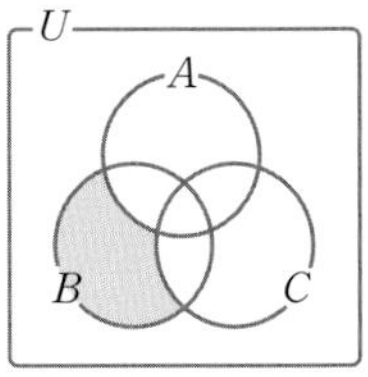

0278 ①
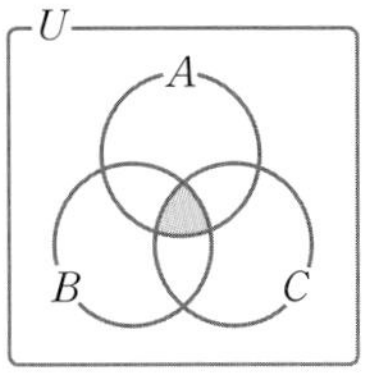

②
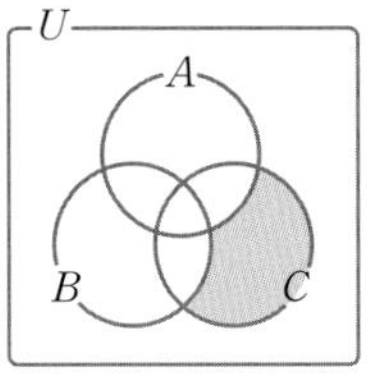

③
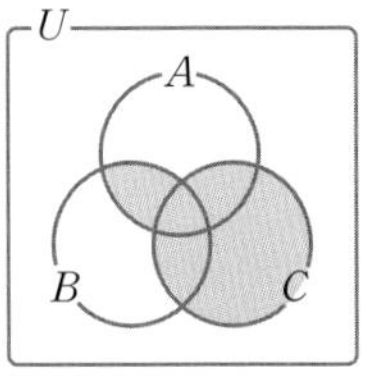

④
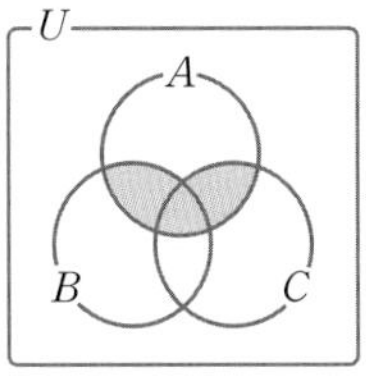

⑤
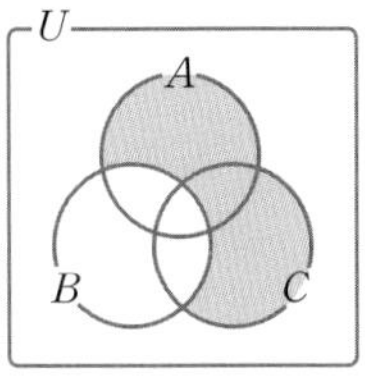

핵심 01~07 Mini Review Test

본문 ➡ 43쪽

0279 $A\cup B=\{1, 2, 3, 4, 6, 8, 10, 12\}$, $A\cap B=\{2, 4, 6\}$
0280 4 **0281** ㄴ, ㄷ **0282** 16
0283 $A^C=\{4, 5, 6, 7, 8\}$, $B^C=\{2, 5, 6, 8\}$
$A-B=\{2\}$, $B-A=\{4, 7\}$
0284 34

0279 $A=\{1, 2, 3, 4, 6, 12\}$, $B=\{2, 4, 6, 8, 10\}$이므로
$A\cup B=\{1, 2, 3, 4, 6, 8, 10, 12\}$
$A\cap B=\{2, 4, 6\}$

0280 $A\cap B=\{0, 3\}$에서 $3\in A$이므로
$2a-1=3$ $\quad\therefore a=2$
a의 값을 대입하면 $A=\{-1, 0, 3\}$이고
$5\in B$이므로 $3b-1=5$ $\quad\therefore b=2$
$\therefore a+b=2+2=4$

0281 ㄱ. $A\cap B=\{2\}$
ㄴ. $A=\{1, 3, 5, \cdots\}$, $B=\{2, 4, 6, \cdots\}$이므로
$A\cap B=\varnothing$

ㄷ. $A=\{1, 2, 5, 10, 25, 50\}$, $B=\{3, 6, 9, 12, \cdots\}$이므로
$A\cap B=\varnothing$

ㄹ. $x^2-9=0$에서 $x=\pm3$이므로 $A=\{-3, 3\}$
$x^2+5x+6=0$에서 $(x+3)(x+2)=0$이므로
$x=-3$ 또는 $x=-2$ $\therefore B=\{-3, -2\}$
$\therefore A\cap B=\{-3\}$

따라서 두 집합 A, B가 서로소인 것은 ㄴ, ㄷ이다.

0282 $A=\{1, 2, 3, 4, 6, 8, 12, 24\}$, $B=\{1, 2, 4, 8\}$
집합 A의 부분집합 중에서 1, 2, 4, 8을 원소로 갖지 않는 집합의 개수, 즉 $\{3, 6, 12, 24\}$의 부분집합의 개수와 같다.
$\therefore 2^{8-4}=2^4=16$

0284 $U=\{1, 2, 3, 4, 5, 6, 7, 8, 9\}$
$A=\{1, 2, 3, 4, 5\}$, $B=\{2, 4, 6, 8\}$에서
$A-B=\{1, 3, 5\}$이므로
$a=1+3+5=9$
$B^C=\{1, 3, 5, 7, 9\}$이므로
$b=1+3+5+7+9=25$
$\therefore a+b=9+25=34$

핵심 08 본문 ○ 44쪽

0285~0290 풀이 참조
0291 ⑤

0285 $A\cup(A\cap B)=A$

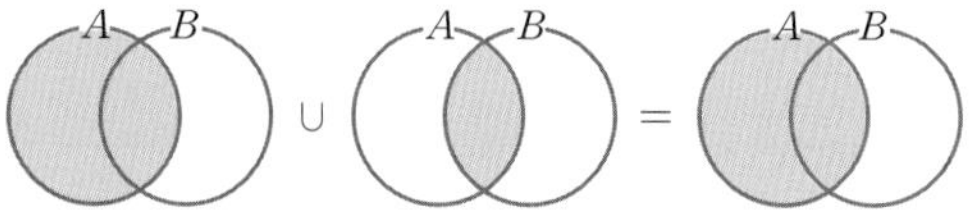

0286 $A\cup(A\cup B)=A\cup B$

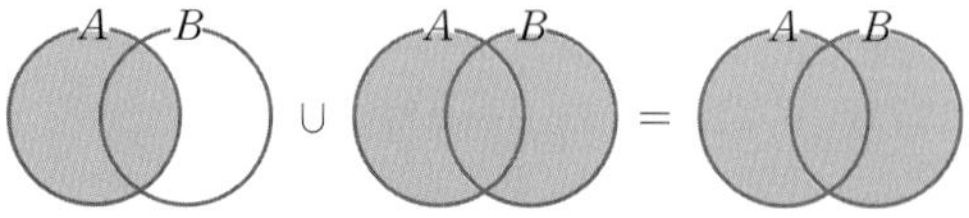

0287 $A\cap(A\cup B)=A$

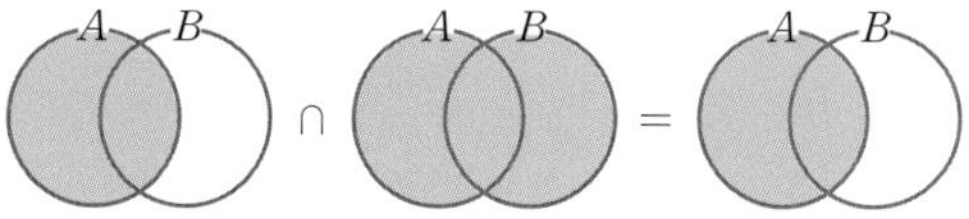

0288 $A\cap(A\cap B)=A\cap B$

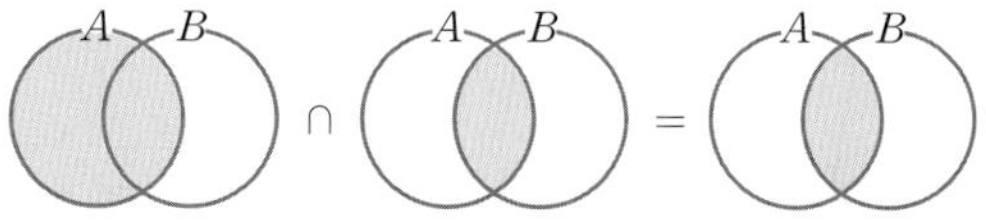

0289 $(A\cap B)\subset A\subset(A\cup B)$

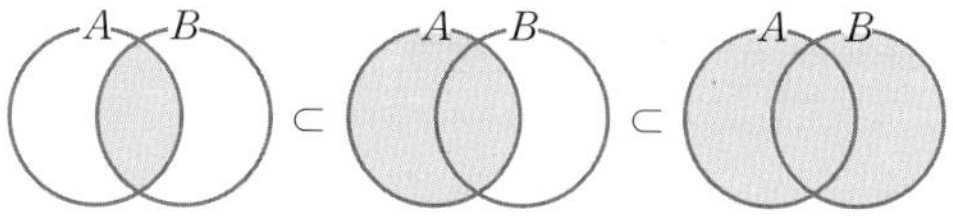

0290 (1) $A\cap B=A$ (2) $A\cup B=B$

0291 ③ $A\cap B=A \iff A\subset B \iff A\cup B=B$
④ $A\cap\varnothing=\varnothing$, $B\cup\varnothing=B$이므로 $\varnothing\subset B$
$\therefore (A\cap\varnothing)\subset(B\cup\varnothing)$
⑤ $A\cup(A\cap B)=A$
따라서 옳지 않은 것은 ⑤이다.

핵심 09 본문 ○ 45쪽

0292~0295 풀이 참조
0296 $\varnothing$, A, B **0297** $\varnothing$, U
0298 B^C, B, A^C, A **0299** A^C, A, $A-B$
0300 ⑤

0292 $A\cup A^C=U$

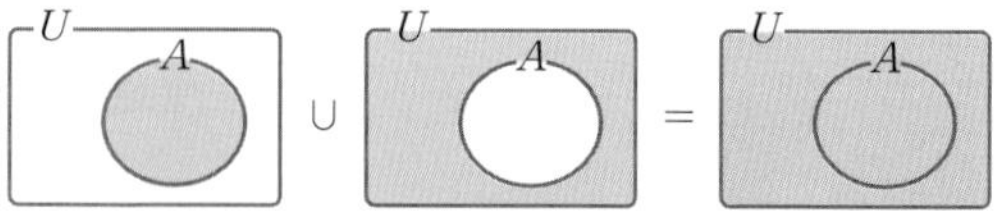

0293 $A\cap B^C=A-B$

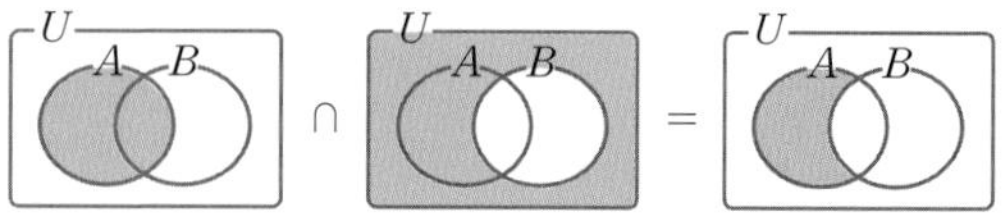

0294 $A-(A\cap B)=A-B$

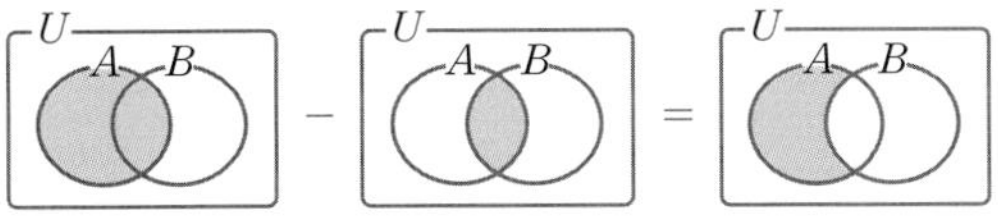

A　　$A\cap B$　　$A-B$

0295 $A\subset B$일 때, $B^C\subset A^C$

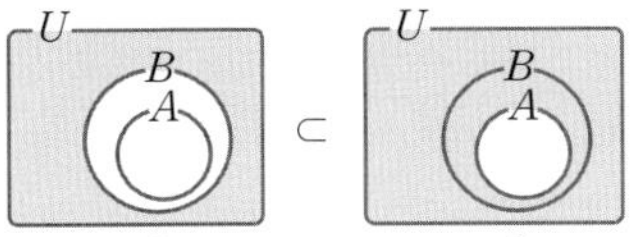

B^C　　A^C

0300 ① $(U^C)^C=U$
② $A\cap A^C=\varnothing$
③ $A-B=A\cap B^C$
④ $(A\cup B)-B=A-B$
따라서 옳은 것은 ⑤이다.

핵심 10

본문 46쪽

0301 1, 1, 3, 4, 5, 6　**0302** 2, 4, 6, 7, 2, 3, 5, 7
0303 $\{6\}$, $\{2, 3, 4, 6, 8, 9\}$
0304 $\{1, 2, 4, 5, 7, 8\}$, $A\cup B$, $\{1, 5, 7\}$
0305 $A-B$, $\{2, 4, 8\}$, $B-A$, $\{3, 9\}$
0306 $\{1, 5\}$, $\{1, 2, 3, 5, 7, 9, 10\}$
0307 $\{1, 3, 5, 7, 9\}$, $\{2, 3, 4, 6, 7, 8, 9, 10\}$
0308 $\{2, 10\}$, $\{3, 7, 9\}$
0309 $\{1, 2, 4\}$, $\{1, 2, 4, 8\}$
0310 $\{8\}$, $\varnothing$

0307 $(A^C)^C=A=\{1, 3, 5, 7, 9\}$
$(A\cap B)^C=U-(A\cap B)=\{2, 3, 4, 6, 7, 8, 9, 10\}$

0308 $B-(A\cap B)=B-A=\{2, 10\}$
$(A\cup B)-B=A-B=\{3, 7, 9\}$

0309 $A=\{1, 2, 4\}$, $B=\{1, 2, 4, 8\}$에서 $A\subset B$이므로
$A\cap B=A=\{1, 2, 4\}$
$A\cup B=B=\{1, 2, 4, 8\}$

0310 $A^C\cap B=B-A=\{8\}$
$B^C-A^C=B^C\cap(A^C)^C=B^C\cap A=A-B=\varnothing$

핵심 11

본문 47쪽

0311 1, 2, 4, 6, 7, 3, 2, 4　**0312** 4
0313 16　**0314** 16　**0315** 1, 3, 9, 3, 2, 4
0316 64　**0317** 4　**0318** 16

0312 $(A\cap B)\cup X=X$에서 $(A\cap B)\subset X$
$B\cap X=X$에서 $X\subset B$
즉, $(A\cap B)\subset X\subset B$이므로
$\{2, 4\}\subset X\subset\{2, 4, 6, 7\}$
따라서 구하는 집합 X의 개수는
$2^{4-2}=2^2=4$

0313 $B\cup X=X$에서 $B\subset X$
$(A\cup B)\cap X=X$에서 $X\subset(A\cup B)$
즉, $B\subset X\subset(A\cup B)$이므로
$\{3, 6, 9\}\subset X\subset\{0, 2, 3, 4, 6, 8, 9\}$
따라서 구하는 집합 X의 개수는
$2^{7-3}=2^4=16$

0314 $(A\cap B)\cup X=X$에서 $(A\cap B)\subset X$
$A\cap X=X$에서 $X\subset A$
즉, $(A\cap B)\subset X\subset A$이므로
$\{6\}\subset X\subset\{0, 2, 4, 6, 8\}$
따라서 구하는 집합 X의 개수는
$2^{5-1}=2^4=16$

0316 $(A\cap B)\cup X=X$에서 $(A\cap B)\subset X$
$(A\cup B)\cap X=X$에서 $X\subset(A\cup B)$
즉, $(A\cap B)\subset X\subset(A\cup B)$이므로
$\{2, 5\}\subset X\subset\{1, 2, 3, 4, 5, 7, 9, 10\}$
따라서 구하는 집합 X의 개수는
$2^{8-2}=2^6=64$

0317 $A=\{1, 2, 3, 6\}$, $B=\{1, 2, 5, 10\}$
$(B-A)\cup X=X$에서 $(B-A)\subset X$
$B\cap X=X$에서 $X\subset B$
즉, $(B-A)\subset X\subset B$이므로
$\{5, 10\}\subset X\subset\{1, 2, 5, 10\}$
따라서 구하는 집합 X의 개수는
$2^{4-2}=2^2=4$

0318 $(A\cap B)\cup X=X$에서 $(A\cap B)\subset X$
$(A\cup B)\cap X=X$에서 $X\subset(A\cup B)$
즉, $(A\cap B)\subset X\subset(A\cup B)$이므로

$\{1, 2\} \subset X \subset \{1, 2, 3, 5, 6, 10\}$
따라서 집합 X의 개수는
$2^{6-2}=2^4=16$

핵심 12 본문 ◐ 48쪽

0319 풀이 참조 **0320** 풀이 참조
0321 $\{2, 8\}$, $\{1, 2, 3, 4, 8\}$, $\{1, 2, 3, 4, 5, 8\}$, $\{1, 2, 3, 4, 6, 8\}$, $\{1, 2, 3, 4, 8\}$, $=$
0322 $\{2, 3, 4, 5, 6, 8\}$, $\{2, 3, 4\}$, $\{2, 3\}$, $\{2, 4\}$, $\{2, 3, 4\}$, $=$
0323 $A\cap B$ **0324** A

0319

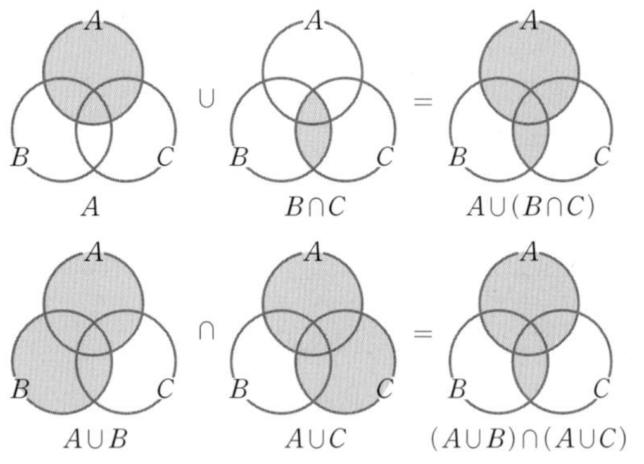

$\therefore A\cup(B\cap C)=(A\cup B)\cap(A\cup C)$

0320

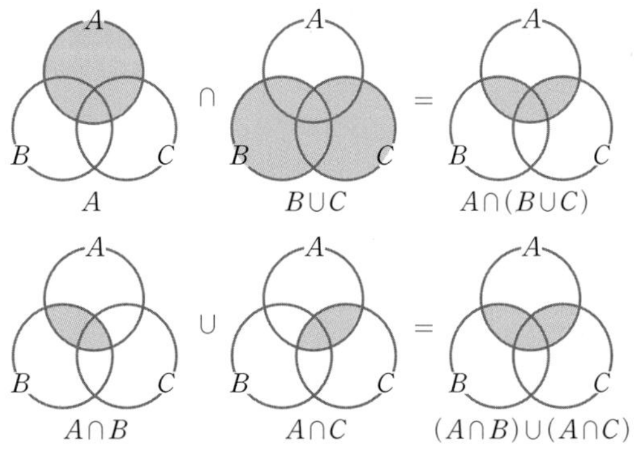

$\therefore A\cap(B\cup C)=(A\cap B)\cup(A\cap C)$

0323 $A\cap(B\cup A^C)=(A\cap B)\cup(A\cap A^C)$
$=(A\cap B)\cup\varnothing$
$=A\cap B$

0324 $(A\cap B)\cup(A\cap B^C)=A\cap(B\cup B^C)$
$=A\cap U$
$=A$

핵심 08~12 Mini Review Test 본문 ◐ 49쪽

0325 ㄱ, ㄴ **0326** 8
0327 $A=\{1, 2, 3, 6\}$, $B=\{1, 2, 4, 8\}$, $B-A=\{4, 8\}$
0328 16 **0329** 30 **0330** $A\cap B$

0325 ㄷ. $A=\varnothing$일 때, $A^C=U$
ㄹ. $A-B$와 $A\cap B$는 서로소이다.
따라서 옳은 것은 ㄱ, ㄴ이다.

0326 $A\cap B^C=A-B=A$이면 $A\cap B=\varnothing$
$A\cup B=U$이고 $A\cap B=\varnothing$이므로 $B=A^C$
$\therefore B=\{1, 3, 4\}$
따라서 집합 B의 모든 원소의 합은
$1+3+4=8$

0327 $U=\{1, 2, 3, 4, 5, 6, 7, 8\}$
$A=(A\cap B)\cup(A-B)$
$=\{1, 2\}\cup\{3, 6\}=\{1, 2, 3, 6\}$
$(A\cup B)^C=\{5, 7\}$이므로 $A\cup B=\{1, 2, 3, 4, 6, 8\}$
$B-A=(A\cup B)-A=\{4, 8\}$
$B=(B-A)\cup(A\cap B)$
$=\{4, 8\}\cup\{1, 2\}=\{1, 2, 4, 8\}$
다른 해설 주어진 조건을 벤다이어그램으로 나타내면 다음 그림과 같다.

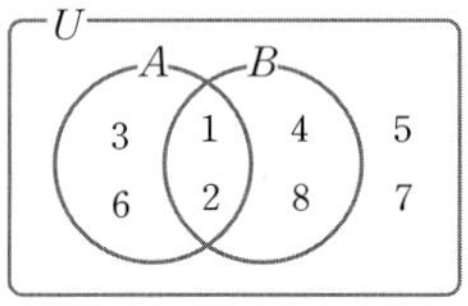

0328 $A=\{1, 2, 3, 6\}$, $B=\{2, 4, 6, 8\}$에서
$B-A=\{4, 8\}$, $A\cup B=\{1, 2, 3, 4, 6, 8\}$
$(B-A)\cup X=X$에서 $(B-A)\subset X$
$(A\cup B)\cap X=X$에서 $X\subset(A\cup B)$
즉, $(B-A)\subset X\subset(A\cup B)$이므로
$\{4, 8\}\subset X\subset\{1, 2, 3, 4, 6, 8\}$
따라서 구하는 집합 X의 개수는
$2^{6-2}=2^4=16$

0329 $A\cup B=U$, $A\cap B=\varnothing$, $A\neq\varnothing$, $B\neq\varnothing$이려면 $A\neq U$이어야 한다.
따라서 집합 A는 U의 부분집합 중 $\varnothing$과 U를 제외한 집합이므로 구하는 집합 A의 개수는
$2^5-1-1=32-2=30$

0330 $[(A\cup B)\cap(A^C\cup B)]\cap[(A\cap B)\cup(A\cap B^C)]$
$=[(A\cap A^C)\cup B]\cap[A\cap(B\cup B^C)]$
$=(\varnothing\cup B)\cap(A\cap U)$
$=B\cap A=A\cap B$

핵심 **13** 본문 ➲ 50쪽

0331 풀이 참조 **0332** 풀이 참조
0333 $\{5, 7, 9\}$, $\{5, 7, 9\}$, $=$
0334 $\{1, 3, 5, 6, 7, 8, 9, 10\}$, $\{1, 3, 5, 6, 7, 8, 9, 10\}$, $=$
0335 $B-A$ **0336** $A\cup B^C$ **0337** $A\cap B$ **0338** $A\cup B$

0331
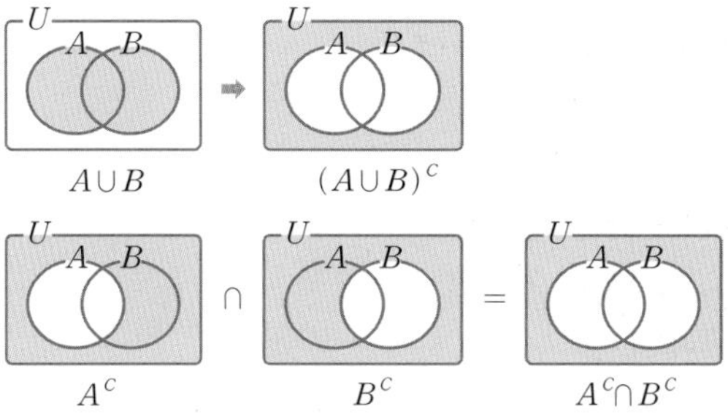

$\therefore (A\cup B)^C=A^C\cap B^C$

0332
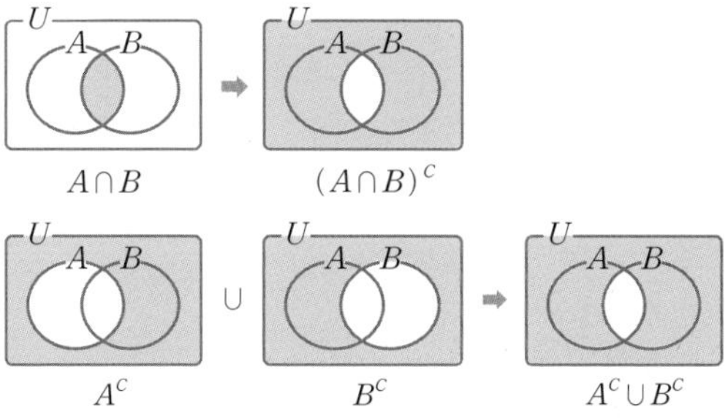

$\therefore (A\cap B)^C=A^C\cup B^C$

0333 $A\cup B=\{1, 2, 3, 4, 6, 8, 10\}$이므로
$(A\cup B)^C=\{5, 7, 9\}$
$A^C=\{1, 3, 5, 7, 9\}$, $B^C=\{5, 6, 7, 8, 9, 10\}$이므로
$A^C\cap B^C=\{5, 7, 9\}$
$\therefore (A\cup B)^C=A^C\cap B^C$

0334 $A\cap B=\{2, 4\}$이므로
$(A\cap B)^C=\{1, 3, 5, 6, 7, 8, 9, 10\}$
$A^C\cup B^C=\{1, 3, 5, 6, 7, 8, 9, 10\}$
$\therefore (A\cap B)^C=A^C\cup B^C$

0335 $(A\cup B^C)^C=A^C\cap(B^C)^C=A^C\cap B=B-A$

0336 $(A^C\cap B)^C=(A^C)^C\cup B^C=A\cup B^C$

0337 $(A^C\cup B^C)^C=(A^C)^C\cap(B^C)^C=A\cap B$

0338 $(A^C\cap B^C)^C=(A^C)^C\cup(B^C)^C=A\cup B$

핵심 **14** 본문 ➲ 51쪽

0339 B, $\cup$, B, $\varnothing$, B, $A\cap B$, 벤다이어그램은 풀이 참조
0340 $\cap$, $\cap$, $\cup$, $\cap$, B, $\varnothing$, B, B, 벤다이어그램은 풀이 참조
0341 B **0342** $\varnothing$ **0343** U **0344** A
0345 A^C **0346** $\varnothing$

0339
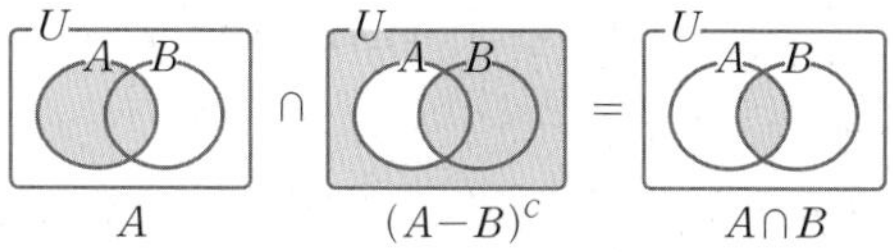

0340
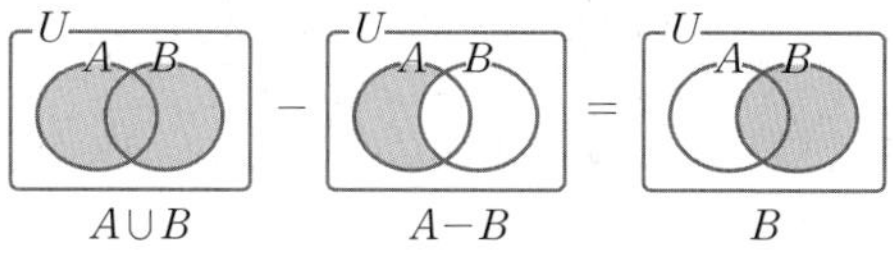

0341 $(A\cup A^C)\cap B=U\cap B=B$

0342 $(B-A^C)\cap B^C=(B\cap(A^C)^C)\cap B^C$
$=(B\cap A)\cap B^C$
$=(B\cap B^C)\cap A$
$=\varnothing\cap A=\varnothing$

0343 $A\cup(A\cap B)^C=A\cup(A^C\cup B^C)$
$=(A\cup A^C)\cup B^C$
$=U\cup B^C=U$

0344 $(A-B^C)\cup(A-B)=(A\cap(B^C)^C)\cup(A\cap B^C)$
$=(A\cap B)\cup(A\cap B^C)$
$=A\cap(B\cup B^C)$
$=A\cap U=A$

0345 $(A^C\cup B)\cap(A\cap B)^C=(A^C\cup B)\cap(A^C\cup B^C)$
$=A^C\cup(B\cap B^C)$
$=A^C\cup\varnothing=A^C$

0346 $\{(B\cap A)\cup(B\cap A^{C})\}\cap B^{C}$
$=\{B\cap(A\cup A^{C})\}\cap B^{C}$
$=(B\cap U)\cap B^{C}$
$=B\cap B^{C}=\varnothing$

$=A\cup(B\cap B^{C})$
$=A\cup\varnothing=A$
따라서 $A=A\cap B$이므로 $A\subset B$
⑤ $A\subset B$에서 $B^{C}\subset A^{C}$이므로
$A^{C}-B^{C}\neq\varnothing$

핵심 15 본문 ➔ 52쪽

0347 B, $\cap$, B, U, B, $A\cup B$, $A\cup B$, $\supset$ **0348** $B\subset A$
0349 $A\subset B$ **0350** $A\subset B$ **0351** $B\subset A$ **0352** $A\subset B$
0353 ⑤

0348 $A\cap(A-B)^{C}=A\cap(A\cap B^{C})^{C}$
$=A\cap(A^{C}\cup B)$
$=(A\cap A^{C})\cup(A\cap B)$
$=\varnothing\cup(A\cap B)=A\cap B$
따라서 $A\cap B=B$이므로 $B\subset A$

0349 $A-(A-B)=A\cap(A\cap B^{C})^{C}$
$=A\cap(A^{C}\cup B)$
$=(A\cap A^{C})\cup(A\cap B)$
$=\varnothing\cup(A\cap B)=A\cap B$
따라서 $A\cap B=A$이므로 $A\subset B$

0350 $(A-B)^{C}-B=(A\cap B^{C})^{C}\cap B^{C}$
$=(A^{C}\cup B)\cap B^{C}$
$=(A^{C}\cap B^{C})\cup(B\cap B^{C})$
$=(A^{C}\cap B^{C})\cup\varnothing=A^{C}\cap B^{C}$
따라서 $A^{C}\cap B^{C}=B^{C}$이므로 $B^{C}\subset A^{C}$
$\therefore A\subset B$

0351 $(A\cup B)\cap(A^{C}\cup B)=(A\cap A^{C})\cup B$
$=\varnothing\cup B=B$
따라서 $B=A\cap B$이므로 $B\subset A$

0352 $\{(A\cap B)\cup(A-B)\}\cap B=\{(A\cap B)\cup(A\cap B^{C})\}\cap B$
$=\{A\cap(B\cup B^{C})\}\cap B$
$=(A\cap U)\cap B$
$=A\cap B$
따라서 $A\cap B=A$이므로 $A\subset B$

0353 $(A\cup B)-(A^{C}\cap B)=(A\cup B)\cap(A^{C}\cap B)^{C}$
$=(A\cup B)\cap(A\cup B^{C})$

핵심 16 본문 ➔ 53쪽

0354 (1) -1, 6 (2) 2, 4 (3) -1, 2 (4) -1, 4
0355 (1) $\{x\mid -3\le x\le 5\}$ (2) $\{x\mid 0\le x\le 3\}$
(3) $\{x\mid -3\le x<0\}$ (4) $\{x\mid x<-3$ 또는 $x>3\}$
0356 (1) $\{x\mid -4\le x\le 3\}$ (2) $\{x\mid -2\le x\le 2\}$
(3) $\{x\mid 2<x\le 3\}$ (4) $\{x\mid x<-2$ 또는 $x>3\}$
0357 -1, 4 **0358** $a=2$, $b=-1$
0359 $a=0$, $b=3$ **0360** $a=-2$, $b=5$

0355 두 집합 A, B를 수직선 위에 나타내면 다음 그림과 같다.

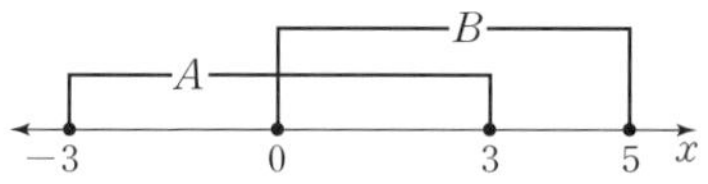

(1) $A\cup B=\{x\mid -3\le x\le 5\}$
(2) $A\cap B=\{x\mid 0\le x\le 3\}$
(3) $A-B=\{x\mid -3\le x<0\}$
(4) $A^{C}=\{x\mid x<-3$ 또는 $x>3\}$

0356 두 집합 A, B를 수직선 위에 나타내면 다음 그림과 같다.

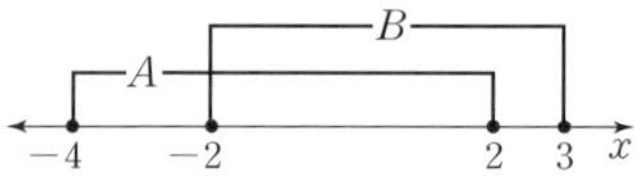

(1) $A\cup B=\{x\mid -4\le x\le 3\}$
(2) $A\cap B=\{x\mid -2\le x\le 2\}$
(3) $B-A=\{x\mid 2<x\le 3\}$
(4) $B^{C}=\{x\mid x<-2$ 또는 $x>3\}$

0358 두 집합 A, B를 수직선 위에 나타내면 다음 그림과 같다.

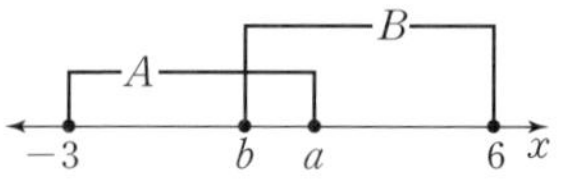

$A\cap B=\{x\mid b\le x\le a\}=\{x\mid -1\le x\le 2\}$
$\therefore a=2$, $b=-1$

0359 두 집합 A, B를 수직선 위에 나타내면 다음 그림과 같다.

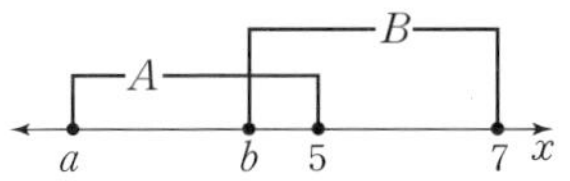

$A-B=\{x|a\leq x<b\}=\{x|0\leq x<3\}$

$\therefore a=0,\ b=3$

0360 두 집합 A, B를 수직선 위에 나타내면 다음 그림과 같다.

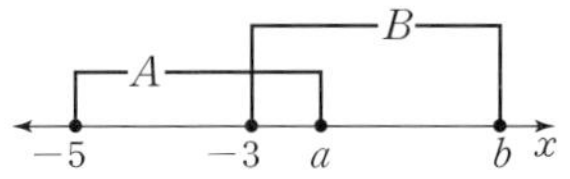

$B-A=\{x|a<x\leq b\}=\{x|-2<x\leq 5\}$

$\therefore a=-2,\ b=5$

핵심 17

본문 ➊ 54쪽

0361~0365 풀이 참조

0366 (1) $\varnothing$ (2) U, $\varnothing$, U

0361

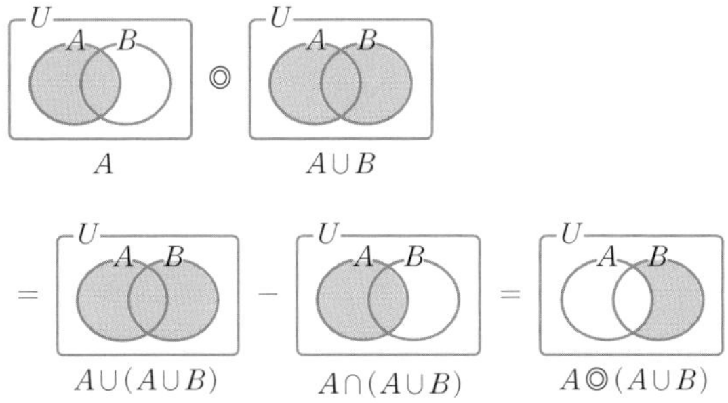

0362

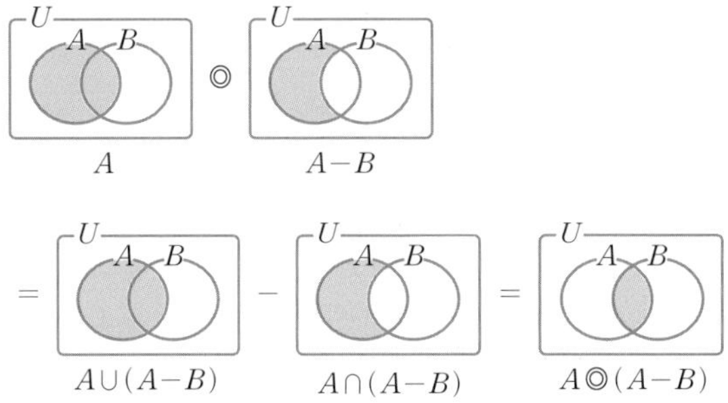

0363

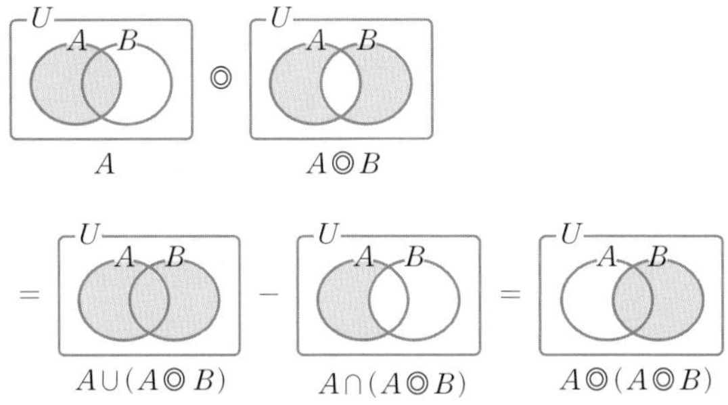

0364

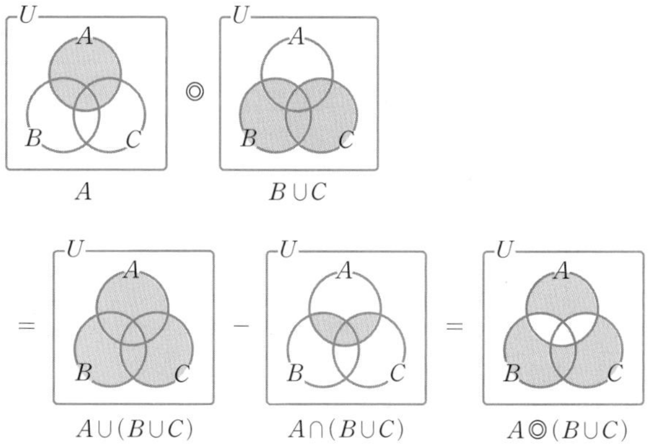

0365

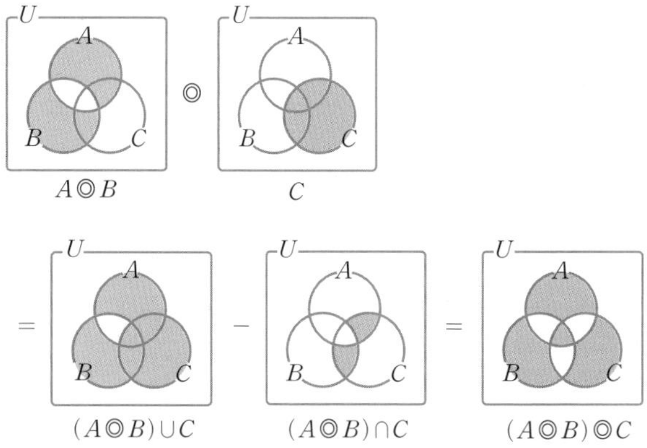

핵심 13~17 Mini Review Test

본문 ➊ 55쪽

0367 ㄴ, ㄷ, ㅁ **0368** ① **0369** ㄱ, ㄹ

0370 $A\cup B=\{x|-5\leq x<4\}$, $B\cap C=\{x|0\leq x<4\}$

0371 ㄴ, ㄹ **0372** ②

0367 ㄱ. $(A\cap B)^C\cup B=(A^C\cup B^C)\cup B$

$=A^C\cup(B^C\cup B)$

$=A^C\cup U=U$

ㄴ. $(A-B)^C=(A\cap B^C)^C=A^C\cup B$

ㄷ. $(A\cup B)\cap(A^C\cap B^C)=(A\cup B)\cap(A\cup B)^C$

$=\varnothing$

ㄹ. $(A-B)-C=(A\cap B^C)\cap C^C=A\cap(B^C\cap C^C)$

$=A\cap(B\cup C)^C$

$=A-(B\cup C)$

ㅁ. $A-(B\cap C)=A\cap(B\cap C)^C$

$=A\cap(B^C\cup C^C)$

$=(A\cap B^C)\cup(A\cap C^C)$

$=(A-B)\cup(A-C)$

따라서 옳은 것은 ㄴ, ㄷ, ㅁ이다.

0369 $\{(A\cup B)\cap(A-B)^C\}\cap A$

$=\{(A\cup B)\cap(A\cap B^C)^C\}\cap A$

$=\{(A\cup B)\cap(A^C\cup B)\}\cap A$

$=\{(A\cap A^C)\cup B\}\cap A$

$=(\varnothing\cup B)\cap A=B\cap A$

즉, $B\cap A=B$이므로 $B\subset A$

ㄴ. $A-B\neq\varnothing$

ㄷ. $A^C\cup B\neq U$

따라서 옳은 것은 ㄱ, ㄹ이다.

0370 세 집합 A, B, C를 수직선 위에 나타내면 다음 그림과 같다.

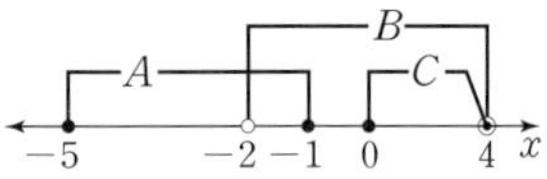

$\therefore A\cup B=\{x\mid -5\le x<4\}$

$B\cap C=\{x\mid 0\le x<4\}$

0371 ㄱ. $A\circledcirc A=(A\cup A)-(A\cap A)=A-A=\varnothing$

ㄴ. $A^C\circledcirc B^C=(A^C\cup B^C)-(A^C\cap B^C)$

$=(A^C\cup B^C)\cap(A^C\cap B^C)^C$

$=(A\cap B)^C\cap(A\cup B)$

$=(A\cup B)\cap(A\cap B)^C$

$=(A\cup B)-(A\cap B)=A\circledcirc B$

ㄷ. $A\circledcirc(A\cap B)=\{A\cup(A\cap B)\}-\{A\cap(A\cap B)\}$

$=A-(A\cap B)$

$=A-B$

ㄹ. $A\circledcirc B=\varnothing$

$\Longleftrightarrow (A\cup B)-(A\cap B)=\varnothing$

$\Longleftrightarrow (A-B)\cup(B-A)=\varnothing$

$\Longleftrightarrow A-B=\varnothing,\ B-A=\varnothing$

$\Longleftrightarrow A=B$

따라서 옳은 것은 ㄴ, ㄹ이다.

0372 ①

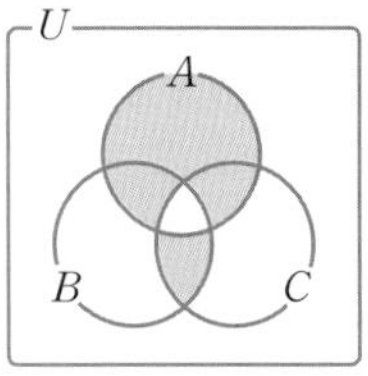

②

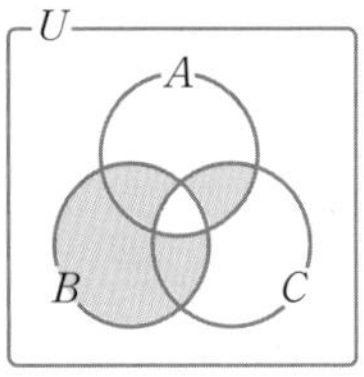

③

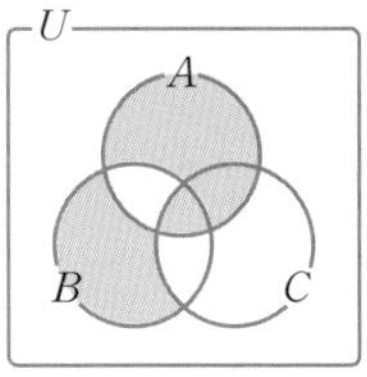

④

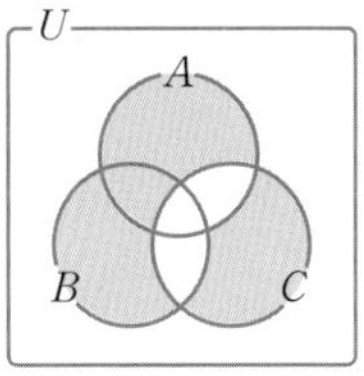

⑤

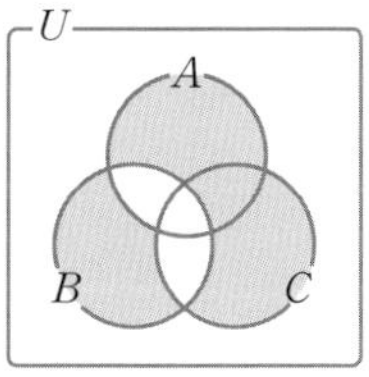

핵심 18

본문 ➡ 56쪽

0373 9 **0374** 3
0375 $n(A^C)=18$, $n(B^C)=15$ **0376** 33
0377 7 **0378** 19 **0379** 2 **0380** 50

0373 $n(A\cup B)=n(A)+n(B)-n(A\cap B)$

$=7+5-3=9$

0374 $n(A\cap B)=n(A)+n(B)-n(A\cup B)$

$=8+12-17=3$

0375 $n(A^C)=n(U)-n(A)=40-22=18$

$n(B^C)=n(U)-n(B)=40-25=15$

0376 $n(A\cup B)=n(A)+n(B)-n(A\cap B)$

$=22+25-14=33$

0377 $n(A^C\cap B^C)=n((A\cup B)^C)$

$=n(U)-n(A\cup B)$

$=40-33=7$

0378 $n(A\cup B\cup C)=n(A)+n(B)+n(C)-n(A\cap B)$

$-n(B\cap C)-n(C\cap A)+n(A\cap B\cap C)$

$=10+14+9-6-7-5+4=19$

0379 $n(A\cap B\cap C)=n(A\cup B\cup C)-n(A)-n(B)-n(C)$

$+n(A\cap B)+n(B\cap C)+n(C\cap A)$

$=13-9-8-5+5+2+4=2$

0380 $B\cap C=\varnothing$이므로 $n(B\cap C)=0$, $n(A\cap B\cap C)=0$

$\therefore n(A\cup B\cup C)=n(A)+n(B)+n(C)-n(A\cap B)$

$-n(B\cap C)-n(C\cap A)+n(A\cap B\cap C)$

$=23+18+21-5-7=50$

핵심 **19** 본문 ⊙ 57쪽

0381 25, 16, 8, 25, 16, 8, 33 **0382** 50, 33, 17
0383 13 **0384** 36 **0385** 24 **0386** 50
0387 17 **0388** 33

0383 $n(A_3)=16$
$n(A_3\cap A_5)=n(A_{15})=3$
$\therefore n(A_3-A_5)=n(A_3)-n(A_3\cap A_5)$
$=16-3=13$

0384 $n(A_2)=25,\ n(A_3)=16,\ n(A_5)=10$
$n(A_2\cap A_3)=n(A_6)=8$
$n(A_3\cap A_5)=n(A_{15})=3$
$n(A_2\cap A_5)=n(A_{10})=5$
$n(A_2\cap A_3\cap A_5)=n(A_{30})=1$
$\therefore n(A_2\cup A_3\cup A_5)$
$=n(A_2)+n(A_3)+n(A_5)-n(A_2\cap A_3)-n(A_3\cap A_5)$
$-n(A_2\cap A_5)+n(A_2\cap A_3\cap A_5)$
$=25+16+10-8-3-5+1=36$

0385 $n(A_6)=16,\ n(A_8)=12$
6과 8의 최소공배수는 24이므로
$n(A_6\cap A_8)=n(A_{24})=4$
$\therefore n(A_6\cup A_8)=n(A_6)+n(A_8)-n(A_6\cap A_8)$
$=16+12-4=24$

0386 $n(A_3{}^C\cap A_4{}^C)=n((A_3\cup A_4)^C)=n(U)-n(A_3\cup A_4)$
이므로
$n(U)=100,\ n(A_3)=33,\ n(A_4)=25$
$n(A_3\cap A_4)=n(A_{12})=8$
$n(A_3\cup A_4)=n(A_3)+n(A_4)-n(A_3\cap A_4)$
$=33+25-8=50$
$\therefore n(U)-n(A_3\cup A_4)=100-50=50$

0387 $n(A_4)=25,\ n(A_4\cap A_6)=n(A_{12})=8$
$\therefore n(A_4-A_6)=n(A_4)-n(A_4\cap A_6)$
$=25-8=17$

0388 8의 배수는 모두 4의 배수이므로 구하는 개수는 4의 배수 또는 6의 배수와 같다.
1부터 100까지의 자연수에 대하여 자연수 n의 배수의 집합을 A_n이라 하면
$n(A_4)=25,\ n(A_6)=16,\ n(A_4\cap A_6)=n(A_{12})=8$이므로
$n(A_4\cup A_6\cup A_8)=n(A_4\cup A_6)$
$=n(A_4)+n(A_6)-n(A_4\cap A_6)$
$=25+16-8=33$

핵심 **20** 본문 ⊙ 58쪽

0389 13, 25, 25, 29, 4, 13, 4
0390 최댓값 : 20, 최솟값 : 12
0391 최댓값 : 28, 최솟값 : 7
0392 최댓값 : 12, 최솟값 : 0
0393 7, 7, 28, 23, 28, 23
0394 최댓값 : 35, 최솟값 : 20
0395 19 **0396** 40

0390 (i) $B\subset A$일 때, $n(A\cap B)$가 최대이므로
$n(A\cap B)=n(B)=20$
(ii) $A\cup B=U$일 때, $n(A\cap B)$가 최소이므로
$n(A\cup B)=n(U)=30$일 때,
$n(A\cup B)=22+20-n(A\cap B)$이고
$30=42-n(A\cap B)$이므로 $n(A\cap B)=12$
(i), (ii)에서 $n(A\cap B)$의 최댓값은 20, 최솟값은 12이다.

0391 (i) $B\subset A$일 때, $n(A\cap B)$가 최대이므로
$n(A\cap B)=n(B)=28$
(ii) $A\cup B=U$일 때, $n(A\cap B)$가 최소이므로
$n(A\cup B)=n(U)=55$일 때,
$n(A\cup B)=34+28-n(A\cap B)$이고
$55=62-n(A\cap B)$이므로 $n(A\cap B)=7$
(i), (ii)에서 $n(A\cap B)$의 최댓값은 28, 최솟값은 7이다.

0392 (i) $A\subset B$일 때, $n(A\cap B)$가 최대이므로
$n(A\cap B)=n(A)=12$
(ii) $n(A)+n(B)=12+39=51$이고
전체 원소의 개수가 60이므로
$A\cap B=\varnothing$일 때, $n(A\cap B)$가 최소이다.
$\therefore n(A\cap B)=0$
(i), (ii)에서 $n(A\cap B)$의 최댓값은 12, 최솟값은 0이다.

0394 (i) $n(A\cap B)=3$일 때, $n(A\cup B)$가 최대이므로
$n(A\cup B)=18+20-3=35$
(ii) $A\subset B$일 때, $n(A\cup B)$가 최소이므로
$n(A\cup B)=n(B)=20$
(i), (ii)에서 $n(A\cup B)$의 최댓값은 35, 최솟값은 20이다.

0395 $n(A-B)=n(A)-n(A\cap B)$이므로
$n(A\cap B)$가 최소일 때, $n(A-B)$가 최대이다.
$A\cup B=U$일 때, $n(A\cap B)$가 최소이므로
$n(A\cup B)=n(U)=40$일 때,
$n(A\cup B)=25+21-n(A\cap B)$
$40=46-n(A\cap B)$ $\quad\therefore n(A\cap B)=6$
$\therefore n(A-B)=n(A)-n(A\cap B)=25-6=19$
따라서 $n(A-B)$의 최댓값은 19이다.

0396 $n(B-A)=n(B)-n(A\cap B)$이므로
$n(A\cap B)$가 최소일 때, $n(B-A)$가 최대이다.
$A\cup B=U$일 때, $n(A\cap B)$가 최소이므로
$n(A\cup B)=n(U)=100$일 때,
$n(A\cup B)=60+50-n(A\cap B)$
$100=110-n(A\cap B)$ $\quad\therefore n(A\cap B)=10$
$\therefore n(B-A)=n(B)-n(A\cap B)=50-10=40$
따라서 $n(B-A)$의 최댓값은 40이다.

핵심 **21** 본문 ➔ 59쪽

0397 27, 19, 9, 27, 19, 9, 37, 37 **0398** 31
0399 110 **0400** 50 **0401** 95 **0402** 23

0398 파란색 볼펜을 가지고 있는 사람의 집합을 A,
빨간색 볼펜을 가지고 있는 사람의 집합을 B라 하면
$n(A)=23$, $n(B)=25$, $n(A\cap B)=17$
$\therefore n(A\cup B)=n(A)+n(B)-n(A\cap B)$
$=23+25-17=31$
따라서 파란색 또는 빨간색 볼펜을 가지고 있는 사람은 31명이다.

0399 불우이웃돕기 모금에 참여한 학생의 집합을 A,
헌혈에 참여한 학생의 집합을 B라 하면
$n(A)=80$, $n(B)=60$, $n(A\cap B)=30$
$\therefore n(A\cup B)=n(A)+n(B)-n(A\cap B)$
$=80+60-30=110$
따라서 불우이웃돕기 모금이나 헌혈에 참여한 학생은 110명이다.

0400 시를 좋아하는 학생의 집합을 A,
소설을 좋아하는 학생의 집합을 B라 하면
$n(A)=34$, $n(B)=28$, $n(A\cap B)=12$
$\therefore n(A\cup B)=n(A)+n(B)-n(A\cap B)$
$=34+28-12=50$
따라서 시 또는 소설을 좋아하는 학생은 50명이다.

0401 영화 관람을 희망한 사람의 집합을 A,
연극 관람을 희망한 사람의 집합을 B라 하면
$n(A)=80$, $n(B)=55$, $n(A\cap B)=40$
$\therefore n(A\cup B)=n(A)+n(B)-n(A\cap B)$
$=80+55-40=95$
따라서 영화 또는 연극 관람을 희망한 사람은 95명이다.

0402 탁구를 한 학생의 집합을 A,
배드민턴을 한 학생의 집합을 B라 하면
$n(A)=12$, $n(B)=16$, $n(A\cap B)=5$
$\therefore n(A\cup B)=n(A)+n(B)-n(A\cap B)$
$=12+16-5=23$
학생들이 둘 중 적어도 하나는 참여했으므로 전체 학생 수는 탁구 또는 배드민턴에 참여한 학생 수와 같다.
따라서 이 학급의 전체 학생은 23명이다.

핵심 **22** 본문 ➔ 60쪽

0403 18, 20, 6, 18, 20, 6, 32, 32
0404 $(A\cup B)^C$, 40, 32, $(A\cup B)^C$, $A\cup B$, 40, 32, 8, 8
0405 20 **0406** 5 **0407** 28 **0408** 12

0405 45명의 학생 전체의 집합을 U, 1번 문제를 맞힌 학생의 집합을 A, 2번 문제를 맞힌 학생의 집합을 B라 하면
$n(A)=35$, $n(B)=25$, $n(A\cap B)=20$
$\therefore n(A\cup B)=n(A)+n(B)-n(A\cap B)$
$=35+25-20=40$
이때 1번과 2번 문제 중 한 문제만 맞힌 학생의 집합은
$(A-B)\cup(B-A)=(A\cup B)-(A\cap B)$이므로
$n((A\cup B)-(A\cap B))=n(A\cup B)-n(A\cap B)$
$=40-20=20$
따라서 1번과 2번 문제 중 한 문제만 맞힌 학생은 20명이다.

0406 1번, 2번 두 문제를 모두 틀린 학생의 집합은 $(A\cup B)^C$
$n(U)=45$, $n(A\cup B)=40$
$\therefore n((A\cup B)^C)=n(U)-n(A\cup B)$
$=45-40=5$

따라서 1번, 2번 두 문제를 모두 틀린 학생은 5명이다.

0407 50명의 관광객 전체의 집합을 U,
박물관을 관람한 관광객의 집합을 A,
미술관을 관람한 관광객의 집합을 B라 하면
$n(A)=25$, $n(B)=23$, $n(A\cap B)=10$
$n(A\cup B)=n(A)+n(B)-n(A\cap B)$
$=25+23-10=38$
이때 박물관과 미술관 중 한 군데만 관람한 관광객의 집합은
$(A-B)\cup(B-A)=(A\cup B)-(A\cap B)$이므로
$n((A\cup B)-(A\cap B))=n(A\cup B)-n(A\cap B)$
$=38-10=28$
따라서 박물관과 미술관 중 한 군데만 관람한 관광객은 28명이다.

0408 박물관과 미술관을 모두 관람하지 않은 관광객의 집합은
$(A\cup B)^C$
$n(U)=50$, $n(A\cup B)=38$
$\therefore ((A\cup B)^C)=n(U)-n(A\cup B)$
$=50-38=12$
따라서 박물관과 미술관을 모두 관람하지 않은 관광객은 12명이다.

핵심 18~22 Mini Review Test 본문 ◎ 61쪽

0409 7 **0410** 30 **0411** 66
0412 최댓값 : 25, 최솟값 : 17 **0413** 7 **0414** 25

0409 $n(A\cup B)=n(A)+n(B)-n(A\cap B)$
$=19+28-9=38$
$n(A^C\cap B^C)=n((A\cup B)^C)$
$=n(U)-n(A\cup B)$
$=45-38=7$

0410 $n(A\cup B\cup C)=n(A)+n(B)+n(C)-n(A\cap B)$
$-n(B\cap C)-n(C\cap A)+n(A\cap B\cap C)$
$=19+16+20-10-7-13+5=30$

0411 n의 배수의 집합을 A_n이라 하면 구하는 수의 개수는
$n(A_2\cup A_5\cup A_7)$과 같으므로
$n(A_2)=50$, $n(A_5)=20$, $n(A_7)=14$
$n(A_2\cap A_5)=n(A_{10})=10$
$n(A_5\cap A_7)=n(A_{35})=2$
$n(A_2\cap A_7)=n(A_{14})=7$
$n(A_2\cap A_5\cap A_7)=n(A_{70})=1$
$\therefore n(A_2\cup A_5\cup A_7)$
$=n(A_2)+n(A_5)+n(A_7)-n(A_2\cap A_5)-n(A_5\cap A_7)$
$-n(A_2\cap A_7)+n(A_2\cap A_5\cap A_7)$
$=50+20+14-10-2-7+1=66$

0412 50명의 학생 전체의 집합을 U,
A영화를 본 학생의 집합을 A,
B영화를 본 학생의 집합을 B라 하면
$n(U)=50$, $n(A)=25$, $n(B)=42$
두 영화 A, B를 모두 본 학생의 수는 $n(A\cap B)$
(i) $A\subset B$일 때, $n(A\cap B)$가 최대이므로
$n(A\cap B)=n(A)=25$
(ii) $A\cup B=U$일 때, $n(A\cap B)$가 최소이므로
$n(A\cup B)=n(U)=50$일 때,
$n(A\cup B)=25+42-n(A\cap B)$
$50=67-n(A\cap B)$ $\quad\therefore n(A\cap B)=17$
(i), (ii)에서 두 영화 A, B를 모두 본 학생 수의 최댓값은 25, 최솟값은 17이다.

0413 35명의 학생 전체의 집합을 U,
딸기를 좋아하는 학생의 집합을 A,
포도를 좋아하는 학생의 집합을 B라 하면
$n(U)=35$, $n(A)=19$, $n(B)=17$, $n((A\cup B)^C)=6$
$n(A\cup B)=n(U)-n((A\cup B)^C)=35-6=29$
$\therefore n(A\cap B)=n(A)+n(B)-n(A\cup B)$
$=19+17-29=7$
따라서 딸기와 포도를 모두 좋아하는 학생은 7명이다.

0414 축구에 참여한 학생의 집합을 A,
농구에 참여한 학생의 집합을 B,
배구에 참여한 학생의 집합을 C라 하면
모든 학생이 참여했으므로 $n(A\cup B\cup C)=40$
$n(A)=25$, $n(B)=16$, $n(C)=17$
$n(A\cap B\cap C)=3$
$n(A\cup B\cup C)=n(A)+n(B)+n(C)-n(A\cap B)$
$-n(B\cap C)-n(C\cap A)+n(A\cap B\cap C)$
$40=25+16+17-n(A\cap B)-n(B\cap C)-n(C\cap A)+3$
$\therefore n(A\cap B)+n(B\cap C)+n(C\cap A)=21$
따라서 한 종목에만 참여한 학생 수는
$n(A\cup B\cup C)-n(A\cap B)-n(B\cap C)-n(C\cap A)$
$+2\times n(A\cap B\cap C)$
$=40-21+2\times3=25$

참고 한 종목에만 참가한 학생의 집합은 오른쪽 벤다이어그램의 색칠한 부분과 같다.

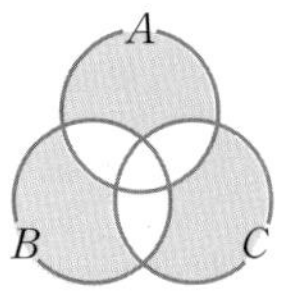

3. 명제

핵심 01
본문 ➔ 65쪽

0415 ○	**0416** ×	**0417** ○	**0418** ×
0419 ○	**0420** ○	**0421** ×	**0422** ○
0423 ×	**0424** ×	**0425** ○	**0426** ○

핵심 02
본문 ➔ 66쪽

0427 명제	**0428** 조건	**0429** 명제	**0430** 조건
0431 조건	**0432** 명제	**0433** 거짓	**0434** 참
0435 참	**0436** 거짓	**0437** 참	

핵심 03
본문 ➔ 67쪽

0438 $\{1, 2, 5, 10\}$	**0439** $\{3\}$	**0440** $\varnothing$
0441 $\{-1, 6\}$	**0442** $\varnothing$	
0443 $\{4, 6, 8\}$	**0444** $\{3\}$	
0445 $\{4\}$	**0446** ㄱ, ㄴ	

0438 10의 양의 약수는 1, 2, 5, 10이므로 진리집합은 $\{1, 2, 5, 10\}$이다.

0439 $2x+1=7$에서 $2x=6$ $\quad\therefore x=3$
따라서 진리집합은 $\{3\}$이다.

0440 $x^2+1\le 0$에서 $x^2\le -1$
따라서 조건 p를 만족시키는 정수는 없으므로 진리집합은 $\varnothing$이다.

0441 $x^2-5x-6=0$에서 $(x+1)(x-6)=0$
$\therefore x=-1$ 또는 $x=6$
따라서 진리집합은 $\{-1, 6\}$이다.

0442 $3x+3=1$에서 $x=-\frac{2}{3}$
그런데 $-\frac{2}{3}$는 정수가 아니므로 진리집합은 $\varnothing$이다.

0443 짝수는 4, 6, 8이므로 진리집합은 $\{4, 6, 8\}$이다.

0444 $x^2-4x+3=0$에서 $(x-1)(x-3)=0$
$\therefore x=1$ 또는 $x=3$
따라서 진리집합은 $\{3\}$이다.

0445 $|x|-4=0$에서 $|x|=4$
$\therefore x=\pm 4$
따라서 진리집합은 $\{4\}$이다.

0446 ㄱ. $p : x^2-1=0$에서 $x=\pm 1$
즉, 조건 p의 진리집합은 $\{1\}$
ㄴ. $q : 2x-3=-1$에서 $x=1$
즉, 조건 q의 진리집합은 $\{1\}$
ㄷ. $r : x^2-3x+2=0$에서 $(x-1)(x-2)=0$
$\therefore x=1$ 또는 $x=2$
즉, 조건 r의 진리집합은 $\{1, 2\}$
따라서 진리집합이 서로 같은 것은 ㄱ, ㄴ이다.

핵심 04
본문 ➔ 68쪽

0447 $\{1\}$, $\{1, 2\}$	**0448** $\{-2, -1, 0, 1\}$
0449 $\{-2, -1, 2\}$	**0450** $\{0, 1, 2\}$
0451 $\{1, 2, 3, 5, 7, 9\}$	**0452** $\{1, 2, 3, 4, 6, 8, 9\}$
0453 $\{2, 3, 4, 5, 6, 7, 8, 9\}$	**0454** $\{2, 4, 6, 8, 10\}$

0448 두 조건 p, q의 진리집합을 각각 P, Q라 하면
$P=\{-2, -1, 0\}$
$Q=\{-2, -1, 0, 1\}$
따라서 조건 'p 또는 q'의 진리집합은
$P\cup Q=\{-2, -1, 0, 1\}$

0449 $x^2=4$에서 $x=\pm 2$
조건 p의 진리집합을 P라 하면 $P=\{-2, 2\}$
$x^2-x-2=0$에서 $(x+1)(x-2)=0$
$\therefore x=-1$ 또는 $x=2$
조건 q의 진리집합을 Q라 하면 $Q=\{-1, 2\}$
따라서 조건 'p 또는 q'의 진리집합은
$P\cup Q=\{-2, -1, 2\}$

0450 조건 p의 진리집합을 P라 하면 $P=\{0, 1, 2\}$
$x(x-1)\le 0$에서 $0\le x\le 1$

조건 q의 진리집합을 Q라 하면 $Q=\{0, 1\}$
따라서 조건 'p 또는 q'의 진리집합은
$P\cup Q=\{0, 1, 2\}$

0451 $U=\{1, 2, 3, 4, 5, 6, 7, 8, 9, 10\}$
$x^2\le 4$에서 $-2\le x\le 2$
조건 p, q의 진리집합을 각각 P, Q라 하면
$P=\{1, 2\}$, $Q=\{1, 3, 5, 7, 9\}$
따라서 조건 'p 또는 q'의 진리집합은
$P\cup Q=\{1, 2, 3, 5, 7, 9\}$

0452 18의 약수는 1, 2, 3, 6, 9, 18이므로
조건 p의 진리집합을 P라 하면 $P=\{1, 2, 3, 6, 9\}$
24의 약수는 1, 2, 3, 4, 6, 8, 12, 24이므로
조건 q의 진리집합을 Q라 하면 $Q=\{1, 2, 3, 4, 6, 8\}$
따라서 조건 'p 또는 q'의 진리집합은
$P\cup Q=\{1, 2, 3, 4, 6, 8, 9\}$

0453 $x^2-8x+7<0$에서 $(x-1)(x-7)<0$
$\therefore\ 1<x<7$
조건 p의 진리집합을 P라 하면 $P=\{2, 3, 4, 5, 6\}$
조건 q의 진리집합을 Q라 하면 $Q=\{3, 4, 5, 6, 7, 8, 9\}$
따라서 조건 'p 또는 q'의 진리집합은
$P\cup Q=\{2, 3, 4, 5, 6, 7, 8, 9\}$

0454 $U=\{2, 4, 6, 8, 10\}$
$x^2-6x+8\le 0$에서 $(x-2)(x-4)\le 0$
$\therefore\ 2\le x\le 4$
조건 p의 진리집합을 P라 하면 $P=\{2, 4\}$
조건 q의 진리집합을 Q라 하면 $Q=\{6, 8, 10\}$
따라서 조건 'p 또는 q'의 진리집합은
$P\cup Q=\{2, 4, 6, 8, 10\}$

핵심 **05**

본문 ➔ 69쪽

0455 $\{1, 5\}$, $\{5\}$
0456 $\{1, 2, 4\}$
0457 $\{3\}$
0458 $\{3\}$
0459 $\{x\mid -2<x\le 3\}$
0460 $\{x\mid x$는 6의 양의 배수$\}$
0461 $\{x\mid -1<x\le 2\}$
0462 $\{2, 3, 5, 7\}$

0456 4의 약수는 1, 2, 4이므로
조건 p의 진리집합을 P라 하면 $P=\{1, 2, 4\}$
12의 약수는 1, 2, 3, 4, 6, 12이므로
조건 q의 진리집합을 Q라 하면 $Q=\{1, 2, 3, 4\}$
따라서 조건 'p이고 q'의 진리집합은
$P\cap Q=\{1, 2, 4\}$

0457 $x^2-9=0$에서 $x^2=9$ $\quad\therefore\ x=\pm 3$
조건 p의 진리집합을 P라 하면 $P=\{3\}$
$x^2-2x-3=0$에서 $(x+1)(x-3)=0$
$\therefore\ x=-1$ 또는 $x=3$
조건 q의 진리집합을 Q라 하면 $Q=\{3\}$
따라서 조건 'p이고 q'의 진리집합은
$P\cap Q=\{3\}$

0458 조건 p의 진리집합을 P라 하면 $P=\{3, 4, 5\}$
$(x-1)(x-4)<0$에서 $1<x<4$
조건 q의 진리집합을 Q라 하면 $Q=\{2, 3\}$
따라서 조건 'p이고 q'의 진리집합은
$P\cap Q=\{3\}$

0459 두 조건 p, q의 진리집합을 각각 P, Q라 하면
$x^2\ge 0$은 모든 실수에 대하여 성립하므로
$P=\{x\mid x$는 실수$\}$
$Q=\{x\mid -2<x\le 3\}$
따라서 조건 'p이고 q'의 진리집합은
$P\cap Q=\{x\mid -2<x\le 3\}$

0460 두 조건 p, q의 진리집합을 각각 P, Q라 하면
$P=\{2, 4, 6, 8, 10, 12, \cdots\}$
$Q=\{3, 6, 9, 12, 15, \cdots\}$
따라서 조건 'p이고 q'의 진리집합은
$P\cap Q=\{x\mid x$는 6의 양의 배수$\}$

0461 $x^2\le 4$에서 $-2\le x\le 2$
조건 p의 진리집합을 P라 하면 $P=\{x\mid -2\le x\le 2\}$
$x^2-3x-4<0$에서 $(x+1)(x-4)<0$
$\therefore\ -1<x<4$
조건 q의 진리집합을 Q라 하면 $Q=\{x\mid -1<x<4\}$
따라서 조건 'p이고 q'의 진리집합은
$P\cap Q=\{x\mid -1<x\le 2\}$

0462 $x^2-6x-7\le 0$에서 $(x+1)(x-7)\le 0$
$\therefore\ -1\le x\le 7$
조건 p의 진리집합을 P라 하면 $P=\{1, 2, 3, 4, 5, 6, 7\}$
조건 q의 진리집합을 Q라 하면 $Q=\{2, 3, 5, 7\}$
따라서 조건 'p이고 q'의 진리집합은
$P\cap Q=\{2, 3, 5, 7\}$

핵심 01~05 Mini Review Test 본문 ◎ 70쪽

0463 ③, ⑤ **0464** ④ **0465** ④ **0466** ㄱ, ㄷ
0467 $\{4, 7, 8, 12, 14, 16, 20\}$
0468 $\{x \mid -3<x<2\}$

0463 ① 거짓인 명제
② 참인 명제
③ x의 값에 따라 참, 거짓이 바뀔 수 있으므로 명제가 아니다.
④ 거짓인 명제
⑤ 참, 거짓이 명확한 문장이 아니므로 명제가 아니다.
따라서 명제가 아닌 것은 ③, ⑤이다.

0464 ① 참인지 거짓인지 판단할 수 있는 근거가 없으므로 명제도 조건도 아니다.
②, ⑤ 참인 명제이다.
③ '큰 수'의 기준이 확실하지 않으므로 조건이 아니다.
따라서 조건인 것은 ④이다.

0465 ① 크기가 다른 정삼각형은 합동이 아니다.
② 4의 제곱근은 ± 2이다.
③ 12는 9의 배수가 아니다.
⑤ 항상 거짓인 명제이다.
따라서 참인 것은 ④이다.

0466 $U=\{1, 2, 3, 4, 5\}$
ㄱ. $x^2>9$에서 $x<-3$ 또는 $x>3$
따라서 조건 p의 진리집합은 $\{4, 5\}$
ㄴ. 약수의 개수가 홀수인 자연수는 완전제곱수이다.
따라서 조건 q의 진리집합은 $\{1, 4\}$
ㄷ. $x^2-9x+20=0$에서 $(x-4)(x-5)=0$
$\therefore x=4$ 또는 $x=5$
따라서 조건 r의 진리집합은 $\{4, 5\}$
따라서 진리집합이 서로 같은 것은 ㄱ, ㄷ이다.

0467 $U=\{1, 2, 3, \cdots, 20\}$
두 조건 p, q의 진리집합을 각각 P, Q라 하면
$P=\{4, 8, 12, 16, 20\}$
$Q=\{7, 14\}$
따라서 조건 'p 또는 q'의 진리집합은
$P\cup Q=\{4, 7, 8, 12, 14, 16, 20\}$

0468 $x^2-3x-18<0$에서 $(x+3)(x-6)<0$
$\therefore -3<x<6$
조건 p의 진리집합을 P라 하면 $P=\{x \mid -3<x<6\}$
$(x+4)(x-2)<0$에서 $-4<x<2$
조건 q의 진리집합을 Q라 하면 $Q=\{x \mid -4<x<2\}$
따라서 조건 'p이고 q'의 진리집합은
$P\cap Q=\{x \mid -3<x<2\}$

핵심 06

본문 ◎ 71쪽

0469 1은 홀수이다. (또는 1은 짝수가 아니다.) (참)
0470 4는 소수가 아니다. (참)
0471 π는 유리수이다. (거짓)
0472 0.5는 실수가 아니다. (거짓)
0473 6은 12의 약수가 아니다. (거짓)
0474 $3+4\neq 5$ (참)
0475 $3x^2+x-2\le 0$
0476 $2x-7<3$
0477 $3x+1\ge x+4$
0478 $x^2+x\neq 2$
0479 $(x+3)^2=0$
0480 x는 12의 배수가 아니다.

핵심 07

본문 ◎ 72쪽

0481 6은 2의 배수도 아니고 3의 배수도 아니다.
0482 정사각형은 직사각형도 아니고 마름모도 아니다.
0483 π는 무리수이고 유리수이다.
0484 레오나르도 다빈치는 화가가 아니거나 과학자가 아니다.
0485 2는 0보다 작거나 3보다 크다.
0486 10은 자연수가 아니거나 정수가 아니다.
0487 $x\neq 0$이고 $y\neq 0$
0488 $1\notin A$이고 $1\notin B$
0489 $2x-3<1$이고 $3x-1\ge 8$
0490 $x=-2$ 또는 $x=2$
0491 $a\notin A$이고 $b\in A$
0492 $x-5<-3$ 또는 $x-5\ge 3$

핵심 08 본문 73쪽

0493 (1) $\{3, 6, 9\}$ (2) $\{1, 2, 4, 5, 7, 8, 10\}$

0494 (1) $\{1, 4, 9\}$ (2) $\{2, 3, 5, 6, 7, 8, 10\}$

0495 (1) $\{2, 4, 8\}$ (2) $\{1, 3, 5, 6, 7, 9, 10\}$

0496 (1) $\{1, 9\}$ (2) $\{2, 3, 4, 5, 6, 7, 8, 10\}$

0497 (1) $\{3, 4, 5, 6\}$ (2) $\{1, 2, 7, 8, 9, 10\}$ (3) $\{3, 4, 5, 6\}$

0498 (1) $\{2, 3, 4\}$ (2) $\{1, 5, 6, 7, 8, 9, 10\}$ (3) $\{2, 3, 4\}$

0499 $\{1, 2, 3, 4, 6\}$

0493 (1) 3의 배수는 3, 6, 9이므로
조건 p의 진리집합을 P라 하면 $P=\{3, 6, 9\}$
(2) $\sim p$의 진리집합은 $P^C=U-P$이므로
$P^C=\{1, 2, 4, 5, 7, 8, 10\}$

0494 (1) 약수의 개수가 홀수 개인 수는 완전제곱수이므로
1, 4, 9이다.
조건 p의 진리집합을 P라 하면 $P=\{1, 4, 9\}$
(2) $\sim p$의 진리집합은 $P^C=U-P$이므로
$P^C=\{2, 3, 5, 6, 7, 8, 10\}$

0495 (1) 2의 거듭제곱은 2, 4, 8이므로
조건 p의 진리집합을 P라 하면 $P=\{2, 4, 8\}$
(2) $\sim p$의 진리집합은 $P^C=U-P$이므로
$P^C=\{1, 3, 5, 6, 7, 9, 10\}$

0496 (1) $x^2-10x+9=0$에서 $(x-1)(x-9)=0$
$\therefore x=1$ 또는 $x=9$
조건 p의 진리집합을 P라 하면 $P=\{1, 9\}$
(2) $\sim p$의 진리집합은 $P^C=U-P$이므로
$P^C=\{2, 3, 4, 5, 6, 7, 8, 10\}$

0497 (1) 조건 p의 진리집합을 P라 하면
$P=\{3, 4, 5, 6\}$
(2) $\sim p$의 진리집합은 $P^C=U-P$이므로
$P^C=\{1, 2, 7, 8, 9, 10\}$
(3) $\sim(\sim p)=p$이므로 $\sim(\sim p)$의 진리집합은 P이다.
참고 집합에서 $(P^C)^C=P$

0498 (1) $|x-3|<2$에서 $-2<x-3<2$
$\therefore 1<x<5$
조건 p의 진리집합을 P라 하면 $P=\{2, 3, 4\}$
(2) $\sim p$의 진리집합은 $P^C=U-P$이므로
$P^C=\{1, 5, 6, 7, 8, 9, 10\}$
(3) $\sim(\sim p)=p$이므로 $\sim(\sim p)$의 진리집합은 P이다.

0499 $x^2-4x-5=0$에서 $(x+1)(x-5)=0$
$\therefore x=-1$ 또는 $x=5$
조건 p의 진리집합을 P라 하면 $P=\{5\}$
$x^2-7x+10=0$에서 $(x-2)(x-5)=0$
$\therefore x=2$ 또는 $x=5$
조건 q의 진리집합을 Q라 하면 $Q=\{2, 5\}$
이때 조건 '$\sim p$ 또는 $\sim q$'의 진리집합은 $P^C\cup Q^C$이고
$P^C=\{1, 2, 3, 4, 6\}$, $Q^C=\{1, 3, 4, 6\}$이므로
$P^C\cup Q^C=\{1, 2, 3, 4, 6\}$
다른 해설 조건 '$\sim p$ 또는 $\sim q$'는 조건 'p이고 q'의 부정이다. 따라서 조건 '$\sim p$ 또는 $\sim q$'의 진리집합은 'p이고 q'의 진리집합의 여집합이다.
$P\cap Q=\{5\}$이므로 $P^C\cup Q^C=(P\cap Q)^C=\{1, 2, 3, 4, 6\}$

핵심 09 본문 74쪽

0500 참	**0501** 거짓	**0502** 거짓	**0503** 참
0504 참	**0505** 거짓	**0506** 거짓	**0507** 거짓
0508 거짓	**0509** 참	**0510** ㄴ, ㄷ	

0501 $x=3$이면 x는 4의 약수가 아니므로 주어진 명제는 거짓이다.

0502 $x=1$이면 $1^2-2<0$이므로 주어진 명제는 거짓이다.

0503 $(x+3)(x-1)=0$에서 $x=-3$ 또는 $x=1$
따라서 $x=1$이므로 주어진 명제는 참이다.

0504 2, 3은 소수이므로 주어진 명제는 참이다.

0505 모든 원소에 대하여 $x^2-16\le 0$이므로 주어진 명제는 거짓이다.

0506 $x=0$이면 $|x|=0$이므로 주어진 명제는 거짓이다.

0507 모든 실수 x에 대하여 $x^2+1>0$이므로 $x^2+1=0$을 만족하는 실수 x는 존재하지 않는다.
따라서 주어진 명제는 거짓이다.

0508 1의 약수는 1개이므로 주어진 명제는 거짓이다.

0509 $x=\pm 1$이면 $x=\dfrac{1}{x}$이므로 주어진 명제는 참이다.

0510 ㄱ. $x=\dfrac{1}{2}$이면 $x^2\le x$이므로 주어진 명제는 거짓이다.

ㄴ. 2는 소수이면서 짝수이므로 주어진 명제는 참이다.

ㄷ. $x^2+2x+1=(x+1)^2\geq 0$이므로 주어진 명제는 참이다.

따라서 참인 명제는 ㄴ, ㄷ이다.

핵심 10 본문 ○ 75쪽

0511 어떤 자연수 x에 대하여 $x-1<0$이다.

0512 모든 자연수 x에 대하여 $x(x+1)$은 짝수이다.

0513 어떤 실수 x, y에 대하여 $x^2+y^2<0$이다.

0514 모든 실수 x에 대하여 $(x+5)(x-1)\neq 0$이다.

0515 모든 자연수 m, n에 대하여 $\frac{m}{n}$은 유리수이다.

0516 어떤 실수 x에 대하여 $x^2+x+1\leq 0$이다.

0517 참 **0518** 참 **0519** 거짓 **0520** 참

0521 ㄴ

0517 부정 : 어떤 자연수 n에 대하여 n^2은 홀수이다.
$n=1$이면 $n^2=1$은 홀수이므로 주어진 명제의 부정은 참이다.

0518 부정 : 모든 실수 x에 대하여 $x^2-x+1\geq 0$이다.
모든 실수 x에 대하여 $\left(x^2-x+\frac{1}{4}\right)+\frac{3}{4}=\left(x-\frac{1}{2}\right)^2+\frac{3}{4}>0$
이므로 주어진 명제의 부정은 참이다.

0519 부정 : 어떤 직사각형은 평행사변형이 아니다.
모든 직사각형은 평행사변형이므로 주어진 명제의 부정은 거짓이다.

0520 부정 : 어떤 유리수 p, q에 대하여 $p+q\sqrt{3}$은 유리수이다.
$p=0$, $q=0$이면 $p+q\sqrt{3}$은 유리수이므로 주어진 명제의 부정은 참이다.

0521 ㄱ. 부정 : 어떤 정삼각형은 이등변삼각형이 아니다.
모든 정삼각형은 이등변삼각형이므로 주어진 명제의 부정은 거짓이다.

ㄴ. 부정 : 모든 자연수 x에 대하여 $x+1\geq 0$이다.
가장 작은 자연수 1에 대하여 $1+1\geq 0$이므로 모든 자연수 x에 대하여 $x+1\geq 0$이다.
따라서 주어진 명제의 부정은 참이다.

ㄷ. 부정 : 모든 소수는 홀수이다.
2는 소수이면서 짝수이므로 주어진 명제의 부정은 거짓이다.

따라서 주어진 명제의 부정이 참인 것은 ㄴ이다.

핵심 06~10 Mini Review Test 본문 ○ 76쪽

0522 ⑤ **0523** ⑤ **0524** $\{0, 2, 3, 4, 5\}$

0525 ① **0526** ④ **0527** ㄴ, ㄷ

0522 '$|x|=1$'은 '$x=1$ 또는 $x=-1$'이므로 이 조건의 부정은
'$x\neq 1$이고 $x\neq -1$'

0523 $(a-b)^2+(b-c)^2=0$이면 $a=b$이고 $b=c$이다.
이를 부정하면 $a\neq b$ 또는 $b\neq c$
즉, a, b, c 중 서로 다른 것이 적어도 하나 있다.

0524 $U=\{-5, -4, -3, \cdots, 4, 5\}$
$x^4-1=0$에서 $(x+1)(x-1)(x^2+1)=0$
$\therefore x=-1$ 또는 $x=1$
조건 p의 진리집합을 P라 하면 $P=\{-1, 1\}$
$x^2-4x-5\leq 0$에서 $(x+1)(x-5)\leq 0$
$\therefore -1\leq x\leq 5$
조건 q의 진리집합을 Q라 하면 $Q=\{-1, 0, 1, 2, 3, 4, 5\}$
따라서 조건 '$\sim p$이고 q'의 진리집합은 $P^C\cap Q$이고
$P^C=\{-5, -4, -3, -2, 0, 2, 3, 4, 5\}$이므로
$P^C\cap Q=\{0, 2, 3, 4, 5\}$

0525 ㄱ. 완전제곱수의 양의 약수의 개수는 홀수이므로 주어진 명제는 참이다.

ㄴ. $x=0$이면 $x^2-2x-1=-1<0$이므로
주어진 명제는 거짓이다.

ㄷ. 임의의 실수 x에 대하여 $x^2\geq 0$이므로
모든 실수에 대하여 $x^2=-1$을 만족하는 x는 없다.
즉, 주어진 명제는 거짓이다.

따라서 옳은 것은 ㄱ이다.

0527 ㄱ. 부정 : 어떤 정사각형은 직사각형이 아니다.
모든 정사각형은 직사각형이므로 주어진 명제의 부정은 거짓이다.

ㄴ. 부정 : 모든 정수 x에 대하여 $x^2\neq 5$이다.
$x^2=5$를 만족하는 정수 x는 없으므로 주어진 명제의 부정은 참이다.

ㄷ. 부정 : 어떤 양수 x에 대하여 $x^2<x$이다.
$x=\frac{1}{2}$이면 $\left(\frac{1}{2}\right)^2<\frac{1}{2}$이므로 부정은 참이다.

따라서 부정이 참인 것은 ㄴ, ㄷ이다.

참고 원래 명제가 참이면 부정은 거짓이다.
ㄱ. '모든 정사각형은 직사각형이다.'는 참인 명제이므로 부정은 거짓이다.

핵심 11 본문 ◎ 77쪽

0528 가정 : $x=2$이다. 결론 : $2x-3=1$이다.
0529 가정 : 두 자연수 m, n은 모두 홀수이다.
결론 : mn은 홀수이다.
0530 가정 : $x<2$이다. 결론 : $x^2<4$이다.
0531 가정 : x는 실수이다. 결론 : $x^2+2x+2>0$이다.
0532 가정 : 어떤 수는 짝수이다.
결론 : 어떤 수는 소수가 아니다.
0533 가정 : 두 직선의 기울기는 같다.
결론 : 두 직선이 평행하다.
0534 가정 : 두 직선의 기울기의 곱이 -1이다.
결론 : 두 직선이 서로 수직이다.
0535 가정 : 어떤 사각형의 두 대변이 각각 평행하다.
결론 : 어떤 사각형은 평행사변형이다.
0536 가정 : $\triangle ABC$는 꼭지각이 $\angle A$인 이등변삼각형이다.
결론 : $\overline{AB}=\overline{AC}$이다.
0537 가정 : 두 집합 A, B에 대하여 $A=B$이다.
결론 : 두 집합 A, B에 대하여 $A\subset B$, $B\subset A$이다.

핵심 12 본문 ◎ 78쪽

0538 (1) $P=\{1, 2, 4\}$, $Q=\{1, 2, 4, 8\}$ (2) $P\subset Q$ (3) 참
0539 (1) $P=\{2, 4, 6, \cdots\}$, $Q=\{4, 8, 12, \cdots\}$ (2) $Q\subset P$
(3) 거짓
0540 (1) $P=\{x\mid -1<x<1\}$, $Q=\{x\mid -1<x<1\}$
(2) $P=Q$ (3) 참
0541 거짓 **0542** 거짓 **0543** 참 **0544** 거짓
0545 ㄱ

0538 (1) 4의 양의 약수는 1, 2, 4이므로 $P=\{1, 2, 4\}$
8의 양의 약수는 1, 2, 4, 8이므로 $Q=\{1, 2, 4, 8\}$
(3) $P\subset Q$이므로 명제 $p \longrightarrow q$는 참이다.

0539 (1) 2의 양의 배수는 2, 4, 6, …이므로 $P=\{2, 4, 6, \cdots\}$
4의 양의 배수는 4, 8, 12, …이므로 $Q=\{4, 8, 12, \cdots\}$
(3) $P\not\subset Q$이므로 명제 $p \longrightarrow q$는 거짓이다.

0540 (1) $x^2<1$에서 $-1<x<1$이므로 $P=\{x\mid -1<x<1\}$
$|x|<1$에서 $-1<x<1$이므로 $Q=\{x\mid -1<x<1\}$
(3) $P=Q$이므로 $P\subset Q$이다.
따라서 명제 $p \longrightarrow q$는 참이다.

0541 [반례] $x=-3$이면 $x^2=9$이다.
따라서 주어진 명제는 거짓이다.

0542 [반례] $x=1$, $y=1$이면 $x+y=2$이다.
따라서 주어진 명제는 거짓이다.

0543 실수 x, y에 대하여 $x^2+y^2=0$의 진리집합을 P라 하면
$P=\{(x, y)\mid x=0, y=0\}$
$xy=0$의 진리집합을 Q라 하면
$Q=\{(x, y)\mid x=0 \text{ 또는 } y=0\}$
따라서 $P\subset Q$이므로 주어진 명제는 참이다.

0544 [반례] $x=2-\sqrt{3}$, $y=2+\sqrt{3}$이면 x, y가 무리수이지만
$xy=1$이다.
따라서 주어진 명제는 거짓이다.

0545 ㄱ. $a>b$의 양변에 -1을 곱하면 $-a<-b$
따라서 가정과 결론의 진리집합이 같으므로 주어진 명제는 참이다.
ㄴ. [반례] $2>-3$이지만 $2^2<(-3)^2$이다.
따라서 주어진 명제는 거짓이다.
ㄷ. [반례] $2>-3$이지만 $\frac{1}{2}>-\frac{1}{3}$이다.
따라서 주어진 명제는 거짓이다.
따라서 참인 명제는 ㄱ이다.

핵심 13 본문 ◎ 79쪽

0546 (1) 참 (2) 참 (3) 거짓 (4) 거짓 (5) 거짓
0547 (1) 거짓 (2) 참 (3) 거짓 (4) 참 (5) 거짓
0548 (1) 거짓 (2) 거짓 (3) 참 (4) 참 (5) 거짓 (6) 참
0549 ④

0546 (1) $P\subset Q$이므로 명제 $p \longrightarrow q$는 참이다.
(2) $P\subset R^C$이므로 명제 $p \longrightarrow \sim r$는 참이다.
(3) $Q^C\not\subset R$이므로 명제 $\sim q \longrightarrow r$는 거짓이다.
(4) $Q^C\not\subset R^C$이므로 명제 $\sim q \longrightarrow \sim r$는 거짓이다.
(5) $Q\not\subset R$이므로 명제 $q \longrightarrow r$는 거짓이다.

0547 (1) $P\not\subset Q$이므로 명제 $p \longrightarrow q$는 거짓이다.
(2) $Q\subset R$이므로 명제 $q \longrightarrow r$는 참이다.
(3) $P\not\subset R$이므로 명제 $p \longrightarrow r$는 거짓이다.
(4) $R^C\subset Q^C$이므로 명제 $\sim r \longrightarrow \sim q$는 참이다.
(5) $R\not\subset Q$이므로 명제 $r \longrightarrow q$는 거짓이다.

0548 (1) $P \not\subset Q$이므로 명제 $p \longrightarrow q$는 거짓이다.
(2) $Q \not\subset R$이므로 명제 $q \longrightarrow r$는 거짓이다.
(3) $R \subset P$이므로 명제 $r \longrightarrow p$는 참이다.
(4) $P^C \subset R^C$이므로 명제 $\sim p \longrightarrow \sim r$는 참이다.
(5) $Q^C \not\subset R$이므로 명제 $\sim q \longrightarrow r$는 거짓이다.
(6) $(Q \cup R) \subset P$이므로 명제 (q 또는 r) $\longrightarrow p$는 참이다.

0549 $P \cup Q = Q$이므로 $P \subset Q$ …… ㉠
$Q \cap R = \varnothing$ …… ㉡
㉠, ㉡을 동시에 만족하도록 벤 다이어그램으로 나타내면 오른쪽 그림과 같다.

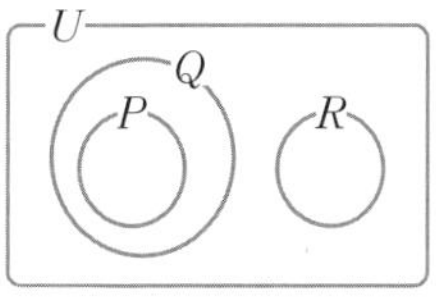

① $Q \not\subset P$이므로 명제 $q \longrightarrow p$는 거짓이다.
② $R \not\subset P$이므로 명제 $r \longrightarrow p$는 거짓이다.
③ $R \not\subset Q$이므로 명제 $r \longrightarrow q$는 거짓이다.
④ $P \subset R^C$이므로 명제 $p \longrightarrow \sim r$는 참이다.
⑤ $P^C \not\subset Q^C$이므로 명제 $\sim p \longrightarrow \sim q$는 거짓이다.
따라서 참인 명제는 ④이다.

핵심 14 본문 ◐ 80쪽

0550 $\geq$	**0551** $a<1$	**0552** $-2<a\leq 2$
0553 $0<a<2$	**0554** $-2\leq a<1$	
0555 $a<3$		**0556** $-2<a<1$
0557 $1<a<5$		

0551 두 조건 p, q의 진리집합을 각각 P, Q라 하면

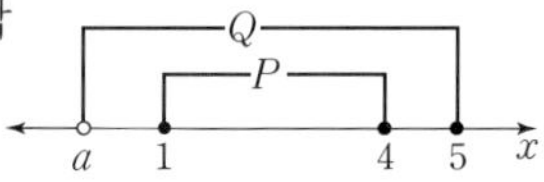

$P=\{x \mid 1\leq x\leq 4\}$
$Q=\{x \mid a<x\leq 5\}$
$p \longrightarrow q$가 참이 되기 위해서는 $P\subset Q$를 만족해야 하므로
$a<1$

0552 두 조건 p, q의 진리집합을 각각 P, Q라 하면

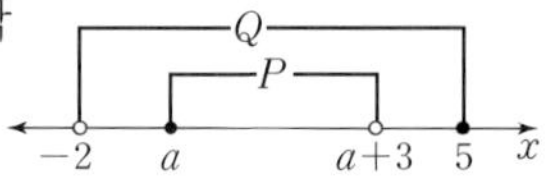

$P=\{x \mid a\leq x<a+3\}$
$Q=\{x \mid -2<x\leq 5\}$
$p \longrightarrow q$가 참이 되기 위해서는 $P\subset Q$를 만족해야 하므로
$a>-2$이고 $a+3\leq 5$
$\therefore\ -2<a\leq 2$

0553 두 조건 p, q의 진리집합을 각각 P, Q라 하면

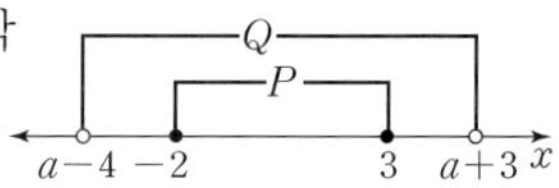

$P=\{x \mid -2\leq x\leq 3\}$
$Q=\{x \mid a-4<x<a+3\}$
$p \longrightarrow q$가 참이 되기 위해서는 $P\subset Q$를 만족해야 하므로
$a-4<-2$이고 $a+3>3$
$\therefore\ 0<a<2$

0554 두 조건 p, q의 진리집합을 각각 P, Q라 하면

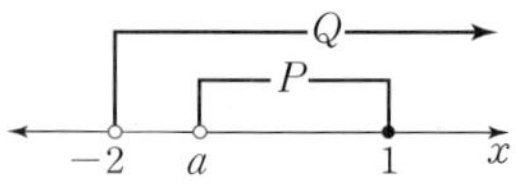

$P=\{x \mid a<x\leq 1\}$
$Q=\{x \mid x>-2\}$
$p \longrightarrow q$가 참이 되기 위해서는 $P\subset Q$를 만족해야 하므로
$-2\leq a<1$

0555 두 조건 p, q의 진리집합을 각각 P, Q라 하면

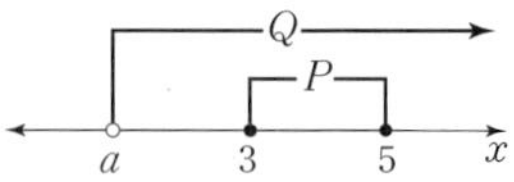

$P=\{x \mid 3\leq x\leq 5\}$
$Q=\{x \mid x>a\}$
$p \longrightarrow q$가 참이 되기 위해서는 $P\subset Q$를 만족해야 하므로
$a<3$

0556 두 조건 p, q의 진리집합을 각각 P, Q라 하면

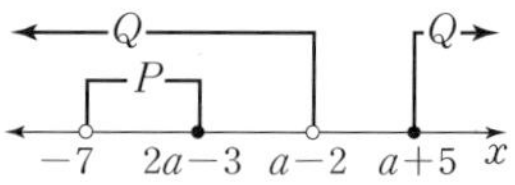

$P=\{x \mid -7<x\leq 2a-3\}$
$Q=\{x \mid x<a-2$ 또는 $x\geq a+5\}$
$p \longrightarrow q$가 참이 되기 위해서는 $P\subset Q$를 만족해야 하므로
$2a-3<a-2$ $\quad\therefore\ a<1$
그런데 $a>-2$이므로 $-2<a<1$

0557 두 조건 p, q의 진리집합을 각각 P, Q라 하면

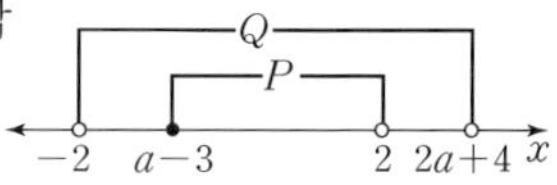

$P=\{x \mid a-3\leq x<2\}$
$Q=\{x \mid -2<x<2a+4\}$
$p \longrightarrow q$가 참이 되기 위해서는 $P\subset Q$를 만족해야 하므로
$a-3>-2$이고 $2a+4\geq 2$
$\therefore\ a>1$
그런데 $-3<a<5$이므로 $1<a<5$

핵심 15 본문 ◐ 81쪽

0558 역 : $q \longrightarrow p$, 대우 : $\sim q \longrightarrow \sim p$

0559 역 : $\sim q \longrightarrow p$, 대우 : $q \longrightarrow \sim p$

0560 역 : $\sim r \longrightarrow \sim p$, 대우 : $r \longrightarrow p$

0561 역 : $r \longrightarrow \sim q$, 대우 : $\sim r \longrightarrow q$

0562 역 : $p \longrightarrow \sim r$, 대우 : $\sim p \longrightarrow r$

0563 역 : $\sim p \longrightarrow r$, 대우 : $p \longrightarrow \sim r$

0564 역 : $x-3>1$이면 $x<1$이다.
대우 : $x-3\le 1$이면 $x\ge 1$이다.

0565 역 : 두 직선의 기울기의 곱이 -1이면 두 직선은 수직이다.
대우 : 두 직선의 기울기의 곱이 -1이 아니면 두 직선은 수직이 아니다.

0566 역 : $xy=0$이면 $x=0$이다.
대우 : $xy\ne 0$이면 $x\ne 0$이다.

0567 역 : ab가 무리수이면 a, b는 무리수이다.
대우 : ab가 유리수이면 a, b는 유리수이다.

핵심 16 본문 ◐ 82쪽

0568 (1) 거짓
(2) 실수 a, b, c에 대하여 $a=b$이면 $ac=bc$이다. (참)
(3) 실수 a, b, c에 대하여 $a\ne b$이면 $ac\ne bc$이다. (거짓)

0569 (1) 참
(2) $x>0$ 또는 $y>0$이면 $x+y>0$이다. (거짓)
(3) $x\le 0$이고 $y\le 0$이면 $x+y\le 0$이다. (참)

0570 (1) 참
(2) $A\subset B$이면 $A\cap B=A$이다. (참)
(3) $A\not\subset B$이면 $A\cap B\ne A$이다. (참)

0571 (1) 거짓
(2) x, y가 유리수이면 $x+y$는 유리수이다. (참)
(3) x, y가 무리수이면 $x+y$는 무리수이다. (거짓)

0568 (1) [반례] $a=-1$, $b=2$, $c=0$이면 $a\ne b$이지만 $ac=bc$이다.
따라서 주어진 명제는 거짓이다.
(2) 역 : 실수 a, b, c에 대하여 $a=b$이면 $ac=bc$이다.
$a=b$이면 항상 $ac=bc$이므로 역은 참이다.
(3) [반례] 대우 : 실수 a, b, c에 대하여 $a\ne b$이면 $ac\ne bc$이다.
$a=-1$, $b=2$, $c=0$이면 $a\ne b$이지만 $ac=bc$이다.
따라서 대우는 거짓이다.
다른 해설 (3) 주어진 명제가 거짓이므로 그 대우도 거짓이다.

0569 (1) $x+y>0$이려면 x, y 중 적어도 하나는 0보다 커야 한다.
즉, $x>0$ 또는 $y>0$이다.
따라서 주어진 명제는 참이다.
(2) 역 : $x>0$ 또는 $y>0$이면 $x+y>0$이다.
[반례] $x=1$, $y=-2$이면 $x+y<0$이다.
따라서 역은 거짓이다.
(3) 대우 : $x\le 0$이고 $y\le 0$이면 $x+y\le 0$이다.
0보다 작거나 같은 두 수의 합은 0보다 작거나 같다.
따라서 대우는 참이다.
다른 해설 (3) 주어진 명제가 참이므로 그 대우도 참이다.
참고 명제 '$x+y>0$이면 $x>0$ 또는 $y>0$이다.'의 참, 거짓은 이 자체로 판단하기 보다는 대우인 '$x\le 0$이고 $y\le 0$이면 $x+y\le 0$이다.'로 판단하기가 더 쉽기 때문에 명제의 참, 거짓을 판단할 때, 대우를 생각해 보는 것도 좋은 방법이다.

0570 (2) 역 : $A\subset B$이면 $A\cap B=A$이다.
따라서 역은 참이다.
(3) 대우 : $A\not\subset B$이면 $A\cap B\ne A$이다.
따라서 대우는 참이다.

0571 (1) [반례] $x=1-\sqrt{2}$, $y=1+\sqrt{2}$이면 $x+y=2$로 유리수이지만 x, y는 무리수이다.
따라서 주어진 명제는 거짓이다.
(2) 역 : x, y가 유리수이면 $x+y$는 유리수이다.
(유리수)+(유리수)=(유리수)이므로 역은 참이다.
(3) 대우 : x, y가 무리수이면 $x+y$는 무리수이다.
$x=1-\sqrt{2}$, $y=1+\sqrt{2}$이면 $x+y=2$로 유리수이다.
따라서 대우는 거짓이다.

핵심 17 본문 ◐ 83쪽

0572 (1) ㄷ (2) ㄱ (3) ㅅ (4) ㄹ

0573 (1) ㄹ (2) ㅇ (3) ㅁ (4) ㅅ

0574 (1) ㄹ (2) ㅁ (3) ㄴ (4) ㅇ (5) ㅅ (6) ㄷ

0575 ㄱ, ㄴ, ㄷ

0574 (1) $\sim p \longrightarrow q$의 역은 $q \longrightarrow \sim p$
명제 $q \longrightarrow \sim p$가 참이면 그 대우 $p \longrightarrow \sim q$도 참이다.
(2) $p \longrightarrow \sim q$의 역은 $\sim q \longrightarrow p$
명제 $\sim q \longrightarrow p$가 참이면 그 대우 $\sim p \longrightarrow q$도 참이다.
(3) $q \longrightarrow p$의 역은 $p \longrightarrow q$
명제 $p \longrightarrow q$가 참이면 그 대우 $\sim q \longrightarrow \sim p$도 참이다.
(4) $\sim q \longrightarrow p$의 역은 $p \longrightarrow \sim q$
명제 $p \longrightarrow \sim q$가 참이면 그 대우 $q \longrightarrow \sim p$도 참이다.
(5) $p \longrightarrow q$의 역은 $q \longrightarrow p$
명제 $q \longrightarrow p$가 참이면 그 대우 $\sim p \longrightarrow \sim q$도 참이다.

(6) $q \longrightarrow \sim p$의 역은 $\sim p \longrightarrow q$
명제 $\sim p \longrightarrow q$가 참이면 그 대우 $\sim q \longrightarrow p$도 참이다.

0575 '$x=1$이면 $x^3=1$이다.'는 참인 명제이다.
역 : $x^3=1$이면 $x=1$이다.
$x^3=1$에서 $(x-1)(x^2+x+1)=0$이므로 $x=1$
원래 명제와 역이 모두 참이므로 각각의 대우도 모두 참이다.
ㄱ, ㄴ, ㄷ은 각각 명제의 역, 대우, 역의 대우이므로 주어진 명제와 참, 거짓이 일치하는 명제는 ㄱ, ㄴ, ㄷ이다.

핵심 18

본문 ▶ 84쪽

0576 r, $\sim r$, $\sim p$
0577 $p \longrightarrow r$, $q \longrightarrow \sim p$, $\sim r \longrightarrow q$, $\sim r \longrightarrow \sim p$
0578 $\sim p \longrightarrow \sim r$, $\sim q \longrightarrow p$, $r \longrightarrow \sim q$, $r \longrightarrow p$
0579 $p \longrightarrow \sim q$, $\sim r \longrightarrow \sim p$, $q \longrightarrow \sim r$, $q \longrightarrow \sim p$
0580 p, $\sim r$, $\sim r$, $\sim p$
0581 $p \longrightarrow \sim q$, $p \longrightarrow r$, $\sim r \longrightarrow q$, $\sim r \longrightarrow \sim p$
0582 $q \longrightarrow r$, $\sim p \longrightarrow r$, $\sim q \longrightarrow p$, $\sim r \longrightarrow p$
0583 ㄱ, ㄷ

0577 두 명제 $p \longrightarrow \sim q$, $\sim q \longrightarrow r$가 모두 참이므로
$p \longrightarrow r$가 참이다.
또한 각 명제에 대하여 대우가 모두 참이므로
$q \longrightarrow \sim p$, $\sim r \longrightarrow q$, $\sim r \longrightarrow \sim p$도 모두 참이다.

0578 두 명제 $\sim p \longrightarrow q$, $q \longrightarrow \sim r$가 모두 참이므로
$\sim p \longrightarrow \sim r$가 참이다.
또한 각 명제에 대하여 대우가 모두 참이므로
$\sim q \longrightarrow p$, $r \longrightarrow \sim q$, $r \longrightarrow p$도 모두 참이다.

0579 두 명제 $p \longrightarrow r$, $r \longrightarrow \sim q$가 모두 참이므로
$p \longrightarrow \sim q$가 참이다.
또한 각 명제에 대하여 대우가 모두 참이므로
$\sim r \longrightarrow \sim p$, $q \longrightarrow \sim r$, $q \longrightarrow \sim p$도 모두 참이다.

0581 명제 $q \longrightarrow \sim p$가 참이므로 그 대우 $p \longrightarrow \sim q$도 참이다.
즉, 두 명제 $p \longrightarrow \sim q$, $\sim q \longrightarrow r$가 모두 참이므로
$p \longrightarrow r$가 참이다.
따라서 반드시 참인 명제는 $p \longrightarrow \sim q$, $p \longrightarrow r$,
$\sim r \longrightarrow q$, $\sim r \longrightarrow \sim p$이다.

0582 $\sim r \longrightarrow \sim q$가 참이므로 그 대우 $q \longrightarrow r$도 참이다.
즉, 두 명제 $\sim p \longrightarrow q$, $q \longrightarrow r$가 모두 참이므로
$\sim p \longrightarrow r$가 참이다.
따라서 반드시 참인 명제는 $q \longrightarrow r$, $\sim p \longrightarrow r$,
$\sim q \longrightarrow p$, $\sim r \longrightarrow p$이다.

0583 명제 $q \longrightarrow \sim r$가 참이므로 그 대우 $r \longrightarrow \sim q$도 참이다.
즉, 두 명제 $p \longrightarrow r$, $r \longrightarrow \sim q$가 모두 참이므로
$p \longrightarrow \sim q$가 참이고 그 대우 $q \longrightarrow \sim p$도 참이다.
따라서 반드시 참인 명제는 ㄱ, ㄷ이다.

핵심 19

본문 ▶ 85쪽

0584 자연수 m, n에 대하여 m, n이 홀수이면 mn이 홀수이다.
홀수, 1, 홀수, 참, 참
0585 자연수 a, $b\,(a>b)$에 대하여 a와 $a-b$가 서로소가 아니면 a와 b는 서로소가 아니다.
$n-m$, 서로소, 참, 참
0586 자연수 n에 대하여 n이 홀수이면 n^2이 홀수이다.
홀수, 1, 홀수, 참, 참
0587 실수 a, b에 대하여 $a\neq0$ 또는 $b\neq0$이면 $a^2+b^2\neq0$이다.
$>$, $\geq$, $>$, $\geq$, 참, 참

핵심 20

본문 ▶ 86쪽

0588 유리수, 유리수, 유리수, 2, 2, 짝수, 서로소
0589 유리수, 유리수, 5, n, 5, 5의 배수, 서로소
0590 빗변, $<$　　**0591** 4, 홀수

0591 방정식 $x^2+px-2q=0$이 정수근을 갖는다고 가정하자.
(i) $x=2n$ (n은 정수)이라 하면
$(2n)^2+2np-2q=0$, $4n^2+2np=2q$
이때 p는 짝수이므로 $4n^2+2np$는 $\boxed{4}$의 배수이고 q는 홀수이므로 $2q$는 $\boxed{4}$의 배수가 아니다.
(ii) $x=2n+1$ (n은 정수)이라 하면
$(2n+1)^2+(2n+1)p-2q=0$
$4n^2+4n+\boxed{1+2np+p}=2q$
이때 주어진 식의 좌변은 $\boxed{\text{홀수}}$이고 우변은 짝수이다.
(i), (ii)에서 각각의 경우가 모두 모순이므로 주어진 명제는 참이다.
$\therefore$ (가) : 4, (나) : 홀수

핵심 11~20 Mini Review Test 본문 87쪽

0592 b **0593** ⑤ **0594** ㄴ, ㄷ **0595** ①, ④
0596 ② **0597** ②

0592 'q이면 $\sim p$이다.'가 거짓임을 보이는 반례를 포함하는 집합은 $Q-P^C$이다.
$Q-P^C=Q\cap(P^C)^C=Q\cap P$이므로 반례에 해당하는 원소는 b이다.

0593 ⑤ $R^C\subset Q^C$이므로 명제 $\sim r \longrightarrow \sim q$는 참이다.
다른 해설 ⑤ $Q\subset R$이므로 명제 $q \longrightarrow r$가 참이다.
따라서 그 대우인 $\sim r \longrightarrow \sim q$가 참이다.

0594 ㄱ. 대우 : $a<0$ 또는 $b<0$이면 $ab<0$이다.
[반례] $a=-1$, $b=-1$이면 $ab=1>0$이므로 거짓이다.
ㄴ. 대우 : $x<0$이면 $|x|^2\neq x$이다.
$x<0$이면 $|x|^2=-x$이므로 참이다.
ㄷ. 대우 : 자연수 n에 대하여 n이 짝수이면 n^2은 짝수이다. (참)
따라서 참인 명제는 ㄴ, ㄷ이다.

0595 ① 역 : $x=3$이면 $x^2-9=0$이다.
$\{3\}\subset\{-3, 3\}$이므로 참이다.
② 역 : $ab=0$이면 $a=0$이고 $b=0$이다.
[반례] $a=1$, $b=0$이면 $ab=0$이므로 거짓이다.
③ 역 : $\angle A=60°$이면 $\triangle ABC$는 정삼각형이다.
[반례] $\angle A=60°$, $\angle B=40°$, $\angle C=80°$이면 $\triangle ABC$는 정삼각형이 아니므로 거짓이다.
④ 역 : x가 10의 배수이면 x는 5의 배수이다.
$\{10, 20, 30, \cdots\}\subset\{5, 10, 15, 20, \cdots\}$이므로 참이다.
⑤ 역 : $x<2$이면 $|x|<2$이다.
$\{x|x<2\}\supset\{x||x|<2\}=\{x|-2<x<2\}$
이므로 거짓이다.
따라서 역이 참인 것은 ①, ④이다.

0596 명제 $\sim p \longrightarrow q$의 역이 참이므로 명제 $q \longrightarrow \sim p$가 참이다.
따라서 $Q\subset P^C$이므로 $P\subset Q^C$

0597 세 명제 $p \longrightarrow \sim r$, $r \longrightarrow q$, $s \longrightarrow r$가 모두 참이므로 각각의 대우인 $r \longrightarrow \sim p$, $\sim q \longrightarrow \sim r$, $\sim r \longrightarrow \sim s$도 모두 참이다.
두 명제 $p \longrightarrow \sim r$, $\sim r \longrightarrow \sim s$가 모두 참이므로
$p \longrightarrow \sim s$가 참이고 그 대우 $s \longrightarrow \sim p$도 참이다.

4. 충분조건과 필요조건/절대부등식

핵심 01 본문 91쪽

0598 (1) $\not\Longrightarrow$, $\Longrightarrow$, 필요 (2) $\Longrightarrow$, $\not\Longrightarrow$, 충분
0599 (1) 필요조건 (2) 충분조건
0600 (1) 충분조건 (2) 충분조건 (3) 충분조건 **0601** ①

0599 (1) 평행사변형이지만 마름모가 아닌 □ABCD가 존재하므로 $p \not\Longrightarrow q$이고, 마름모는 평행사변형이므로 $q \Longrightarrow p$이다.
따라서 p는 q이기 위한 필요조건이다.
(2) 평행사변형은 사다리꼴이므로 $p \Longrightarrow q$이고, 사다리꼴이지만 평행사변형이 아닌 □ABCD가 존재하므로
$q \not\Longrightarrow p$이다.
따라서 p는 q이기 위한 충분조건이다.

0600 실수 x, y에 대하여 $x^2+y^2=0$이면 $x=0$, $y=0$이다.
(1) $xy=0$이면 $x=0$ 또는 $y=0$이므로 $p \Longrightarrow q$, $q \not\Longrightarrow p$이다.
따라서 p는 q이기 위한 충분조건이다.
(2) $x^2=y^2$이면 $x=y$ 또는 $x=-y$이므로 $p \Longrightarrow q$, $q \not\Longrightarrow p$이다.
따라서 p는 q이기 위한 충분조건이다.
(3) $x^3+y^3=0$에서 $(x+y)(x^2-xy+y^2)=0$이므로 $x=-y$
따라서 $p \Longrightarrow q$, $q \not\Longrightarrow p$이므로 p는 q이기 위한 충분조건이다.

0601 ① $x=y$이면 $xz=yz$이므로 $p \Longrightarrow q$이다.
$x=1$, $y=2$, $z=0$일 때, $xz=yz$이지만 $x\neq y$이므로
$q \not\Longrightarrow p$이다.
따라서 p는 q이기 위한 충분조건이지만 필요조건이 아니다.
② $x^2=9$이면 $x=-3$ 또는 $x=3$이므로 $p \not\Longrightarrow q$, $q \Longrightarrow p$이다.
따라서 p는 q이기 위한 필요조건이지만 충분조건이 아니다.
③ $x=-2$, $y=-2$이면 $|x+y|=|x|+|y|$이지만 $x<0$, $y<0$이므로 $p \not\Longrightarrow q$이다.
$x\geq0$, $y\geq0$이면 $|x+y|=|x|+|y|$이므로 $q \Longrightarrow p$이다.
따라서 p는 q이기 위한 필요조건이지만 충분조건이 아니다.
④ $xy=|xy|$이면 $xy\geq0$이므로 $x\leq0$, $y\leq0$ 또는 $x\geq0$, $y\geq0$이다.

따라서 $p \not\Rightarrow q$, $q \Longrightarrow p$이므로 필요조건이지만 충분조건이 아니다.

⑤ 직사각형이지만 정사각형이 아닌 □ABCD가 존재하므로 $p \not\Rightarrow q$이다.

정사각형은 직사각형이므로 $q \Longrightarrow p$이다.

따라서 p는 q이기 위한 필요조건이지만 충분조건이 아니다.

그러므로 p가 q이기 위한 충분조건이지만 필요조건이 아닌 것은 ①이다.

핵심 02

본문 92쪽

0602 (1) 참 (2) 참 (3) 필요충분조건

0603 (1) 참 (2) 참 (3) 필요충분조건

0604 (1) 참 (2) 참 (3) 필요충분조건

0605 ③

0602 (1) $x^2+y^2=0$이면 $x=0$, $y=0$이므로 $|x|+|y|=0$이다.

따라서 $p \longrightarrow q$는 참이다.

(2) $|x|+|y|=0$이면 $x=0$, $y=0$이므로 $x^2+y^2=0$이다.

따라서 $q \longrightarrow p$는 참이다.

0603 (1) $|x+y|=|x|+|y|$이면 $xy\ge0$이다.

따라서 $p \longrightarrow q$는 참이다.

(2) $xy\ge0$이면 $x\ge0$, $y\ge0$ 또는 $x\le0$, $y\le0$이므로 $|x+y|=|x|+|y|$이다.

따라서 $q \longrightarrow p$는 참이다.

0604 (1) $a>b$의 양변에 c를 더하면 $a+c>b+c$이다.

따라서 $p \longrightarrow q$는 참이다.

(2) $a+c>b+c$의 양변에서 c를 빼면 $a>b$이다.

따라서 $q \longrightarrow p$는 참이다.

0605 ① $x=3$, $y=2$일 때 $x-y=1$이므로 $p \not\Rightarrow q$

$x=2$, $y=1$이면 $x-y=1$이므로 $q \Longrightarrow p$

따라서 p는 q이기 위한 필요조건이다.

② $x=-\sqrt{2}$, $y=\sqrt{2}$일 때 $x+y=0$으로 유리수이지만 x, y는 무리수이므로 $p \not\Rightarrow q$

x, y가 유리수이면 $x+y$는 유리수이므로 $q \Longrightarrow p$

따라서 p는 q이기 위한 필요조건이다.

③ x, y가 홀수이면 xy는 홀수이므로 $p \Longrightarrow q$

xy가 홀수이면 x, y는 홀수이므로 $q \Longrightarrow p$

따라서 p는 q이기 위한 필요충분조건이다.

④ $x=y$이면 $x^2=y^2$이므로 $p \Longrightarrow q$

$x^2=y^2$이면 $x=y$ 또는 $x=-y$이므로 $q \not\Rightarrow p$

따라서 p는 q이기 위한 충분조건이다.

⑤ 정삼각형은 이등변삼각형이므로 $p \Longrightarrow q$

이등변삼각형이라고 해서 항상 정삼각형인 것은 아니므로 $q \not\Rightarrow p$

따라서 p는 q이기 위한 충분조건이다.

따라서 p가 q이기 위한 필요충분조건인 것은 ③이다.

핵심 03

본문 93쪽

0606 (1) 4, 8, 12, 16 (2) $\supset$ (3) 필요

0607 (1) $P=\{x|x>1\}$, $Q=\{x|x\le-4$ 또는 $x\ge1\}$

(2) $P\subset Q$ (3) 충분조건

0608 (1) $P=\{x|-1\le x\le1\}$, $Q=\{x|-1\le x\le1\}$

(2) $P=Q$ (3) 필요충분조건

0609 (1) $P=\{-3\}$, $Q=\{-3, -1\}$ (2) $P\subset Q$

(3) 충분조건

0610 (1) $P=\{x|-3<x<5\}$, $Q=\{x|-2\le x\le3\}$

(2) $P\supset Q$ (3) 필요조건

0611 ㄴ

0607 (1) q : $x^2+3x-4\ge0$에서 $(x+4)(x-1)\ge0$

$\therefore x\le-4$ 또는 $x\ge1$

$\therefore P=\{x|x>1\}$, $Q=\{x|x\le-4$ 또는 $x\ge1\}$

0608 (1) q : $|x|\le1$에서 $-1\le x\le1$

$\therefore P=\{x|-1\le x\le1\}$, $Q=\{x|-1\le x\le1\}$

0609 (1) p : $x^3+27=0$에서 $(x+3)(x^2-3x+9)=0$

$\therefore x=-3$

q : $x^2+4x+3=0$에서 $(x+3)(x+1)=0$

$\therefore x=-3$ 또는 $x=-1$

$\therefore P=\{-3\}$, $Q=\{-3, -1\}$

0610 (1) p : $x^2-2x-15<0$에서 $(x+3)(x-5)<0$

$\therefore -3<x<5$

q : $(x+2)(x-3)\le0$에서 $-2\le x\le3$

$\therefore P=\{x|-3<x<5\}$, $Q=\{x|-2\le x\le3\}$

0611 $(P\cap Q^C)\cup(Q\cap R)=\varnothing$에서 $P\cap Q^C=\varnothing$, $Q\cap R=\varnothing$이어야 한다.

$P\cap Q^C=\varnothing$에서 $P-Q=\varnothing$ $\quad\therefore P\subset Q$

$P\subset Q$이고 $Q\cap R=\varnothing$이므로 벤다이어그램으로 나타내면 다음과 같다.

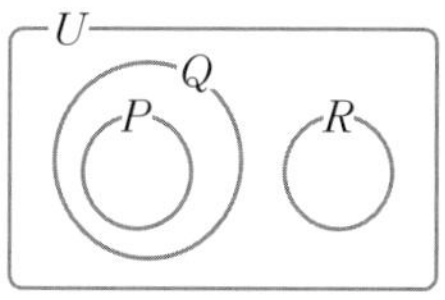

ㄱ. P와 R는 포함 관계가 없으므로 p는 r이기 위한 아무 조건도 아니다.

ㄴ. $P \subset Q$이므로 q는 p이기 위한 필요조건이다.

ㄷ. Q와 R는 포함 관계가 없으므로 r는 q이기 위한 아무 조건도 아니다.

따라서 옳은 것은 ㄴ이다.

핵심 **04** 본문 ➡ 94쪽

0612 $\subset$, 4, 4 **0613** 5 **0614** -3 **0615** -2
0616 4 **0617** $a>2$

0613 두 조건 p, q의 진리집합을 각각 P, Q라 하면
$P=\{x|1\le x\le 5\}$, $Q=\{x|0\le x\le a\}$
p가 q이기 위한 충분조건이면 $P\subset Q$이므로 오른쪽 그림과 같다.

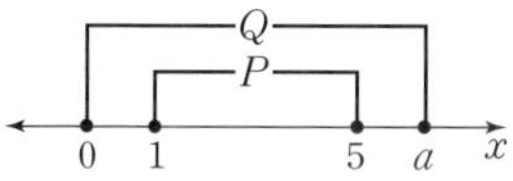

따라서 $a\ge 5$이므로 실수 a의 최솟값은 5이다.

0614 두 조건 p, q의 진리집합을 각각 P, Q라 하면
$P=\{x|a<x<1\}$, $Q=\{x|-3<x<2\}$
p가 q이기 위한 충분조건이면 $P\subset Q$이므로 오른쪽 그림과 같다.

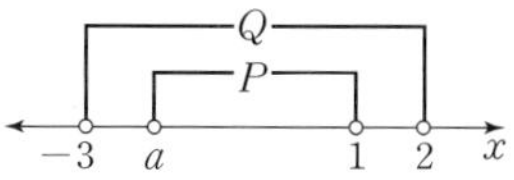

$a\ge -3$이므로 $-3\le a<1$
따라서 실수 a의 최솟값은 -3이다.

0615 두 조건 p, q의 진리집합을 각각 P, Q라 하면
$P=\{x|a<x<1\}$, $Q=\{x|-2\le x\le 3\}$
p가 q이기 위한 충분조건이면 $P\subset Q$이므로 오른쪽 그림과 같다.

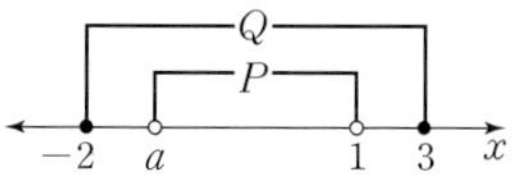

$a\ge -2$이므로 $-2\le a<1$
따라서 정수 a의 최솟값은 -2이다.

0616 두 조건 p, q의 진리집합을 각각 P, Q라 하면
$P=\{x|3\le x\le a\}$, $Q=\{x|1\le x<5\}$
p가 q이기 위한 충분조건이면 $P\subset Q$이므로 오른쪽 그림과 같다.

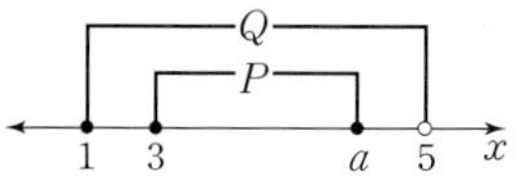

$a<5$이므로 $3\le a<5$
따라서 정수 a의 최댓값은 4이다.

0617 $p : x^2-3x+2\le 0$에서 $(x-1)(x-2)\le 0$
$\therefore 1\le x\le 2$
$q : x(x-a)<0$에서 $0<x<a$ ($\because a>0$)
두 조건 p, q의 진리집합을 각각 P, Q라 하면
$P=\{x|1\le x\le 2\}$, $Q=\{x|0<x<a\}$
p가 q이기 위한 충분조건이면 $P\subset Q$이므로 오른쪽 그림과 같다. $\therefore a>2$

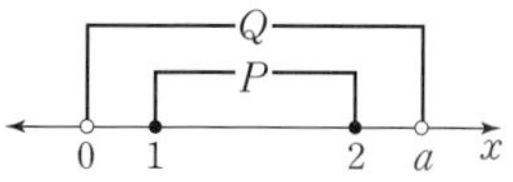

핵심 **05** 본문 ➡ 95쪽

0618 $\supset$, -2, -2 **0619** 4
0620 -1 **0621** -4 **0622** 5
0623 $-1\le a\le 2$

0619 두 조건 p, q의 진리집합을 각각 P, Q라 하면
$P=\{x|-1<x<4\}$, $Q=\{x|0\le x<a\}$
p가 q이기 위한 필요조건이면 $P\supset Q$이므로 오른쪽 그림과 같다.

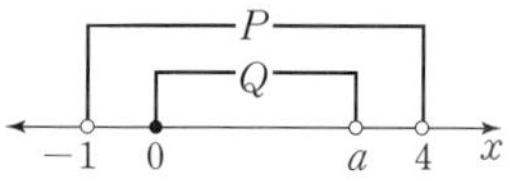

$a\le 4$이므로 $0<a\le 4$
따라서 실수 a의 최댓값은 4이다.

0620 두 조건 p, q의 진리집합을 각각 P, Q라 하면
$P=\{x|-2<x<4\}$, $Q=\{x|a\le x\le 3\}$
p가 q이기 위한 필요조건이면 $P\supset Q$이므로 오른쪽 그림과 같다.

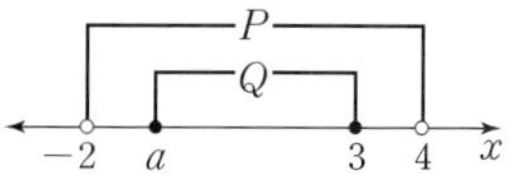

$a>-2$이므로 $-2<a\le 3$
따라서 정수 a의 최솟값은 -1이다.

0621 두 조건 p, q의 진리집합을 각각 P, Q라 하면
$P=\{x|a<x<4\}$, $Q=\{x|-3\le x\le 2\}$
p가 q이기 위한 필요조건이면 $P\supset Q$이므로 오른쪽 그림과 같다.

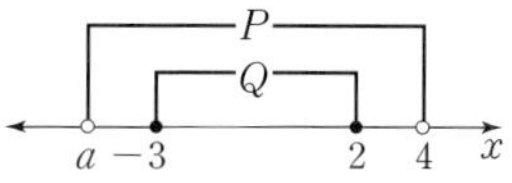

따라서 $a<-3$이므로 정수 a의 최댓값은 -4이다.

0622 두 조건 p, q의 진리집합을 각각 P, Q라 하면
$P=\{x|-3\le x<a\}$, $Q=\{x|1\le x\le 4\}$
p가 q이기 위한 필요조건이면 $P\supset Q$이므로 오른쪽 그림과 같다.

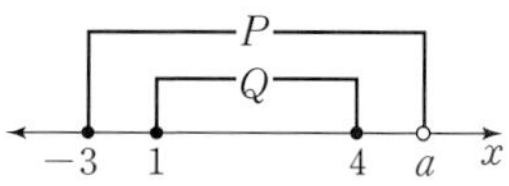

따라서 $a>4$이므로 정수 a의 최솟값은 5이다.

0623 $p : x^2-2x-8\le 0$에서 $(x+2)(x-4)\le 0$

$\therefore -2\le x\le 4$

$q : (x-a+1)(x-a-2)<0$에서 $a-1<x<a+2$

두 조건 p, q의 진리집합을 각각 P, Q라 하면

$P=\{x|-2\le x\le 4\}$, $Q=\{x|a-1<x<a+2\}$

p가 q이기 위한 필요조건이면 $P\supset Q$이므로 오른쪽 그림과 같다.

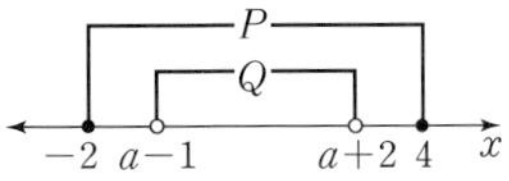

$a-1\ge -2$이고 $a+2\le 4$이므로 $-1\le a\le 2$

핵심 01~05 Mini Review Test 본문 ◎ 96쪽

0624 ④	**0625** ㄴ, ㄷ	**0626** ①	**0627** ①
0628 6	**0629** 11		

0624 ① $z<0$이면 $x>y \Longleftrightarrow xz<yz$

따라서 $p \not\Longrightarrow q$, $q \not\Longrightarrow p$이므로 p는 q이기 위한 아무 조건도 아니다.

② $p : x^2-5x+4=0$에서 $(x-1)(x-4)=0$

$\therefore x=1$ 또는 $x=4$

따라서 $p \not\Longrightarrow q$, $q \Longrightarrow p$이므로 p는 q이기 위한 필요조건이지만 충분조건은 아니다.

③ $p : x^3=y^3$에서 $x^3-y^3=0$

$(x-y)(x^2+xy+y^2)=0 \qquad \therefore x=y$

따라서 $p \Longrightarrow q$이고 $q \Longrightarrow p$이므로 p는 q이기 위한 필요충분조건이다.

④ $x^2+y^2=0$에서 $x=0$, $y=0$이므로 $p \Longrightarrow q$이다.

$xy=0$에서 $x=0$ 또는 $y=0$이므로 $q \not\Longrightarrow p$이다.

따라서 p는 q이기 위한 충분조건이지만 필요조건은 아니다.

⑤ $|xy|=-xy$이면 $xy\le 0$이므로 $x\ge 0$, $y\le 0$ 또는 $x\le 0$, $y\ge 0$이다.

따라서 $p \not\Longrightarrow q$, $q \Longrightarrow p$이므로 p는 q이기 위한 필요조건이지만 충분조건은 아니다.

따라서 p가 q이기 위한 충분조건이지만 필요조건은 아닌 것은 ④이다.

0625 $a^2+b^2=0$이면 $a=0$, $b=0$

ㄱ. $ab=0$이면 $a=0$ 또는 $b=0$이므로 필요조건이다.

ㄴ. $|a|+|b|=0$이면 $a=0$, $b=0$이므로 필요충분조건이다.

ㄷ. $a+b\sqrt{3}=0$이면 $a=0$, $b=0$이므로 필요충분조건이다.

따라서 필요충분조건인 것은 ㄴ, ㄷ이다.

0626 $P\cap\{(Q-R)\cup(Q\cap R)\}=P\cap\{(Q\cap R^C)\cup(Q\cap R)\}$

$=P\cap\{Q\cap(R^C\cup R)\}$

$=P\cap(Q\cap U)$

$=P\cap Q$

$P\cap Q=P$이므로 $P\subset Q$

따라서 필요충분조건인 것은 $P\cup Q=Q$

0627 p는 $\sim q$이기 위한 충분조건이므로 $p \Longrightarrow \sim q$

$\therefore P\subset Q^C$ …… ㉠

$\sim r$는 $\sim p$이기 위한 필요조건이므로 $\sim p \Longrightarrow \sim r$

그 대우도 참이므로 $r \Longrightarrow p$

$\therefore R\subset P$ …… ㉡

㉠, ㉡을 벤다이어그램으로 나타내면 다음 그림과 같다.

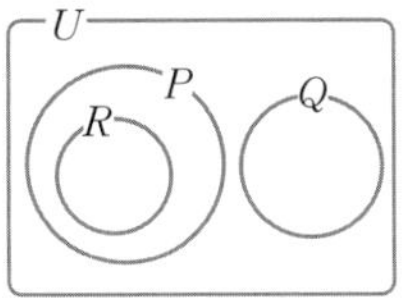

따라서 옳은 것은 ①이다.

0628 $q : |x-a|<1$에서 $-1<x-a<1$

$\therefore a-1<x<a+1$

두 조건 p, q의 진리집합을 각각 P, Q라 하면

$P=\{x|-4\le x\le 3\}$, $Q=\{x|a-1<x<a+1\}$

p가 q이기 위한 필요조건이면 $Q\subset P$이므로 다음 그림과 같다.

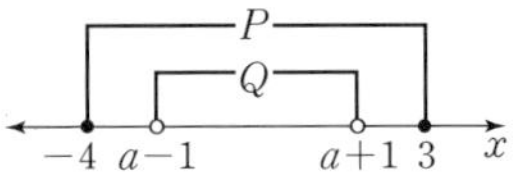

$a-1\ge -4$이고 $a+1\le 3$이므로

$-3\le a\le 2$

따라서 정수 a는 -3, -2, -1, 0, 1, 2의 6개이다.

0629 세 조건 p, q, r의 진리집합을 각각 P, Q, R라 하면

$P=\{x|a\le x\le b\}$, $Q=\{x|x>1\}$, $R=\{x|4<x<7\}$

p가 q이기 위한 충분조건이면 $P\subset Q$이고, p가 r이기 위한 필요조건이면 $R\subset P$이므로 다음 그림과 같다.

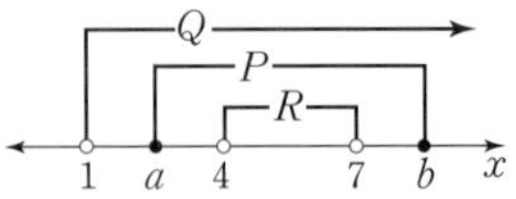

$\therefore 1<a\le 4$, $b\ge 7$

따라서 a의 최댓값은 4, b의 최솟값은 7이므로 그 합은

$4+7=11$

핵심 06 본문 ○ 97쪽

0630 $b(a+1)$, b, $>$, $>$
0631 $A>B$
0632 $A>B$
0633 $A<B$
0634 $A<B$
0635 $A<B$
0636 $A>B$
0637 $a^2<a<\frac{1}{a}$

0631 $A-B=\frac{1}{a}-\frac{1}{b}=\frac{b-a}{ab}$

$b-a>0$, $ab>0$이므로 $A-B>0$

$\therefore A>B$

0632 $A-B=\frac{a}{b}-\frac{a+1}{b+1}=\frac{a(b+1)-b(a+1)}{b(b+1)}$

$=\frac{a-b}{b(b+1)}$

$a-b>0$, $b(b+1)>0$이므로 $A-B>0$

$\therefore A>B$

0633 $A-B=\frac{a+2}{a}-\frac{b+2}{b}$

$=1+\frac{2}{a}-1-\frac{2}{b}$

$=\frac{2}{a}-\frac{2}{b}=\frac{2(b-a)}{ab}$

$b-a<0$, $ab>0$이므로 $A-B<0$

$\therefore A<B$

0634 $A-B=ab^3-a^3b$

$=ab(b^2-a^2)$

$=ab(b+a)(b-a)$

$ab>0$, $a+b<0$, $b-a>0$이므로 $A-B<0$

$\therefore A<B$

0635 $A-B=(2a+3b)-(ab+6)$

$=-(ab-2a-3b+6)$

$=-\{a(b-2)-3(b-2)\}$

$=-(a-3)(b-2)$

$a-3<0$, $b-2<0$이므로 $A-B<0$

$\therefore A<B$

0636 $A-B=\frac{a}{a+1}-\frac{a+b}{a+b+2}$

$=\frac{a(a+b+2)-(a+b)(a+1)}{(a+1)(a+b+2)}$

$=\frac{a-b}{(a+1)(a+b+2)}$

$a-b>0$, $a+1>0$, $a+b+2>0$이므로 $A-B>0$

$\therefore A>B$

0637 (ⅰ) $a-a^2=a(1-a)$

$a>0$, $1-a>0$이므로 $a-a^2>0$

$\therefore a>a^2$

(ⅱ) $a-\frac{1}{a}=\frac{a^2-1}{a}=\frac{(a+1)(a-1)}{a}$

$a+1>0$, $a-1<0$, $a>0$이므로 $a-\frac{1}{a}<0$

$\therefore a<\frac{1}{a}$

(ⅰ), (ⅱ)에서 $a^2<a<\frac{1}{a}$

핵심 07 본문 ○ 98쪽

0638 $2\sqrt{ab}$, $2\sqrt{ab}$, $>$, $>$
0639 $A>B$
0640 $A<B$
0641 ②
0642 $\leq$
0643 $\geq$
0644 15, 15, $>$, $>$
0645 $A<B$

0639 $a>b>0$이므로 $A>0$, $B>0$

$A^2=(\sqrt{a-b})^2=a-b$

$B^2=(\sqrt{a}-\sqrt{b})^2=a+b-2\sqrt{ab}$

$A^2-B^2=(a-b)-(a+b-2\sqrt{ab})$

$=-2b+2\sqrt{ab}$

$=2\sqrt{b}(\sqrt{a}-\sqrt{b})$

$\sqrt{b}>0$, $\sqrt{a}-\sqrt{b}>0$이므로 $A^2-B^2>0$

$\therefore A>B$

0640 $A^2=(\sqrt{3}+\sqrt{11})^2=14+2\sqrt{33}$

$B^2=(\sqrt{6}+2\sqrt{2})^2=14+2\sqrt{48}$

$A^2-B^2=2(\sqrt{33}-\sqrt{48})<0$이므로 $A^2<B^2$

$\therefore A<B$

0641 $A^2=(\sqrt{3}+2\sqrt{2})^2=11+2\sqrt{24}$

$B^2=(\sqrt{5}+\sqrt{6})^2=11+2\sqrt{30}$

$C^2=(\sqrt{4}+\sqrt{7})^2=11+2\sqrt{28}$

$A^2-B^2=2(\sqrt{24}-\sqrt{30})<0$이므로 $A^2<B^2$

$\therefore A<B$ ...... ㉠

$B^2-C^2=2(\sqrt{30}-\sqrt{28})>0$이므로 $B^2>C^2$

$\therefore B>C$ ...... ㉡

$C^2-A^2=2(\sqrt{28}-\sqrt{24})>0$이므로 $C^2>A^2$

$\therefore C>A$ ...... ㉢

㉠, ㉡, ㉢에서 $A<C<B$

0642 $A^2=|a+b|^2=a^2+2ab+b^2$
$B^2=(|a|+|b|)^2=a^2+2|ab|+b^2$
$A^2-B^2=2ab-2|ab|=2(ab-|ab|)$
$ab\le|ab|$이므로 $A^2\le B^2$
$\therefore A\le B$

0643 $A^2=|a+b|^2=a^2+2ab+b^2$
$B^2=|a-b|^2=a^2-2ab+b^2$
$A^2-B^2=4ab\ge0$이므로 $A^2\ge B^2$
$\therefore A\ge B$

0645 $\frac{A}{B}=\frac{3^{60}}{2^{100}}=\left(\frac{3^3}{2^5}\right)^{20}=\left(\frac{27}{32}\right)^{20}<1$
$\therefore A<B$

핵심 08 본문 ➜ 99쪽

0646 $\frac{3}{4}$, $\frac{3}{4}$, $\ge$, $\frac{3}{4}$ **0647** 풀이 참조
0648 풀이 참조 **0649** 풀이 참조
0650 풀이 참조
0651 y^2+4y+4, $y+2$, $y+2$, 1, -2
0652 풀이 참조 **0653** ④

0647 $x^2-x+1=\left(x^2-x+\frac{1}{4}\right)+\frac{3}{4}$
$=\left(x-\frac{1}{2}\right)^2+\frac{3}{4}$
$\left(x-\frac{1}{2}\right)^2\ge0$이므로 $\left(x-\frac{1}{2}\right)^2+\frac{3}{4}>0$
$\therefore x^2-x+1>0$

0648 $4x^2-4xy+y^2=(2x-y)^2\ge0$
$\therefore 4x^2-4xy+y^2\ge0$ (단, 등호는 $2x=y$일 때 성립)

0649 $x(x+2y)-y(x-y)=x^2+xy+y^2$
$=\left(x^2+xy+\frac{1}{4}y^2\right)+\frac{3}{4}y^2$
$=\left(x+\frac{y}{2}\right)^2+\frac{3}{4}y^2$
$\left(x+\frac{y}{2}\right)^2\ge0$, $\frac{3}{4}y^2\ge0$이므로
$\left(x+\frac{y}{2}\right)^2+\frac{3}{4}y^2\ge0$ (단, 등호는 $x=y=0$일 때 성립)
$\therefore x(x+2y)\ge y(x-y)$

0650 $x^2-4xy+5y^2=(x^2-4xy+4y^2)+y^2$
$=(x-2y)^2+y^2$
$(x-2y)^2\ge0$, $y^2\ge0$이므로
$(x-2y)^2+y^2\ge0$ (단, 등호는 $x=y=0$일 때 성립)
$\therefore x^2-4xy+5y^2\ge0$

0652 $x^2+y^2+z^2-xy-yz-zx$
$=\frac{1}{2}(2x^2+2y^2+2z^2-2xy-2yz-2zx)$
$=\frac{1}{2}\{(x^2-2xy+y^2)+(y^2-2yz+z^2)+(z^2-2zx+x^2)\}$
$=\frac{1}{2}\{(x-y)^2+(y-z)^2+(z-x)^2\}$
$(x-y)^2\ge0$, $(y-z)^2\ge0$, $(z-x)^2\ge0$이므로
$x^2+y^2+z^2-xy-yz-zx\ge0$
(단, 등호는 $x=y=z$일 때 성립)

0653 ① $a^2-a+1=\left(a-\frac{1}{2}\right)^2+\frac{3}{4}>0$
② $5a^2-4ab+b^2=(2a-b)^2+a^2\ge0$
(단, 등호는 $a=b=0$일 때 성립)
③ $(a-1)^2+(b-2)^2\ge0$ (단, 등호는 $a=1$, $b=2$일 때 성립)
④ [반례] $a=1$, $b=-1$이면
$|a+b|=0$, $|a-b|=2$
$\therefore |a+b|<|a-b|$
⑤ $|a|+|b|\ge0$, $|a+b|\ge0$이므로
$(|a|+|b|)^2-|a+b|^2$
$=(a^2+2|ab|+|b|^2)-(a^2+2ab+b^2)$
$=2(|ab|-ab)\ge0$
$\therefore (|a|+|b|)^2\ge|a+b|^2$
$\therefore |a|+|b|\ge|a+b|$
(단, 등호는 $|ab|=ab$, 즉 $ab\ge0$일 때 성립)
따라서 절대부등식이 아닌 것은 ④이다.

핵심 09 본문 ➜ 100쪽

0654 $\left(\frac{a-b}{2}\right)^2$, 0, $\ge$, $a=b$ **0655** 풀이 참조
0656 풀이 참조 **0657** 풀이 참조
0658 1 **0659** $\frac{8}{3}$ **0660** 4 **0661** 2
0662 6

0655 $a>0$, $\frac{9}{a}>0$이므로 산술평균과 기하평균의 관계에 의하여
$a+\frac{9}{a}\ge2\sqrt{a\times\frac{9}{a}}$
$=2\times3=6$ (단, 등호는 $a=3$일 때 성립)

0656 $\frac{a}{2}>0$, $\frac{8}{a}>0$이므로 산술평균과 기하평균의 관계에 의하여

$$\frac{a}{2}+\frac{8}{a}\ge 2\sqrt{\frac{a}{2}\times\frac{8}{a}}$$
$$=2\times2=4 \text{ (단, 등호는 } a=4\text{일 때 성립)}$$

0657 $a+1>0$, $\frac{4}{a+1}>0$이므로 산술평균과 기하평균의 관계에 의하여

$$a+1+\frac{4}{a+1}\ge 2\sqrt{(a+1)\times\frac{4}{a+1}}$$
$$=2\times2=4 \text{ (단, 등호는 } a=1\text{일 때 성립)}$$

참고 등호는 $a+1=\frac{4}{a+1}$일 때 성립하므로

$(a+1)^2=4$, $a+1=2(\because a>0)$ $\quad\therefore a=1$

0658 $a>0$, $\frac{1}{4a}>0$이므로 산술평균과 기하평균의 관계에 의하여

$$a+\frac{1}{4a}\ge 2\sqrt{a\times\frac{1}{4a}}$$
$$=2\times\frac{1}{2}=1 \left(\text{단, 등호는 } a=\frac{1}{2}\text{일 때 성립}\right)$$

따라서 $a+\frac{1}{4a}$의 최솟값은 1이다.

0659 $4a>0$, $\frac{4}{9a}>0$이므로 산술평균과 기하평균의 관계에 의하여

$$4a+\frac{4}{9a}\ge 2\sqrt{4a\times\frac{4}{9a}}$$
$$=2\times\frac{4}{3}=\frac{8}{3} \left(\text{단, 등호는 } a=\frac{1}{3}\text{일 때 성립}\right)$$

따라서 $4a+\frac{4}{9a}$의 최솟값은 $\frac{8}{3}$이다.

0660 $\frac{4b}{a}>0$, $\frac{a}{b}>0$이므로 산술평균과 기하평균의 관계에 의하여

$$\frac{4b}{a}+\frac{a}{b}\ge 2\sqrt{\frac{4b}{a}\times\frac{a}{b}}$$
$$=2\times2=4 \text{ (단, 등호는 } a=2b\text{일 때 성립)}$$

따라서 $\frac{4b}{a}+\frac{a}{b}$의 최솟값은 4이다.

0661 $2a+1>0$, $\frac{1}{2a+1}>0$이므로 산술평균과 기하평균의 관계에 의하여

$$2a+1+\frac{1}{2a+1}\ge 2\sqrt{(2a+1)\times\frac{1}{2a+1}}$$
$$=2\times1=2 \text{ (단, 등호는 } a=0\text{일 때 성립)}$$

따라서 $2a+1+\frac{1}{2a+1}$의 최솟값은 2이다.

0662 $a>0$, $b>0$, $\frac{1}{a}>0$, $\frac{4}{b}>0$이므로 산술평균과 기하평균의 관계에 의하여

$$a+b+\frac{1}{a}+\frac{4}{b}=\left(a+\frac{1}{a}\right)+\left(b+\frac{4}{b}\right)$$
$$\ge 2\sqrt{a\times\frac{1}{a}}+2\sqrt{b\times\frac{4}{b}}=2+2\times2=6$$
(단, 등호는 $a=1$, $b=2$일 때 성립)

따라서 $a+b+\frac{1}{a}+\frac{4}{b}$의 최솟값은 6이다.

참고 등호는 $a=\frac{1}{a}$, $b=\frac{4}{b}$일 때 성립하므로

$a^2=1$, $b^2=4$ $\quad\therefore a=1$, $b=2$ $(\because a>0, b>0)$

핵심 **10** 본문 ○ 101쪽

0663 2, $\frac{a}{b}$, $\frac{b}{a}$, $a=b$ **0664** 풀이 참조
0665 풀이 참조 **0666** 풀이 참조
0667 8 **0668** 9 **0669** 16 **0670** 24

0664 $4ab>0$, $\frac{9}{ab}>0$이므로 산술평균과 기하평균의 관계에 의하여

$$\left(a+\frac{1}{b}\right)\left(4b+\frac{9}{a}\right)=4ab+\frac{9}{ab}+13$$
$$\ge 2\sqrt{4ab\times\frac{9}{ab}}+13=2\times6+13=25$$
$$\left(\text{단, 등호는 } ab=\frac{3}{2}\text{일 때 성립}\right)$$

0665 $12ab>0$, $\frac{3}{ab}>0$이므로 산술평균과 기하평균의 관계에 의하여

$$\left(4a+\frac{3}{b}\right)\left(\frac{1}{a}+3b\right)=12ab+\frac{3}{ab}+13$$
$$\ge 2\sqrt{12ab\times\frac{3}{ab}}+13=2\times6+13=25$$
$$\left(\text{단, 등호는 } ab=\frac{1}{2}\text{일 때 성립}\right)$$

0666 $a^2>0$, $\frac{9}{a^2}>0$이므로 산술평균과 기하평균의 관계에 의하여

$$\left(a-\frac{1}{a}\right)\left(a-\frac{9}{a}\right)=a^2+\frac{9}{a^2}-10$$
$$\ge 2\sqrt{a^2\times\frac{9}{a^2}}-10=2\times3-10=-4$$
$$\left(\text{단, 등호는 } a=\sqrt{3}\text{일 때 성립}\right)$$

0667 $\frac{4a}{b}>0$, $\frac{b}{a}>0$이므로 산술평균과 기하평균의 관계에 의하여

$$(2a+b)\left(\frac{1}{a}+\frac{2}{b}\right)=\frac{4a}{b}+\frac{b}{a}+4$$
$$\ge 2\sqrt{\frac{4a}{b}\times\frac{b}{a}}+4=2\times2+4=8$$
(단, 등호는 $2a=b$일 때 성립)

따라서 $(2a+b)\left(\frac{1}{a}+\frac{2}{b}\right)$의 최솟값은 8이다.

0668 $2ab>0$, $\frac{2}{ab}>0$이므로 산술평균과 기하평균의 관계에 의하여

$$\left(a+\frac{2}{b}\right)\left(\frac{1}{a}+2b\right)=2ab+\frac{2}{ab}+5$$
$$\geq 2\sqrt{2ab\times\frac{2}{ab}}+5$$
$$=2\times2+5=9$$

(단, 등호는 $ab=1$일 때 성립)

따라서 $\left(a+\frac{2}{b}\right)\left(\frac{1}{a}+2b\right)$의 최솟값은 9이다.

0669 $3ab>0$, $\frac{3}{ab}>0$이므로 산술평균과 기하평균의 관계에 의하여

$$\left(3a+\frac{1}{b}\right)\left(\frac{3}{a}+b\right)=3ab+\frac{3}{ab}+10$$
$$\geq 2\sqrt{3ab\times\frac{3}{ab}}+10$$
$$=2\times3+10=16$$

(단, 등호는 $ab=1$일 때 성립)

따라서 $\left(3a+\frac{1}{b}\right)\left(\frac{3}{a}+b\right)$의 최솟값은 16이다.

0670 $x\neq0$에서 $x^2>0$이므로 $12x^2>0$, $\frac{3}{x^2}>0$

따라서 산술평균과 기하평균의 관계에 의하여

$$(2x^2+1)\left(\frac{3}{x^2}+6\right)=12x^2+\frac{3}{x^2}+12$$
$$\geq 2\sqrt{12x^2\times\frac{3}{x^2}}+12=2\times6+12=24$$

$\left(\text{단, 등호는 } x=\frac{\sqrt{2}}{2}\text{일 때 성립}\right)$

따라서 $(2x^2+1)\left(\frac{3}{x^2}+6\right)$의 최솟값은 24이다.

핵심 **11** 본문 ➔ 102쪽

0671 4, 2, 4, 4　**0672** $\frac{9}{2}$　**0673** 6
0674 $\frac{9}{2}$　**0675** $2\sqrt{2}$　**0676** 2, 2　**0677** $4\sqrt{3}$
0678 12　**0679** 48　**0680** 6

0672 $2a>0$, $b>0$이므로 산술평균과 기하평균의 관계에 의하여

$2a+b\geq 2\sqrt{2a\times b}$

그런데 $2a+b=6$이므로 $6\geq 2\sqrt{2ab}$, $3\geq\sqrt{2ab}$

양변을 제곱하면 $9\geq 2ab$

$\therefore ab\leq\frac{9}{2}$ (단, 등호는 $2a=b$일 때 성립)

따라서 ab의 최댓값은 $\frac{9}{2}$이다.

0673 $2a>0$, $3b>0$이므로 산술평균과 기하평균의 관계에 의하여

$2a+3b\geq 2\sqrt{2a\times3b}=2\sqrt{6ab}$

그런데 $2a+3b=12$이므로 $12\geq 2\sqrt{6ab}$

양변을 제곱하면 $36\geq 6ab$

$\therefore ab\leq 6$ (단, 등호는 $2a=3b$일 때 성립)

따라서 ab의 최댓값은 6이다.

0674 $a^2>0$, $b^2>0$이므로 산술평균과 기하평균의 관계에 의하여

$a^2+b^2\geq 2\sqrt{a^2b^2}=2ab$

그런데 $a^2+b^2=9$이므로 $9\geq 2ab$

$\therefore ab\leq\frac{9}{2}$ (단, 등호는 $a=b$일 때 성립)

따라서 ab의 최댓값은 $\frac{9}{2}$이다.

0675 $a^2>0$, $2b^2>0$이므로 산술평균과 기하평균의 관계에 의하여

$a^2+2b^2\geq 2\sqrt{a^2\times2b^2}=2ab\sqrt{2}$

그런데 $a^2+2b^2=8$이므로 $8\geq 2ab\sqrt{2}$

$\therefore ab\leq 2\sqrt{2}$ (단, 등호는 $a=\sqrt{2}b$일 때 성립)

따라서 ab의 최댓값은 $2\sqrt{2}$이다.

0677 $3a>0$, $b>0$이므로 산술평균과 기하평균의 관계에 의하여

$3a+b\geq 2\sqrt{3a\times b}=2\sqrt{3ab}$

그런데 $ab=4$이므로

$3a+b\geq 2\sqrt{3\times4}=4\sqrt{3}$ (단, 등호는 $3a=b$일 때 성립)

따라서 $3a+b$의 최솟값은 $4\sqrt{3}$이다.

0678 $2a>0$, $3b>0$이므로 산술평균과 기하평균의 관계에 의하여

$2a+3b\geq 2\sqrt{2a\times3b}=2\sqrt{6ab}$

그런데 $ab=6$이므로

$2a+3b\geq 2\sqrt{6\times6}=12$ (단, 등호는 $2a=3b$일 때 성립)

따라서 $2a+3b$의 최솟값은 12이다.

0679 $4a^2>0$, $9b^2>0$이므로 산술평균과 기하평균의 관계에 의하여

$4a^2+9b^2\geq 2\sqrt{4a^2\times9b^2}=12ab$

그런데 $ab=4$이므로

$4a^2+9b^2\geq 12\times4=48$ (단, 등호는 $2a=3b$일 때 성립)

따라서 $4a^2+9b^2$의 최솟값은 48이다.

0680 $3a>0$, $2b>0$이므로 산술평균과 기하평균의 관계에 의하여

$3a+2b\geq 2\sqrt{3a\times2b}=2\sqrt{6ab}$

그런데 $3a+2b=8$이므로

$8\geq 2\sqrt{6ab}$, $4\geq\sqrt{6ab}$

양변을 제곱하면 $16\geq 6ab$　　$\therefore ab\leq\frac{8}{3}$

등호는 $3a=2b$일 때 성립하므로

$3a+2b=8$에 대입하면 $4b=8$　　$\therefore b=2$　　…… ㉠

㉠을 $3a=2b$에 대입하면 $a=\frac{4}{3}$

따라서 ab는 $a=\frac{4}{3}$, $b=2$일 때, 최댓값 $\frac{8}{3}$을 가지므로

$\alpha=\frac{8}{3}$, $\beta=\frac{4}{3}$, $\gamma=2$

$\therefore\ \alpha+\beta+\gamma=\frac{8}{3}+\frac{4}{3}+2=6$

핵심 12

본문 ○ 103쪽

0681 2, 1, 0, 1 **0682** 6 **0683** $2\sqrt{2}-2$

0684 7 **0685** $\frac{9}{4}$ **0686** 13

0682 $a>2$에서 $a-2>0$이므로 산술평균과 기하평균의 관계에 의하여

$$a+\frac{4}{a-2}=a-2+\frac{4}{a-2}+2$$
$$\ge 2\sqrt{(a-2)\times\frac{4}{a-2}}+2$$
$$=2\times2+2=6$$
$$\left(\text{단, 등호는 } a-2=\frac{4}{a-2}\text{, 즉 } a=4\text{일 때 성립}\right)$$

따라서 $a+\frac{4}{a-2}$의 최솟값은 6이다.

0683 $a>-\frac{1}{2}$에서 $2a+1>0$이므로 산술평균과 기하평균의 관계에 의하여

$$4a+\frac{1}{2a+1}=2(2a+1)+\frac{1}{2a+1}-2$$
$$\ge 2\sqrt{2(2a+1)\times\frac{1}{2a+1}}-2$$
$$=2\sqrt{2}-2$$
$$\left(\text{단, 등호는 } 2(2a+1)=\frac{1}{2a+1}\text{, 즉 } a=\frac{\sqrt{2}-2}{4}\text{일 때 성립}\right)$$

따라서 $4a+\frac{1}{2a+1}$의 최솟값은 $2\sqrt{2}-2$이다.

0684 $a>1$에서 $a-1>$이므로 산술평균과 기하평균의 관계에 의하여

$$3a-2+\frac{3}{a-1}=3(a-1)+\frac{3}{a-1}+1$$
$$\ge 2\sqrt{3(a-1)\times\frac{3}{a-1}}+1$$
$$=2\times3+1=7$$
$$\left(\text{단, 등호는 } 3(a-1)=\frac{3}{a-1}\text{, 즉 } a=2\text{일 때 성립}\right)$$

따라서 $3a-2+\frac{3}{a-1}$의 최솟값은 7이다.

0685 $a>\frac{1}{4}$에서 $4a-1>0$이므로 산술평균과 기하평균의 관계에 의하여

$$a-1+\frac{9}{4a-1}=\frac{1}{4}(4a-1)+\frac{9}{4a-1}-\frac{3}{4}$$
$$\ge 2\sqrt{\frac{1}{4}(4a-1)\times\frac{9}{4a-1}}-\frac{3}{4}$$
$$=2\times\frac{3}{2}-\frac{3}{4}=\frac{9}{4}$$
$$\left(\text{단, 등호는 } \frac{1}{4}(4a-1)=\frac{9}{4a-1}\text{, 즉 } a=\frac{7}{4}\text{일 때 성립}\right)$$

따라서 $a-1+\frac{9}{4a-1}$의 최솟값은 $\frac{9}{4}$이다.

0686 $x>1$에서 $x-1>0$이므로 산술평균과 기하평균의 관계에 의하여

$$2x+\frac{8}{x-1}=2(x-1)+\frac{8}{x-1}+2$$
$$\ge 2\sqrt{2(x-1)\times\frac{8}{x-1}}+2$$
$$=2\times4+2=10$$

등호는 $2(x-1)=\frac{8}{x-1}$일 때 성립하므로 $x=3$

따라서 $2x+\frac{8}{x-1}$은 $x=3$일 때 최솟값 10을 가지므로

$m=3$, $n=10$ $\quad\therefore\ m+n=3+10=13$

핵심 13

본문 ○ 104쪽

0687 (1) 18, $-3\sqrt{2}$, $3\sqrt{2}$, $3\sqrt{2}$, $-3\sqrt{2}$
(2) $-3\sqrt{5}$, $3\sqrt{5}$, $3\sqrt{5}$, $-3\sqrt{5}$

0688 (1) 최댓값 : 5, 최솟값 : -5
(2) 최댓값 : $5\sqrt{5}$, 최솟값 : $-5\sqrt{5}$

0689 25, 5, 5 **0690** $\frac{5}{2}$ **0691** $\frac{1}{2}$ **0692** 3

0688 (1) x, y가 실수이므로 코시-슈바르츠의 부등식에 의하여

$(2^2+1^2)(x^2+y^2)\ge(2x+y)^2$

그런데 $x^2+y^2=5$이므로 $25\ge(2x+y)^2$

$\therefore\ -5\le 2x+y\le 5$ (단, 등호는 $x=2y$일 때 성립)

따라서 $2x+y$의 최댓값은 5, 최솟값은 -5이다.

(2) x, y가 실수이므로 코시-슈바르츠의 부등식에 의하여

$(3^2+4^2)(x^2+y^2) \geq (3x+4y)^2$

그런데 $x^2+y^2=5$이므로 $125 \geq (3x+4y)^2$

$\therefore -5\sqrt{5} \leq 3x+4y \leq 5\sqrt{5}$

(단, 등호는 $4x=3y$일 때 성립)

따라서 $3x+4y$의 최댓값은 $5\sqrt{5}$, 최솟값은 $-5\sqrt{5}$이다.

0690 x, y가 실수이므로 코시-슈바르츠의 부등식에 의하여

$(3^2+1^2)(x^2+y^2) \geq (3x+y)^2$

그런데 $3x+y=5$이므로

$10(x^2+y^2) \geq 25$

$\therefore x^2+y^2 \geq \frac{5}{2}$ (단, 등호는 $x=3y$일 때 성립)

따라서 x^2+y^2의 최솟값은 $\frac{5}{2}$이다.

0691 x, y가 실수이므로 코시-슈바르츠의 부등식에 의하여

$\{1^2+(-1)^2\}(x^2+y^2) \geq (x-y)^2$

그런데 $x-y=1$이므로

$2(x^2+y^2) \geq 1$

$\therefore x^2+y^2 \geq \frac{1}{2}$ (단, 등호는 $x=-y$일 때 성립)

따라서 x^2+y^2의 최솟값은 $\frac{1}{2}$이다.

0692 x, y가 실수이므로 코시-슈바르츠의 부등식에 의하여

$(1^2+2^2)(x^2+y^2) \geq (x+2y)^2$

이때 $x^2+y^2=45$이므로

$(x+2y)^2 \leq 225$

여기서 등호는 $y=2x$일 때 성립하므로

$x^2+y^2=45$에 $y=2x$를 대입하면

$x^2+4x^2=45$, $x^2=9$

$\therefore x=3$ ($\because x>0$)

핵심 06~13 Mini Review Test 본문 ◎ 105쪽

0693 $\frac{1}{a+1} > \frac{a+1}{a+3}$ **0694** $A<C<B$

0695 ㄱ, ㄷ, ㄹ **0696** $1<k<2$ **0697** 18

0698 $7+4\sqrt{3}$ **0699** 최댓값 : 6, 최솟값 : -6

0700 26

0693 $\frac{1}{a+1} - \frac{a+1}{a+3} = \frac{a+3-(a+1)^2}{(a+1)(a+3)}$

$= \frac{-a^2-a+2}{(a+1)(a+3)}$

$= \frac{-(a+2)(a-1)}{(a+1)(a+3)}$

$a+1>0$, $a+3>0$, $a+2>0$, $a-1<0$이므로

$\frac{-(a+2)(a-1)}{(a+1)(a+3)} > 0$

$\therefore \frac{1}{a+1} > \frac{a+1}{a+3}$

0694 A, B, C는 모두 양수이므로

$A^2=(\sqrt{3}+\sqrt{10})^2=13+2\sqrt{30}$

$B^2=(\sqrt{6}+\sqrt{7})^2=13+2\sqrt{42}$

$C=5=2+3=\sqrt{4}+\sqrt{9}$이므로

$C^2=(\sqrt{4}+\sqrt{9})^2=13+2\sqrt{36}$

$A^2-B^2=2(\sqrt{30}-\sqrt{42})<0$이므로 $A^2<B^2$

$\therefore A<B$ …… ㉠

$B^2-C^2=2(\sqrt{42}-\sqrt{36})>0$이므로 $B^2>C^2$

$\therefore B>C$ …… ㉡

$C^2-A^2=2(\sqrt{36}-\sqrt{30})>0$이므로 $C^2>A^2$

$\therefore C>A$ …… ㉢

㉠, ㉡, ㉢에 의해 $A<C<B$

0695 ㄱ. $x^2-2xy+2y^2=(x^2-2xy+y^2)+y^2$

$=(x-y)^2+y^2$

x, y가 실수이므로 $(x-y)^2 \geq 0$, $y^2 \geq 0$

$\therefore x^2-2xy+2y^2 \geq 0$ (단, 등호는 $x=y=0$일 때 성립)

ㄴ. $x^2+x-2>0$에서 $(x+2)(x-1)>0$

$\therefore x<-2$ 또는 $x>1$

ㄷ. $x^2+y^2+1+x-y+xy$

$=\frac{1}{2}(2x^2+2y^2+2+2x-2y+2xy)$

$=\frac{1}{2}\{(x^2+2x+1)+(y^2-2y+1)+(x^2+2xy+y^2)\}$

$=\frac{1}{2}\{(x+1)^2+(y-1)^2+(x+y)^2\}$

x, y는 실수이므로

$(x+1)^2 \geq 0$, $(y-1)^2 \geq 0$, $(x+y)^2 \geq 0$

$\therefore x^2+y^2+1+x-y+xy \geq 0$

(단, 등호는 $x=-1$, $y=1$일 때 성립)

ㄹ. $5(x^2+y^2)-(2x+y)^2=x^2-4xy+4y^2$

$=(x-2y)^2$

x, y는 실수이므로 $(x-2y)^2 \geq 0$

$\therefore 5(x^2+y^2) \geq (2x+y)^2$ (단, 등호는 $x=2y$일 때 성립)

따라서 옳은 것은 ㄱ, ㄷ, ㄹ이다.

0696 $x^2-2kx+3k-2>0$에서

$(x^2-2kx+k^2)-k^2+3k-2>0$

$(x-k)^2-k^2+3k-2>0$ …… ㉠

임의의 실수 x에 대하여 ㉠이 항상 성립하려면

$(x-k)^2 \geq 0$이므로 $-k^2+3k-2>0$이어야 한다.

즉, $k^2-3k+2<0$이므로 $(k-1)(k-2)<0$

$\therefore 1<k<2$

다른 해설 $f(x)=x^2-2kx+3k-2$라 할 때, 항상 $f(x)>0$이기 위해서는 $f(x)$의 그래프가 항상 x축 위에 있어야 한다.

$x^2-2kx+3k-2=0$의 판별식을 D라 하면

$\frac{D}{4}=(-k)^2-(3k-2)<0$

$k^2-3k+2<0$, $(k-1)(k-2)<0$

$\therefore\ 1<k<2$

0697 $16ab>0$, $\frac{1}{ab}>0$이므로 산술평균과 기하평균의 관계에 의하여

$$\left(2a+\frac{1}{b}\right)\left(\frac{1}{a}+8b\right)=16ab+\frac{1}{ab}+10$$
$$\geq 2\sqrt{16ab\times\frac{1}{ab}}+10$$
$$=2\times4+10=18$$

$\left(\text{단, 등호는 } ab=\frac{1}{4}\text{일 때 성립}\right)$

따라서 $\left(2a+\frac{1}{b}\right)\left(\frac{1}{a}+8b\right)$의 최솟값은 18이다.

0698 $1=3x+4y$의 양변에 $\frac{1}{x}+\frac{1}{y}$을 곱하면

$\frac{4y}{x}>0$, $\frac{3x}{y}>0$이므로 산술평균과 기하평균의 관계에 의하여

$$\frac{1}{x}+\frac{1}{y}=\left(\frac{1}{x}+\frac{1}{y}\right)(3x+4y)=\frac{4y}{x}+\frac{3x}{y}+7$$
$$\geq 2\sqrt{\frac{4y}{x}\times\frac{3x}{y}}+7$$
$$=7+4\sqrt{3}\ (\text{단, 등호는 } 2y=\sqrt{3}x\text{일 때 성립})$$

따라서 $\frac{1}{x}+\frac{1}{y}$의 최솟값은 $7+4\sqrt{3}$이다.

0699 a, b, x, y가 실수이므로 코시-슈바르츠의 부등식에 의하여

$(a^2+b^2)(x^2+y^2)\geq(ax+by)^2$

그런데 $a^2+b^2=4$, $x^2+y^2=9$이므로

$4\times9\geq(ax+by)^2$

$\therefore\ (ax+by)^2\leq36$ (단, 등호는 $ay=bx$일 때 성립)

$\therefore\ -6\leq ax+by\leq6$

따라서 $ax+by$의 최댓값은 6, 최솟값은 -6이다.

0700 x, y가 실수이므로 코시-슈바르츠의 부등식에 의하여

$(1^2+2^2)(x^2+y^2)\geq(x+2y)^2$

그런데 $x+2y=10$이므로

$5(x^2+y^2)\geq100$　　$\therefore\ x^2+y^2\geq20$

등호는 $2x=y$일 때 성립하므로 $x+2y=10$에서

$x=2$, $y=4$

따라서 x^2+y^2은 $x=2$, $y=4$일 때 최솟값 20을 가지므로

$\alpha=20$, $\beta=2$, $\gamma=4$

$\therefore\ \alpha+\beta+\gamma=20+2+4=26$

5. 함수

핵심 01

본문 ○ 109쪽

0701

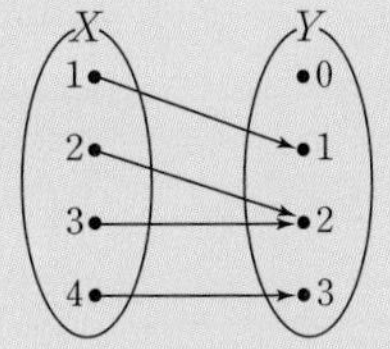

0702

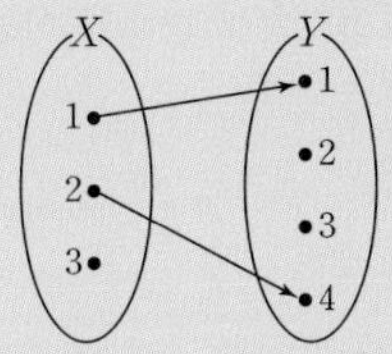

0703

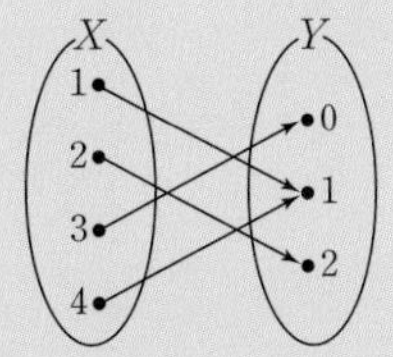

0704

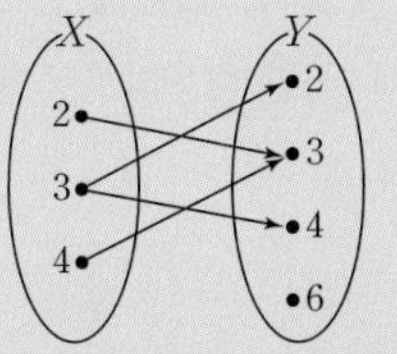

0705

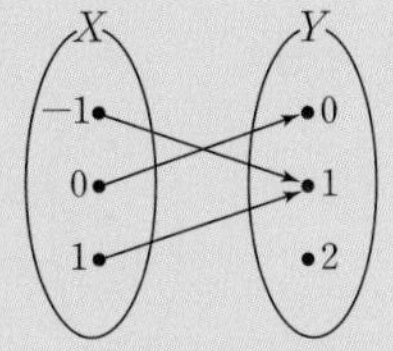

0706

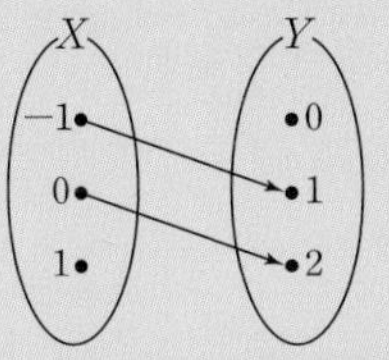

0707

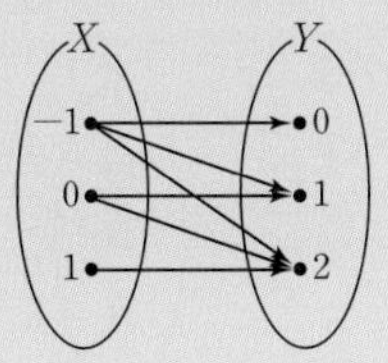

0708

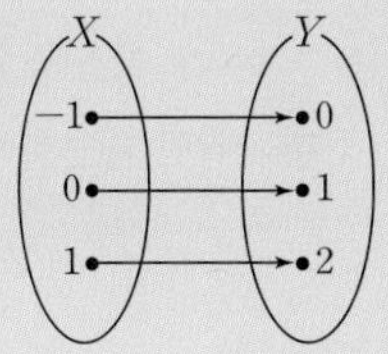

핵심 02

본문 ○ 110쪽

0709 함수이다.

0710 함수가 아니다.

0711 함수가 아니다.

0712 함수이다.

0713 함수이다. 풀이 참조

0714 함수가 아니다. 풀이 참조

0715 함수이다. 풀이 참조

0716 ②, ④

0713 X의 각 원소에 Y의 원소가 오직 하나씩만 대응하므로 함수이다.

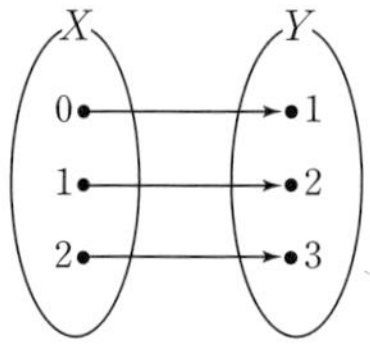

0714 X의 원소 2에 대응하는 Y의 원소가 없으므로 함수가 아니다.

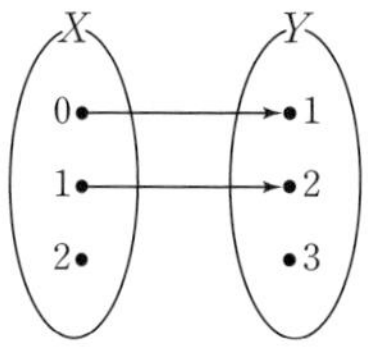

0715 X의 각 원소에 Y의 원소가 오직 하나씩만 대응하므로 함수이다.

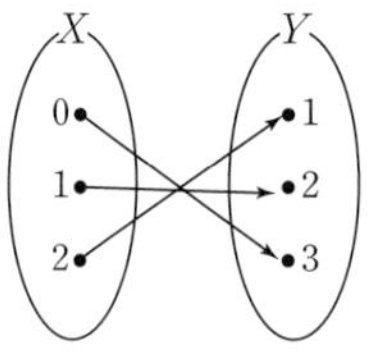

0716 ① X의 원소 -1에 대응하는 Y의 원소가 없으므로 함수가 아니다.

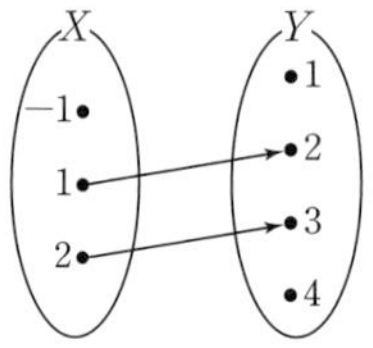

② X의 각 원소에 Y의 원소가 오직 하나씩만 대응하므로 함수이다.

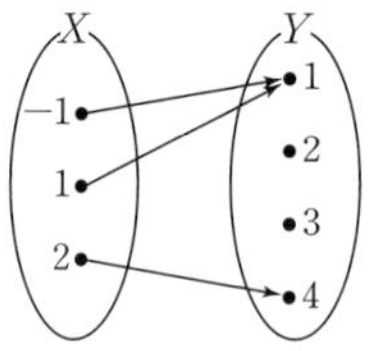

③ X의 원소 -1과 1에 대응하는 Y의 원소가 없으므로 함수가 아니다.

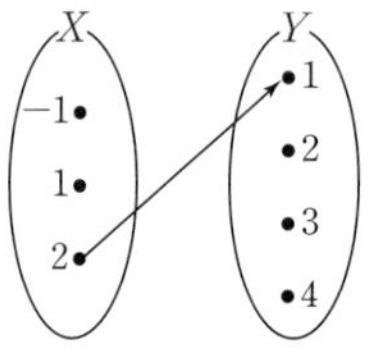

④ X의 각 원소에 Y의 원소가 오직 하나씩만 대응하므로 함수이다.

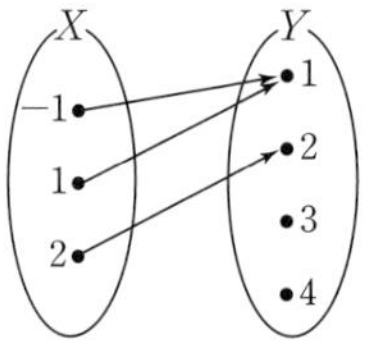

⑤ X의 원소 -1과 2에 대응하는 Y의 원소가 없으므로 함수가 아니다.

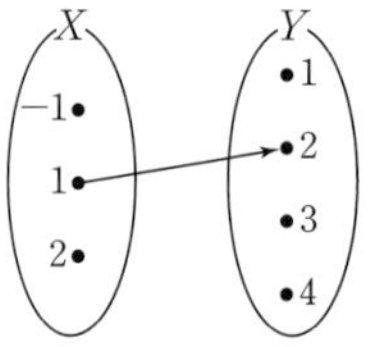

따라서 함수인 것은 ②, ④이다.

핵심 03

본문 ➜ 111쪽

0717 함수이다, 정의역 : $\{a, b, c\}$, 공역 : $\{1, 2\}$, 치역 : $\{1, 2\}$

0718 함수가 아니다. **0719** 함수가 아니다.

0720 함수이다, 정의역 : $\{1, 2, 3, 4\}$, 공역 : $\{1, 2, 3, 4\}$,
치역 : $\{1, 3, 4\}$

0721 함수가 아니다.

0722 함수이다, 정의역 : $\{1, 2, 3, 4\}$, 공역 : $\{5, 6, 7, 8\}$,
치역 : $\{5, 6, 7, 8\}$

0723 정의역 : $\{a, b, c, d\}$, 공역 : {ㄴ, ㅁ, ㄹ, ㅇ},
치역 : {ㄴ, ㅁ, ㄹ, ㅇ}

0724 정의역 : $\{1, 2, 3, 4\}$, 공역 : $\{1, 2, 3, 4\}$, 치역 : $\{2\}$

0725 정의역 : {미국, 일본, 영국},
공역 : {제주도, 런던, 오사카, 하와이},
치역 : {런던, 오사카, 하와이}

0726 정의역 : $\{1, 2, 3, 4, 5\}$, 공역 : $\{6, 7, 8, 9, 10\}$,
치역 : $\{6, 8, 10\}$

핵심 04

본문 ➜ 112쪽

0727 $\{0, 1, 4\}$ **0728** $\{-4, -3, -2, -1, 0\}$

0729 $\{-1, 1, 3, 5, 7\}$ **0730** $\{1, 2, 3\}$

0731 $\{-1, 0, 3\}$

0732 정의역 : $\{x|x$는 모든 실수$\}$, 치역 : $\{y|y$는 모든 실수$\}$

0733 정의역 : $\{x|x$는 모든 실수$\}$, 치역 : $\{y|y\geq 0\}$

0734 정의역 : $\{x|x$는 모든 실수$\}$, 치역 : $\{y|y\geq 2\}$

0735 정의역 : $\{x|x\neq 0$인 실수$\}$, 치역 : $\{y|y\neq 0$인 실수$\}$

0736 $\{1, 4\}$

0727 $f(x)=x^2$에서
$f(-2)=4, f(-1)=1, f(0)=0, f(1)=1, f(2)=4$
따라서 치역은 $\{0, 1, 4\}$이다.

0728 $f(x)=x-2$에서
$f(-2)=-4,\ f(-1)=-3,\ f(0)=-2,\ f(1)=-1,$
$f(2)=0$
따라서 치역은 $\{-4, -3, -2, -1, 0\}$이다.

0729 $f(x)=-2x+3$에서
$f(-2)=7, f(-1)=5, f(0)=3, f(1)=1, f(2)=-1$
따라서 치역은 $\{-1, 1, 3, 5, 7\}$이다.

0730 $f(x)=|x|+1$에서
$f(-2)=3, f(-1)=2, f(0)=1, f(1)=2, f(2)=3$
따라서 치역은 $\{1, 2, 3\}$이다.

0731 $f(x)=x^2-1$에서
$f(-2)=3, f(-1)=0, f(0)=-1, f(1)=0, f(2)=3$
따라서 치역은 $\{-1, 0, 3\}$이다.

0732 $y=x+1$은 모든 실수에서 정의되므로
정의역은 $\{x|x$는 모든 실수$\}$, 치역은 $\{y|y$는 모든 실수$\}$이다.

0733 $y=|x|=\begin{cases} -x & (x<0) \\ x & (x\geq 0) \end{cases}$는 모든 실수에서 정의되고,
$|x|\geq 0$이므로 정의역은 $\{x|x$는 모든 실수$\}$,
치역은 $\{y|y\geq 0\}$이다.

0734 $y=3x^2+2$는 모든 실수에서 정의되고,
$3x^2\geq 0$에서 $3x^2+2\geq 2$이므로 정의역은 $\{x|x$는 모든 실수$\}$,
치역은 $\{y|y\geq 2\}$이다.

0735 $y=\frac{2}{x}$는 $x\neq 0$인 실수에서 정의되고, $\frac{2}{x}\neq 0$이므로
정의역은 $\{x|x\neq 0$인 실수$\}$, 치역은 $\{y|y\neq 0$인 실수$\}$이다.

0736 $f(x)=(x^2$을 5로 나눈 나머지)에서
$f(1)=(1^2$을 5로 나눈 나머지$)=1$
$f(2)=(2^2$을 5로 나눈 나머지$)=4$
$f(3)=(3^2$을 5로 나눈 나머지$)=4$
$f(4)=(4^2$을 5로 나눈 나머지$)=1$
따라서 치역은 $\{1, 4\}$이다.

핵심 05 본문 ➡ 113쪽

0737 1	0738 3	0739 -5	0740 7
0741 -4	0742 $-6+4\sqrt{3}$		0743 6
0744 8	0745 6	0746 16	0747 $2\sqrt{3}$

0737 $f(0)=|0|+1=1$

0738 $f(-2)=|-2|+1=3$

0739 $f(3)=-2\times 3+1=-5$

0740 $f(2)=2\times 2+3=7$

0741 $f(\sqrt{5})=-(\sqrt{5})^2+1=-5+1=-4$

0742 $f(2-\sqrt{3})=-(2-\sqrt{3})^2+1=-(4-4\sqrt{3}+3)+1$
$=-6+4\sqrt{3}$

0743 $f(3)=3+3=6$

0744 $f(8)=f\left(\frac{8+2}{2}\right)=f(5)$이므로
$f(5)=5+3=8$
$\therefore f(8)=8$

0745 $f(10)=f(6)=f(4)=f(3)$이므로
$f(3)=3+3=6$
$\therefore f(10)=6$

0746 $f(5)=5+3=8$
$f(26)=f(14)=f(8)=f(5)=8$
$\therefore f(5)+f(26)=8+8=16$

0747 $f(5)=5-1=4$
$f(\sqrt{3}-2)=-2(\sqrt{3}-2)=4-2\sqrt{3}$
$\therefore f(5)-f(\sqrt{3}-2)=4-(4-2\sqrt{3})=2\sqrt{3}$

핵심 06 본문 ➡ 114쪽

0748 2, 2, 5, $3x+5$		0749 $f(x)=-2x+7$	
0750 $f(x)=10x+4$		0751 $f(x)=x^2-7x+12$	
0752 $f(x)=x^2+2x$		0753 1, 1, 1, 4	
0754 24	0755 -9	0756 52	0757 12

0749 $f(x+2)=-2x+3$에서
$x+2=t$로 놓으면 $x=t-2$
$\therefore f(t)=-2(t-2)+3=-2t+7$
$\therefore f(x)=-2x+7$

0750 $f\left(\frac{x-1}{2}\right)=5x-1$에서
$\frac{x-1}{2}=t$로 놓으면 $x=2t+1$
$\therefore f(t)=5(2t+1)-1=10t+4$
$\therefore f(x)=10x+4$

0751 $f(x+3)=x^2-x$에서
$x+3=t$로 놓으면 $x=t-3$

$\therefore f(t)=(t-3)^2-(t-3)=(t^2-6t+9)-t+3$
$=t^2-7t+12$
$\therefore f(x)=x^2-7x+12$

0752 $f(2x-1)=4x^2-1$에서
$2x-1=t$로 놓으면 $x=\dfrac{t+1}{2}$
$\therefore f(t)=4\left(\dfrac{t+1}{2}\right)^2-1=4\times\dfrac{t^2+2t+1}{4}-1=t^2+2t$
$\therefore f(x)=x^2+2x$

0754 $x-3=3$에서 $x=6$
$f(x-3)=x^2-2x$에 $x=6$을 대입하면
$f(3)=6^2-2\times6=24$

0755 $\dfrac{x-1}{2}=3$에서 $x-1=6$ $\quad\therefore x=7$
$f\left(\dfrac{x-1}{2}\right)=-2x+5$에 $x=7$을 대입하면
$f(3)=-2\times7+5=-9$

0756 $\dfrac{-x-1}{2}=3$에서 $-x-1=6$ $\quad\therefore x=-7$
$f\left(\dfrac{-x-1}{2}\right)=x^2+3$에 $x=-7$을 대입하면
$f(3)=(-7)^2+3=52$

0757 $\dfrac{x-1}{2}=\dfrac{3}{2}$에서 $x-1=3$ $\quad\therefore x=4$
$f\left(\dfrac{x-1}{2}\right)=\dfrac{1}{4}x^2+2x$에 $x=4$를 대입하면
$f\left(\dfrac{3}{2}\right)=\dfrac{1}{4}\times4^2+2\times4=12$

핵심 01~06 Mini Review Test 본문 115쪽

0758 ③	**0759** $\{1, 3, 5\}$	**0760** $\{1, 2, 3, 5\}$
0761 4	**0762** $f(x)=x^2+4x$	**0763** 7

0758 ㄱ. X의 각 원소에 Y의 원소가 오직 하나씩만 대응하므로 함수이다.

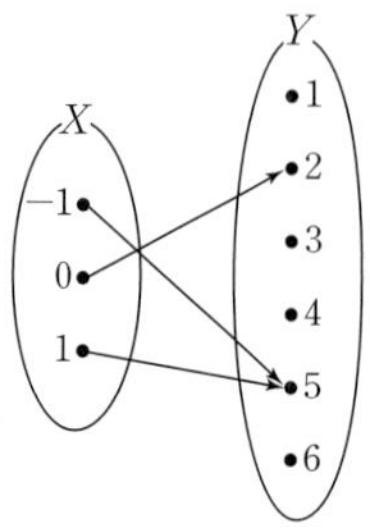

ㄴ. X의 원소 -1에 대응하는 Y의 원소가 없으므로 함수가 아니다.

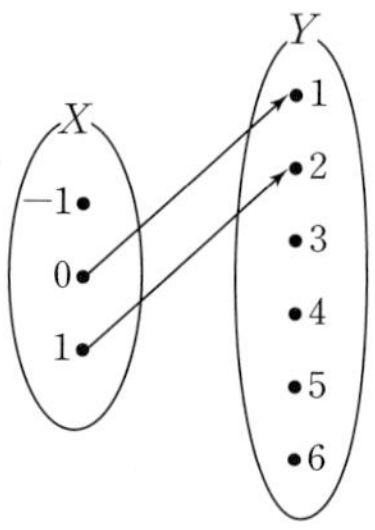

ㄷ. X의 각 원소에 Y의 원소가 오직 하나씩만 대응하므로 함수이다.

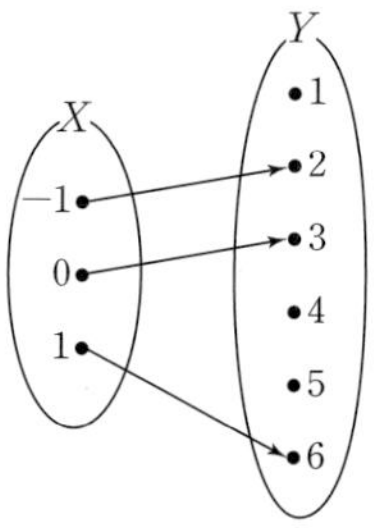

따라서 함수인 것은 ㄱ, ㄷ이다.

0759 $f(x)=(x^2$의 양의 약수의 개수$)$에서
$f(1)=(1^2$의 양의 약수의 개수$)=1$
$f(2)=(2^2$의 양의 약수의 개수$)=3$
$f(3)=(3^2$의 양의 약수의 개수$)=3$
$f(4)=(4^2$의 양의 약수의 개수$)=5$
$f(5)=(5^2$의 양의 약수의 개수$)=3$
따라서 치역은 $\{1, 3, 5\}$이다.

0760 $f(x)=\begin{cases}2x-1 & (1\le x\le3)\\ 2 & (x=4, 5)\end{cases}$에서
$f(1)=1, f(2)=3, f(3)=5, f(4)=2, f(5)=2$
따라서 치역은 $\{1, 2, 3, 5\}$이다.

0761 $f(x)=\begin{cases}f(x+3) & (1\le x<20)\\ 2x+1 & (x\ge20)\end{cases}$에서
$f(4)=f(7)=f(10)=\cdots=f(19)=f(22)=2\times22+1=45$
$f(20)=2\times20+1=41$
$\therefore f(4)-f(20)=45-41=4$

0762 $f(x^2-1)=x^4+2x^2-3$에서
$x^2-1=t$로 놓으면
$x^2=t+1$이고 $x^4=(x^2)^2$이다.
$\therefore f(t)=(t+1)^2+2(t+1)-3=t^2+4t$
$\therefore f(x)=x^2+4x$

0763 $f\left(x+\dfrac{1}{x}\right)=x^2+\dfrac{1}{x^2}$에서 $x+\dfrac{1}{x}=t$로 놓으면
$x^2+\dfrac{1}{x^2}=\left(x+\dfrac{1}{x}\right)^2-2$이므로
$f(t)=t^2-2$
따라서 $f(x)=x^2-2$이므로 $f(3)=3^2-2=7$

핵심 07 본문 116쪽

0764 2, 0, ≠
0765 서로 같은 함수이다.
0766 서로 같은 함수이다.
0767 서로 같은 함수가 아니다.
0768 서로 같은 함수이다.
0769 서로 같은 함수가 아니다.
0770 서로 같은 함수이다.
0771 서로 같은 함수가 아니다.
0772 서로 같은 함수이다.
0773 서로 같은 함수이다.

0765 $f(x)$와 $g(x)$의 정의역과 공역이 각각 같고
$f(-1)=g(-1)=-1$, $f(1)=g(1)=1$
$\therefore f=g$

0769 $f(x)$와 $g(x)$의 정의역과 공역이 각각 같고
$f(-1)=g(-1)=1$, $f(0)=-1$, $g(0)=0$
$f(1)=g(1)=1$
따라서 $f(0)\neq g(0)$이므로 $f\neq g$이다.

0771 $f(x)$와 $g(x)$의 정의역과 공역이 각각 같고
$f(-1)=g(-1)=-1$, $f(0)=0$, $g(0)=-1$
$f(1)=g(1)=1$
따라서 $f(0)\neq g(0)$이므로 $f\neq g$이다.

0772 $f(x)$와 $g(x)$의 정의역과 공역이 각각 같고
$f(-1)=g(-1)=-2$, $f(0)=g(0)=0$, $f(1)=g(1)=2$
$\therefore f=g$

0773 $f(x)$와 $g(x)$의 정의역과 공역이 각각 같고
$f(-1)=g(-1)=3$, $f(0)=g(0)=0$, $f(1)=g(1)=1$
$\therefore f=g$

핵심 08 본문 117쪽

0774 3, 3, 0, 3
0775 $a=3$, $b=-3$
0776 $a=2$, $b=4$
0777 $a=0$, $b=-2$
0778 -3, 2
0779 $a=4$, $b=-2$
0780 $a=-1$, $b=2$
0781 $\{1\}$ 또는 $\{2\}$ 또는 $\{1, 2\}$

0775 $f=g$가 성립하려면 $f(1)=g(1)$, $f(2)=g(2)$이어야 한다.
$f(1)=g(1)$에서 $0=a+b$ …… ㉠
$f(2)=g(2)$에서 $3=2a+b$ …… ㉡
㉠, ㉡을 연립하여 풀면 $a=3$, $b=-3$

0776 $f=g$가 성립하려면 $f(0)=g(0)$, $f(2)=g(2)$이어야 한다.
$f(0)=g(0)$에서 $4=b$ …… ㉠
$f(2)=g(2)$에서 $2a+4=4+b$ …… ㉡
㉠, ㉡을 연립하여 풀면 $a=2$, $b=4$

0777 $f=g$가 성립하려면 $f(-1)=g(-1)$, $f(1)=g(1)$이어야 한다.
$f(-1)=g(-1)$에서 $-a-1=1+b$ …… ㉠
$f(1)=g(1)$에서 $a-1=1+b$ …… ㉡
㉠, ㉡을 연립하여 풀면 $a=0$, $b=-2$

0779 $f=g$가 성립하려면 $f(1)=g(1)$, $f(a)=g(a)$이어야 한다.
$f(1)=g(1)$에서 $3=5+b$ $\therefore b=-2$ …… ㉠
$f(a)=g(a)$에서 $a^2+2=5a+b$ …… ㉡
㉠을 ㉡에 대입하면
$a^2-5a+4=0$, $(a-1)(a-4)=0$
$\therefore a=4$ ($\because a\neq 1$)

0780 $f(x)=g(x)$에서 $x^2=x+2$
$x^2-x-2=0$, $(x+1)(x-2)=0$
$\therefore x=-1$ 또는 $x=2$
그런데 $a<b$이므로 $a=-1$, $b=2$

0781 $f(x)=g(x)$에서 $x^2+1=3x-1$
$x^2-3x+2=0$, $(x-1)(x-2)=0$
$\therefore x=1$ 또는 $x=2$
$\therefore X=\{1\}$ 또는 $X=\{2\}$ 또는 $X=\{1, 2\}$

핵심 09 본문 118쪽

0782 함수의 그래프이다.
0783 함수의 그래프가 아니다.
0784 함수의 그래프가 아니다.
0785 함수의 그래프이다.
0786 함수의 그래프이다.
0787 함수의 그래프가 아니다.
0788 함수의 그래프가 아니다.
0789 함수의 그래프이다.
0790 ㄱ, ㄴ, ㄷ

0790 보기의 그래프 중 임의의 실수 k에 대하여 직선 $x=k$와 오직 한 점에서 만나는 그래프는 ㄱ, ㄴ, ㄷ이다.
따라서 함수의 그래프는 ㄱ, ㄴ, ㄷ이다.

핵심 10

본문 119쪽

0791 × **0792** △ **0793** × **0794** ○
0795 ㄱ, ㄷ **0796** ③, ⑤

0795 ㄱ. $f(x_1)=f(x_2)$, 즉 $-2x_1+1=-2x_2+1$이면 $x_1=x_2$이다. 또한 치역과 공역이 모두 실수 전체의 집합이므로 이 함수는 일대일대응이다.

ㄴ. [반례] $x_1=-1$, $x_2=1$일 때 $x_1 \neq x_2$이지만
$f(x_1)=(-1)^2-2=-1$, $f(x_2)=1^2-2=-1$
$\therefore f(x_1)=f(x_2)$
따라서 이 함수는 일대일대응이 아니다.

ㄷ. $f(x_1)=f(x_2)$, 즉 $x_1^3+1=x_2^3+1$이면 $x_1^3=x_2^3$이므로 $x_1=x_2$이다. 또한 치역과 공역이 모두 실수 전체의 집합이므로 이 함수는 일대일대응이다.

따라서 일대일대응인 것은 ㄱ, ㄷ이다.

핵심 11

본문 120쪽

0797 증가, > **0798** $a<-2$ **0799** 감소, <, <, 2, 2, −1
0800 $a>4$ **0801** (1) 9, 9, 9, 2, 5 (2) $a=-2$, $b=5$
0802 (1) $a=2$, $b=-5$ (2) $a=-2$, $b=7$

0800 함수 $f(x)$가 일대일대응이 되려면
$x \geq 1$에서 x의 값이 증가할 때 $f(x)$의 값이 감소하므로
$x<1$에서 x의 값이 증가할 때 $f(x)$의 값도 감소해야 한다.
따라서 $b+1<0$이므로 $b<-1$ …… ㉠
또한 (치역)=(공역)이려면 직선 $y=(b+1)x+a$가 점 $(1, 4)$를 지나야 하므로
$4=b+1+a$ $\therefore b=3-a$ …… ㉡
㉡을 ㉠에 대입하면 $3-a<-1$ $\therefore a>4$

0801 (2) $a<0$이면 함수 $f(x)$는 감소하므로 이 함수가 일대일대응이 되려면 $f(-2)=9$, $f(2)=1$이어야 한다.
$f(-2)=9$에서 $-2a+b=9$ …… ㉠
$f(2)=1$에서 $2a+b=1$ …… ㉡
㉠, ㉡을 연립하여 풀면 $a=-2$, $b=5$

0802 (1) $a>0$이면 함수 $f(x)$는 증가하므로 이 함수가 일대일대응이 되려면 $f(2)=-1$, $f(4)=3$이어야 한다.
$f(2)=-1$에서 $2a+b=-1$ …… ㉠
$f(4)=3$에서 $4a+b=3$ …… ㉡
㉠, ㉡을 연립하여 풀면 $a=2$, $b=-5$

(2) $a<0$이면 함수 $f(x)$는 감소하므로 이 함수가 일대일대응이 되려면 $f(2)=3$, $f(4)=-1$이어야 한다.
$f(2)=3$에서 $2a+b=3$ …… ㉠
$f(4)=-1$에서 $4a+b=-1$ …… ㉡
㉠, ㉡을 연립하여 풀면 $a=-2$, $b=7$

핵심 12

본문 121쪽

0803 −1, −1, 2 **0804** 2 **0805** 2
0806 −6 **0807** −1, −1, −6 **0808** 3
0809 6 **0810** −1

0805 $f(x)=-x^2+2x+a=-(x-1)^2+a+1$이므로
$x \leq -1$일 때 x의 값이 증가하면 $f(x)$의 값도 증가한다.
따라서 함수 $f(x)$가 일대일대응이 되려면 $f(-1)=-1$이어야 하므로
$-(-1)^2+2\times(-1)+a=-1$ $\therefore a=2$

0806 $f(x)=-x^2+6x+a=-(x-3)^2+a+9$이므로
$x \leq 2$일 때 x의 값이 증가하면 $f(x)$의 값도 증가한다.
따라서 함수 $f(x)$가 일대일대응이 되려면 $f(2)=2$이어야 하므로
$-2^2+6\times2+a=2$ $\therefore a=-6$

0808 $f(x)=x^2+6x+a=(x+3)^2+a-9$이므로
$x \geq -1$일 때 x의 값이 증가하면 $f(x)$의 값도 증가한다.
따라서 함수 $f(x)$가 일대일대응이 되려면 $f(-1)=-2$이어야 하므로
$(-1)^2+6\times(-1)+a=-2$ $\therefore a=3$

0809 $f(x)=-x^2+2x+a=-(x-1)^2+a+1$이므로
$x \leq -1$일 때 x의 값이 증가하면 $f(x)$의 값도 증가한다.
따라서 함수 $f(x)$가 일대일대응이 되려면 $f(-1)=3$이어야 하므로
$-(-1)^2+2\times(-1)+a=3$ $\therefore a=6$

0810 $f(x)=x^2-x-3=\left(x-\frac{1}{2}\right)^2-\frac{13}{4}$
$x \geq 2$일 때 x의 값이 증가하면 $f(x)$의 값도 증가한다.
따라서 함수 $f(x)$가 일대일대응이 되려면 $f(2)=a$이어야 하므로
$2^2-2-3=a$ $\therefore a=-1$

핵심 07~12 Mini Review Test

본문 122쪽

0811 $a=\frac{2}{3}$, $b=-\frac{4}{3}$ **0812** 4 **0813** ⑤
0814 $0<a<2$ **0815** $a=4$, $b=1$
0816 $a \geq 4$

0811 $f=g$가 성립하려면 $f(1)=g(1)$, $f(2)=g(2)$이어야 한다.
$f(1)=g(1)$에서 $a=2+b$ …… ㉠
$f(2)=g(2)$에서 $4a=4+b$ …… ㉡
㉠, ㉡을 연립하여 풀면 $a=\frac{2}{3}$, $b=-\frac{4}{3}$

0812 y축에 평행한 직선과 한 점에서 만나는 그래프는 ㄱ, ㄴ, ㄹ의 3개이다.
$\therefore a=3$
x축에 평행한 직선과 한 점에서 만나고, 치역과 공역이 같은 그래프는 ㄱ의 1개이다.
$\therefore b=1$
$\therefore a+b=4$

0813 ① $x_1=-1$, $x_2=1$일 때, $x_1\neq x_2$이지만
$f(x_1)=|-1|=1$, $f(x_2)=|1|=1$
즉, $f(x_1)=f(x_2)$이므로 이 함수는 일대일대응이 아니다.
② $x_1=1$, $x_2=2$일 때, $x_1\neq x_2$이지만
$f(x_1)=1-|1|=0$, $f(x_2)=2-|2|=0$
즉, $f(x_1)=f(x_2)$이므로 이 함수는 일대일대응이 아니다.
③ $x_1=-1$, $x_2=1$일 때, $x_1\neq x_2$이지만
$f(x_1)=-2\times(-1)^2+3=1$
$f(x_2)=-2\times1^2+3=1$
즉, $f(x_1)=f(x_2)$이므로 이 함수는 일대일대응이 아니다.
④ $x_1=-2$, $x_2=1$일 때, $x_1\neq x_2$이지만
$f(x_1)=-(-2)+3=5$, $f(x_2)=2\times1+3=5$
즉, $f(x_1)=f(x_2)$이므로 이 함수는 일대일대응이 아니다.
⑤ $x<1$일 때, $f(x)<0$이고, $x\geq1$일 때 $f(x)\geq0$이고 각 범위에서 함수식이 일치하므로
$x_1\neq x_2$이면 $f(x_1)\neq f(x_2)$
또 치역과 공역이 실수 전체의 집합으로 같으므로 이 함수는 일대일대응이다.
따라서 일대일대응인 것은 ⑤이다.

0814 두 직선 $y=-x+1$, $y=(a^2-2a)x+2a-a^2$은 점 $(1, 0)$에서 만나므로 함수 $f(x)$가 일대일대응이 되려면
$x<1$에서 x의 값이 증가할 때 $f(x)$의 값이 감소하므로
$x\geq1$에서 x의 값이 증가할 때 $f(x)$의 값도 감소해야 한다.
따라서 $a^2-2a<0$이므로 $a(a-2)<0$
$\therefore 0<a<2$

0815 $f(x)=2x+b$는 기울기가 양수이므로 이 함수가 일대일대응이려면 $f(2)=5$, $f(a)=9$이어야 한다.
$f(2)=5$에서 $4+b=5$ …… ㉠
$f(a)=9$에서 $2a+b=9$ …… ㉡
㉠, ㉡을 연립하여 풀면 $a=4$, $b=1$

0816 $f(x)$가 일대일대응이려면
$x\geq2$에서 x의 값이 증가할 때 $f(x)$의 값이 감소하므로
$x<2$에서 x의 값이 증가할 때 $f(x)$의 값이 감소해야 한다.
$x<2$에서
$f(x)=x^2-ax-4+2a=\left(x-\frac{a}{2}\right)^2-\frac{a^2}{4}+2a-4$
이차함수의 그래프의 축의 방정식이 $x=\frac{a}{2}$이므로
$\frac{a}{2}\geq2$ $\therefore a\geq4$

핵심 13 본문 ○ 123쪽

0817 1, 항등 **0818** 상수함수 **0819** 상수함수 **0820** 항등함수
0821 항등함수 **0822** 상수함수 **0823** 항등함수 **0824** 항등함수
0825 항등함수 **0826** 상수함수

0818 $f(x)=\sqrt{x^2}$에서
$f(-1)=\sqrt{(-1)^2}=1$, $f(1)=\sqrt{1^2}=1$
따라서 주어진 함수는 상수함수이다.

0821 $f(x)=\frac{|x|}{x}$에서
$f(-1)=\frac{|-1|}{-1}=-1$, $f(1)=1$
따라서 주어진 함수는 항등함수이다.

0822 $f(x)=x^3-6x^2+8x$에서
$f(0)=0$, $f(2)=2^3-6\times2^2+8\times2=0$
$f(4)=4^3-6\times4^2+8\times4=0$
따라서 주어진 함수는 상수함수이다.

0823 $f(x)=x^3-6x^2+9x$에서
$f(0)=0$, $f(2)=2^3-6\times2^2+9\times2=2$
$f(4)=4^3-6\times4^2+9\times4=4$
따라서 주어진 함수는 항등함수이다.

0824 $f(x)=|x^2-3x|$에서
$f(0)=0$, $f(2)=|2^2-3\times2|=|-2|=2$
$f(4)=|4^2-3\times4|=|4|=4$
따라서 주어진 함수는 항등함수이다.

0825 $f(x)=(x$를 5로 나눈 나머지$)$에서
$f(0)=0$, $f(2)=2$, $f(4)=4$
따라서 주어진 함수는 항등함수이다.

0826 $f(x)=(x^2$을 4로 나눈 나머지)에서
$f(0)=(0^2$을 4로 나눈 나머지$)=0$
$f(2)=(2^2$을 4로 나눈 나머지$)=0$
$f(4)=(4^2$을 4로 나눈 나머지$)=0$
따라서 주어진 함수는 상수함수이다.

핵심 14

본문 124쪽

0827 3, 3, 3, 1, 2, 1, 1, 6 **0828** 20 **0829** 9
0830 11 **0831** 7 **0832** 11

0828 $g(x)$가 항등함수이므로
$g(2)=2, g(4)=4, g(8)=8$
$f(2)=g(4)=h(8)$에서
$f(2)=h(8)=4$ ...... ㉠
$h(x)$는 상수함수이므로 $h(x)=4$
$h(4)=f(4)+g(2)$에서
$h(4)=4, g(2)=2$이므로 $f(4)=2$ ...... ㉡
$f(x)$가 일대일대응이므로 ㉠, ㉡에서 $f(8)=8$
$\therefore f(8)+g(8)+h(2)=8+8+4=20$

0829 $g(x)$가 항등함수이므로
$g(1)=1, g(3)=3, g(5)=5$
$f(1)=g(5)=h(3)$에서
$f(1)=h(3)=5$
$h(x)$는 상수함수이므로 $h(x)=5$
$2f(3)=f(1)+f(5)$에서
$f(1)=5$이고 $f(x)$가 일대일대응이므로
$f(3)=3, f(5)=1$
$\therefore f(5)+g(3)+h(1)=1+3+5=9$

0830 $g(x)$가 항등함수이므로
$g(2)=2, g(3)=3, g(6)=6$
$f(3)=g(2)=h(2)$에서
$f(3)=h(2)=2$
$h(x)$는 상수함수이므로 $h(x)=2$
$f(3)f(6)=f(2)$에서
$f(3)=2$이고 $f(x)$가 일대일대응이므로
$f(2)=6, f(6)=3$
$\therefore f(6)+g(6)+h(6)=3+6+2=11$

0831 $g(x)$가 항등함수이므로
$g(1)=1, g(2)=2, g(4)=4$
$f(1)=g(1)=h(1)$에서
$f(1)=h(1)=1$
$h(x)$는 상수함수이므로 $h(x)=1$
$g(2)f(4)=f(1)f(2)$에서
$g(2)=2, f(1)=1$이므로
$2f(4)=f(2)$
$f(x)$는 일대일대응이므로 $f(2)=4, f(4)=2$
$\therefore f(4)+g(4)+h(4)=2+4+1=7$

0832 $g(x)$가 항등함수이므로
$g(1)=1, g(2)=2, g(3)=3, g(4)=4, g(5)=5$
$f(2)=g(2)=h(2)$에서
$f(2)=h(2)=2$
$h(x)$는 상수함수이므로 $h(x)=2$
$g(3)f(3)=f(4)+f(5)$에서 $g(3)=3$이므로
$3f(3)=f(4)+f(5)$ ...... ㉠
$3\le f(4)+f(5)\le 9$이므로
$f(4)+f(5)$의 값은 3 또는 6 또는 9이다.
(i) $f(4)+f(5)=3$일 때
$f(4)=2$ 또는 $f(5)=2$
그런데 $f(2)=2$이므로 $f(x)$가 일대일대응이라는 조건에 모순이다.
(ii) $f(4)+f(5)=6$일 때
㉠에서 $3f(3)=6$ $\therefore f(3)=2$
그런데 $f(2)=2$이므로 $f(x)$가 일대일대응이라는 조건에 모순이다.
(iii) $f(4)+f(5)=9$일 때
㉠에서 $3f(3)=9$ $\therefore f(3)=3$
또한 $f(x)$가 항등함수가 아니므로
$f(4)=5, f(5)=4, f(1)=1$
$\therefore f(4)+g(4)+h(4)=5+4+2=11$

핵심 15

본문 125쪽

0833 3, 2, 3, 2, 24 **0834** 6 **0835** 12
0836 60 **0837** 2, 1, 2, 1, 6 **0838** 24
0839 120 **0840** 24

0834 $3\times 2=6$

0835 $4\times 3=12$

0836 $5\times 4\times 3=60$

0838 $4\times 3\times 2\times 1=24$

0839 $5\times 4\times 3\times 2\times 1=120$

0840 $X=\{2, 3, 5, 7\}, Y=\{1, 2, 3, 6\}$
따라서 일대일대응의 개수는
$4\times 3\times 2\times 1=24$

핵심 16 본문 ○ 126쪽

0841 4, 4, 64, 3, 2, 24, 4 **0842** 9, 6, 3
0843 125, 60, 5 **0844** 16, 12, 4
0845 3, 2, 1, 3, 2, 1, 18 **0846** 6 **0847** 4

0842 함수의 개수는 $3\times3=9$
일대일함수의 개수는 $3\times2=6$
상수함수의 개수는 3

0843 함수의 개수는 $5\times5\times5=125$
일대일함수의 개수는 $5\times4\times3=60$
상수함수의 개수는 5

0844 $X=\{1, 2\}$, $Y=\{1, 2, 5, 10\}$이므로
함수의 개수는 $4\times4=16$
일대일함수의 개수는 $4\times3=12$
상수함수의 개수는 4

0846 함수 f는 일대일대응이므로 정의역 X의 임의의 두 원소 x_1, x_2에 대하여 $x_1\neq x_2$이면 $f(x_1)\neq f(x_2)$이다.
$f(3)=3$이므로 $f(1)$의 값이 될 수 있는 것은 0, 1, 2 중 하나이므로 3개
$f(2)$의 값이 될 수 있는 것은 $f(1)$, $f(3)$의 값을 제외한 2개
$f(4)$의 값이 될 수 있는 것은 $f(1)$, $f(2)$, $f(3)$의 값을 제외한 1개
따라서 함수의 개수는
$3\times2\times1=6$

0847 함수는 일대일대응이므로 정의역 X의 임의의 두 원소 x_1, x_2에 대하여 $x_1\neq x_2$이면 $f(x_1)\neq f(x_2)$이다.
또한 $x\in X$가 홀수일 때 $f(x)$의 값이 홀수이려면 X의 원소 1, 3은 Y의 원소 1, 3에 일대일대응이어야 하고 X의 원소 2, 4는 Y의 원소 0, 2에 일대일대응이어야 한다.
X의 원소 1, 3을 Y의 원소 1, 3에 일대일대응시키는 방법은
$2\times1=2$(개)
X의 원소 2, 4를 Y의 원소 0, 2에 일대일대응시키는 방법도
$2\times1=2$(개)
따라서 함수의 개수는
$2\times2=4$

핵심 13~16 Mini Review Test 본문 ○ 127쪽

0848 항등함수 : ㅂ, 상수함수 : ㄱ
0849 $a=-1$, $b=-3$ **0850** 27 **0851** 60
0852 29 **0853** 12

0849 함수 f가 항등함수이려면 $f(-1)=-1$, $f(3)=3$이어야 한다.
$f(-1)=-1$에서 $(-1)^2-a+b=-1$ …… ㉠
$f(3)=3$에서 $3^2+3a+b=3$ …… ㉡
㉠, ㉡을 연립하여 풀면 $a=-1$, $b=-3$

0850 $X=\{1, 2, 3\}$, $Y=\{2, 3, 5, 7\}$
함수 $f: X \longrightarrow Y$가 상수함수이면 $x\in X$에 대하여
$f(x)=c$ $(c\in Y)$
즉, $f(1)=f(2)=f(3)$이고 $f(1)$의 최댓값은 7, 최솟값은 2이므로
$f(1)+f(2)+f(3)$의 최댓값은 $M=21$
$f(1)+f(2)+f(3)$의 최솟값은 $m=6$
$\therefore M+m=21+6=27$

0851 함수 f가 일대일함수이므로
$f(1)$의 값이 될 수 있는 것은 4, 5, 6, 7, 8 중 하나이므로 5개
$f(2)$의 값이 될 수 있는 것은 $f(1)$의 값을 제외한 4개
$f(3)$의 값이 될 수 있는 것은 $f(1)$, $f(2)$의 값을 제외한 3개
따라서 조건을 만족시키는 함수의 개수는
$5\times4\times3=60$

0852 일대일대응을 $f: X \longrightarrow X$라 하면
$f(1)$의 값이 될 수 있는 것은 1, 2, 3, 4 중 하나이므로 4개
$f(2)$의 값이 될 수 있는 것은 $f(1)$의 값을 제외한 3개
$f(3)$의 값이 될 수 있는 것은 $f(1)$, $f(2)$의 값을 제외한 2개
$f(4)$의 값이 될 수 있는 것은 $f(1)$, $f(2)$, $f(3)$의 값을 제외한 1개
따라서 일대일대응의 개수는 $4\times3\times2\times1=24$
상수함수의 개수는 4
항등함수의 개수 1
따라서 $a=24$, $b=4$, $c=1$이므로
$a+b+c=24+4+1=29$

0853 조건 (가)에서 함수 f는 일대일대응이므로 정의역 X의 임의의 두 원소 x_1, x_2에 대하여 $x_1\neq x_2$이면 $f(x_1)\neq f(x_2)$이다.
조건 (나)에서 $x\in X$가 소수일 때 $f(x)$의 값이 홀수이려면 정의역 X의 원소 2, 3, 5는 공역 X의 원소 1, 3, 5에 일대일대응이어야 하고 정의역 X의 원소 1, 4는 공역 X의 원소 2, 4에 일대일대응이어야 한다.
정의역 X의 원소 2, 3, 5를 공역 X의 원소 1, 3, 5에 일대일대응시키는 방법은
$3\times2\times1=6$(개)
정의역 X의 원소 1, 4를 공역 X의 원소 2, 4에 일대일대응시키는 방법은
$2\times1=2$(개)
따라서 구하는 함수의 개수는 $6\times2=12$

6. 합성함수와 역함수

핵심 **01** 본문 ➲ 131쪽

0854 풀이 참조 **0855** 풀이 참조

0856 $(g\circ f)(x)=6x-1$, $(f\circ g)(x)=6x+3$

0857 $(g\circ f)(x)=-2x+9$, $(f\circ g)(x)=-2x$

0858 $(g\circ f)(x)=4x^2+12x+9$, $(f\circ g)(x)=2x^2+3$

0859 $(g\circ f)(x)=-4x^2+1$, $(f\circ g)(x)=8x^2+8x+1$

0860 $(g\circ f)(x)=-x-1$, $(f\circ g)(x)=-x+6$

0861 풀이 참조

0854

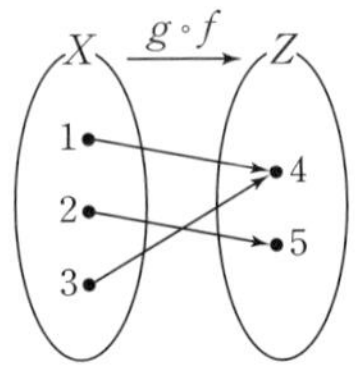

0855

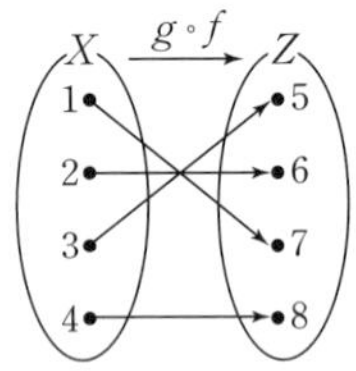

0856 $(g\circ f)(x)=g(f(x))=g(2x-1)=3(2x-1)+2=6x-1$

$(f\circ g)(x)=f(g(x))=f(3x+2)=2(3x+2)-1=6x+3$

0857 $(g\circ f)(x)=g(f(x))=g(-x+3)=2(-x+3)+3$

$=-2x+9$

$(f\circ g)(x)=f(g(x))=f(2x+3)=-(2x+3)+3=-2x$

0858 $(g\circ f)(x)=g(f(x))=g(2x+3)=(2x+3)^2$

$=4x^2+12x+9$

$(f\circ g)(x)=f(g(x))=f(x^2)=2x^2+3$

0859 $(g\circ f)(x)=g(f(x))=g(2x^2-1)=-2(2x^2-1)-1$

$=-4x^2+1$

$(f\circ g)(x)=f(g(x))=f(-2x-1)=2(-2x-1)^2-1$

$=8x^2+8x+1$

0860 $(g\circ f)(x)=g(f(x))=g(2x+4)=-\frac{1}{2}(2x+4)+1$

$=-x-1$

$(f\circ g)(x)=f(g(x))=f\left(-\frac{1}{2}x+1\right)$

$=2\left(-\frac{1}{2}x+1\right)+4=-x+6$

0861 $(f\circ g)(x)=f(g(x))=f(2x+1)=(2x+1)-1=2x$

이므로

$((f\circ g)\circ h)(x)=(f\circ g)(x^2)=2x^2$

$(g\circ h)(x)=g(h(x))=g(x^2)=2x^2+1$이므로

$(f\circ(g\circ h))(x)=f(2x^2+1)=(2x^2+1)-1=2x^2$

따라서 $(f\circ g)\circ h=f\circ(g\circ h)$가 성립한다.

핵심 **02** 본문 ➲ 132쪽

0862 9	**0863** 27	**0864** 38	**0865** 17
0866 6	**0867** 5	**0868** 14	**0869** 2
0870 7	**0871** 1	**0872** 17	**0873** 11
0874 17	**0875** 3		

0862 $f(-1)=(-1)^2+2=3$이므로

$(g\circ f)(-1)=g(f(-1))=g(3)=2\times3+3=9$

0863 $h(2)=3\times2-1=5$이므로

$(f\circ h)(2)=f(h(2))=f(5)=5^2+2=27$

0864 $f(2)=2^2+2=6$이므로

$(f\circ f)(2)=f(f(2))=f(6)=6^2+2=38$

0865 $f(-2)=(-2)^2+2=6$이므로

$(h\circ f)(-2)=h(f(-2))=h(6)=3\times6-1=17$

0866 $g\left(-\frac{1}{2}\right)=2\times\left(-\frac{1}{2}\right)+3=2$이므로

$(f\circ g)\left(-\frac{1}{2}\right)=f\left(g\left(-\frac{1}{2}\right)\right)=f(2)=2^2+2=6$

0867 $h\left(\frac{2}{3}\right)=3\times\frac{2}{3}-1=1$이므로

$(g\circ h)\left(\frac{2}{3}\right)=g\left(h\left(\frac{2}{3}\right)\right)=g(1)=2\times1+3=5$

0868 $g(1)=2\times1+3=5$이므로

$(h\circ g)(1)=h(g(1))=h(5)=3\times5-1=14$

0869 $f(3)=3+3=6$이므로

$(g\circ f)(3)=g(f(3))=g(6)=\frac{1}{2}\times6-1=2$

0870 $f(-5)=-5+3=-2$이므로

$(h\circ f)(-5)=h(f(-5))=h(-2)=2\times(-2)^2-1=7$

0871 $g(-2)=\frac{1}{2}\times(-2)-1=-2$이므로

$(f\circ g)(-2)=f(g(-2))=f(-2)=-2+3=1$

0872 $g(-4)=\frac{1}{2}\times(-4)-1=-3$이므로

$(h\circ g)(-4)=h(g(-4))=h(-3)=2\times(-3)^2-1=17$

0873 $f(2)=2+3=5$이므로

$(f\circ f)(2)=f(f(2))=f(5)=5+3=8$

$\therefore (f\circ f\circ f)(2)=f(f(f(2)))=f(f(5))$

$=f(8)=8+3=11$

0874 $f(-7)=-7+3=-4$이므로

$(g\circ f)(-7)=g(f(-7))=g(-4)$

$=\frac{1}{2}\times(-4)-1=-3$

$\therefore (h\circ g\circ f)(-7)=h(g(f(-7)))$

$=h(g(-4))=h(-3)$

$=2\times(-3)^2-1=17$

0875 $(f\circ g)(a)=f(g(a))=f(-a^2+2)=2(-a^2+2)$

$=-2a^2+4$

$f(2)=2\times2=4$이므로

$(g\circ f)(2)=g(f(2))=g(4)=-4^2+2=-14$

$-2a^2+4=-14$에서 $2a^2=18$, $a^2=9$

$\therefore a=3$ ($\because a>0$)

핵심 03 본문 ➲ 133쪽

0876 -1	**0877** -9	**0878** -19	**0879** 3
0880 $3\sqrt{2}$	**0881** -13	**0882** 4	**0883** 14
0884 6	**0885** -2		

0876 $f(0)=1$이므로

$(f\circ f)(0)=f(f(0))=f(1)=-2\times1+1=-1$

0877 $f(-2)=(-2)^2+1=5$이므로

$(f\circ f)(-2)=f(f(-2))=f(5)=-2\times5+1=-9$

0878 $f(2)=-2\times2+1=-3$이므로

$(f\circ f)(2)=f(f(2))=f(-3)=(-3)^2+1=10$

$\therefore (f\circ f\circ f)(2)=f(f(f(2)))=f(f(-3))=f(10)$

$=-2\times10+1=-19$

0879 $f(1)=\sqrt{2}$이므로

$(f\circ f)(1)=f(f(1))=f(\sqrt{2})=-(\sqrt{2})^2+5=3$

0880 $f(-\sqrt{2})=-(-\sqrt{2})^2+5=3$이므로

$(f\circ f)(-\sqrt{2})=f(f(-\sqrt{2}))=f(3)=3\sqrt{2}$

0881 $f(\sqrt{2})=-(\sqrt{2})^2+5=3$이므로

$(f\circ f)(\sqrt{2})=f(f(\sqrt{2}))=f(3)=3\sqrt{2}$

$\therefore (f\circ f\circ f)(\sqrt{2})=f(f(f(\sqrt{2})))=f(f(3))$

$=f(3\sqrt{2})=-(3\sqrt{2})^2+5=-13$

0882 $f(3)=3+3=6$이므로

$(f\circ f)(3)=f(f(3))=f(6)=\frac{6}{2}+1=4$

0883 $f(20)=\frac{20}{2}+1=11$이므로

$(f\circ f)(20)=f(f(20))=f(11)=11+3=14$

0884 $f(6)=\frac{6}{2}+1=4$이므로

$(f\circ f)(6)=f(f(6))=f(4)=\frac{4}{2}+1=3$

$\therefore (f\circ f\circ f)(6)=f(f(f(6)))=f(f(4))=f(3)=3+3=6$

0885 $\sqrt{5}>0$이므로

$f(\sqrt{5})=-(\sqrt{5})^2+3=-2$

$-2<0$이므로

$(f\circ f)(\sqrt{5})=f(f(\sqrt{5}))=f(-2)=-2+3=1$

$f(0)=3$

$3>0$이므로

$(f\circ f)(0)=f(f(0))=f(3)=-3^2+3=-6$

$-6<0$이므로

$(f\circ f\circ f)(0)=f(f(f(0)))=f(f(3))$

$=f(-6)=-6+3=-3$

$\therefore (f\circ f)(\sqrt{5})+(f\circ f\circ f)(0)=1+(-3)=-2$

핵심 04 본문 ➲ 134쪽

0886 $-x+a$, $-x+a$, $3x+2$, $-2+a$, $-2+a$, -2

0887 -1	**0888** -1	**0889** $\frac{1}{3}$	**0890** 9
0891 -6	**0892** -2	**0893** 5	

0887 $(f\circ g)(x)=f(g(x))=f(-x+2)$

$=2(-x+2)+a=-2x+4+a$

$(g\circ f)(x)=g(f(x))=g(2x+a)$

$=-(2x+a)+2=-2x-a+2$

$f\circ g=g\circ f$이므로 $-2x+4+a=-2x-a+2$

$4+a=-a+2 \quad \therefore a=-1$

0888 $(f\circ g)(x)=f(g(x))=f\left(\frac{1}{2}x+a\right)$

$=2\left(\frac{1}{2}x+a\right)+2=x+2a+2$

$(g\circ f)(x)=g(f(x))=g(2x+2)$

$=\frac{1}{2}(2x+2)+a=x+1+a$

$f\circ g=g\circ f$이므로 $x+2a+2=x+1+a$

$2a+2=1+a \quad \therefore a=-1$

0889 $(f\circ g)(x)=f(g(x))=f(ax-2)$

$=2(ax-2)+3=2ax-1$

$(g\circ f)(x)=g(f(x))=g(2x+3)$

$=a(2x+3)-2=2ax+3a-2$

$f\circ g=g\circ f$이므로 $2ax-1=2ax+3a-2$

$-1=3a-2 \quad \therefore a=\frac{1}{3}$

0890 $(f\circ g)(x)=f(g(x))=f\left(\frac{1}{3}x-3\right)$

$=3\left(\frac{1}{3}x-3\right)+a=x-9+a$

$(g\circ f)(x)=g(f(x))=g(3x+a)$

$=\frac{1}{3}(3x+a)-3=x+\frac{1}{3}a-3$

$f\circ g=g\circ f$이므로 $x-9+a=x+\frac{1}{3}a-3$

$-9+a=\frac{1}{3}a-3 \quad \therefore a=9$

0891 $(f\circ g)(x)=f(g(x))=f(4x+a)$

$=2(4x+a)-2=8x+2a-2$

$(g\circ f)(x)=g(f(x))=g(2x-2)$

$=4(2x-2)+a=8x-8+a$

$f\circ g=g\circ f$이므로 $8x+2a-2=8x-8+a$

$2a-2=-8+a \quad \therefore a=-6$

0892 $(f\circ g)(x)=f(g(x))=f(3x-2)$

$=a(3x-2)+3=3ax-2a+3$

$(g\circ f)(x)=g(f(x))=g(ax+3)$

$=3(ax+3)-2=3ax+7$

$f\circ g=g\circ f$이므로 $3ax-2a+3=3ax+7$

$-2a+3=7 \quad \therefore a=-2$

0893 $(f\circ g)(x)=f(g(x))=f\left(\frac{1}{3}x-2\right)$

$=-2\left(\frac{1}{3}x-2\right)+a=-\frac{2}{3}x+4+a$

$(g\circ f)(x)=g(f(x))=g(-2x+a)$

$=\frac{1}{3}(-2x+a)-2=-\frac{2}{3}x+\frac{1}{3}a-2$

$f\circ g=g\circ f$이므로 $-\frac{2}{3}x+4+a=-\frac{2}{3}x+\frac{1}{3}a-2$

$4+a=\frac{1}{3}a-2 \quad \therefore a=-9$

따라서 $f(x)=-2x-9$이므로

$(f\circ f)(-1)=f(f(-1))=f(-7)=-2\times(-7)-9=5$

핵심 05 본문 135쪽

0894 $h(x)$, $-3x$	**0895** $h(x)=-2x+2$
0896 $h(x)=4x+8$	**0897** $h(x)=2x-3$
0898 $h(x)=\frac{1}{6}x-3$	**0899** $h(x)=2x-2$
0900 $h(x)=-\frac{3}{2}x+\frac{3}{2}$	**0901** 5

0895 $(f\circ h)(x)=g(x)$에서 $f(h(x))=g(x)$이므로

$2h(x)-2=-4x+2$, $2h(x)=-4x+4$

$\therefore h(x)=-2x+2$

0896 $(f\circ h)(x)=g(x)$에서 $f(h(x))=g(x)$이므로

$\frac{1}{2}h(x)-3=2x+1$, $\frac{1}{2}h(x)=2x+4$

$\therefore h(x)=4x+8$

0897 $(f\circ h)(x)=g(x)$에서 $f(h(x))=g(x)$이므로

$2h(x)+3=4x-3$, $2h(x)=4x-6$

$\therefore h(x)=2x-3$

0898 $(f\circ h)(x)=g(x)$에서 $f(h(x))=g(x)$이므로

$2h(x)+3=\frac{1}{3}x-3$, $2h(x)=\frac{1}{3}x-6$

$\therefore h(x)=\frac{1}{6}x-3$

0899 $(f\circ h)(x)=g(x)$에서 $f(h(x))=g(x)$이므로

$3h(x)+2=6x-4$, $3h(x)=6x-6$

$\therefore h(x)=2x-2$

0900 $(f\circ h)(x)=g(x)$에서 $f(h(x))=g(x)$이므로

$2h(x)-2=-3x+1$, $2h(x)=-3x+3$

$\therefore h(x)=-\frac{3}{2}x+\frac{3}{2}$

0901 $(f\circ h)(x)=g(x)$에서 $f(h(x))=g(x)$이므로

$3h(x)-1=6x+2$, $3h(x)=6x+3$

따라서 $h(x)=2x+1$이므로

$h(2)=2\times2+1=5$

핵심 06

본문 ○ 136쪽

0902 (1) $f^2(1)=2$, $f^3(1)=1$ (2) 3 (3) 1

0903 (1) $f^3(1)=2$, $f^4(1)=1$ (2) 1 (3) 3

0904 (1) $f^2(1)=1$, $f^3(3)=3$ (2) 1, 4 (3) 2, 3, 5 (4) 7

0905 -10

0902 (1) $f(1)=3$, $f(2)=1$, $f(3)=2$이므로

$f^2(1)=(f\circ f)(1)=f(f(1))=f(3)=2$

$f^3(1)=(f\circ f\circ f)(1)=f(f(f(1)))=f(f(3))=f(2)=1$

(2) $f^3(1)=1$이므로 $f^3(1)=f^6(1)=f^9(1)=1$

$\therefore f^{10}(1)=(f\circ f^9)(1)=f(f^9(1))=f(1)=3$

(3) $f^3(1)=f^6(1)=\cdots=f^{30}(1)$이므로 $f^{30}(1)=1$

0903 (1) $f(1)=4$, $f(2)=1$, $f(3)=2$, $f(4)=3$이므로

$f^3(1)=(f\circ f\circ f)(1)=f(f(f(1)))=f(f(4))=f(3)=2$

$f^4(1)=(f\circ f^3)(1)=f(f^3(1))=f(2)=1$

(2) $f^4(1)=1$이므로 $f^4(1)=f^8(1)=\cdots=f^{20}(1)=1$

(3) $f^4(1)=1$이므로

$f^4(1)=f^8(1)=\cdots=f^{28}(1)=1$

$f^{29}(1)=f(f^{28}(1))=f(1)=4$

$\therefore f^{30}(1)=f(f^{29}(1))=f(4)=3$

0904 (1) $f(1)=4$, $f(2)=3$, $f(3)=5$, $f(4)=1$, $f(5)=2$이므로

$f^2(1)=f(f(1))=f(4)=1$

$f^3(3)=f(f(f(3)))=f(f(5))=f(2)=3$

(2) $f^2(1)=1$이고 $f^2(4)=f(f(4))=f(1)=4$이므로

$f^2(x)=x$를 만족하는 x의 값은 1, 4이다.

(3) $f^3(3)=3$

$f^3(2)=f(f(f(2)))=f(f(3))=f(5)=2$

$f^3(5)=f(f(f(5)))=f(f(2))=f(3)=5$

따라서 $f^3(x)=x$를 만족하는 x의 값은 2, 3, 5이다.

(4) $f^2(4)=4$이므로 $f^2(4)=f^4(4)=f^6(4)=\cdots=f^{20}(4)=4$

$f^3(5)=5$이므로 $f^3(5)=f^6(5)=f^9(5)=\cdots=f^{18}(5)=5$

$f^{19}(5)=f(f^{18}(5))=f(5)=2$

$f^{20}(5)=f(f^{19}(5))=f(2)=3$

$\therefore f^{20}(4)+f^{20}(5)=4+3=7$

0905 $f(x)=x-2$에서

$f^2(x)=f(f(x))=f(x-2)=(x-2)-2=x-4$

$f^3(x)=f(f^2(x))=f(x-4)=(x-4)-2=x-6$

따라서 $f^n(x)=x-2n$이므로

$f^{30}(50)=50-2\times30=-10$

핵심 01~06 Mini Review Test

본문 ○ 137쪽

0906 (1) 14 (2) $\{6, 7\}$ **0907** $-\frac{3}{4}$ **0908** 10

0909 6 **0910** (1) $h(x)=-x+4$ (2) $h(x)=-x+2$

0911 8

0906 (1) $(g\circ f)(1)=g(f(1))=g(3)=7$

$(g\circ f)(3)=g(f(3))=g(4)=7$

$\therefore (g\circ f)(1)+(g\circ f)(3)=7+7=14$

(2) $(g\circ f)(2)=g(f(2))=g(1)=6$

따라서 함수 $g\circ f$의 치역은 $\{6, 7\}$이다.

0907 $f(a)=2a+1$이므로

$f(f(a))=f(2a+1)=2(2a+1)+1=4a+3$

$(f\circ f\circ f)(a)=f(f(f(a)))=f(f(2a+1))$

$=f(4a+3)=2(4a+3)+1=8a+7$

$8a+7=1$ $\therefore a=-\frac{3}{4}$

0908 $f(1)=1^2+4\times1-2=3$이므로

$(g\circ f)(1)=g(f(1))=g(3)$

$g(2x-3)=f(x-1)$이므로

$2x-3=3$에서 $x=3$

$\therefore (g\circ f)(1)=g(3)=f(2)=2^2+4\times2-2=10$

0909 $f(3)=-3^2+4=-5$이므로

$(f\circ f)(3)=f(f(3))=f(-5)=-2\times(-5)+1=11$

$f(6)=6-7=-1$이므로

$(f\circ f)(6)=f(f(6))=f(-1)=-2\times(-1)+1=3$

$(f\circ f\circ f)(6)=f(f(f(6)))=f(f(-1))=f(3)$

$=-3^2+4=-5$

$\therefore (f\circ f)(3)+(f\circ f\circ f)(6)=11+(-5)=6$

0910 (1) $(f\circ h)(x)=g(x)$에서 $f(h(x))=g(x)$이므로

$2h(x)-3=-2x+5$, $2h(x)=-2x+8$

$\therefore h(x)=-x+4$

(2) $(h\circ f)(x)=g(x)$에서 $h(f(x))=g(x)$이므로

$h(2x-3)=-2x+5$

$2x-3=t$라 하면 $x=\frac{1}{2}t+\frac{3}{2}$

$h(t)=-2\left(\frac{1}{2}t+\frac{3}{2}\right)+5=-t+2$

$\therefore h(x)=-x+2$

0911 $f(1)=3, f(2)=1, f(3)=4, f(4)=2, f(5)=5$이므로
$f^2(1)=f(f(1))=f(3)=4$
$f^3(1)=f(f^2(1))=f(4)=2$
$f^4(1)=f(f^3(1))=f(2)=1$
따라서 $f^4(1)=f^8(1)=f^{12}(1)=\cdots=f^{2016}(1)=1$이므로
$f^{2017}(1)=f(f^{2016}(1))=f(1)=3$
또한, $f^2(5)=f^3(5)=\cdots=f^{2017}(5)=5$이므로
$f^{2017}(1)+f^{2017}(5)=3+5=8$

핵심 07

본문 ◎ 138쪽

0912 풀이 참조
0913 정의역 : $\{a, b, c, d\}$, 공역 : $\{1, 2, 3, 4\}$
0914 2 **0915** 3 **0916** 4 **0917** 1
0918 $\{1, 2, 3, 4\}$ **0919** 풀이 참조
0920 정의역 : $\{6, 7, 8, 9, 10\}$, 공역 : $\{1, 2, 3, 4, 5\}$
0921 2 **0922** 4 **0923** 1 **0924** 5
0925 3 **0926** $\{1, 2, 3, 4, 5\}$

0912

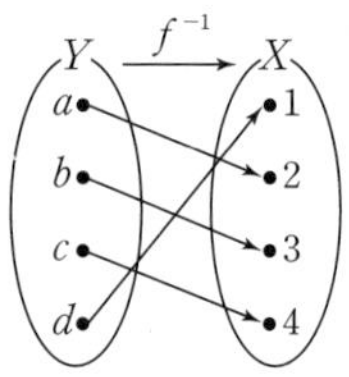

0919

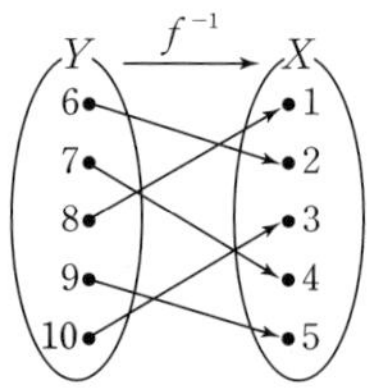

핵심 08

본문 ◎ 139쪽

0927 1, 1, -2, 1 **0928** 3 **0929** $\frac{5}{2}$
0930 -7 **0931** 2 **0932** 9 **0933** $-\frac{3}{2}$
0934 4 **0935** 2 **0936** 3 **0937** -6
0938 -18 **0939** $\frac{10}{3}$

0928 $f^{-1}(-3)=k$에서 $f(k)=-3$이므로
$-2k+3=-3,\ -2k=-6$
$\therefore k=3$

0929 $f^{-1}(-2)=k$에서 $f(k)=-2$이므로
$-2k+3=-2,\ -2k=-5$
$\therefore k=\frac{5}{2}$

0930 $f^{-1}(k)=5$에서 $f(5)=k$이므로
$-2\times5+3=k \quad \therefore k=-7$

0931 $f^{-1}(k)=\frac{1}{2}$에서 $f\left(\frac{1}{2}\right)=k$이므로
$-2\times\frac{1}{2}+3=k \quad \therefore k=2$

0932 $f^{-1}(k)=-3$에서 $f(-3)=k$이므로
$-2\times(-3)+3=k \quad \therefore k=9$

0933 $f^{-1}(4)=k+1$에서 $f(k+1)=4$이므로
$-2(k+1)+3=4,\ -2k+1=4$
$\therefore k=-\frac{3}{2}$

0934 $f^{-1}(k-2)=\frac{1}{2}$에서 $f\left(\frac{1}{2}\right)=k-2$이므로
$-2\times\frac{1}{2}+3=k-2 \quad \therefore k=4$

0935 $g(-5)=k$라 하면 $f(k)=-5$이므로
$3k-2=-5 \quad \therefore k=-1$
$g(7)=m$이라 하면 $f(m)=7$이므로
$3m-2=7 \quad \therefore m=3$
$\therefore g(-5)+g(7)=-1+3=2$

0936 $g(-6)=k$라 하면 $f(k)=-6$이므로
$-2k+4=-6 \quad \therefore k=5$
$g(8)=m$이라 하면 $f(m)=8$이므로
$-2m+4=8 \quad \therefore m=-2$
$\therefore g(-6)+g(8)=5+(-2)=3$

0937 $g\left(-\frac{4}{3}\right)=k$라 하면 $f(k)=-\frac{4}{3}$이므로
$\frac{2}{3}k+2=-\frac{4}{3} \quad \therefore k=-5$
$g\left(\frac{4}{3}\right)=m$이라 하면 $f(m)=\frac{4}{3}$이므로

$\frac{2}{3}m+2=\frac{4}{3}$ $\quad\therefore m=-1$

$\therefore g\left(-\frac{4}{3}\right)+g\left(\frac{4}{3}\right)=-5+(-1)=-6$

0938 $g(0)=k$라 하면 $f(k)=0$이므로

$-\frac{1}{2}k-3=0$ $\quad\therefore k=-6$

$g(3)=m$이라 하면 $f(m)=3$이므로

$-\frac{1}{2}m-3=3$ $\quad\therefore m=-12$

$\therefore g(0)+g(3)=-6+(-12)=-18$

0939 $f^{-1}(3)=k$라 하면 $f(k)=3$이므로

$\frac{3}{2}k-2=3$ $\quad\therefore k=\frac{10}{3}$

$\therefore f^{-1}(3)=\frac{10}{3}$

핵심 09 본문 ➲ 140쪽

0940 4, 4, -2 0941 4 0942 -3

0943 $a=5,\ b=7$ 0944 $a=-1,\ b=-1$

0945 $a=\frac{5}{3},\ b=7$ 0946 $a=4,\ b=-7$

0947 $a=-4,\ b=5$ 0948 $a=-6,\ b=8$

0949 $a=-\frac{1}{2},\ b=\frac{3}{2}$ 0950 -13

0941 $f^{-1}(-2)=-3$에서 $f(-3)=-2$이므로

$2\times(-3)+a=-2$ $\quad\therefore a=4$

0942 $f^{-1}(0)=\frac{3}{2}$에서 $f\left(\frac{3}{2}\right)=0$이므로

$2\times\frac{3}{2}+a=0$ $\quad\therefore a=-3$

0943 $f(1)=2$에서 $a-3=2$ $\quad\therefore a=5$

$\therefore f(x)=5x-3$

$f^{-1}(b)=2$에서 $f(2)=b$

$\therefore b=5\times2-3=7$

0944 $f^{-1}(0)=-3$에서 $f(-3)=0$이므로

$-3a-3=0$ $\quad\therefore a=-1$

$\therefore f(x)=-x-3$

$f^{-1}(-2)=b$에서 $f(b)=-2$이므로

$-b-3=-2$ $\quad\therefore b=-1$

0945 $f^{-1}(b)=6$에서 $f(6)=b$이므로

$6a-3=b$ ...... ㉠

$f^{-1}(2)=3$에서 $f(3)=2$이므로

$3a-3=2$ $\quad\therefore a=\frac{5}{3}$ ...... ㉡

㉡을 ㉠에 대입하면 $b=7$

0946 $g(1)=2$에서 $f(2)=1$이므로

$2a+b=1$ ...... ㉠

$g(5)=3$에서 $f(3)=5$이므로

$3a+b=5$ ...... ㉡

㉠, ㉡을 연립하여 풀면 $a=4,\ b=-7$

0947 $g(-3)=2$에서 $f(2)=-3$이므로

$2a+b=-3$ ...... ㉠

$g(3)=\frac{1}{2}$에서 $f\left(\frac{1}{2}\right)=3$이므로

$\frac{1}{2}a+b=3$ ...... ㉡

㉠, ㉡을 연립하여 풀면 $a=-4,\ b=5$

0948 $g(-4)=2$에서 $f(2)=-4$이므로

$2a+b=-4$ ...... ㉠

$g(4)=\frac{2}{3}$에서 $f\left(\frac{2}{3}\right)=4$이므로

$\frac{2}{3}a+b=4$ ...... ㉡

㉠, ㉡을 연립하여 풀면 $a=-6,\ b=8$

0949 $g(0)=3$에서 $f(3)=0$이므로

$3a+b=0$ ...... ㉠

$g(2)=-1$에서 $f(-1)=2$이므로

$-a+b=2$ ...... ㉡

㉠, ㉡을 연립하여 풀면 $a=-\frac{1}{2},\ b=\frac{3}{2}$

0950 $f^{-1}(-8)=-1$에서 $f(-1)=-8$이므로

$-a+b=-8$ ...... ㉠

$f^{-1}(7)=2$에서 $f(2)=7$이므로

$2a+b=7$ ...... ㉡

㉠, ㉡을 연립하여 풀면 $a=5,\ b=-3$

따라서 $f(x)=5x-3$이므로

$f\left(\frac{1}{5}\right)=5\times\frac{1}{5}-3=-2$

$\therefore (f\circ f)\left(\frac{1}{5}\right)=f\left(f\left(\frac{1}{5}\right)\right)=f(-2)=5\times(-2)-3=-13$

핵심 10

본문 ➡ 141쪽

0951 $-1, -1, -1, -1, -2, -2$ **0952** 4

0953 0 **0954** -1 **0955** $3, 3, -1, -1, -1, 1$

0956 -4 **0957** 7 **0958** 4

0952 $g(-1)=3\times(-1)+2=-1$이므로

$(f^{-1}\circ g)(-1)=f^{-1}(g(-1))=f^{-1}(-1)$

$f^{-1}(-1)=k$라 하면 $f(k)=-1$

$\frac{1}{2}k-3=-1 \quad \therefore k=4$

$\therefore (f^{-1}\circ g)(-1)=4$

0953 $g(-3)=\frac{1}{3}\times(-3)+2=1$이므로

$(f^{-1}\circ g)(-3)=f^{-1}(g(-3))=f^{-1}(1)$

$f^{-1}(1)=k$라 하면 $f(k)=1$

$-2k+1=1 \quad \therefore k=0$

$\therefore (f^{-1}\circ g)(-3)=0$

0954 $g\left(-\frac{1}{2}\right)=-4\times\left(-\frac{1}{2}\right)+2=4$이므로

$(f^{-1}\circ g)\left(-\frac{1}{2}\right)=f^{-1}\left(g\left(-\frac{1}{2}\right)\right)=f^{-1}(4)$

$f^{-1}(4)=k$라 하면 $f(k)=4$이므로

$-3k+1=4 \quad \therefore k=-1$

$\therefore (f^{-1}\circ g)\left(-\frac{1}{2}\right)=-1$

0956 $g^{-1}(-1)=k$라 하면 $g(k)=-1$이므로

$3k+2=-1 \quad \therefore k=-1$

$\therefore (f\circ g^{-1})(-1)=f(g^{-1}(-1))=f(-1)$

$=-1-3=-4$

0957 $g^{-1}(-2)=k$라 하면 $g(k)=-2$이므로

$\frac{1}{3}k-1=-2 \quad \therefore k=-3$

$\therefore (f\circ g^{-1})(-2)=f(g^{-1}(-2))=f(-3)$

$=-2\times(-3)+1=7$

0958 $g^{-1}(6)=k$라 하면 $g(k)=6$이므로

$-4k+2=6 \quad \therefore k=-1$

$\therefore (f\circ g^{-1})(6)=f(g^{-1}(6))=f(-1)$

$=-3\times(-1)+1=4$

핵심 11

본문 ➡ 142쪽

0959 $a, a-1, 2a-5, 2a-5, 4$ **0960** 5

0961 -8 **0962** 3 **0963** $a=1, b=-3$

0964 4 **0965** 2 **0966** -5

0960 $g^{-1}(a)=k$라 하면 $g(k)=a$이므로

$2k-3=a \quad \therefore k=\frac{a+3}{2}$

$\therefore (f\circ g^{-1})(a)=f(g^{-1}(a))=f(k)=f\left(\frac{a+3}{2}\right)$

$=\frac{a+3}{2}+1=\frac{a+5}{2}$

따라서 $\frac{a+5}{2}=5$이므로 $a=5$

다른 해설 $g^{-1}(a)=k$라 하면

$(f\circ g^{-1})(a)=f(g^{-1}(a))=f(k)=5$

$k+1=5$이므로 $k=4$

따라서 $g^{-1}(a)=4$에서 $g(4)=a$이므로

$a=2\times4-3=5$

0961 $f^{-1}(a)=k$라 하면 $f(k)=a$이므로

$3k-2=a \quad \therefore k=\frac{a+2}{3}$

$\therefore (g\circ f^{-1})(a)=g(f^{-1}(a))=g(k)=g\left(\frac{a+2}{3}\right)$

$=-2\times\frac{a+2}{3}+1=\frac{-2a-1}{3}$

따라서 $\frac{-2a-1}{3}=5$이므로 $a=-8$

0962 $g^{-1}(a)=k$라 하면 $g(k)=a$이므로

$-2k+1=a \quad \therefore k=\frac{1-a}{2}$

$\therefore (f\circ g^{-1})(a)=f(g^{-1}(a))=f(k)=f\left(\frac{1-a}{2}\right)$

$=3\times\frac{1-a}{2}-2=\frac{-3a-1}{2}$

따라서 $\frac{-3a-1}{2}=-5$이므로 $a=3$

0963 $f^{-1}(x)=k$라 하면 $f(k)=x$이므로

$k-5=x \quad \therefore k=x+5$

$\therefore (g\circ f^{-1})(x)=g(f^{-1}(x))=g(k)=g(x+5)$

$=a(x+5)+b=ax+5a+b$

$(g\circ f^{-1})(x)=x+2$에서 $ax+5a+b=x+2$

$a=1, 5a+b=2$

$\therefore a=1, b=-3$

0964 $g(x)=x-3$에서 $g(2)=2-3=-1$이므로

$(f^{-1}\circ g)(2)=f^{-1}(g(2))=f^{-1}(-1)$

$f^{-1}(-1)=k$라 하면 $f(k)=-1$

$k-5=-1 \qquad \therefore k=4$

$\therefore (f^{-1}\circ g)(2)=4$

0965 $g(x)=x-3$에서

$g^{-1}(4)=k$라 하면 $g(k)=4$이므로

$k-3=4 \qquad \therefore k=7$

$\therefore (f\circ g^{-1})(4)=f(g^{-1}(4))=f(k)=f(7)=7-5=2$

0966 $(f\circ g)(x)=f(g(x))=f(-x+2)$

$=a(-x+2)+b=-ax+2a+b$

$(f\circ g)(x)=2x-3$에서 $-ax+2a+b=2x-3$

$-a=2,\ 2a+b=-3$

$\therefore a=-2,\ b=1$

$\therefore f(x)=-2x+1$

$g^{-1}(-1)=k$라 하면 $g(k)=-1$이므로

$-k+2=-1 \qquad \therefore k=3$

$\therefore (f\circ g^{-1})(-1)=f(g^{-1}(-1))=f(k)=f(3)$

$=-2\times3+1=-5$

핵심 12

본문 ➔ 143쪽

0967 $a<1$ **0968** $a>-1$ **0969** $a=4$

0970 $a=-9,\ b=-3$ **0971** $a=-4,\ b=2$

0972 2, 2, a, 5 **0973** 5 **0974** 3

0967 함수 $f(x)$의 역함수가 존재하려면 함수 $f(x)$는 일대일대응이어야 하므로 $y=f(x)$의 그래프는 오른쪽 그림과 같아야 한다.

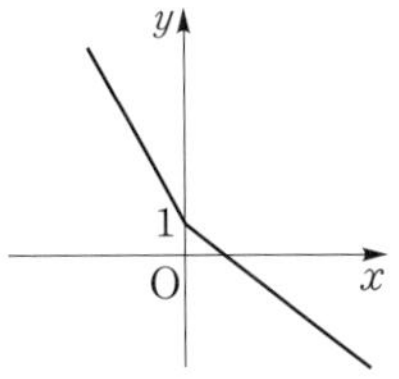

즉, $x<0$일 때의 직선의 기울기가 음수이므로 $x\geq0$일 때의 직선의 기울기도 음수이다.

$a-1<0 \qquad \therefore a<1$

0968 함수 $f(x)$의 역함수가 존재하려면 함수 $f(x)$는 일대일대응이어야 하므로 $y=f(x)$의 그래프는 오른쪽 그림과 같아야 한다.

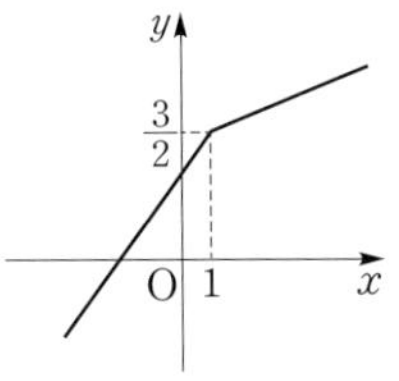

즉, $x\geq1$일 때의 직선의 기울기가 양수이므로 $x<1$일 때의 직선의 기울기도 양수이다.

$a+1>0 \qquad \therefore a>-1$

0969 함수 $f(x)$의 역함수가 존재하려면 함수 $f(x)$는 일대일대응이어야 하므로 $y=f(x)$의 그래프는 오른쪽 그림과 같아야 한다.

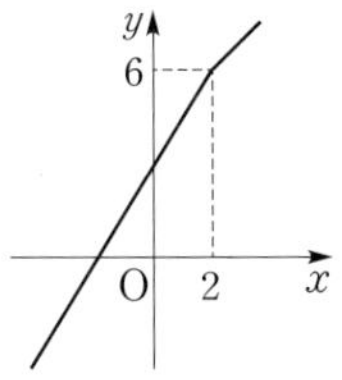

즉, 치역과 공역이 같아야 하므로 직선 $y=x+a$는 점 $(2, 6)$을 지나야 한다.

$6=2+a \qquad \therefore a=4$

0970 함수 $f(x)$의 역함수가 존재하려면 함수 $f(x)$는 일대일대응이어야 하므로 치역과 공역이 같아야 한다.

즉, 함수 $f(x)$가 증가함수이므로 $f(-2)=a,\ f(3)=6$이어야 한다.

$f(-2)=a$에서 $-6+b=a$ ······ ㉠

$f(3)=6$에서 $9+b=6 \qquad \therefore b=-3$ ······ ㉡

㉠, ㉡을 연립하여 풀면 $a=-9,\ b=-3$

0971 함수 $f(x)$의 역함수가 존재하려면 함수 $f(x)$는 일대일대응이어야 하므로 치역과 공역이 같아야 한다.

즉, 함수 $f(x)$가 감소함수이므로 $f(-2)=6,\ f(3)=a$이어야 한다.

$f(-2)=6$에서 $4+b=6 \qquad \therefore b=2$ ······ ㉠

$f(3)=a$에서 $-6+b=a$ ······ ㉡

㉠, ㉡을 연립하여 풀면 $a=-4,\ b=2$

0973 $f(x)=x^2-6x+10=(x-3)^2+1$

함수 $f(x)$의 역함수가 존재하려면 f는 일대일대응이어야 하므로 $a\geq3,\ f(a)=a$

$f(a)=a$에서 $a^2-6a+10=a$

$a^2-7a+10=0,\ (a-2)(a-5)=0$

$\therefore a=5\ (\because a\geq3)$

0974 $f(x)=x^2-x-3=\left(x-\frac{1}{2}\right)^2-\frac{13}{4}$

함수 $f(x)$는 일대일대응이므로

$a\geq\frac{1}{2},\ f(a)=a$

$f(a)=a$에서 $a^2-a-3=a$

$a^2-2a-3=0,\ (a+1)(a-3)=0$

$\therefore a=3\ \left(\because a\geq\frac{1}{2}\right)$

핵심 13

본문 ➔ 144쪽

0975 2 **0976** $-\frac{1}{2}$ **0977** 3 **0978** 9

0979 4 **0980** 2 **0981** 1 **0982** -17

0975 $(f\circ(f\circ g)^{-1}\circ f)(-1)=(f\circ g^{-1}\circ f^{-1}\circ f)(-1)$
$=(f\circ g^{-1})(-1)$ $(\because f^{-1}\circ f=I)$
$=f(g^{-1}(-1))$

$g^{-1}(-1)=k$라 하면 $g(k)=-1$이므로
$3k+2=-1$ $\therefore k=-1$
$\therefore (f\circ(f\circ g)^{-1}\circ f)(-1)=f(-1)=-3\times(-1)-1=2$

0976 $(f\circ(g\circ f)^{-1}\circ f)(2)=(f\circ f^{-1}\circ g^{-1}\circ f)(2)$
$=(g^{-1}\circ f)(2)$ $(\because f\circ f^{-1}=I)$
$=g^{-1}(f(2))$

$g^{-1}(f(2))=k$라 하면 $f(2)=g(k)$이므로
$\frac{1}{2}\times 2-1=4k+2$ $\therefore k=-\frac{1}{2}$
$\therefore (f\circ(g\circ f)^{-1}\circ f)(2)=-\frac{1}{2}$

0977 $(g\circ(g\circ f)^{-1}\circ g)(5)=(g\circ f^{-1}\circ g^{-1}\circ g)(5)$
$=(g\circ f^{-1})(5)$ $(\because g^{-1}\circ g=I)$
$=g(f^{-1}(5))$

$f^{-1}(5)=k$라 하면 $f(k)=5$이므로
$-k+3=5$ $\therefore k=-2$
$\therefore (g\circ(g\circ f)^{-1}\circ g)(5)=g(-2)=-\frac{1}{2}\times(-2)+2=3$

0978 $(f\circ g)(x)=f(g(x))=f\left(\frac{1}{3}x-1\right)=3\left(\frac{1}{3}x-1\right)+3=x$
즉, $f\circ g=I$이므로 $f^{-1}=g$, $g^{-1}=f$, $g\circ f=I$
$\therefore ((g^{-1}\circ f\circ g)\circ(g\circ f))(2)=g^{-1}(2)$
$g^{-1}(2)=k$라 하면 $g(k)=2$이므로
$\frac{1}{3}k-1=2$ $\therefore k=9$
$\therefore ((g^{-1}\circ f\circ g)\circ(g\circ f))(2)=9$

0979 $g\circ f=I$이므로 $f^{-1}=g$, $g^{-1}=f$, $f\circ g=I$
$\therefore (f\circ g^{-1}\circ f^{-1})(2)=(f\circ f\circ g)(2)$
$=f(2)=3\times 2-2=4$

0980 $g\circ f=I$이므로 $f^{-1}=g$, $g^{-1}=f$, $f\circ g=I$
$\therefore (g^{-1}\circ f^{-1}\circ g)(4)=(f\circ g\circ g)(4)=g(4)$
$g(4)=k$라 하면 $f(k)=4$이므로
$3k-2=4$ $\therefore k=2$
$\therefore (g^{-1}\circ f^{-1}\circ g)(4)=2$

0981 $g\circ f=I$이므로 $f^{-1}=g$, $g^{-1}=f$, $f\circ g=I$
$\therefore (g\circ f^{-1}\circ g^{-1})(1)=(g\circ g\circ f)(1)=g(1)$
$g(1)=k$라 하면 $f(k)=1$이므로
$3k-2=1$ $\therefore k=1$
$\therefore (g\circ f^{-1}\circ g^{-1})(1)=1$

0982 $g\circ f=I$이므로 $f^{-1}=g$, $g^{-1}=f$, $f\circ g=I$
$\therefore (f\circ(f\circ g)^{-1}\circ f)(-1)=(f\circ I^{-1}\circ f)(-1)$
$=(f\circ f)(-1)=f(f(-1))$
$=f(-5)=-17$

핵심 07~13 **Mini Review Test** 본문 ○ 145쪽

0983 1	**0984** $\frac{5}{2}$	**0985** 11	**0986** 7
0987 14	**0988** 22	**0989** -10	

0983 주어진 그래프에서

$$f(x)=\begin{cases} x & (x<0) \\ \frac{1}{3}x & (x\ge 0)\end{cases}$$

$(f\circ f)(-2)=f(f(-2))=f(-2)=-2$
$f^{-1}(1)=k$라 하면 $f(k)=1$이므로
$\frac{1}{3}k=1$ $\therefore k=3$
$\therefore (f\circ f)(-2)+f^{-1}(1)=-2+3=1$

0984 $f^{-1}(3)=2$에서 $f(2)=3$이므로
$2a+b=3$ …… ㉠
$(f\circ f)(2)=5$에서
$(f\circ f)(2)=f(f(2))=f(3)=5$이므로
$3a+b=5$ …… ㉡
㉠, ㉡을 연립하여 풀면 $a=2$, $b=-1$
$\therefore f(x)=2x-1$
$f^{-1}(4)=k$라 하면 $f(k)=4$이므로
$2k-1=4$ $\therefore k=\frac{5}{2}$
$\therefore f^{-1}(4)=\frac{5}{2}$

0985 $f^{-1}(3)=k$라 하면 $f(k)=3$이므로 $k=2$
$g^{-1}(4)=m$이라 하면 $g(m)=4$이므로 $m=5$
$(g\circ f)^{-1}(5)=n$이라 하면 $(g\circ f)(n)=5$이므로 $n=4$
$\therefore f^{-1}(3)+g^{-1}(4)+(g\circ f)^{-1}(5)=2+5+4=11$

0986 $g^{-1}(3)=k$라 하면 $g(k)=3$이므로
$-k+2=3$ $\therefore k=-1$
$(f\circ g^{-1})(3)=f(g^{-1}(3))=f(-1)=-2+a$
$-2+a=5$ $\therefore a=7$

0987 $f(x)=x^2+2x-3=(x+1)^2-4$
함수 f의 역함수가 존재하려면 f는 일대일대응이어야 하므로
$a\ge -1$

$x \ge -1$에서 함수 $f(x)$는 증가함수이고 공역과 치역이 같아야 하므로

$f(a)=5, f(3)=b$

$f(a)=5$에서 $a^2+2a-3=5$

$a^2+2a-8=0, (a+4)(a-2)=0$

$\therefore a=2 \ (\because a \ge -1)$

$f(3)=b$에서 $b=3^2+2\times3-3=12$

$\therefore a+b=2+12=14$

0988 $(f\circ(g\circ f)^{-1}\circ f)(x)=(f\circ f^{-1}\circ g^{-1}\circ f)(x)$

$=(g^{-1}\circ f)(x) \ (\because f\circ f^{-1}=I)$

$=g^{-1}(f(x))$

$(f\circ(g\circ f)^{-1}\circ f)(x)=x-2$에서 $g^{-1}(f(x))=x-2$

역함수의 정의에 의해 $f(x)=g(x-2)$

$x-2=3$에서 $x=5$

$\therefore g(3)=f(5)=4\times5+2=22$

0989 $((f\circ g)^{-1}\circ h)(x)=g(x)$에서

$(f\circ g)^{-1}(h(x))=x+1$

역함수의 정의에 의해 $h(x)=(f\circ g)(x+1)$

$\therefore h(2)=(f\circ g)(3)=f(g(3))=f(4)$

$=-3\times4+2=-10$

핵심 14

본문 ➔ 146쪽

0990 2, 2

0991 $y=\frac{1}{3}x-\frac{2}{3}$

0992 $y=-\frac{1}{2}x+\frac{3}{2}$

0993 $y=2x+8$

0994 $y=-\frac{1}{3}x+2$

0995 $\frac{1}{a}, \frac{1}{a}, \frac{1}{a}, \frac{1}{2}, -4$

0996 $a=-10, b=\frac{1}{2}$

0997 $a=\frac{2}{3}, b=3$

0998 -1

0991 $y=3x+2$는 실수 전체의 집합 R에서 R로의 일대일대응이므로 역함수가 존재한다.

$y=3x+2$를 x에 대하여 풀면 $x=\frac{1}{3}y-\frac{2}{3}$

x, y를 서로 바꾸면 구하는 역함수는 $y=\frac{1}{3}x-\frac{2}{3}$

0992 $y=-2x+3$은 실수 전체의 집합 R에서 R로의 일대일대응이므로 역함수가 존재한다.

$y=-2x+3$을 x에 대하여 풀면 $x=-\frac{1}{2}y+\frac{3}{2}$

x, y를 서로 바꾸면 구하는 역함수는 $y=-\frac{1}{2}x+\frac{3}{2}$

0993 $y=\frac{1}{2}x-4$는 실수 전체의 집합 R에서 R로의 일대일대응이므로 역함수가 존재한다.

$y=\frac{1}{2}x-4$를 x에 대하여 풀면 $x=2y+8$

x, y를 서로 바꾸면 구하는 역함수는 $y=2x+8$

0994 $3x+y-6=0$, 즉 $y=-3x+6$은 실수 전체의 집합 R에서 R로의 일대일대응이므로 역함수가 존재한다.

$y=-3x+6$을 x에 대하여 풀면 $x=-\frac{1}{3}y+2$

x, y를 서로 바꾸면 구하는 역함수는 $y=-\frac{1}{3}x+2$

0996 $y=2x+a$라 하고 x에 대하여 풀면 $x=\frac{1}{2}y-\frac{a}{2}$

x, y를 서로 바꾸면 $y=\frac{1}{2}x-\frac{a}{2}$

$\therefore f^{-1}(x)=\frac{1}{2}x-\frac{a}{2}$

따라서 $\frac{1}{2}x-\frac{a}{2}=bx+5$이므로 $\frac{1}{2}=b, -\frac{a}{2}=5$

$\therefore a=-10, b=\frac{1}{2}$

0997 $y=ax-2$라 하고 x에 대하여 풀면 $x=\frac{1}{a}y+\frac{2}{a}$

x, y를 서로 바꾸면 $y=\frac{1}{a}x+\frac{2}{a}$

$\therefore f^{-1}(x)=\frac{1}{a}x+\frac{2}{a}$

따라서 $\frac{1}{a}x+\frac{2}{a}=\frac{3}{2}x+b$이므로 $\frac{1}{a}=\frac{3}{2}, \frac{2}{a}=b$

$\therefore a=\frac{2}{3}, b=3$

0998 $y=ax-4$라 하고 x에 대하여 풀면 $x=\frac{1}{a}y+\frac{4}{a}$

x, y를 서로 바꾸면 $y=\frac{1}{a}x+\frac{4}{a}$

$\therefore f^{-1}(x)=\frac{1}{a}x+\frac{4}{a}$

따라서 $\frac{1}{a}x+\frac{4}{a}=ax-4$이므로 $\frac{1}{a}=a, \frac{4}{a}=-4$

$\therefore a=-1$

핵심 15

본문 ➔ 147쪽

0999 2, 2, $x+2$, $2x+7$

1000 $h(x)=-3x+7$

1001 $h(x)=-4x-3$

1002 $h(x)=-2x+11$

1003 $x+2$, 2, 2

1004 $y=\frac{1}{3}g(x)$

1005 $y=\frac{1}{2}g(x)+\frac{3}{2}$

1006 $y=2g(x)-8$

1000 $h\circ f=g$이므로 $(h\circ f)\circ f^{-1}=g\circ f^{-1}$

$\therefore h=g\circ f^{-1}$ $(\because f\circ f^{-1}=I)$

$f(x)=-x+3$에서 $y=-x+3$이라 하면 $x=3-y$

x, y를 서로 바꾸면 $y=3-x$

$\therefore f^{-1}(x)=3-x$

$\therefore h(x)=(g\circ f^{-1})(x)=g(f^{-1}(x))$

$=g(3-x)=3(3-x)-2=-3x+7$

1001 $h\circ f=g$이므로 $(h\circ f)\circ f^{-1}=g\circ f^{-1}$

$\therefore h=g\circ f^{-1}$ $(\because f\circ f^{-1}=I)$

$f(x)=\frac{1}{2}x-1$에서 $y=\frac{1}{2}x-1$이라 하면 $x=2y+2$

x, y를 서로 바꾸면 $y=2x+2$

$\therefore f^{-1}(x)=2x+2$

$\therefore h(x)=(g\circ f^{-1})(x)=g(f^{-1}(x))$

$=g(2x+2)=-2(2x+2)+1=-4x-3$

1002 $h\circ f=g$이므로 $(h\circ f)\circ f^{-1}=g\circ f^{-1}$

$\therefore h=g\circ f^{-1}$ $(\because f\circ f^{-1}=I)$

$f(x)=-2x+4$에서 $y=-2x+4$라 하면 $x=-\frac{1}{2}y+2$

x, y를 서로 바꾸면 $y=-\frac{1}{2}x+2$

$\therefore f^{-1}(x)=-\frac{1}{2}x+2$

$\therefore h(x)=(g\circ f^{-1})(x)=g(f^{-1}(x))$

$=g\left(-\frac{1}{2}x+2\right)=4\left(-\frac{1}{2}x+2\right)+3$

$=-2x+11$

1004 $f^{-1}=g$이므로 $y=f(3x)$에서 $g(y)=3x$

x에 대하여 풀면 $x=\frac{1}{3}g(y)$

x, y를 서로 바꾸면 구하는 역함수는 $y=\frac{1}{3}g(x)$

1005 $f^{-1}=g$이므로 $y=f(2x-3)$에서 $g(y)=2x-3$

x에 대하여 풀면 $x=\frac{1}{2}g(y)+\frac{3}{2}$

x, y를 서로 바꾸면 구하는 역함수는 $y=\frac{1}{2}g(x)+\frac{3}{2}$

1006 $f^{-1}=g$이므로 $y=f\left(\frac{1}{2}x+4\right)$에서 $g(y)=\frac{1}{2}x+4$

x에 대하여 풀면 $x=2g(y)-8$

x, y를 서로 바꾸면 구하는 역함수는 $y=2g(x)-8$

핵심 **16**

본문 148쪽

1007 e	**1008** e	**1009** d	**1010** e
1011 d	**1012** b	**1013** c	**1014** d
1015 a	**1016** e		

1007 $f^{-1}(d)=k$라 하면 $f(k)=d$

$\therefore k=e$ $\quad\therefore f^{-1}(d)=e$

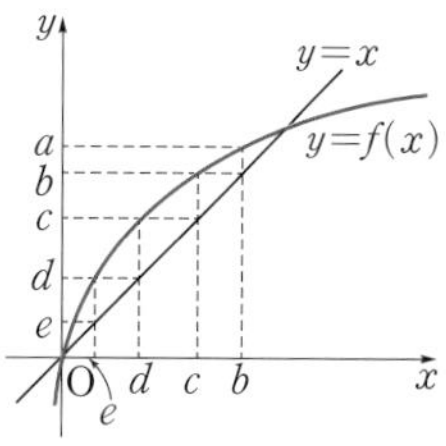

1008 $f^{-1}(c)=k$라 하면 $f(k)=c$ $\quad\therefore k=d$

$f^{-1}(d)=m$이라 하면 $f(m)=d$ $\quad\therefore m=e$

$\therefore (f^{-1}\circ f^{-1})(c)=f^{-1}(f^{-1}(c))=f^{-1}(d)=e$

1009 $f^{-1}(b)=k$라 하면 $f(k)=b$ $\quad\therefore k=c$

$f^{-1}(c)=m$이라 하면 $f(m)=c$ $\quad\therefore m=d$

$\therefore (f\circ f)^{-1}(b)=(f^{-1}\circ f^{-1})(b)=f^{-1}(f^{-1}(b))$

$=f^{-1}(c)=d$

1010 $(f^{-1}\circ f^{-1})(b)=f^{-1}(f^{-1}(b))=d$이므로

$(f^{-1}\circ f^{-1}\circ f^{-1})(b)=f^{-1}(f^{-1}(f^{-1}(b)))$

$=f^{-1}(d)=e$

1011 $f^{-1}(a)=k$라 하면 $f(k)=a$ $\quad\therefore k=b$

$\therefore (f^{-1}\circ f^{-1}\circ f^{-1})(a)=f^{-1}(f^{-1}(f^{-1}(a)))$

$=f^{-1}(f^{-1}(b))=f^{-1}(c)$

$=d$

1012 $(f^{-1}\circ f^{-1})(d)=f^{-1}(f^{-1}(d))$

$=f^{-1}(c)=b$

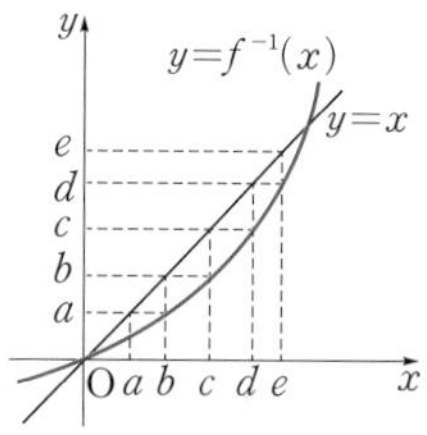

1013 $f(b)=k$라 하면 $f^{-1}(k)=b$ $\quad\therefore k=c$

$\therefore f(b)=c$

1014 $f(b)=c$이므로 $(f\circ f)(b)=f(f(b))=f(c)$

$f(c)=k$라 하면 $f^{-1}(k)=c$ $\quad\therefore k=d$

$\therefore (f\circ f)(b)=d$

1015 $((f\circ f)^{-1}\circ f)(b)=(f^{-1}\circ f^{-1}\circ f)(b)=f^{-1}(b)=a$

1016 $(f\circ f)(b)=f(f(b))=d$이므로
$(f\circ f\circ f)(b)=f(f(f(b)))=f(d)$
$f(d)=k$라 하면 $f^{-1}(k)=d$
$\therefore k=e$
$\therefore (f\circ f\circ f)(b)=e$

핵심 17 본문 ➔ 149쪽

1017 $-2,\ -3,\ 1$	**1018** $a=-\frac{3}{2},\ b=2$
1019 $a=\frac{2}{3},\ b=2$	**1020** $a=2,\ b=7$
1021 $a=-4,\ b=5$	**1022** $-2,\ -4,\ -4,\ 3,\ 2$
1023 $a=-2,\ b=4$	**1024** $a=5,\ b=-3$
1025 $a=\frac{1}{2},\ b=-2$	**1026** $a=-1,\ b=-3$

1018 $y=f(x)$의 그래프가 점 $\mathrm{P}(2,\ -1)$을 지나므로
$f(2)=-1$에서 $2a+b=-1$ …… ㉠
$y=f^{-1}(x)$의 그래프가 점 $\mathrm{Q}(5,\ -2)$를 지나므로
$f^{-1}(5)=-2$에서 $f(-2)=5,\ -2a+b=5$ …… ㉡
㉠, ㉡을 연립하여 풀면 $a=-\frac{3}{2},\ b=2$

1019 $y=f(x)$의 그래프가 점 $\mathrm{P}(-3,\ 0)$을 지나므로
$f(-3)=0$에서 $-3a+b=0$ …… ㉠
$y=f^{-1}(x)$의 그래프가 점 $\mathrm{Q}(4,\ 3)$을 지나므로
$f^{-1}(4)=3$에서 $f(3)=4,\ 3a+b=4$ …… ㉡
㉠, ㉡을 연립하여 풀면 $a=\frac{2}{3},\ b=2$

1020 $y=f(x)$의 그래프가 점 $\mathrm{P}(-1,\ 5)$를 지나므로
$f(-1)=5$에서 $-a+b=5$ …… ㉠
$y=f^{-1}(x)$의 그래프가 점 $\mathrm{Q}(3,\ -2)$를 지나므로
$f^{-1}(3)=-2$에서 $f(-2)=3,\ -2a+b=3$ …… ㉡
㉠, ㉡을 연립하여 풀면 $a=2,\ b=7$

1021 $y=f(x)$의 그래프가 점 $\mathrm{P}(-1,\ 9)$를 지나므로
$f(-1)=9$에서 $-a+b=9$ …… ㉠
$y=f^{-1}(x)$의 그래프가 점 $\mathrm{Q}(-3,\ 2)$를 지나므로
$f^{-1}(-3)=2$에서 $f(2)=-3,\ 2a+b=-3$ …… ㉡
㉠, ㉡을 연립하여 풀면 $a=-4,\ b=5$

1023 $y=f^{-1}(x)$의 그래프가 두 점 $\mathrm{P}(0,\ 2)$, $\mathrm{Q}(6,\ -1)$을 지나므로 $f^{-1}(0)=2,\ f^{-1}(6)=-1$
즉, $f(2)=0,\ f(-1)=6$이므로
$2a+b=0,\ -a+b=6$
위의 두 식을 연립하여 풀면 $a=-2,\ b=4$

1024 $y=f^{-1}(x)$의 그래프가 두 점 $\mathrm{P}(2,\ 1)$, $\mathrm{Q}(7,\ 2)$를 지나므로
$f^{-1}(2)=1,\ f^{-1}(7)=2$
즉, $f(1)=2,\ f(2)=7$이므로
$a+b=2,\ 2a+b=7$
위의 두 식을 연립하여 풀면 $a=5,\ b=-3$

1025 $y=f^{-1}(x)$의 그래프가 두 점 $\mathrm{P}(-3,\ -2)$, $\mathrm{Q}(1,\ 6)$을 지나므로 $f^{-1}(-3)=-2,\ f^{-1}(1)=6$
즉, $f(-2)=-3,\ f(6)=1$이므로
$-2a+b=-3,\ 6a+b=1$
위의 두 식을 연립하여 풀면 $a=\frac{1}{2},\ b=-2$

1026 $y=f(x)$의 그래프가 점 $\mathrm{P}(-2,\ 4)$를 지나므로
$f(-2)=4$에서 $-2a+2=4$ $\quad\therefore a=-1$
$\therefore f(x)=-x+2$
$y=f^{-1}(x)$의 그래프가 점 $\mathrm{Q}(5,\ b)$를 지나므로
$f^{-1}(5)=b$에서 $f(b)=5$
$-b+2=5$ $\quad\therefore b=-3$

핵심 18 본문 ➔ 150쪽

1027 $x,\ 2,\ 2,\ 2$	**1028** $(-3,\ -3)$
1029 $(-1,\ -1)$	**1030** $(2,\ 2)$
1031 $(3,\ 3)$	**1032** $x,\ 3,\ 3,\ 3$
1033 $(4,\ 4)$	**1034** $(1,\ 1),\ (2,\ 2)$
1035 $(1,\ 1),\ (3,\ 3)$	**1036** $\sqrt{2}$

1028 $2x+3=x$ $\quad\therefore x=-3$
따라서 구하는 교점의 좌표는 $(-3,\ -3)$이다.

1029 $-2x-3=x$ $\quad\therefore x=-1$
따라서 구하는 교점의 좌표는 $(-1,\ -1)$이다.

1030 $3x-4=x$ $\quad\therefore x=2$
따라서 구하는 교점의 좌표는 $(2,\ 2)$이다.

1031 $\frac{1}{3}x+2=x \qquad \therefore x=3$

따라서 구하는 교점의 좌표는 $(3, 3)$이다.

1033 $x^2-12=x,\ x^2-x-12=0$

$(x+3)(x-4)=0 \qquad \therefore x=4\ (\because x \geq 0)$

따라서 구하는 교점의 좌표는 $(4, 4)$이다.

1034 $x^2-2x+2=x,\ x^2-3x+2=0$

$(x-1)(x-2)=0 \qquad \therefore x=1$ 또는 $x=2$

따라서 구하는 교점의 좌표는 $(1, 1), (2, 2)$이다.

1035 $\frac{1}{2}x^2-x+\frac{3}{2}=x,\ x^2-4x+3=0$

$(x-1)(x-3)=0 \qquad \therefore x=1$ 또는 $x=3$

따라서 구하는 교점의 좌표는 $(1, 1), (3, 3)$이다.

1036 $\frac{1}{3}x^2+\frac{2}{3}=x,\ x^2-3x+2=0$

$(x-1)(x-2)=0 \qquad \therefore x=1$ 또는 $x=2$

따라서 교점의 좌표는 $(1, 1), (2, 2)$이므로 두 교점 사이의 거리는

$\sqrt{(2-1)^2+(2-1)^2}=\sqrt{2}$

핵심 14~18 Mini Review Test 본문 ◯ 151쪽

1037 $a=8,\ b=\frac{1}{2}$ 1038 $f(2x+1)=4x-2$

1039 a 1040 $a-c$ 1041 $a=\frac{1}{3},\ b=1$ 1042 $\sqrt{2}$

1037 $f(x)=2x+a$에서 $y=2x+a$라 하면 $2x=y-a$

$\therefore x=\frac{1}{2}y-\frac{a}{2}$

x, y를 서로 바꾸면 $y=\frac{1}{2}x-\frac{a}{2}$

$\therefore f^{-1}(x)=\frac{1}{2}x-\frac{a}{2}$

따라서 $\frac{1}{2}x-\frac{a}{2}=bx-4$이므로 $\frac{1}{2}=b,\ \frac{a}{2}=4$

$\therefore a=8,\ b=\frac{1}{2}$

1038 $(f^{-1})^{-1}=f$이므로

$y=\frac{1}{2}x+2$라 하면 $\frac{1}{2}x=y-2$

$\therefore x=2y-4$

x와 y를 서로 바꾸면 $y=2x-4$

$\therefore f(x)=2x-4$

$\therefore f(2x+1)=2(2x+1)-4=4x-2$

1039 $g\left(\frac{1}{2}\right)=k$라 하면 $f(k)=\frac{1}{2}$

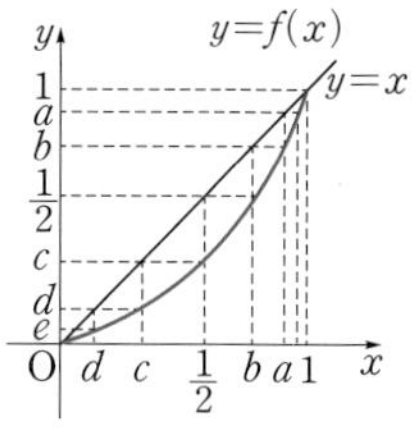

$\therefore k=b$

$g(b)=m$이라 하면 $f(m)=b$

$\therefore m=a$

$\therefore (g\circ g)\left(\frac{1}{2}\right)=g\left(g\left(\frac{1}{2}\right)\right)$

$=g(b)=a$

1040 오른쪽 그래프에서 $f(b)=-c$

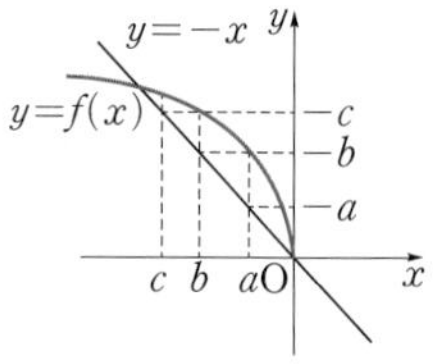

$g^{-1}(c)=k$라 하면 $g(k)=c$

$y=g(x)$의 그래프는 $y=f(x)$의 그래프와 원점에 대하여 대칭이고

$f(b)=-c$이므로

$g(-b)=c$

$\therefore k=-b$

$f^{-1}(-b)=m$이라 하면 $f(m)=-b$

$\therefore m=a$

$\therefore (f^{-1}\circ g^{-1})(c)=f^{-1}(g^{-1}(c))=f^{-1}(-b)=a$

$\therefore f(b)+(f^{-1}\circ g^{-1})(c)=a-c$

1041 $y=f^{-1}(x)$의 그래프가 두 점 $\mathrm{P}(-1, 3)$, $\mathrm{Q}(b, 9)$를 지나므로 $f^{-1}(-1)=3,\ f^{-1}(b)=9$

즉, $f(3)=-1,\ f(9)=b$이므로

$3a-2=-1,\ 9a-2=b$

위의 두 식을 연립하여 풀면 $a=\frac{1}{3},\ b=1$

1042 함수 $y=f(x)$의 그래프와 그 역함수 $y=f^{-1}(x)$의 그래프의 교점은 함수 $y=f(x)$의 그래프와 직선 $y=x$의 교점과 같으므로

$-x^2+4x-2=x,\ x^2-3x+2=0$

$(x-1)(x-2)=0 \qquad \therefore x=1$ 또는 $x=2$

따라서 교점의 좌표는 $(1, 1), (2, 2)$이므로 두 교점 사이의 거리는

$\sqrt{(2-1)^2+(2-1)^2}=\sqrt{2}$

7. 유리함수

핵심 01 본문 ➔ 155쪽

1043 $x+1,\ 3x+4$

1044 $\dfrac{5x+13}{(x+2)(x+3)}$

1045 $\dfrac{2x+7}{x+3}$

1046 $\dfrac{-2x+2}{2x+1}$

1047 $\dfrac{-x-6}{(x+2)(x-2)}$

1048 $\dfrac{2x+1}{x(x-1)}$

1049 $\dfrac{3x+4}{(x+1)(x+2)}$

1050 $\dfrac{x+2}{x(x-1)}$

1051 $\dfrac{2}{(x-1)(x-2)}$

1052 $\dfrac{1}{x-1}$

1044 $\dfrac{2}{x+3}+\dfrac{3}{x+2}=\dfrac{2(x+2)+3(x+3)}{(x+3)(x+2)}$
$=\dfrac{5x+13}{(x+2)(x+3)}$

1045 $\dfrac{1}{x+3}+2=\dfrac{1+2(x+3)}{x+3}=\dfrac{2x+7}{x+3}$

1046 $\dfrac{3}{2x+1}-1=\dfrac{3-(2x+1)}{2x+1}=\dfrac{-2x+2}{2x+1}$

1047 $\dfrac{1}{x+2}-\dfrac{2}{x-2}=\dfrac{(x-2)-2(x+2)}{(x+2)(x-2)}$
$=\dfrac{-x-6}{(x+2)(x-2)}$

1048 $\dfrac{1}{x(x-1)}+\dfrac{2}{x-1}=\dfrac{2x+1}{x(x-1)}$

1049 $\dfrac{x+2}{x+1}-\dfrac{x}{x+2}=\dfrac{(x+2)^2-x(x+1)}{(x+1)(x+2)}$
$=\dfrac{3x+4}{(x+1)(x+2)}$

1050 $\dfrac{x+5}{x^2-1}-\dfrac{2}{x^2+x}=\dfrac{x+5}{(x+1)(x-1)}-\dfrac{2}{x(x+1)}$
$=\dfrac{x(x+5)-2(x-1)}{x(x+1)(x-1)}$
$=\dfrac{x^2+3x+2}{x(x+1)(x-1)}=\dfrac{(x+1)(x+2)}{x(x+1)(x-1)}$
$=\dfrac{x+2}{x(x-1)}$

1051 $\dfrac{x+4}{x^2-x-2}-\dfrac{x+3}{x^2-1}=\dfrac{x+4}{(x+1)(x-2)}-\dfrac{x+3}{(x+1)(x-1)}$
$=\dfrac{(x+4)(x-1)-(x+3)(x-2)}{(x+1)(x-1)(x-2)}$
$=\dfrac{2x+2}{(x+1)(x-1)(x-2)}$
$=\dfrac{2(x+1)}{(x+1)(x-1)(x-2)}$
$=\dfrac{2}{(x-1)(x-2)}$

1052 $\dfrac{2}{x+1}-\dfrac{x-3}{x^2-1}=\dfrac{2}{x+1}-\dfrac{x-3}{(x+1)(x-1)}$
$=\dfrac{2(x-1)-(x-3)}{(x+1)(x-1)}$
$=\dfrac{x+1}{(x+1)(x-1)}=\dfrac{1}{x-1}$

핵심 02 본문 ➔ 156쪽

1053 $\dfrac{x+2}{x^2}$

1054 $\dfrac{1}{(x+1)^2}$

1055 $\dfrac{2}{(x+2)(2x+1)}$

1056 $\dfrac{x-2}{x-1}$

1057 $\dfrac{2(x+3)}{x(x+2)}$

1058 $\dfrac{x+4}{(x+2)(x-1)}$

1059 $\dfrac{x+4}{x-3}$

1060 $\dfrac{x}{3(x+1)}$

1061 $\dfrac{x-4}{(x+1)(x-2)}$

1062 1

1053 $\dfrac{x+2}{x^2-3x}\times\dfrac{x-3}{x}=\dfrac{x+2}{x(x-3)}\times\dfrac{x-3}{x}=\dfrac{x+2}{x^2}$

1054 $\dfrac{x}{x^2-1}\times\dfrac{x-1}{x^2+x}=\dfrac{x}{(x+1)(x-1)}\times\dfrac{x-1}{x(x+1)}$
$=\dfrac{1}{(x+1)^2}$

1055 $\dfrac{2x}{x^2-4}\times\dfrac{x-2}{2x^2+x}=\dfrac{2x}{(x+2)(x-2)}\times\dfrac{x-2}{x(2x+1)}$
$=\dfrac{2}{(x+2)(2x+1)}$

1056 $\dfrac{x^2-x-2}{x^2+2x-3}\times\dfrac{x+3}{x+1}=\dfrac{(x+1)(x-2)}{(x+3)(x-1)}\times\dfrac{x+3}{x+1}$
$=\dfrac{x-2}{x-1}$

1057 $\frac{2x+4}{x^2-3x}\times\frac{x^2-9}{x^2+4x+4}=\frac{2(x+2)}{x(x-3)}\times\frac{(x+3)(x-3)}{(x+2)^2}$

$=\frac{2(x+3)}{x(x+2)}$

1058 $\frac{x-3}{x+2}\div\frac{x^2-4x+3}{x+4}=\frac{x-3}{x+2}\times\frac{x+4}{x^2-4x+3}$

$=\frac{x-3}{x+2}\times\frac{x+4}{(x-1)(x-3)}$

$=\frac{x+4}{(x+2)(x-1)}$

1059 $\frac{x+2}{x-4}\div\frac{x^2-x-6}{x^2-16}=\frac{x+2}{x-4}\times\frac{x^2-16}{x^2-x-6}$

$=\frac{x+2}{x-4}\times\frac{(x+4)(x-4)}{(x+2)(x-3)}$

$=\frac{x+4}{x-3}$

1060 $\frac{x-2}{x^2-1}\div\frac{3x-6}{x^2-x}=\frac{x-2}{x^2-1}\times\frac{x^2-x}{3x-6}$

$=\frac{x-2}{(x+1)(x-1)}\times\frac{x(x-1)}{3(x-2)}$

$=\frac{x}{3(x+1)}$

1061 $\frac{x+3}{x^2-3x+2}\div\frac{x^2+4x+3}{x^2-5x+4}$

$=\frac{x+3}{x^2-3x+2}\times\frac{x^2-5x+4}{x^2+4x+3}$

$=\frac{x+3}{(x-1)(x-2)}\times\frac{(x-1)(x-4)}{(x+1)(x+3)}$

$=\frac{x-4}{(x+1)(x-2)}$

1062 $\frac{x^2+4x+3}{x^2-x-2}\div\frac{x^2+2x-3}{x^2-3x+2}$

$=\frac{x^2+4x+3}{x^2-x-2}\times\frac{x^2-3x+2}{x^2+2x-3}$

$=\frac{(x+3)(x+1)}{(x+1)(x-2)}\times\frac{(x-1)(x-2)}{(x+3)(x-1)}=1$

핵심 **03** 본문 157쪽

1063 $x+1$, 4, 4, 4, 3, 4
1064 $a=-1$, $b=-5$
1065 $a=0$, $b=2$
1066 $a=6$, $b=-6$
1067 $a=-5$, $b=7$
1068 $a=2$, $b=8$
1069 $a=-2$, $b=2$
1070 $a=1$, $b=-1$

1064 $\frac{1}{x+2}-\frac{2}{x-1}=\frac{(x-1)-2(x+2)}{(x+2)(x-1)}=\frac{-x-5}{x^2+x-2}$

따라서 주어진 등식은 $\frac{-x-5}{x^2+x-2}=\frac{ax+b}{x^2+x-2}$이므로

$-x-5=ax+b$

이 식이 x에 대한 항등식이므로 $a=-1$, $b=-5$

1065 $\frac{1}{2x-1}-\frac{1}{2x+1}=\frac{(2x+1)-(2x-1)}{(2x-1)(2x+1)}$

$=\frac{2}{(2x-1)(2x+1)}$

$=\frac{2}{4x^2-1}$

따라서 주어진 등식은 $\frac{2}{4x^2-1}=\frac{ax+b}{4x^2-1}$이므로

$2=ax+b$

이 식이 x에 대한 항등식이므로 $a=0$, $b=2$

1066 $\frac{2}{2x-1}+\frac{2}{x-2}=\frac{2(x-2)+2(2x-1)}{(2x-1)(x-2)}$

$=\frac{6x-6}{(2x-1)(x-2)}$

$=\frac{6x-6}{2x^2-5x+2}$

따라서 주어진 등식은 $\frac{6x-6}{2x^2-5x+2}=\frac{ax+b}{2x^2-5x+2}$이므로

$6x-6=ax+b$

이 식이 x에 대한 항등식이므로 $a=6$, $b=-6$

1067 $\frac{a}{x+1}+\frac{bx-2}{x^2-1}=\frac{a(x-1)+bx-2}{(x+1)(x-1)}$

$=\frac{(a+b)x-a-2}{x^2-1}$

따라서 주어진 등식은 $\frac{(a+b)x-a-2}{x^2-1}=\frac{2x+3}{x^2-1}$이므로

$(a+b)x-a-2=2x+3$

이 식이 x에 대한 항등식이므로

$a+b=2$, $-a-2=3$

$\therefore a=-5$, $b=7$

1068 $\frac{a}{x-2}-\frac{2x}{x^2+2x+4}=\frac{a(x^2+2x+4)-2x(x-2)}{(x-2)(x^2+2x+4)}$

$=\frac{(a-2)x^2+(2a+4)x+4a}{x^3-8}$

따라서 주어진 등식은

$\frac{(a-2)x^2+(2a+4)x+4a}{x^3-8}=\frac{8x+b}{x^3-8}$이므로

$(a-2)x^2+(2a+4)x+4a=8x+b$

이 식이 x에 대한 항등식이므로

$a-2=0,\ 2a+4=8,\ 4a=b$

$\therefore a=2,\ b=8$

1069 $\frac{a}{x^2+2x}+\frac{2x-1}{x^2+3x+2}=\frac{a}{x(x+2)}+\frac{2x-1}{(x+1)(x+2)}$

$=\frac{a(x+1)+x(2x-1)}{x(x+1)(x+2)}$

$=\frac{2x^2+(a-1)x+a}{x^3+3x^2+2x}$

따라서 주어진 등식은

$\frac{2x^2+(a-1)x+a}{x^3+3x^2+2x}=\frac{bx^2-3x+a}{x^3+3x^2+2x}$이므로

$2x^2+(a-1)x+a=bx^2-3x+a$

이 식이 x에 대한 항등식이므로 $2=b,\ a-1=-3$

$\therefore a=-2,\ b=2$

1070 $\frac{a}{x-1}+\frac{bx+a}{x^2+x+1}=\frac{a(x^2+x+1)+(x-1)(bx+a)}{(x-1)(x^2+x+1)}$

$=\frac{(a+b)x^2+(2a-b)x}{x^3-1}$

따라서 주어진 등식은 $\frac{(a+b)x^2+(2a-b)x}{x^3-1}=\frac{3x}{x^3-1}$이므로

$(a+b)x^2+(2a-b)x=3x$

이 식이 x에 대한 항등식이므로 $a+b=0,\ 2a-b=3$

위의 두 식을 연립하여 풀면 $a=1,\ b=-1$

핵심 04 본문 158쪽

1071 $a=2,\ b=2$ **1072** $a=3,\ b=2$

1073 $a=\frac{1}{4},\ b=-\frac{1}{4}$ **1074** $a=\frac{1}{2},\ b=-\frac{1}{2}$

1075 $a=-1,\ b=3$ **1076** $a=-1,\ b=1$

1077 $a=1,\ b=-1$ **1078** $a=3,\ b=5$

1079 $a=3,\ b=6$

1071 $\frac{1}{x(x+2)}=\frac{1}{(x+2)-x}\left(\frac{1}{x}-\frac{1}{x+2}\right)$

$=\frac{1}{2}\left(\frac{1}{x}-\frac{1}{x+2}\right)$

따라서 $\frac{1}{2}\left(\frac{1}{x}-\frac{1}{x+2}\right)=\frac{1}{a}\left(\frac{1}{x}-\frac{1}{x+b}\right)$이고

이 식이 x에 대한 항등식이므로 $a=2,\ b=2$

1072 $\frac{1}{(x-1)(x+2)}=\frac{1}{(x+2)-(x-1)}\left(\frac{1}{x-1}-\frac{1}{x+2}\right)$

$=\frac{1}{3}\left(\frac{1}{x-1}-\frac{1}{x+2}\right)$

따라서 $\frac{1}{3}\left(\frac{1}{x-1}-\frac{1}{x+2}\right)=\frac{1}{a}\left(\frac{1}{x-1}-\frac{1}{x+b}\right)$이고

이 식이 x에 대한 항등식이므로 $a=3,\ b=2$

1073 $\frac{1}{x^2-4}=\frac{1}{(x-2)(x+2)}$

$=\frac{1}{(x+2)-(x-2)}\left(\frac{1}{x-2}-\frac{1}{x+2}\right)$

$=\frac{1}{4}\left(\frac{1}{x-2}-\frac{1}{x+2}\right)$

$=\frac{1}{4(x-2)}-\frac{1}{4(x+2)}$

따라서 $\frac{1}{4(x-2)}-\frac{1}{4(x+2)}=\frac{a}{x-2}+\frac{b}{x+2}$이고

이 식이 x에 대한 항등식이므로 $a=\frac{1}{4},\ b=-\frac{1}{4}$

1074 $\frac{1}{(2x+1)(2x+3)}$

$=\frac{1}{(2x+3)-(2x+1)}\left(\frac{1}{2x+1}-\frac{1}{2x+3}\right)$

$=\frac{1}{2}\left(\frac{1}{2x+1}-\frac{1}{2x+3}\right)$

$=\frac{1}{2(2x+1)}-\frac{1}{2(2x+3)}$

따라서 $\frac{1}{2(2x+1)}-\frac{1}{2(2x+3)}=\frac{a}{2x+1}+\frac{b}{2x+3}$이고

이 식이 x에 대한 항등식이므로 $a=\frac{1}{2},\ b=-\frac{1}{2}$

1075 $\frac{1}{(x+1)(x+2)}+\frac{1}{(x+2)(x+3)}$

$=\left(\frac{1}{x+1}-\frac{1}{x+2}\right)+\left(\frac{1}{x+2}-\frac{1}{x+3}\right)$

$=\frac{1}{x+1}-\frac{1}{x+3}$

따라서 $\frac{1}{x+1}-\frac{1}{x+3}=\frac{1}{x+1}+\frac{a}{x+b}$이고

이 식이 x에 대한 항등식이므로 $a=-1,\ b=3$

1076 $\frac{2}{(x+1)(x-1)}+\frac{3}{(x+1)(x+4)}$

$=\frac{2}{(x+1)-(x-1)}\left(\frac{1}{x-1}-\frac{1}{x+1}\right)$

$+\frac{3}{(x+4)-(x+1)}\left(\frac{1}{x+1}-\frac{1}{x+4}\right)$

$=\left(\frac{1}{x-1}-\frac{1}{x+1}\right)+\left(\frac{1}{x+1}-\frac{1}{x+4}\right)$

$=\frac{1}{x-1}-\frac{1}{x+4}$

따라서 $\frac{1}{x-1}-\frac{1}{x+4}=\frac{1}{x+a}-\frac{b}{x+4}$이고

이 식이 x에 대한 항등식이므로 $a=-1$, $b=1$

1077 $\frac{1}{(x-1)x}+\frac{1}{x(x+1)}+\frac{1}{(x+1)(x+2)}$

$=\left(\frac{1}{x-1}-\frac{1}{x}\right)+\left(\frac{1}{x}-\frac{1}{x+1}\right)+\left(\frac{1}{x+1}-\frac{1}{x+2}\right)$

$=\frac{1}{x-1}-\frac{1}{x+2}$

따라서 $\frac{1}{x-1}-\frac{1}{x+2}=\frac{a}{x-1}+\frac{b}{x+2}$이고

이 식이 x에 대한 항등식이므로 $a=1$, $b=-1$

1078 $\frac{1}{(2x-1)(2x+1)}+\frac{1}{(2x+1)(2x+3)}+\frac{1}{(2x+3)(2x+5)}$

$=\frac{1}{2}\left(\frac{1}{2x-1}-\frac{1}{2x+1}\right)+\frac{1}{2}\left(\frac{1}{2x+1}-\frac{1}{2x+3}\right)$

$+\frac{1}{2}\left(\frac{1}{2x+3}-\frac{1}{2x+5}\right)$

$=\frac{1}{2}\left(\frac{1}{2x-1}-\frac{1}{2x+5}\right)$

$=\frac{1}{2}\times\frac{(2x+5)-(2x-1)}{(2x-1)(2x+5)}$

$=\frac{3}{(2x-1)(2x+5)}$

따라서 $\frac{3}{(2x-1)(2x+5)}=\frac{a}{(2x-1)(2x+b)}$이고

이 식이 x에 대한 항등식이므로 $a=3$, $b=5$

1079 $\frac{1}{x(x+2)}+\frac{1}{(x+2)(x+4)}+\frac{1}{(x+4)(x+6)}$

$=\frac{1}{2}\left(\frac{1}{x}-\frac{1}{x+2}\right)+\frac{1}{2}\left(\frac{1}{x+2}-\frac{1}{x+4}\right)$

$+\frac{1}{2}\left(\frac{1}{x+4}-\frac{1}{x+6}\right)$

$=\frac{1}{2}\left(\frac{1}{x}-\frac{1}{x+6}\right)$

$=\frac{1}{2}\times\frac{(x+6)-x}{x(x+6)}$

$=\frac{3}{x^2+6x}$

따라서 $\frac{3}{x^2+6x}=\frac{a}{x^2+bx}$이고

이 식이 x에 대한 항등식이므로 $a=3$, $b=6$

핵심 05

본문 ◯ 159쪽

1080 5 **1081** 5 **1082** $\frac{13}{6}$ **1083** $\frac{1}{2}$

1084 $\frac{20}{9}$ **1085** $\frac{26}{29}$ **1086** $2k$, $3k$, 13

1087 $\frac{5}{6}$ **1088** k, $3k$, $2k$, 25 **1089** $\frac{4}{3}$

1080 $x=2k$, $y=3k$ $(k\neq0)$로 놓으면

$\frac{2y}{x}+\frac{3x}{y}=\frac{6k}{2k}+\frac{6k}{3k}=3+2=5$

1081 $x=2k$, $y=3k$ $(k\neq0)$로 놓으면

$\frac{8x+3y}{x+y}=\frac{16k+9k}{2k+3k}=\frac{25k}{5k}=5$

1082 $x=2k$, $y=3k$ $(k\neq0)$로 놓으면

$\frac{x^2+y^2}{xy}=\frac{4k^2+9k^2}{6k^2}=\frac{13k^2}{6k^2}=\frac{13}{6}$

1083 $x=2k$, $y=3k$, $z=4k$ $(k\neq0)$로 놓으면

$\frac{2x+y}{4z-x}=\frac{4k+3k}{16k-2k}=\frac{7k}{14k}=\frac{1}{2}$

1084 $x=2k$, $y=3k$, $z=4k$ $(k\neq0)$로 놓으면

$\frac{x+2y+3z}{x+y+z}=\frac{2k+6k+12k}{2k+3k+4k}=\frac{20k}{9k}=\frac{20}{9}$

1085 $x=2k$, $y=3k$, $z=4k$ $(k\neq0)$로 놓으면

$\frac{xy+yz+zx}{x^2+y^2+z^2}=\frac{6k^2+12k^2+8k^2}{4k^2+9k^2+16k^2}=\frac{26k^2}{29k^2}=\frac{26}{29}$

1087 $x=2k$, $y=3k$ $(k\neq0)$이므로

$\frac{2x^2+xy-y^2}{xy}=\frac{8k^2+6k^2-9k^2}{6k^2}=\frac{5k^2}{6k^2}=\frac{5}{6}$

1089 $x=k$, $y=3k$, $z=2k$ $(k\neq0)$이므로

$\frac{(x+y-z)^3}{xyz}=\frac{(k+3k-2k)^3}{k\times3k\times2k}=\frac{8k^3}{6k^3}=\frac{4}{3}$

핵심 **06** 본문 ◎ 160쪽

1090 8 **1091** 12 **1092** $\frac{5}{6}$ **1093** 4

1094 $\frac{7}{8}$ **1095** $\frac{7}{6}$ **1096** $3k,\ 2k,\ 4k,\ 11$

1097 $\frac{3}{4}$ **1098** $\frac{9}{8}$ **1099** 3

1090 $\frac{x}{3}=\frac{y}{2}=k\ (k\neq0)$로 놓으면 $x=3k,\ y=2k$이므로

$\frac{3y}{x}+\frac{4x}{y}=\frac{6k}{3k}+\frac{12k}{2k}=2+6=8$

1091 $x=3k,\ y=2k\ (k\neq0)$이므로

$\frac{2x+3y}{2y-x}=\frac{6k+6k}{4k-3k}=\frac{12k}{k}=12$

1092 $x=3k,\ y=2k\ (k\neq0)$이므로

$\frac{x^2-y^2}{xy}=\frac{9k^2-4k^2}{6k^2}=\frac{5k^2}{6k^2}=\frac{5}{6}$

1093 $x=\frac{y}{3}=\frac{z}{2}=k\ (k\neq0)$로 놓으면

$x=k,\ y=3k,\ z=2k$이므로

$\frac{y}{x}+\frac{3z}{y}-\frac{2x}{z}=\frac{3k}{k}+\frac{6k}{3k}-\frac{2k}{2k}=3+2-1=4$

1094 $x=k,\ y=3k,\ z=2k\ (k\neq0)$이므로

$\frac{2x+y+z}{x+3y-z}=\frac{2k+3k+2k}{k+9k-2k}=\frac{7k}{8k}=\frac{7}{8}$

1095 $x=k,\ y=3k,\ z=2k\ (k\neq0)$이므로

$\frac{xy+yz-zx}{x^2+y^2-z^2}=\frac{3k^2+6k^2-2k^2}{k^2+9k^2-4k^2}=\frac{7k^2}{6k^2}=\frac{7}{6}$

1097 $x=3k,\ y=2k,\ z=4k\ (k\neq0)$이므로

$\frac{x^2-4y^2+z^2}{zx}=\frac{9k^2-16k^2+16k^2}{12k^2}=\frac{9k^2}{12k^2}=\frac{3}{4}$

1098 $x=3k,\ y=2k,\ z=4k\ (k\neq0)$이므로

$\frac{(2z-x-y)^3}{xyz}=\frac{(8k-3k-2k)^3}{3k\times2k\times4k}=\frac{27k^3}{24k^3}=\frac{9}{8}$

1099 $\frac{4x-3y}{2x-y}=\frac{5}{3}$에서

$(4x-3y):(2x-y)=5:3$이므로

$4x-3y=5k,\ 2x-y=3k\ (k\neq0)$로 놓을 수 있다.

위의 두 식을 연립하여 풀면 $x=2k,\ y=k$

$\therefore\ \frac{2x^2+y^2}{x^2-y^2}=\frac{8k^2+k^2}{4k^2-k^2}=\frac{9k^2}{3k^2}=3$

다른 해설

$\frac{4x-3y}{2x-y}=\frac{5}{3}$에서

$12x-9y=10x-5y$이므로 $x=2y$ …… ㉠

㉠을 주어진 식에 대입하면

$\frac{2x^2+y^2}{x^2-y^2}=\frac{2\times(2y)^2+y^2}{(2y)^2-y^2}=\frac{9y^2}{3y^2}=3$

핵심 01~06 **Mini Review Test** 본문 ◎ 161쪽

1100 $-\frac{x-y}{x+y}$ **1101** 4

1102 4 **1103** $a=1,\ b=-1,\ c=1$

1104 7 **1105** 16

1106 $\frac{13}{6}$ **1107** $\frac{4}{5}$

1100 $\frac{2xy}{x^2-y^2}-\frac{x}{x+y}+\frac{y}{y-x}$

$=\frac{2xy}{(x+y)(x-y)}-\frac{x}{x+y}-\frac{y}{x-y}$

$=\frac{2xy-x(x-y)-y(x+y)}{(x+y)(x-y)}$

$=\frac{2xy-x^2+xy-xy-y^2}{(x+y)(x-y)}$

$=\frac{2xy-x^2-y^2}{(x+y)(x-y)}$

$=\frac{-(x-y)^2}{(x+y)(x-y)}$

$=-\frac{x-y}{x+y}$

1101 $\frac{x+a}{x^2+x-6}\times\frac{x+3}{x^2+x}$

$=\frac{x+a}{(x+3)(x-2)}\times\frac{x+3}{x(x+1)}$

$=\frac{x+a}{x(x-2)(x+1)}$

따라서 $\frac{x+a}{x(x-2)(x+1)}=\frac{1}{x(x+b)}$이고

이 식이 x에 대한 항등식이므로

$a=1,\ b=-2$ 또는 $a=-2,\ b=1$

그런데 $a>b$이므로 $a=1,\ b=-2$

$\therefore\ 2a-b=2\times1-(-2)=4$

1102 $\frac{a}{x^2-x-2}+\frac{b}{x^2+3x+2}$

$=\frac{a}{(x+1)(x-2)}+\frac{b}{(x+1)(x+2)}$

$=\frac{a(x+2)+b(x-2)}{(x-2)(x+1)(x+2)}$

$=\frac{(a+b)x+2a-2b}{(x-2)(x+1)(x+2)}$

따라서 $\frac{(a+b)x+2a-2b}{(x-2)(x+1)(x+2)}=\frac{5x+6}{(x-2)(x+1)(x+2)}$

이므로

$(a+b)x+2a-2b=5x+6$

이 식이 x에 대한 항등식이므로

$a+b=5,\ 2a-2b=6$

위의 두 식을 연립하여 풀면 $a=4,\ b=1$

$\therefore\ ab=4\times1=4$

1103 $\frac{a}{x}+\frac{b}{x+1}+\frac{c}{(x+1)^2}$

$=\frac{a(x+1)^2+bx(x+1)+cx}{x(x+1)^2}$

$=\frac{(a+b)x^2+(2a+b+c)x+a}{x(x+1)^2}$

따라서 $\frac{(a+b)x^2+(2a+b+c)x+a}{x(x+1)^2}=\frac{2x+1}{x(x+1)^2}$ 이므로

$(a+b)x^2+(2a+b+c)x+a=2x+1$

이 식이 x에 대한 항등식이므로

$a+b=0,\ 2a+b+c=2,\ a=1$

$\therefore\ a=1,\ b=-1,\ c=1$

1104 $\frac{1}{x^2+4x+3}+\frac{1}{x^2+8x+15}$

$=\frac{1}{(x+1)(x+3)}+\frac{1}{(x+3)(x+5)}$

$=\frac{1}{2}\left(\frac{1}{x+1}-\frac{1}{x+3}\right)+\frac{1}{2}\left(\frac{1}{x+3}-\frac{1}{x+5}\right)$

$=\frac{1}{2}\left(\frac{1}{x+1}-\frac{1}{x+5}\right)$

$=\frac{1}{2}\times\frac{(x+5)-(x+1)}{(x+1)(x+5)}$

$=\frac{2}{x^2+6x+5}$

따라서 $\frac{2}{x^2+6x+5}=\frac{a}{x^2+6x+b}$이고

이 식이 x에 대한 항등식이므로 $a=2,\ b=5$

$\therefore\ a+b=2+5=7$

다른 해설

$\frac{1}{x^2+4x+3}+\frac{1}{x^2+8x+15}$

$=\frac{1}{(x+1)(x+3)}+\frac{1}{(x+3)(x+5)}$

$=\frac{(x+5)+(x+1)}{(x+1)(x+3)(x+5)}$

$=\frac{2(x+3)}{(x+1)(x+3)(x+5)}$

$=\frac{2}{(x+1)(x+5)}$

$=\frac{2}{x^2+6x+5}$

따라서 $\frac{2}{x^2+6x+5}=\frac{a}{x^2+6x+b}$이고

이 식이 x에 대한 항등식이므로 $a=2,\ b=5$

$\therefore\ a+b=2+5=7$

1105 $\frac{1}{x(x+3)}+\frac{1}{(x+3)(x+6)}+\frac{1}{(x+6)(x+9)}+\frac{1}{(x+9)(x+12)}$

$=\frac{1}{3}\left(\frac{1}{x}-\frac{1}{x+3}\right)+\frac{1}{3}\left(\frac{1}{x+3}-\frac{1}{x+6}\right)+\frac{1}{3}\left(\frac{1}{x+6}-\frac{1}{x+9}\right)+\frac{1}{3}\left(\frac{1}{x+9}-\frac{1}{x+12}\right)$

$=\frac{1}{3}\left(\frac{1}{x}-\frac{1}{x+12}\right)$

$=\frac{1}{3}\times\frac{(x+12)-x}{x(x+12)}$

$=\frac{4}{x^2+12x}$

따라서 $\frac{4}{x^2+12x}=\frac{a}{x^2+bx}$이고

이 식이 x에 대한 항등식이므로 $a=4,\ b=12$

$\therefore\ a+b=4+12=16$

1106 $x:y=3:6$이고 $y:z=6:4$이므로

$x:y:z=3:6:4$

$x=3k,\ y=6k,\ z=4k\ (k\neq0)$로 놓으면

$\frac{(x+y)^2-z^2}{xy+zx}=\frac{(3k+6k)^2-(4k)^2}{3k\times6k+4k\times3k}=\frac{65k^2}{30k^2}=\frac{13}{6}$

1107 $x-2y=\frac{3x-7y}{2}=k\ (k\neq0)$로 놓으면

$x-2y=k,\ 3x-7y=2k$

위의 두 식을 연립하여 풀면 $x=3k,\ y=k$

$\therefore\ \frac{x^2-y^2}{x^2+y^2}=\frac{9k^2-k^2}{9k^2+k^2}=\frac{8k^2}{10k^2}=\frac{4}{5}$

핵심 07

본문 ○ 162쪽

1108~1113 풀이 참조

1108

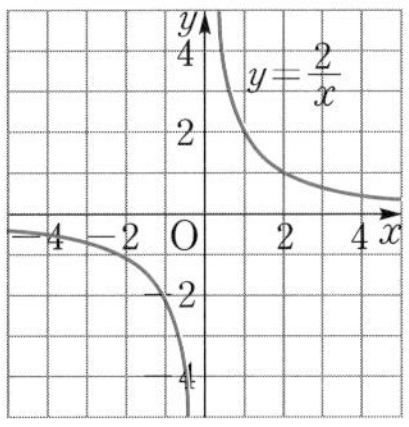

1109

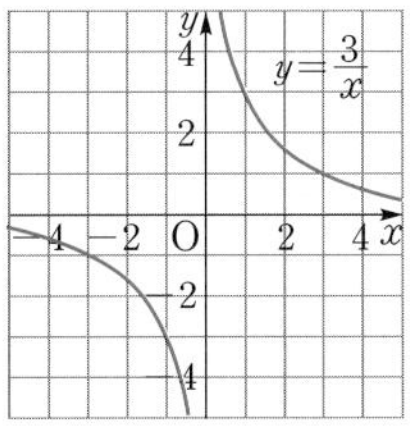

1110

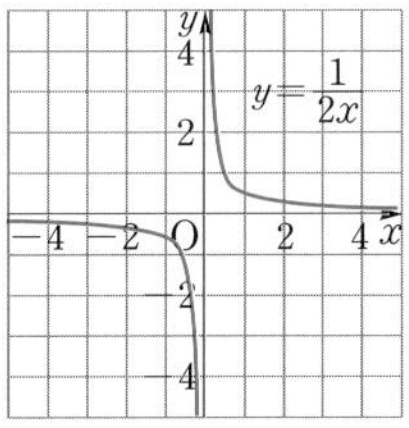

1111

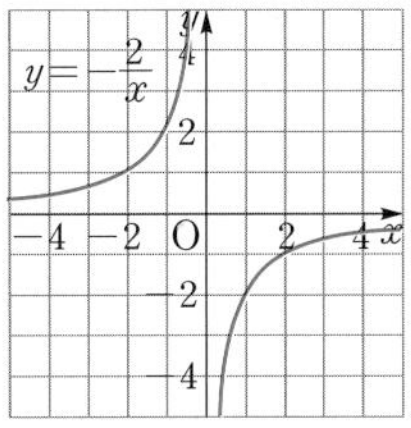

1112

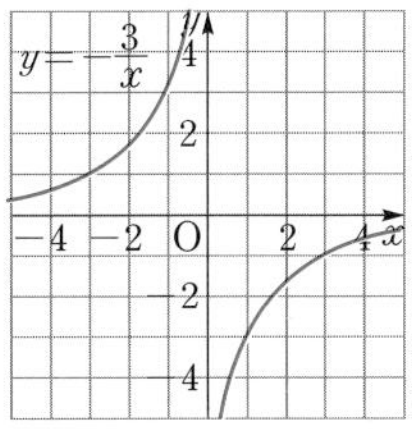

1113

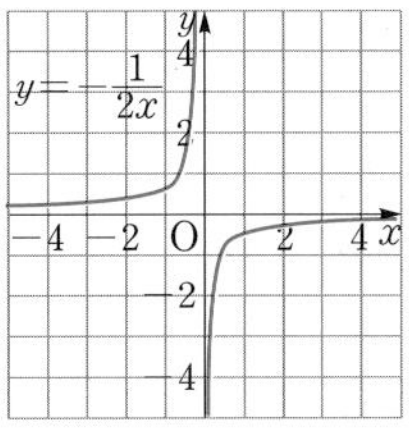

핵심 08

본문 ○ 163쪽

1114 3, 2, 2, 3, 2, 3

1115 $y=-\frac{2}{x-2}-1$, $x=2$, $y=-1$

1116 $y=\frac{1}{2(x+2)}+2$, $x=-2$, $y=2$

1117 $y=\frac{3}{x+1}-3$, $x=-1$, $y=-3$

1118 $y=-\frac{4}{x+1}-2$, $x=-1$, $y=-2$

1119 $y=-\frac{3}{x+2}+3$, $x=-2$, $y=3$

1120 $y=-\frac{1}{3(x-1)}+3$, $x=1$, $y=3$

1121 $y=\frac{1}{4(x-2)}-1$, $x=2$, $y=-1$

1122 $y=\frac{2}{3(x-3)}+2$, $x=3$, $y=2$

1123 $y=-\frac{2}{x-2}-3$, $x=2$, $y=-3$

핵심 09

본문 ○ 164쪽

1124 (1) $x=0$, $y=1$ (2) $\{x\,|\,x\neq 0$인 실수$\}$ (3) $\{y\,|\,y\neq 1$인 실수$\}$ (4) 풀이 참조

1125 (1) $x=2$, $y=0$ (2) $\{x\,|\,x\neq 2$인 실수$\}$ (3) $\{y\,|\,y\neq 0$인 실수$\}$ (4) 풀이 참조

1126 (1) $x=2$, $y=2$ (2) $\{x\,|\,x\neq 2$인 실수$\}$ (3) $\{y\,|\,y\neq 2$인 실수$\}$ (4) 풀이 참조

1127 (1) $x=-1$, $y=1$ (2) $\{x\,|\,x\neq -1$인 실수$\}$ (3) $\{y\,|\,y\neq 1$인 실수$\}$ (4) 풀이 참조

1128 (1) $x=-2$, $y=2$ (2) $\{x\,|\,x\neq -2$인 실수$\}$ (3) $\{y\,|\,y\neq 2$인 실수$\}$ (4) 풀이 참조

1129 (1) $x=2$, $y=-2$ (2) $\{x\,|\,x\neq 2$인 실수$\}$ (3) $\{y\,|\,y\neq -2$인 실수$\}$ (4) 풀이 참조

1124 (4)

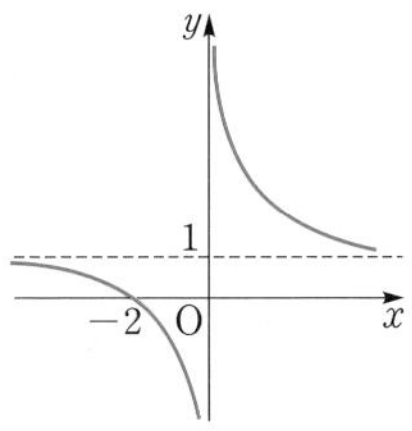

1125 (4)

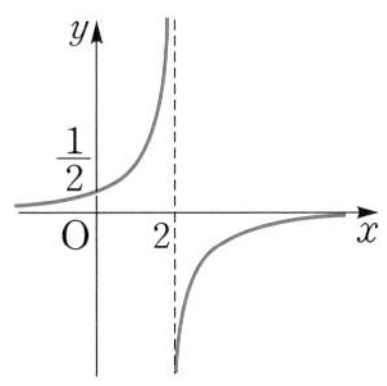

1126 (4)

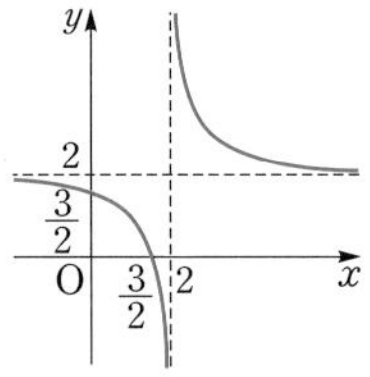

1127 (4)

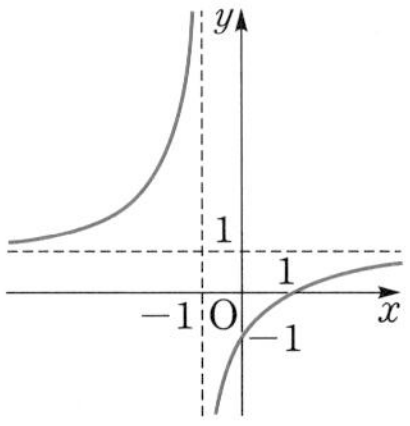

1128 (4)

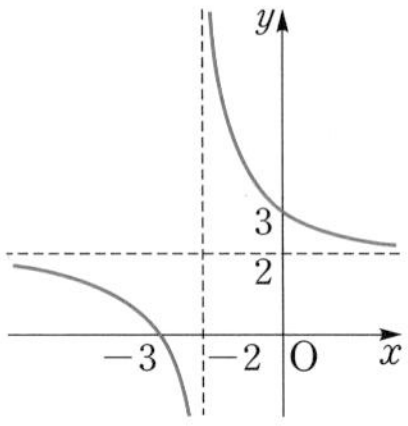

1129 (4)

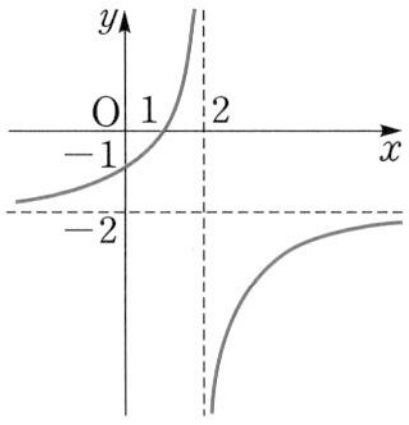

핵심 **10** 본문 ➲ 165쪽

1130 $a=-3$, $b=0$ **1131** $a=3$, $b=2$

1132 $a=-2$, $b=-2$ **1133** -3

1134 3 **1135** -3

1136 -1, 1, 3 **1137** $y=x+2$, $y=-x+6$

1138 $y=x-3$, $y=-x-7$ **1139** $a=-3$, $b=-1$

1132 함수 $y=\frac{1}{2x+4}-2=\frac{1}{2(x+2)}-2$의 그래프의 점근선의 방정식이 $x=-2$, $y=-2$이므로 이 함수의 그래프는 점 $(-2, -2)$에 대하여 대칭이다.

$\therefore a=-2$, $b=-2$

1133 함수 $y=\frac{2}{x}-3$의 그래프의 점근선의 방정식이 $x=0$, $y=-3$이므로 직선 $y=x+a$가 점 $(0, -3)$을 지나야 한다.

즉, $-3=0+a$에서 $a=-3$

1134 함수 $y=\frac{1}{x-1}+2$의 그래프의 점근선의 방정식이 $x=1$, $y=2$이므로 직선 $y=-x+a$가 점 $(1, 2)$를 지나야 한다.

즉, $2=-1+a$에서 $a=3$

1135 함수 $y=-\frac{3}{2x+4}-1=-\frac{3}{2(x+2)}-1$의 그래프의 점근선의 방정식이 $x=-2$, $y=-1$이므로 직선 $y=-x+a$가 점 $(-2, -1)$을 지나야 한다.

즉, $-1=2+a$에서 $a=-3$

1137 함수 $y=\frac{2}{3x-6}+4=\frac{2}{3(x-2)}+4$의 그래프의 점근선의 교점은 $(2, 4)$이므로 주어진 함수의 그래프는 직선

$y-4=x-2$, $y-4=-(x-2)$

에 대하여 대칭이다.

따라서 두 직선 l, m의 방정식은

$y=x+2$, $y=-x+6$

1138 함수 $y=-\frac{2}{2x+4}-5=-\frac{2}{2(x+2)}-5$의 그래프의 점근선의 교점은 $(-2, -5)$이므로 주어진 함수의 그래프는 직선

$y+5=x+2$, $y+5=-(x+2)$

에 대하여 대칭이다.

따라서 두 직선 l, m의 방정식은

$y=x-3$, $y=-x-7$

1139 함수 $y=-\frac{2}{x+a}-b$의 그래프의 점근선의 교점은 $(-a, -b)$이므로 두 직선 $y=x-2$와 $y=-x+4$는 점 $(-a, -b)$를 지난다.

즉, $-b=-a-2$, $-b=a+4$

위의 두 식을 연립하여 풀면 $a=-3$, $b=-1$

핵심 **11** 본문 ➲ 166쪽

1140 ㄴ, ㅁ, ㅂ **1141** ㄱ, ㄹ, ㅁ

1142 ㄴ, ㄷ, ㅁ, ㅂ **1143** ㄴ, ㄹ, ㅁ

1140 함수 $y=\frac{2}{x-1}+1$의 그래프는 함수 $y=\frac{2}{x}$의 그래프를 x축의 방향으로 1만큼, y축의 방향으로 1만큼 평행이동한 것이므로 오른쪽 그림과 같다.

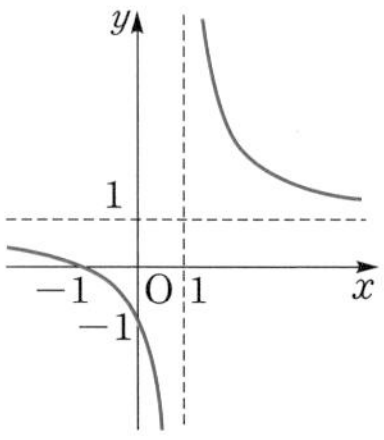

ㄱ. 점근선의 방정식은 $x=1$, $y=1$이다.
ㄷ. 치역은 $\{y|y\neq1$인 실수$\}$이다.
ㄹ. 점 $(1, 1)$에 대하여 대칭이다.
따라서 옳은 것은 ㄴ, ㅁ, ㅂ이다.

1141 함수 $y=-\frac{2}{x+1}+2$의 그래프는 함수 $y=-\frac{2}{x}$의 그래프를 x축의 방향으로 -1만큼, y축의 방향으로 2만큼 평행이동한 것이므로 오른쪽 그림과 같다.

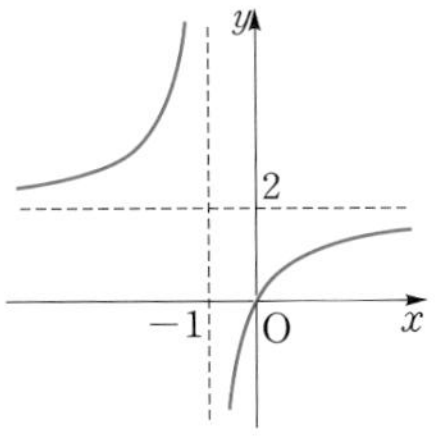

ㄴ. 정의역은 $\{x|x\neq-1$인 실수$\}$이다.
ㄷ. 치역은 $\{y|y\neq2$인 실수$\}$이다.
따라서 옳은 것은 ㄱ, ㄹ, ㅁ이다.

1142 함수 $y=\frac{1}{2x-1}-1$

$=\frac{1}{2\left(x-\frac{1}{2}\right)}-1$

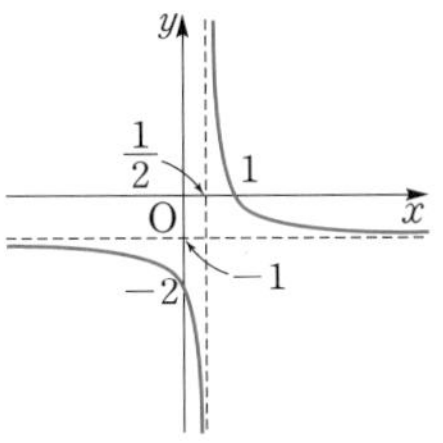

의 그래프는 함수 $y=\frac{1}{2x}$의 그래프를 x축의 방향으로 $\frac{1}{2}$만큼, y축의 방향으로 -1만큼 평행이동한 것이므로 위의 그림과 같다.
ㄱ. 점근선의 방정식은 $x=\frac{1}{2}$, $y=-1$이다.
ㄹ. 점 $\left(\frac{1}{2}, -1\right)$에 대하여 대칭이다.
따라서 옳은 것은 ㄴ, ㄷ, ㅁ, ㅂ이다.

1143 함수 $y=-\frac{2}{3x+6}+1$

$=-\frac{2}{3(x+2)}+1$

의 그래프는 함수 $y=-\frac{2}{3x}$의 그래프를 x축의 방향으로 -2만큼, y축의 방향으로 1만큼 평행이동한 것이므로 오른쪽 그림과 같다.

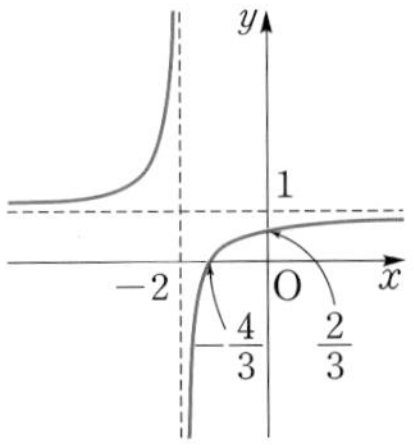

ㄱ. 점근선의 방정식은 $x=-2$, $y=1$이다.
ㄷ. 치역은 $\{y|y\neq1$인 실수$\}$이다.
ㄹ. 점근선의 교점이 $(-2, 1)$이므로 $y-1=x+2$, 즉 $y=x+3$에 대하여 대칭이다.
따라서 옳은 것은 ㄴ, ㄹ, ㅁ이다.

핵심 07~11 Mini Review Test 본문 ◎ 167쪽

1144 ①, ④ **1145** -9 **1146** $a=2$, $b=2$ **1147** 5
1148 8 **1149** ②, ④

1144 ② $k>0$이므로 그래프는 제1, 3사분면에 있다.
③ 원점에 대하여 대칭이고 원점을 지나지 않는다.
⑤ k의 값이 커질수록 그래프는 원점에서 멀어진다.
따라서 옳은 것은 ①, ④이다.

1145 함수 $y=\frac{2}{x}$의 그래프를 x축의 방향으로 -2만큼, y축의 방향으로 2만큼 평행이동한 그래프의 식은

$y=\frac{2}{x+2}+2$

$x=0$일 때 $y=3$, $y=0$일 때 $x=-3$이므로
$a=-3$, $b=3$
$\therefore ab=-3\times3=-9$

1146 함수 $y=\frac{3}{ax+4}+b$의 치역이 $\{y|y\neq2$인 실수$\}$이므로 그래프에서 x축과 평행한 점근선의 방정식은 $y=2$이다.
$\therefore b=2$
또, 그래프에서 y축과 평행한 점근선의 방정식은 $x=-\frac{4}{a}$이므로 $-\frac{4}{a}=-2$ $\quad\therefore a=2$

1147 함수 $y=-\frac{2}{x+a}-3$의 그래프의 점근선의 방정식은 $x=-a$, $y=-3$이므로 점 $(-a, -3)$에 대하여 대칭이다.
$\therefore p=-a$, $q=-3$
또한, 두 직선 $y=x+2$, $y=-x-b$가 모두 점 $(-a, -3)$을 지나므로
$-3=-a+2$, $-3=a-b$
$\therefore a=5$, $b=8$, $p=-5$, $q=-3$
$\therefore a+b+p+q=5$

1148 함수 $y=-\frac{1}{2x+a}+2$의 그래프의 점근선의 방정식은

$x=-\frac{a}{2}$, $y=2$

정의역이 $\{x|x\neq-2$인 실수$\}$이므로 그래프에서 y축에 평행한 점근선의 방정식은 $x=-2$이다.
즉, $-\frac{a}{2}=-2$ $\quad\therefore a=4$
이때 함수 $y=-\frac{1}{2x+4}+2$의 그래프의 점근선의 교점이

$(-2,\ 2)$이므로 직선 $y=x+b$는 점 $(-2,\ 2)$를 지난다.
즉, $2=-2+b$에서 $b=4$
$\therefore a+b=4+4=8$

1149 $y=\dfrac{2}{2x+3}-1=\dfrac{2}{2\left(x+\frac{3}{2}\right)}-1=\dfrac{1}{x+\frac{3}{2}}-1$

에서 함수 $y=\dfrac{2}{2x+3}-1$의 그래프는 함수 $y=\dfrac{1}{x}$의 그래프를 x축의 방향으로 $-\dfrac{3}{2}$만큼, y축의 방향으로 -1만큼 평행이동한 것이므로 오른쪽 그림과 같다.

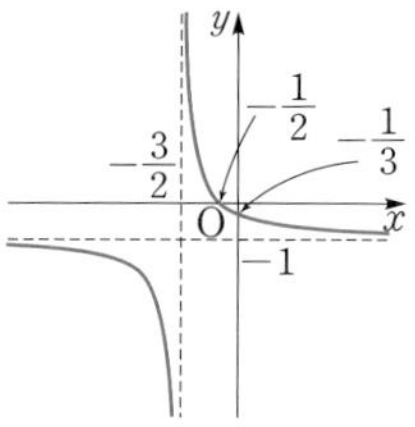

① 점근선의 방정식은 $x=-\dfrac{3}{2}$, $y=-1$이다.
③ 점 $\left(-\dfrac{3}{2},\ -1\right)$에 대하여 대칭이다.
따라서 옳은 것은 ②, ④이다.

핵심 **12** 본문 ○ 168쪽

1150 2, 2, 2	**1151** $x=-1$, $y=-1$
1152 $x=-1$, $y=3$	**1153** $x=2$, $y=-2$
1154 $x=4$, $y=3$	**1155** $x=1$, $y=-2$
1156 $x=2$, $y=\dfrac{3}{2}$	**1157** $x=\dfrac{1}{3}$, $y=-\dfrac{1}{3}$
1158 $x=\dfrac{1}{2}$, $y=\dfrac{3}{2}$	**1159** 5

1151 $y=\dfrac{-x+2}{x+1}=\dfrac{-(x+1)+3}{x+1}=\dfrac{3}{x+1}-1$
따라서 점근선의 방정식은 $x=-1$, $y=-1$

1152 $y=\dfrac{3x+2}{x+1}=\dfrac{3(x+1)-1}{x+1}=-\dfrac{1}{x+1}+3$
따라서 점근선의 방정식은 $x=-1$, $y=3$

1153 $y=\dfrac{2x-1}{-x+2}=\dfrac{-2x+1}{x-2}=\dfrac{-2(x-2)-3}{x-2}$
$=-\dfrac{3}{x-2}-2$
따라서 점근선의 방정식은 $x=2$, $y=-2$

1154 $y=\dfrac{3x-6}{x-4}=\dfrac{3(x-4)+6}{x-4}=\dfrac{6}{x-4}+3$
따라서 점근선의 방정식은 $x=4$, $y=3$

1155 $y=\dfrac{2x-4}{1-x}=\dfrac{-2x+4}{x-1}=\dfrac{-2(x-1)+2}{x-1}$
$=\dfrac{2}{x-1}-2$
따라서 점근선의 방정식은 $x=1$, $y=-2$

1156 $y=\dfrac{3x-2}{2x-4}=\dfrac{3(x-2)+4}{2(x-2)}=\dfrac{2}{x-2}+\dfrac{3}{2}$
따라서 점근선의 방정식은 $x=2$, $y=\dfrac{3}{2}$

1157 $y=\dfrac{-x+1}{3x-1}=\dfrac{-\left(x-\frac{1}{3}\right)+\frac{2}{3}}{3\left(x-\frac{1}{3}\right)}=\dfrac{\frac{2}{3}}{3\left(x-\frac{1}{3}\right)}-\dfrac{1}{3}$
$=\dfrac{2}{9\left(x-\frac{1}{3}\right)}-\dfrac{1}{3}$
따라서 점근선의 방정식은 $x=\dfrac{1}{3}$, $y=-\dfrac{1}{3}$

1158 $y=\dfrac{-3x+2}{1-2x}=\dfrac{3x-2}{2x-1}=\dfrac{3\left(x-\frac{1}{2}\right)-\frac{1}{2}}{2\left(x-\frac{1}{2}\right)}$
$=\dfrac{-\frac{1}{2}}{2\left(x-\frac{1}{2}\right)}+\dfrac{3}{2}=-\dfrac{1}{4\left(x-\frac{1}{2}\right)}+\dfrac{3}{2}$
따라서 점근선의 방정식은 $x=\dfrac{1}{2}$, $y=\dfrac{3}{2}$

1159 주어진 조건에서 점근선의 방정식이 $x=3$, $y=2$
$y=\dfrac{ax-1}{x-b}=\dfrac{a(x-b)+ab-1}{x-b}=\dfrac{ab-1}{x-b}+a$
즉, 점근선의 방정식은 $x=b$, $y=a$이므로 $a=2$, $b=3$
$\therefore a+b=2+3=5$

핵심 **13** 본문 ○ 169쪽

1160 (1) $x=-3$, $y=3$ (2) 풀이 참조
1161 (1) $x=-2$, $y=2$ (2) 풀이 참조
1162 (1) $x=2$, $y=-2$ (2) 풀이 참조
1163 (1) $x=-1$, $y=3$ (2) 풀이 참조
1164 (1) $x=-1$, $y=-2$ (2) 풀이 참조
1165 (1) $x=2$, $y=\dfrac{1}{2}$ (2) 풀이 참조

1160 (1) $y=\dfrac{3x+8}{x+3}=\dfrac{3(x+3)-1}{x+3}=-\dfrac{1}{x+3}+3$
따라서 점근선의 방정식은 $x=-3$, $y=3$

(2) $y=\dfrac{3x+8}{x+3}$의 그래프는 $y=-\dfrac{1}{x}$의 그래프를 x축의 방향으로 -3만큼, y축의 방향으로 3만큼 평행이동한 것이므로 오른쪽 그림과 같다.

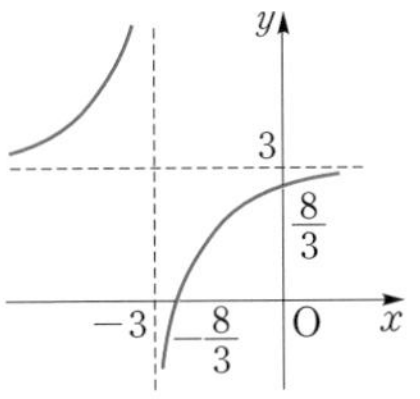

1161 (1) $y=\dfrac{2x+6}{x+2}=\dfrac{2(x+2)+2}{x+2}=\dfrac{2}{x+2}+2$

따라서 점근선의 방정식은 $x=-2$, $y=2$

(2) $y=\dfrac{2x+6}{x+2}$의 그래프는 $y=\dfrac{2}{x}$의 그래프를 x축의 방향으로 -2만큼 y축의 방향으로 2만큼 평행이동한 것이므로 오른쪽 그림과 같다.

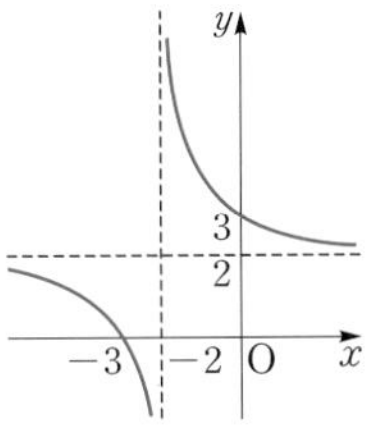

1162 (1) $y=\dfrac{-2x+2}{x-2}=\dfrac{-2(x-2)-2}{x-2}=-\dfrac{2}{x-2}-2$

따라서 점근선의 방정식은 $x=2$, $y=-2$

(2) $y=\dfrac{-2x+2}{x-2}$의 그래프는 $y=-\dfrac{2}{x}$의 그래프를 x축의 방향으로 2만큼, y축의 방향으로 -2만큼 평행이동한 것이므로 오른쪽 그림과 같다.

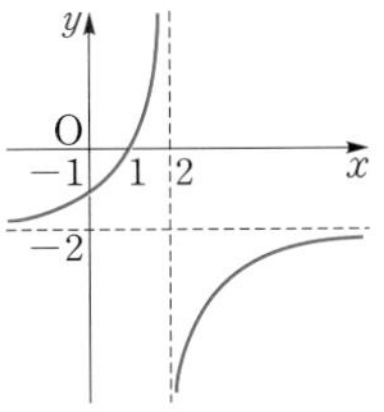

1163 (1) $y=\dfrac{3x+4}{x+1}=\dfrac{3(x+1)+1}{x+1}=\dfrac{1}{x+1}+3$

따라서 점근선의 방정식은 $x=-1$, $y=3$

(2) $y=\dfrac{3x+4}{x+1}$의 그래프는 $y=\dfrac{1}{x}$의 그래프를 x축의 방향으로 -1만큼, y축의 방향으로 3만큼 평행이동한 것이므로 오른쪽 그림과 같다.

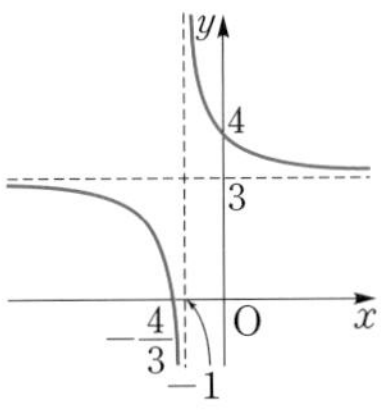

1164 (1) $y=\dfrac{-2x+2}{x+1}=\dfrac{-2(x+1)+4}{x+1}=\dfrac{4}{x+1}-2$

따라서 점근선의 방정식은 $x=-1$, $y=-2$

(2) $y=\dfrac{-2x+2}{x+1}$의 그래프는 $y=\dfrac{4}{x}$의 그래프를 x축의 방향으로 -1만큼, y축의 방향으로 -2만큼 평행이동한 것이므로 오른쪽 그림과 같다.

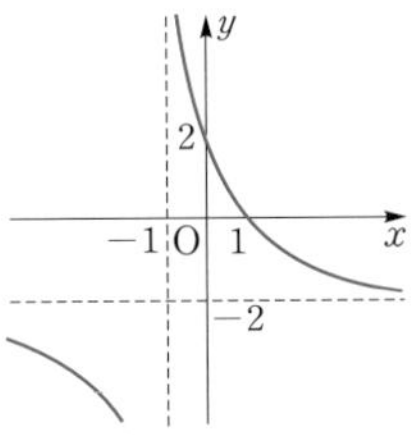

1165 (1) $y=\dfrac{x+2}{2x-4}=\dfrac{(x-2)+4}{2(x-2)}=\dfrac{2}{x-2}+\dfrac{1}{2}$

따라서 점근선의 방정식은 $x=2$, $y=\dfrac{1}{2}$

(2) $y=\dfrac{x+2}{2x-4}$의 그래프는 $y=\dfrac{2}{x}$의 그래프를 x축의 방향으로 2만큼, y축의 방향으로 $\dfrac{1}{2}$만큼 평행이동한 것이므로 오른쪽 그림과 같다.

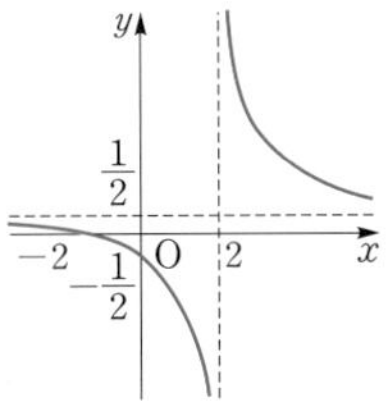

핵심 **14** 본문 170쪽

1166 2, 2, 2, 4 **1167** -2
1168 8 **1169** -10
1170 $a=1$, $b=1$ **1171** $a=3$, $b=2$
1172 $a=4$, $b=-3$ **1173** -1

1167 $y=\dfrac{2x+k}{x-2}=\dfrac{2(x-2)+4+k}{x-2}=\dfrac{4+k}{x-2}+2$

따라서 함수 $y=\dfrac{2}{x}$의 그래프를 평행이동해서 겹쳐지려면

$4+k=2 \qquad \therefore k=-2$

1168 $y=\dfrac{-3x+k}{x-2}=\dfrac{-3(x-2)-6+k}{x-2}=\dfrac{-6+k}{x-2}-3$

따라서 함수 $y=\dfrac{2}{x}$의 그래프를 평행이동해서 겹쳐지려면

$-6+k=2 \qquad \therefore k=8$

1169 $y=\dfrac{2x+k}{4-x}=\dfrac{-2x-k}{x-4}=\dfrac{-2(x-4)-8-k}{x-4}$

$=\dfrac{-8-k}{x-4}-2$

따라서 함수 $y=\dfrac{2}{x}$의 그래프를 평행이동해서 겹쳐지려면

$-8-k=2 \qquad \therefore k=-10$

1170 $y=\dfrac{x}{x+2}=\dfrac{(x+2)-2}{x+2}=-\dfrac{2}{x+2}+1$의 그래프를 x축의 방향으로 a만큼, y축의 방향으로 b만큼 평행이동한 그래프의 식은

$y=-\dfrac{2}{x-a+2}+1+b$

이 함수의 그래프가

$y=\dfrac{2x}{x+1}=\dfrac{2(x+1)-2}{x+1}=-\dfrac{2}{x+1}+2$의 그래프와 일치하므로

$-a+2=1$, $1+b=2$

$\therefore a=1$, $b=1$

1171 함수 $y=-\frac{2}{x-a+2}+1+b$의 그래프가

$y=\frac{3x-5}{x-1}=\frac{3(x-1)-2}{x-1}=-\frac{2}{x-1}+3$의 그래프와 일치하므로

$-a+2=-1$, $1+b=3$

$\therefore a=3, b=2$

1172 함수 $y=-\frac{2}{x-a+2}+1+b$의 그래프가

$y=\frac{-2x+2}{x-2}=\frac{-2(x-2)-2}{x-2}=-\frac{2}{x-2}-2$의 그래프와 일치하므로

$-a+2=-2$, $1+b=-2$

$\therefore a=4, b=-3$

1173 함수 $y=-\frac{2}{x}$의 그래프를 x축의 방향으로 a만큼, y축의 방향으로 b만큼 평행이동한 그래프의 식은

$y=-\frac{2}{x-a}+b$

이 함수의 그래프가

$y=\frac{3x+k}{x-1}=\frac{3(x-1)+k+3}{x-1}=\frac{k+3}{x-1}+3$의 그래프와 일치하므로

$k+3=-2 \quad \therefore k=-5$

$\therefore a=1, b=3$

$\therefore a+b+k=1+3+(-5)=-1$

핵심 15 본문 ➜ 171쪽

1174 $-1, 2, -1, 2$ **1175** $k=1, p=2, q=-1$
1176 $k=-3, p=2, q=-1$ **1177** $a=-2, b=2, c=0$
1178 $a=2, b=-1, c=1$ **1179** 7

1175 점근선의 방정식이 $x=-2$, $y=-1$이므로

$y=\frac{k}{x+2}-1$ $(k>0)$이라 하면

$p=2, q=-1$

이 함수의 그래프가 점 $(-1, 0)$을 지나므로

$0=\frac{k}{1}-1 \quad \therefore k=1$

1176 점근선의 방정식이 $x=-2$, $y=-1$이므로

$y=\frac{k}{x+2}-1$ $(k<0)$이라 하면

$p=2, q=-1$

이 함수의 그래프가 점 $(-5, 0)$을 지나므로

$0=\frac{k}{-3}-1 \quad \therefore k=-3$

1177 점근선의 방정식이 $x=0$, $y=-2$이므로

$y=\frac{k}{x}-2$ $(k>0)$라 하면

이 함수의 그래프가 점 $(1, 0)$을 지나므로

$0=\frac{k}{1}-2 \quad \therefore k=2$

$\therefore y=\frac{2}{x}-2=\frac{-2x+2}{x}$

$\therefore a=-2, b=2, c=0$

1178 점근선의 방정식이 $x=-1$, $y=2$이므로

$y=\frac{k}{x+1}+2$ $(k<0)$라 하면

이 함수의 그래프가 점 $(0, -1)$을 지나므로

$-1=\frac{k}{1}+2 \quad \therefore k=-3$

$\therefore y=-\frac{3}{x+1}+2=\frac{-3+2(x+1)}{x+1}=\frac{2x-1}{x+1}$

$\therefore a=2, b=-1, c=1$

1179 점근선의 방정식이 $x=-2$, $y=4$이므로

$y=\frac{k}{x+2}+4$ $(k<0)$라 하면

이 함수의 그래프가 점 $\left(0, \frac{1}{2}\right)$을 지나므로

$\frac{1}{2}=\frac{k}{2}+4$, $\frac{k}{2}=-\frac{7}{2} \quad \therefore k=-7$

$\therefore y=-\frac{7}{x+2}+4=\frac{-7+4(x+2)}{x+2}=\frac{4x+1}{x+2}$

따라서 $a=4, b=1, c=2$이므로

$a+b+c=4+1+2=7$

핵심 16 본문 ➜ 172쪽

1180 $2, 4, 4, 2$ **1181** 최댓값 : 3, 최솟값 : $\frac{9}{4}$

1182 최댓값 : 1, 최솟값 : $\frac{2}{3}$

1183 최댓값 : $-\frac{5}{2}$, 최솟값 : -4

1184 최댓값 : 5, 최솟값 : 4

1185 최댓값 : -3, 최솟값 : -5

1186 2

1181 $y=\dfrac{2x+3}{x+1}=\dfrac{2(x+1)+1}{x+1}=\dfrac{1}{x+1}+2$

이므로 함수 $y=\dfrac{2x+3}{x+1}$의 그래프는 $y=\dfrac{1}{x}$의 그래프를 x축의 방향으로 -1만큼, y축의 방향으로 2만큼 평행이동한 것이다.

따라서 $0\le x\le 3$에서 $y=\dfrac{2x+3}{x+1}$의 그래프는 오른쪽 그림과 같으므로 $x=0$일 때 최댓값 3, $x=3$일 때 최솟값 $\dfrac{9}{4}$를 갖는다.

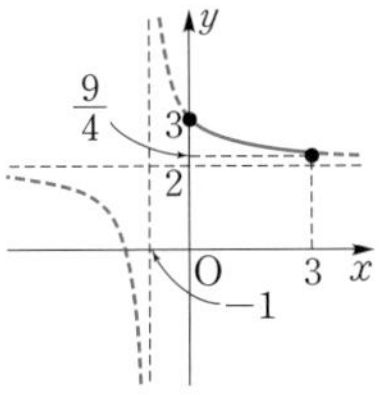

다른 해설

유리함수 $y=\dfrac{2x+3}{x+1}$의 그래프는 연속된 구간에서 증가하거나 또는 감소하므로 구간의 양 끝에서 최댓값과 최솟값을 갖는다.

$x=0$일 때 $y=3$이고 $x=3$일 때 $y=\dfrac{9}{4}$이므로 최댓값은 3이고 최솟값은 $\dfrac{9}{4}$이다.

1182 $y=\dfrac{2x}{x-2}=\dfrac{2(x-2)+4}{x-2}=\dfrac{4}{x-2}+2$

이므로 함수 $y=\dfrac{2x}{x-2}$의 그래프는 $y=\dfrac{4}{x}$의 그래프를 x축의 방향으로 2만큼, y축의 방향으로 2만큼 평행이동한 것이다.

따라서 $-2\le x\le -1$에서 $y=\dfrac{2x}{x-2}$의 그래프는 오른쪽 그림과 같으므로 $x=-2$일 때 최댓값 1, $x=-1$일 때 최솟값 $\dfrac{2}{3}$를 갖는다.

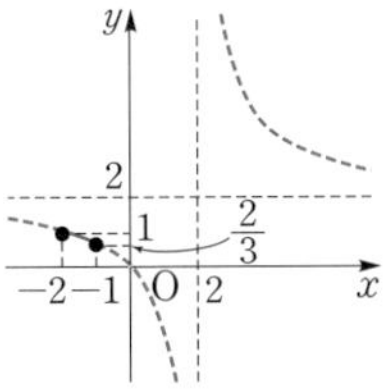

1183 $y=\dfrac{-2x-6}{x+2}=\dfrac{-2(x+2)-2}{x+2}=-\dfrac{2}{x+2}-2$

이므로 함수 $y=\dfrac{-2x-6}{x+2}$의 그래프는 $y=-\dfrac{2}{x}$의 그래프를 x축의 방향으로 -2만큼, y축의 방향으로 -2만큼 평행이동한 것이다.

따라서 $-1\le x\le 2$에서 $y=\dfrac{-2x-6}{x+2}$의 그래프는 오른쪽 그림과 같으므로 $x=2$일 때 최댓값 $-\dfrac{5}{2}$, $x=-1$일 때 최솟값 -4를 갖는다.

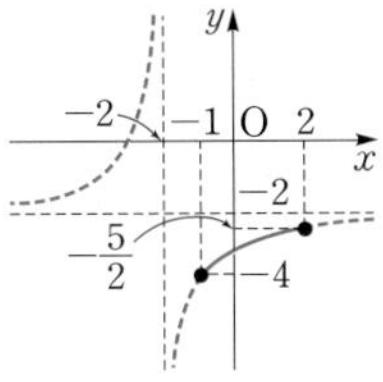

1184 $y=\dfrac{3x+4}{x+2}=\dfrac{3(x+2)-2}{x+2}=-\dfrac{2}{x+2}+3$

이므로 함수 $y=\dfrac{3x+4}{x+2}$의 그래프는 $y=-\dfrac{2}{x}$의 그래프를 x축의 방향으로 -2만큼, y축의 방향으로 3만큼 평행이동한 것이다.

따라서 $-4\le x\le -3$에서 $y=\dfrac{3x+4}{x+2}$의 그래프는 오른쪽 그림과 같으므로 $x=-3$일 때 최댓값 5, $x=-4$일 때 최솟값 4를 갖는다.

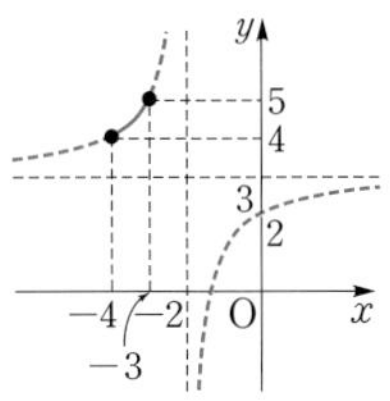

1185 $y=\dfrac{-2x+1}{x-2}=\dfrac{-2(x-2)-3}{x-2}=-\dfrac{3}{x-2}-2$

이므로 함수 $y=\dfrac{-2x+1}{x-2}$의 그래프는 $y=-\dfrac{3}{x}$의 그래프를 x축의 방향으로 2만큼, y축의 방향으로 -2만큼 평행이동한 것이다.

따라서 $3\le x\le 5$에서 $y=\dfrac{-2x+1}{x-2}$의 그래프는 오른쪽 그림과 같으므로 $x=5$일 때 최댓값 -3, $x=3$일 때 최솟값 -5를 갖는다.

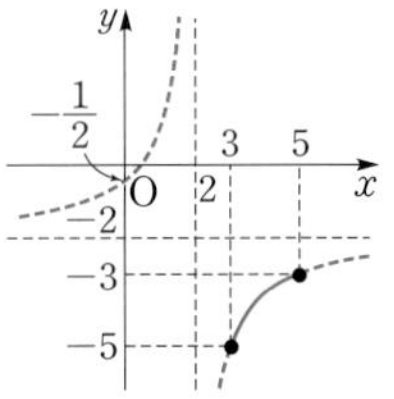

1186 $y=\dfrac{3x-3}{x-2}=\dfrac{3(x-2)+3}{x-2}=\dfrac{3}{x-2}+3$

이므로 함수 $y=\dfrac{3x-3}{x-2}$의 그래프는 $y=\dfrac{3}{x}$의 그래프를 x축의 방향으로 2만큼, y축의 방향으로 3만큼 평행이동한 것이다.

따라서 $-1\le x\le 1$에서 $y=\dfrac{3x-3}{x-2}$의 그래프는 오른쪽 그림과 같으므로 $x=-1$일 때 최댓값 $M=2$, $x=1$일 때 최솟값 $m=0$이다.

$\therefore M+m=2+0=2$

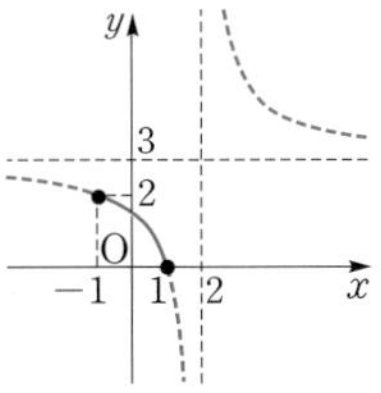

핵심 **17** 본문 173쪽

1187 mx, mx, m^2, m^2 **1188** $1<m<4$

1189 $-9<m<-1$ **1190** $2<m<8$

1191 4, 2, 2 **1192** $-\frac{5}{3}\le m\le -\frac{3}{5}$

1193 a의 최댓값 : 1, b의 최솟값 : 3

1188 함수 $y=\frac{4x-1}{x+2}$의 그래프와 직선 $y=mx$가 만나지 않으므로

$\frac{4x-1}{x+2}=mx$, $mx(x+2)=4x-1$

$\therefore mx^2+2(m-2)x+1=0$

이 이차방정식의 판별식을 D라 하면

$\frac{D}{4}=(m-2)^2-m<0$

$m^2-5m+4<0$, $(m-1)(m-4)<0$

$\therefore 1<m<4$

1189 함수 $y=\frac{3x+1}{x-1}$의 그래프와 직선 $y=mx$가 만나지 않으므로

$\frac{3x+1}{x-1}=mx$, $mx(x-1)=3x+1$

$\therefore mx^2-(m+3)x-1=0$

이 이차방정식의 판별식을 D라 하면

$D=(m+3)^2+4m<0$

$m^2+10m+9<0$, $(m+9)(m+1)<0$

$\therefore -9<m<-1$

1190 함수 $y=\frac{8x-2}{x+2}$의 그래프와 직선 $y=mx$가 만나지 않으므로

$\frac{8x-2}{x+2}=mx$, $mx(x+2)=8x-2$

$\therefore mx^2+2(m-4)x+2=0$

이 이차방정식의 판별식을 D라 하면

$\frac{D}{4}=(m-4)^2-2m<0$

$m^2-10m+16<0$, $(m-2)(m-8)<0$

$\therefore 2<m<8$

1192 직선 $y=mx-m=m(x-1)$은 m의 값에 관계없이 점 $(1, 0)$을 지난다.

$y=\frac{2x-1}{x+1}=\frac{2(x+1)-3}{x+1}$

$=-\frac{3}{x+1}+2\ (-4\le x\le -2)$

이므로 그래프는 오른쪽 그림과 같다.

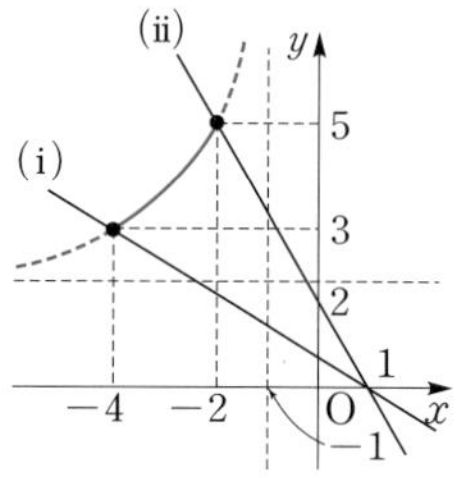

(i) 직선 $y=mx-m$이 점 $(-4, 3)$을 지날 때

$3=-4m-m \quad \therefore m=-\frac{3}{5}$

(ii) 직선 $y=mx-m$이 점 $(-2, 5)$를 지날 때

$5=-2m-m \quad \therefore m=-\frac{5}{3}$

(i), (ii)에서 $-\frac{5}{3}\le m\le -\frac{3}{5}$

1193 두 직선 $y=ax$, $y=bx$는 모두 a, b의 값에 관계없이 원점을 지난다.

$y=\frac{3x}{x-2}=\frac{3(x-2)+6}{x-2}$

$=\frac{6}{x-2}+3\ (3\le x\le 5)$

이므로 그래프는 오른쪽 그림과 같다.

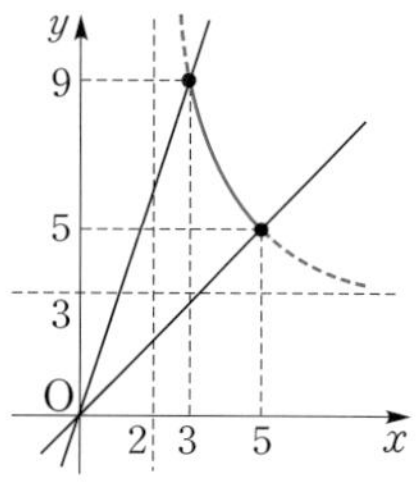

원점을 지나는 직선이 점 $(3, 9)$를 지날 때의 기울기는 3이고, 점 $(5, 5)$를 지날 때의 기울기는 1이므로 부등식 $ax\le\frac{3x}{x-2}\le bx$가 항상 성립하려면

$a\le 1$, $b\ge 3$

따라서 a의 최댓값은 1, b의 최솟값은 3이다.

핵심 **18** 본문 174쪽

1194 y, $y-2$, $y-2$, $x-2$ **1195** $y=\frac{-x+3}{x-2}$

1196 $y=\frac{x+3}{2x+4}$ **1197** $y=\frac{x+2}{2x-3}$

1198 $a=4$, $b=1$, $c=-3$

1199 $a=1$, $b=-4$, $c=-3$

1200 $a=5$, $b=2$, $c=2$ **1201** 1

1195 $y=\frac{2x+3}{x+1}$을 x에 대하여 풀면

$xy+y=2x+3$, $xy-2x=-y+3$

$(y-2)x=-y+3 \qquad \therefore x=\dfrac{-y+3}{y-2}$

x와 y를 서로 바꾸면 구하는 역함수는 $y=\dfrac{-x+3}{x-2}$

1196 $y=\dfrac{-4x+3}{2x-1}$을 x에 대하여 풀면

$2xy-y=-4x+3,\ 2xy+4x=y+3$

$(2y+4)x=y+3 \qquad \therefore x=\dfrac{y+3}{2y+4}$

x와 y를 서로 바꾸면 구하는 역함수는 $y=\dfrac{x+3}{2x+4}$

1197 $y=\dfrac{3x+2}{2x-1}$를 x에 대하여 풀면

$2xy-y=3x+2,\ 2xy-3x=y+2$

$(2y-3)x=y+2 \qquad \therefore x=\dfrac{y+2}{2y-3}$

x와 y를 서로 바꾸면 구하는 역함수는 $y=\dfrac{x+2}{2x-3}$

1198 $y=\dfrac{3x+a}{x+2}$라 하면

$xy+2y=3x+a,\ xy-3x=-2y+a$

$(y-3)x=-2y+a \qquad \therefore x=\dfrac{-2y+a}{y-3}$

x와 y를 서로 바꾸면 $y=\dfrac{-2x+a}{x-3}$

따라서 $f^{-1}(x)=\dfrac{-2x+a}{x-3}=\dfrac{-2x+4}{bx+c}$이므로

$a=4,\ b=1,\ c=-3$

1199 $y=\dfrac{2x+c}{ax+b}$라 하면

$axy+by=2x+c,\ axy-2x=-by+c$

$(ay-2)x=-by+c \qquad \therefore x=\dfrac{-by+c}{ay-2}$

x와 y를 서로 바꾸면 $y=\dfrac{-bx+c}{ax-2}$

따라서 $f^{-1}(x)=\dfrac{-bx+c}{ax-2}=\dfrac{4x-3}{x-2}$이므로

$a=1,\ b=-4,\ c=-3$

1200 $y=\dfrac{ax+3}{cx-2}$이라 하면

$cxy-2y=ax+3,\ cxy-ax=2y+3$

$(cy-a)x=2y+3 \qquad \therefore x=\dfrac{2y+3}{cy-a}$

x와 y를 서로 바꾸면 $y=\dfrac{2x+3}{cx-a}$

따라서 $f^{-1}(x)=\dfrac{2x+3}{cx-a}=\dfrac{bx+3}{2x-5}$이므로

$a=5,\ b=2,\ c=2$

1201 $y=\dfrac{3x+2}{x+a}$라 하면

$xy+ay=3x+2,\ xy-3x=-ay+2$

$(y-3)x=-ay+2 \qquad \therefore x=\dfrac{-ay+2}{y-3}$

x와 y를 서로 바꾸면 $y=\dfrac{-ax+2}{x-3}$

$\therefore g(x)=\dfrac{-ax+2}{x-3}=\dfrac{-a(x-3)-3a+2}{x-3}$

$=\dfrac{-3a+2}{x-3}-a$

$y=g(x)$의 그래프의 점근선의 방정식은 $x=3,\ y=-a$이므로

$p=3,\ a=-2$

$\therefore a+p=-2+3=1$

다른 해설

함수 $y=\dfrac{3x+2}{x+a}=\dfrac{3(x+a)-3a+2}{x+a}=\dfrac{-3a+2}{x+a}+3$

의 그래프의 점근선의 방정식은 $x=-a,\ y=3$이므로

역함수의 그래프의 점근선의 방정식은 $x=3,\ y=-a$이다.

따라서 $p=3,\ a=-2$이므로 $a+p=-2+3=1$

핵심 19 본문 ➲ 175쪽

1202 $5x,\ x,\ 3,\ 7$ **1203** 7 **1204** -2

1205 $\dfrac{1}{40}$ **1206** $-1,\ -1,\ -1,\ x,\ x,\ 3$

1207 $\dfrac{2}{3}$ **1208** $\dfrac{4}{5}$

1203 $f(x)=\dfrac{3x+1}{x-3}$에서

$f^2(x)=(f\circ f)(x)=f(f(x))$

$=\dfrac{3\left(\dfrac{3x+1}{x-3}\right)+1}{\dfrac{3x+1}{x-3}-3}=\dfrac{3(3x+1)+(x-3)}{(3x+1)-3(x-3)}$

$=\dfrac{10x}{10}=x$

따라서 $f^2(x)=f^4(x)=f^6(x)=\cdots=f^{2n}(x)$ (n은 자연수)는 항등함수이므로

$f^{50}(x)=f^{2\times 25}(x)=x$

$\therefore f^{50}(7)=7$

1204 $f(x)=\dfrac{-x+1}{2x+1}$에서

$$f^2(x)=(f\circ f)(x)=f(f(x))$$
$$=\dfrac{-\left(\dfrac{-x+1}{2x+1}\right)+1}{2\left(\dfrac{-x+1}{2x+1}\right)+1}=\dfrac{-(-x+1)+(2x+1)}{2(-x+1)+(2x+1)}$$
$$=\dfrac{3x}{3}=x$$

따라서 $f^2(x)=f^4(x)=f^6(x)=\cdots=f^{2n}(x)$ (n은 자연수)는 항등함수이므로

$f^{2017}(x)=f^{2\times1008+1}(x)=f(x)$

$\therefore f^{2017}(-1)=f(-1)=-2$

1205 $f(x)=\dfrac{x}{2x+1}$에서

$$f^2(x)=(f\circ f)(x)=f(f(x))$$
$$=\dfrac{\dfrac{x}{2x+1}}{2\left(\dfrac{x}{2x+1}\right)+1}=\dfrac{x}{2x+(2x+1)}=\dfrac{x}{4x+1}$$
$$f^3(x)=(f\circ f^2)(x)=f(f^2(x))$$
$$=\dfrac{\dfrac{x}{4x+1}}{2\left(\dfrac{x}{4x+1}\right)+1}=\dfrac{x}{2x+(4x+1)}=\dfrac{x}{6x+1}$$

⋮

$f^n(x)=\dfrac{x}{2nx+1}$ (n은 자연수)

따라서 $f^{10}(x)=\dfrac{x}{20x+1}$이므로

$$f^{10}\left(\dfrac{1}{20}\right)=\dfrac{\dfrac{1}{20}}{20\times\dfrac{1}{20}+1}=\dfrac{1}{40}$$

1207 $f^{39}(x)=x$이므로

$f^{40}(x)=(f\circ f^{39})(x)=f(f^{39}(x))=f(x)$

$\therefore f^{40}(3)=f(3)=\dfrac{2}{3}$

1208 $f(x)=\dfrac{1}{1-x}$에서

$$f^2(x)=(f\circ f)(x)=f(f(x))$$
$$=\dfrac{1}{1-\dfrac{1}{1-x}}=\dfrac{1-x}{(1-x)-1}=\dfrac{1-x}{-x}=\dfrac{x-1}{x}$$
$$f^3(x)=(f\circ f^2)(x)=f(f^2(x))$$
$$=\dfrac{1}{1-\dfrac{x-1}{x}}=\dfrac{x}{x-(x-1)}=x$$

따라서 $f^3(x)=f^6(x)=f^9(x)=\cdots=f^{3n}(x)$ (n은 자연수)는 항등함수이므로

$f^{20}(x)=f^{3\times6+2}(x)=f^2(x)$

$\therefore f^{20}(5)=f^2(5)=\dfrac{4}{5}$

핵심 20

본문 ➔ 176쪽

1209 4, 4, 5, 5 **1210** 2 **1211** 1

1212 $a=-5$, $b=8$ **1213** $a=2$, $b=-4$

1214 6 **1215** 1 **1216** $\dfrac{1}{4}$ **1217** $\dfrac{9}{4}$

1210 $(f^{-1}\circ f\circ f^{-1})(5)=f^{-1}(5)$ ($\because f\circ f^{-1}=I$)

$f^{-1}(5)=k$라 하면 $f(k)=5$이므로

$\dfrac{2k-9}{1-k}=5$, $2k-9=5-5k$

$\therefore k=2$

$\therefore (f^{-1}\circ f\circ f^{-1})(5)=2$

1211 $(f^{-1}\circ f^{-1}\circ f)(2)=f^{-1}(2)$ ($\because f^{-1}\circ f=I$)

$f^{-1}(2)=k$라 하면 $f(k)=2$이므로

$\dfrac{-k+3}{2k-1}=2$, $-k+3=4k-2$

$\therefore k=1$

$\therefore (f^{-1}\circ f^{-1}\circ f)(2)=1$

1212 $f(3)=1$에서 $f^{-1}(1)=3$이므로

$a+b=3$ …… ㉠

$(f^{-1}\circ f^{-1})(1)=f^{-1}(f^{-1}(1))$

$=f^{-1}(3)$ ($\because f^{-1}(1)=3$)

즉, $(f^{-1}\circ f^{-1})(1)=-1$에서 $f^{-1}(3)=-1$이므로

$\dfrac{3a+b}{7}=-1$ $\therefore 3a+b=-7$ …… ㉡

㉠, ㉡을 연립하여 풀면 $a=-5$, $b=8$

1213 $f(2)=0$에서 $f^{-1}(0)=2$이므로

$\dfrac{b}{-2}=2$ $\therefore b=-4$

$(f\circ f)(x)=x$이므로 $f^{-1}=f$이다.

$f^{-1}(x)=\dfrac{ax+b}{3x-2}$에서

$y=\dfrac{ax-4}{3x-2}$라 하면

$3xy-2y=ax-4$, $3xy-ax=2y-4$

$(3y-a)x=2y-4$ $\therefore x=\dfrac{2y-4}{3y-a}$

x와 y를 서로 바꾸면 $y=\frac{2x-4}{3x-a}$

$(f^{-1})^{-1}=f$이고 $f^{-1}=f$이므로 $a=2$

1214 $f^{-1}(3)=k$라 하면 $f(k)=3$이므로

$\frac{2k-1}{k-1}=3,\ 2k-1=3k-3$

$\therefore k=2$

$\therefore (g\circ f^{-1})(3)=g(f^{-1}(3))=g(k)$

$=g(2)=\frac{6}{2-1}=6$

다른 해설

$f(x)=\frac{2x-1}{x-1}$에서

$y=\frac{2x-1}{x-1}$이라 하면

$xy-y=2x-1,\ xy-2x=y-1$

$(y-2)x=y-1 \qquad \therefore x=\frac{y-1}{y-2}$

x와 y를 서로 바꾸면 $y=\frac{x-1}{x-2}$

따라서 $f^{-1}(x)=\frac{x-1}{x-2}$이므로

$f^{-1}(3)=\frac{3-1}{3-2}=2$

$\therefore (g\circ f^{-1})(3)=g(f^{-1}(3))=g(2)=6$

1215 $g^{-1}(-1)=m$이라 하면 $g(m)=-1$이므로

$\frac{2m+1}{m+2}=-1,\ 2m+1=-m-2$

$\therefore m=-1$

$(f^{-1}\circ g^{-1})(-1)=f^{-1}(g^{-1}(-1))=f^{-1}(m)$

$=f^{-1}(-1)$

$f^{-1}(-1)=n$이라 하면 $f(n)=-1$이므로

$\frac{-3n+2}{2n-1}=-1,\ -3n+2=-2n+1$

$\therefore n=1$

$\therefore (f^{-1}\circ g^{-1})(-1)=1$

1216 $f(x)=\frac{-2x+3}{x+1}$에서

$y=\frac{-2x+3}{x+1}$이라 하면

$xy+y=-2x+3,\ xy+2x=-y+3$

$(y+2)x=-y+3 \qquad \therefore x=\frac{-y+3}{y+2}$

x와 y를 서로 바꾸면 $y=\frac{-x+3}{x+2}$

$\therefore f^{-1}(x)=\frac{-x+3}{x+2}$

이때 $g(x)=\frac{-x+3}{x+2}$이므로

$g=f^{-1}$

$\therefore (f\circ g\circ f^{-1})(2)=f^{-1}(2)$

$=g(2)=\frac{-2+3}{2+2}=\frac{1}{4}$

1217 두 함수 $y=f(x)$, $y=g(x)$의 그래프가 직선 $y=x$에 대하여 서로 대칭이므로 두 함수는 역함수 관계이다.

즉, $f^{-1}=g,\ g^{-1}=f$

$f(x)=\frac{2x+3}{ax-1}$에서

$y=\frac{2x+3}{ax-1}$이라 하면

$axy-y=2x+3,\ axy-2x=y+3$

$(ay-2)x=y+3 \qquad \therefore x=\frac{y+3}{ay-2}$

x와 y를 서로 바꾸면 $y=\frac{x+3}{ax-2}$

$f^{-1}(x)=\frac{x+3}{ax-2}$이고 $f^{-1}=g$이므로

$\frac{x+3}{ax-2}=\frac{bx+3}{x+c}$

$\therefore a=1,\ b=1,\ c=-2$

$\therefore g(x)=\frac{x+3}{x-2}$

$\therefore (g\circ f\circ g\circ f^{-1})(3)=(g\circ f^{-1})(3)\ (\because g\circ f=I)$

$=(g\circ g)(3)\ (\because f^{-1}=g)$

$=g(6)\left(\because g(3)=\frac{3+3}{3-2}=6\right)$

$=\frac{6+3}{6-2}=\frac{9}{4}$

핵심 12~20 Mini Review Test 본문 ○ 177쪽

1218 -2	**1219** -8	**1220** 1	**1221** 0
1222 3	**1223** $f^{-1}(x)=\frac{2x}{x-1}$	**1224** 2	

1218 $y=\frac{ax+1}{x+b}=\frac{a(x+b)-ab+1}{x+b}=\frac{-ab+1}{x+b}+a$

이므로 그래프의 점근선의 방정식은 $x=-b,\ y=a$

주어진 조건에서 점근선의 방정식이 $x=1,\ y=2$이므로

$a=2,\ b=-1$

$\therefore ab=2\times(-1)=-2$

1219 $y=\frac{2x+k}{x-1}=\frac{2(x-1)+2+k}{x-1}=\frac{2+k}{x-1}+2$

이므로 이 함수의 그래프를 x축의 방향으로 a만큼, y축의 방향으로 b만큼 평행이동한 그래프의 식은

$y=\frac{2+k}{x-a-1}+2+b$

이 함수의 그래프가 $y=-\frac{3}{x}$의 그래프와 겹쳐지므로

$2+k=-3,\ -a-1=0,\ 2+b=0$

$\therefore a=-1,\ b=-2,\ k=-5$

$\therefore a+b+k=-1+(-2)+(-5)=-8$

1220 점근선의 방정식이 $x=-1,\ y=-2$이므로

$y=\frac{k}{x+1}-2\ (k>0)$라 하면

$p=1,\ q=-2$

이 함수의 그래프가 점 $(0,\ 0)$을 지나므로

$0=k-2 \qquad \therefore k=2$

$\therefore k+p+q=2+1+(-2)=1$

1221 함수 $y=\frac{x+3}{ax+b}$의 그래프가 점 $\left(2,\ \frac{5}{2}\right)$를 지나므로

$\frac{5}{2}=\frac{5}{2a+b} \qquad \therefore 2a+b=2 \qquad \cdots\cdots$ ㉠

또한, x축에 평행한 점근선의 방정식은 $y=\frac{1}{a}$이고

주어진 조건에서 점근선의 방정식이 $y=\frac{1}{2}$이므로 $a=2$

$a=2$를 ㉠에 대입하면 $b=-2$

$\therefore a+b=2+(-2)=0$

참고

$y=\frac{x+3}{ax+b}=\frac{\left(x+\frac{b}{a}\right)-\frac{b}{a}+3}{a\left(x+\frac{b}{a}\right)}=\frac{-\frac{b}{a}+3}{a\left(x+\frac{b}{a}\right)}+\frac{1}{a}$

이므로 그래프의 점근선의 방정식은

$x=-\frac{b}{a},\ y=\frac{1}{a}$

1222 $y=\frac{3x+a}{x+2}=\frac{3(x+2)+a-6}{x+2}=\frac{a-6}{x+2}+3$

이때 점근선의 방정식이 $x=-2,\ y=3$이고 $a-6<0$이므로 주어진 함수는 $-1\le x\le 1$에서 x의 값이 증가하면 y의 값도 증가한다.

따라서 $x=1$일 때 최댓값 $\frac{3+a}{3}$를 갖고 주어진 조건에서 최댓값이 2이므로

$\frac{3+a}{3}=2 \qquad \therefore a=3$

1223 함수 $y=f(x)$의 그래프의 점근선의 방정식이 $x=2,\ y=1$이므로 함수 $y=f^{-1}(x)$의 그래프의 점근선의 방정식은 $x=1,\ y=2$이다.

$\therefore f^{-1}(x)=\frac{k}{x-1}+2\ (k\ne 0)$

또한, 함수 $y=f(x)$의 그래프가 점 $(0,\ 0)$을 지나므로

$f(0)=0$이고 $f^{-1}(0)=0$이다.

$f^{-1}(0)=0$에서

$0=\frac{k}{-1}+2 \qquad \therefore k=2$

$\therefore f^{-1}(x)=\frac{2}{x-1}+2=\frac{2x}{x-1}$

다른 해설

함수 $y=f(x)$의 그래프의 점근선의 방정식이 $x=2,\ y=1$이므로

$y=\frac{k}{x-2}+1\ (k\ne 0)$

함수 $y=f(x)$의 그래프가 점 $(0,\ 0)$을 지나므로 $f(0)=0$

즉, $0=\frac{k}{-2}+1$이므로 $k=2$

$\therefore f(x)=\frac{2}{x-2}+1=\frac{x}{x-2}$

$y=\frac{x}{x-2}$라 하면

$xy-2y=x,\ xy-x=2y$

$(y-1)x=2y \qquad \therefore x=\frac{2y}{y-1}$

$x,\ y$를 서로 바꾸면 $y=\frac{2x}{x-1}$

$\therefore f^{-1}(x)=\frac{2x}{x-1}$

1224 함수 $y=f^{-1}(x)$의 그래프가 점 $(2,\ 0)$과 점 $(0,\ 2)$를 지나므로 $f^{-1}(2)=0,\ f^{-1}(0)=2$

즉, $f(0)=2,\ f(2)=0$이므로

$(f\circ f)(2)=f(f(2))=f(0)=2$

$(f\circ f\circ f)(2)=f(f(f(2)))=f(f(0))=f(2)=0$

$\therefore f(2)+(f\circ f)(2)+(f\circ f\circ f)(2)=0+2+0=2$

8. 무리함수

핵심 01

본문 ➔ 182쪽

1225 $-x, 2x$ **1226** -3 **1227** $-2x+2$ **1228** $2x-3$
1229 2 **1230** $>, <, -x+3, -x+3, 1$
1231 $2x+2$ **1232** $-x+2$ **1233** $-2x-1$

1226 $x>0$에서 $x+3>0$이므로
$\sqrt{x^2}-\sqrt{(x+3)^2}=|x|-|x+3|=x-(x+3)=-3$

1227 $x<0$에서 $x-2<0$이므로
$\sqrt{x^2}+\sqrt{(x-2)^2}=|x|+|x-2|=-x+(-x+2)$
$=-2x+2$

1228 $0<x<3$에서 $x>0$, $x-3<0$이므로
$\sqrt{x^2}-\sqrt{(x-3)^2}=|x|-|x-3|=x-(-x+3)=2x-3$

1229 $-1<x<1$에서 $x+1>0$, $x-1<0$이므로
$\sqrt{(x+1)^2}+\sqrt{(x-1)^2}=|x+1|+|x-1|$
$=(x+1)+(-x+1)=2$

1231 $-4<x<2$에서 $x+4>0$, $x-2<0$이므로
$\sqrt{x^2+8x+16}=\sqrt{(x+4)^2}=|x+4|=x+4$
$\sqrt{x^2-4x+4}=\sqrt{(x-2)^2}=|x-2|=-x+2$
$\therefore \sqrt{x^2+8x+16}-\sqrt{x^2-4x+4}$
$=(x+4)-(-x+2)$
$=2x+2$

1232 $-1<x<\frac{1}{2}$에서 $x+1>0$, $2x-1<0$이므로
$\sqrt{x^2+2x+1}=\sqrt{(x+1)^2}=|x+1|=x+1$
$\sqrt{4x^2-4x+1}=\sqrt{(2x-1)^2}=|2x-1|=-2x+1$
$\therefore \sqrt{x^2+2x+1}+\sqrt{4x^2-4x+1}$
$=(x+1)+(-2x+1)$
$=-x+2$

1233 $-2<x<1$에서 $x+2>0$, $x-1<0$이므로
$\sqrt{x^2-2x+1}=\sqrt{(x-1)^2}=|x-1|=-x+1$
$\sqrt{x^2+4x+4}=\sqrt{(x+2)^2}=|x+2|=x+2$
$\therefore \sqrt{x^2-2x+1}-\sqrt{x^2+4x+4}$
$=(-x+1)-(x+2)$
$=-2x-1$

핵심 02

본문 ➔ 183쪽

1234 $0, 0$ **1235** $x\le -1$ **1236** $x\le 2$ **1237** $x\le -2$
1238 $2\le x\le 5$ **1239** $\ge, <, -5, 1$
1240 $2\le x<4$ **1241** $-\frac{1}{2}\le x<0$
1242 $-\frac{1}{3}\le x<\frac{2}{3}$ **1243** $-\frac{3}{2}$

1235 $\sqrt{x+1}\sqrt{x-2}=-\sqrt{x^2-x-2}=-\sqrt{(x+1)(x-2)}$에서
$x+1\le 0$, $x-2\le 0$ $\quad\therefore x\le -1$

1236 $\sqrt{x-2}\sqrt{x-3}=-\sqrt{x^2-5x+6}=-\sqrt{(x-2)(x-3)}$에서
$x-2\le 0$, $x-3\le 0$ $\quad\therefore x\le 2$

1237 $\sqrt{x-4}\sqrt{x+2}=-\sqrt{x^2-2x-8}=-\sqrt{(x-4)(x+2)}$에서
$x-4\le 0$, $x+2\le 0$ $\quad\therefore x\le -2$

1238 $\sqrt{x-5}\sqrt{2-x}=-\sqrt{-x^2+7x-10}=-\sqrt{(x-5)(2-x)}$에서
$x-5\le 0$, $2-x\le 0$ $\quad\therefore 2\le x\le 5$

1240 $\frac{\sqrt{x-2}}{\sqrt{x-4}}=-\sqrt{\frac{x-2}{x-4}}$에서
$x-2\ge 0$, $x-4<0$이므로
$2\le x<4$

1241 $\frac{\sqrt{2x+1}}{\sqrt{x}}=-\sqrt{\frac{2x+1}{x}}$에서
$2x+1\ge 0$, $x<0$이므로
$-\frac{1}{2}\le x<0$

1242 $\frac{\sqrt{3x+1}}{\sqrt{3x-2}}=-\sqrt{\frac{3x+1}{3x-2}}$에서
$3x+1\ge 0$, $3x-2<0$이므로
$-\frac{1}{3}\le x<\frac{2}{3}$

1243 $\frac{\sqrt{2x+5}}{\sqrt{x-1}}=-\sqrt{\frac{2x+5}{x-1}}$에서
$2x+5\ge 0$, $x-1<0$이므로
$-\frac{5}{2}\le x<1$
따라서 $a=-\frac{5}{2}$, $b=1$이므로
$a+b=-\frac{5}{2}+1=-\frac{3}{2}$

핵심 03 본문 184쪽

1244 $\sqrt{x}$, $\sqrt{x}$, $3\sqrt{x}$　**1245** $\dfrac{\sqrt{x+2}}{x+2}$

1246 $\dfrac{\sqrt{3x-3}}{x-1}$　**1247** $\sqrt{x}+3$, $\sqrt{x}+3$, $x-9$

1248 $\sqrt{x}-1$

1249 $\sqrt{x}-\sqrt{x-1}$, $\sqrt{x}-\sqrt{x-1}$, $x-1$, $\sqrt{x}-\sqrt{x-1}$

1250 $\dfrac{\sqrt{x+2}-\sqrt{x}}{2}$　**1251** $-\sqrt{x+1}-\sqrt{x+2}$

1252 $\sqrt{x+3}+2$　**1253** $-\sqrt{x^2-x}+x$

1245 $\dfrac{1}{\sqrt{x+2}}=\dfrac{\sqrt{x+2}}{\sqrt{x+2}\sqrt{x+2}}=\dfrac{\sqrt{x+2}}{x+2}$

1246 $\dfrac{\sqrt{3}}{\sqrt{x-1}}=\dfrac{\sqrt{3}\sqrt{x-1}}{\sqrt{x-1}\sqrt{x-1}}=\dfrac{\sqrt{3x-3}}{x-1}$

1248 $\dfrac{x-1}{\sqrt{x}+1}=\dfrac{(x-1)(\sqrt{x}-1)}{(\sqrt{x}+1)(\sqrt{x}-1)}=\dfrac{(x-1)(\sqrt{x}-1)}{x-1}$

$=\sqrt{x}-1$

1250 $\dfrac{1}{\sqrt{x+2}+\sqrt{x}}=\dfrac{\sqrt{x+2}-\sqrt{x}}{(\sqrt{x+2}+\sqrt{x})(\sqrt{x+2}-\sqrt{x})}$

$=\dfrac{\sqrt{x+2}-\sqrt{x}}{(x+2)-x}$

$=\dfrac{\sqrt{x+2}-\sqrt{x}}{2}$

1251 $\dfrac{1}{\sqrt{x+1}-\sqrt{x+2}}$

$=\dfrac{\sqrt{x+1}+\sqrt{x+2}}{(\sqrt{x+1}-\sqrt{x+2})(\sqrt{x+1}+\sqrt{x+2})}$

$=\dfrac{\sqrt{x+1}+\sqrt{x+2}}{(x+1)-(x+2)}$

$=-\sqrt{x+1}-\sqrt{x+2}$

1252 $\dfrac{x-1}{\sqrt{x+3}-2}=\dfrac{(x-1)(\sqrt{x+3}+2)}{(\sqrt{x+3}-2)(\sqrt{x+3}+2)}$

$=\dfrac{(x-1)(\sqrt{x+3}+2)}{(x+3)-4}$

$=\dfrac{(x-1)(\sqrt{x+3}+2)}{x-1}$

$=\sqrt{x+3}+2$

1253 $\dfrac{x}{\sqrt{x^2-x}+x}=\dfrac{x(\sqrt{x^2-x}-x)}{(\sqrt{x^2-x}+x)(\sqrt{x^2-x}-x)}$

$=\dfrac{x(\sqrt{x^2-x}-x)}{(x^2-x)-x^2}$

$=\dfrac{x(\sqrt{x^2-x}-x)}{-x}$

$=-\sqrt{x^2-x}+x$

핵심 04 본문 185쪽

1254 $\sqrt{x}+\sqrt{2}$, $x-2$　**1255** $\dfrac{8}{x-1}$　**1256** -2

1257 $2\sqrt{x}$　**1258** $-\dfrac{6}{x-5}$　**1259** $-\dfrac{4\sqrt{x}}{x-4}$　**1260** 6

1261 $-x$　**1262** $2x$　**1263** -24

1255 $\dfrac{2}{\sqrt{x+3}-2}-\dfrac{2}{\sqrt{x+3}+2}$

$=\dfrac{2(\sqrt{x+3}+2)-2(\sqrt{x+3}-2)}{(\sqrt{x+3}-2)(\sqrt{x+3}+2)}$

$=\dfrac{8}{(x+3)-4}=\dfrac{8}{x-1}$

1256 $\dfrac{x}{1-\sqrt{x+1}}+\dfrac{x}{1+\sqrt{x+1}}$

$=\dfrac{x(1+\sqrt{x+1})+x(1-\sqrt{x+1})}{(1-\sqrt{x+1})(1+\sqrt{x+1})}$

$=\dfrac{2x}{1-(x+1)}=\dfrac{2x}{-x}=-2$

1257 $\dfrac{1}{\sqrt{x+1}-\sqrt{x}}-\dfrac{1}{\sqrt{x+1}+\sqrt{x}}$

$=\dfrac{(\sqrt{x+1}+\sqrt{x})-(\sqrt{x+1}-\sqrt{x})}{(\sqrt{x+1}-\sqrt{x})(\sqrt{x+1}+\sqrt{x})}$

$=\dfrac{2\sqrt{x}}{(x+1)-x}=2\sqrt{x}$

1258 $\dfrac{1}{\sqrt{x+4}+3}-\dfrac{1}{\sqrt{x+4}-3}$

$=\dfrac{(\sqrt{x+4}-3)-(\sqrt{x+4}+3)}{(\sqrt{x+4}+3)(\sqrt{x+4}-3)}$

$=\dfrac{-6}{(x+4)-9}=-\dfrac{6}{x-5}$

1259 $\dfrac{\sqrt{x}}{\sqrt{x}+2}-\dfrac{\sqrt{x}}{\sqrt{x}-2}$

$=\dfrac{\sqrt{x}(\sqrt{x}-2)-\sqrt{x}(\sqrt{x}+2)}{(\sqrt{x}+2)(\sqrt{x}-2)}$

$=\dfrac{(x-2\sqrt{x})-(x+2\sqrt{x})}{x-4}$

$=-\dfrac{4\sqrt{x}}{x-4}$

1260 $\dfrac{x}{\sqrt{x+9}-3}-\dfrac{x}{\sqrt{x+9}+3}$

$=\dfrac{x(\sqrt{x+9}+3)-x(\sqrt{x+9}-3)}{(\sqrt{x+9}-3)(\sqrt{x+9}+3)}$

$=\dfrac{6x}{(x+9)-9}=\dfrac{6x}{x}=6$

1261 $\dfrac{1}{x-\sqrt{x^2+1}}+\sqrt{x^2+1}$

$=\dfrac{x+\sqrt{x^2+1}}{(x-\sqrt{x^2+1})(x+\sqrt{x^2+1})}+\sqrt{x^2+1}$

$=\dfrac{x+\sqrt{x^2+1}}{x^2-(x^2+1)}+\sqrt{x^2+1}$

$=-(x+\sqrt{x^2+1})+\sqrt{x^2+1}=-x$

1262 $\dfrac{1}{2x+\sqrt{4x^2-1}}+\sqrt{4x^2-1}$

$=\dfrac{2x-\sqrt{4x^2-1}}{(2x+\sqrt{4x^2-1})(2x-\sqrt{4x^2-1})}+\sqrt{4x^2-1}$

$=\dfrac{2x-\sqrt{4x^2-1}}{4x^2-(4x^2-1)}+\sqrt{4x^2-1}$

$=(2x-\sqrt{4x^2-1})+\sqrt{4x^2-1}=2x$

1263 $(x+5)(\sqrt{x+4}+3)(\sqrt{x+4}-3)$

$=(x+5)(x+4-9)$

$=(x+5)(x-5)=x^2-25$

따라서 $ax^2+bx+c=x^2-25$이므로 $a=1,\ b=0,\ c=-25$

$\therefore\ a+b+c=1+0+(-25)=-24$

핵심 **05** 본문 ◯ 186쪽

1264 $\sqrt{5}+2$ **1265** $-\sqrt{3}-1$ **1266** $4+2\sqrt{2}$ **1267** $\sqrt{2}$

1268 $\sqrt{2}+1$ **1269** $4\sqrt{3}-2$ **1270** $2+\sqrt{2}$

1264 $\dfrac{\sqrt{x+2}}{\sqrt{x-2}}=\dfrac{\sqrt{x+2}\sqrt{x-2}}{\sqrt{x-2}\sqrt{x-2}}=\dfrac{\sqrt{x^2-4}}{x-2}$

$x=\sqrt{5}$를 대입하면

$\dfrac{\sqrt{x^2-4}}{x-2}=\dfrac{\sqrt{(\sqrt{5})^2-4}}{\sqrt{5}-2}=\dfrac{1}{\sqrt{5}-2}$

$=\dfrac{\sqrt{5}+2}{(\sqrt{5}-2)(\sqrt{5}+2)}=\sqrt{5}+2$

1265 $\dfrac{1}{\sqrt{x}+1}-\dfrac{1}{\sqrt{x}-1}=\dfrac{(\sqrt{x}-1)-(\sqrt{x}+1)}{(\sqrt{x}+1)(\sqrt{x}-1)}=\dfrac{-2}{x-1}$

$x=\sqrt{3}$을 대입하면

$\dfrac{-2}{x-1}=\dfrac{-2}{\sqrt{3}-1}=\dfrac{-2(\sqrt{3}+1)}{(\sqrt{3}-1)(\sqrt{3}+1)}=\dfrac{-2(\sqrt{3}+1)}{2}$

$=-\sqrt{3}-1$

1266 $\dfrac{\sqrt{x}}{\sqrt{x}-1}+\dfrac{\sqrt{x}}{\sqrt{x}+1}=\dfrac{\sqrt{x}(\sqrt{x}+1)+\sqrt{x}(\sqrt{x}-1)}{(\sqrt{x}-1)(\sqrt{x}+1)}$

$=\dfrac{2x}{x-1}$

$x=\sqrt{2}$를 대입하면

$\dfrac{2x}{x-1}=\dfrac{2\sqrt{2}}{\sqrt{2}-1}=\dfrac{2\sqrt{2}(\sqrt{2}+1)}{(\sqrt{2}-1)(\sqrt{2}+1)}=4+2\sqrt{2}$

1267 $\dfrac{1}{\sqrt{x+4}-2}-\dfrac{1}{\sqrt{x+4}+2}$

$=\dfrac{(\sqrt{x+4}+2)-(\sqrt{x+4}-2)}{(\sqrt{x+4}-2)(\sqrt{x+4}+2)}=\dfrac{4}{(x+4)-4}=\dfrac{4}{x}$

$x=2\sqrt{2}$를 대입하면

$\dfrac{4}{x}=\dfrac{4}{2\sqrt{2}}=\sqrt{2}$

1268 $\dfrac{\sqrt{x+1}+\sqrt{x-1}}{\sqrt{x+1}-\sqrt{x-1}}$

$=\dfrac{(\sqrt{x+1}+\sqrt{x-1})^2}{(\sqrt{x+1}-\sqrt{x-1})(\sqrt{x+1}+\sqrt{x-1})}$

$=\dfrac{(x+1)+2\sqrt{x+1}\sqrt{x-1}+(x-1)}{(x+1)-(x-1)}$

$=\dfrac{2x+2\sqrt{x^2-1}}{2}=x+\sqrt{x^2-1}$

$x=\sqrt{2}$를 대입하면

$x+\sqrt{x^2-1}=\sqrt{2}+\sqrt{(\sqrt{2})^2-1}=\sqrt{2}+1$

1269 $\dfrac{\sqrt{x+1}+\sqrt{x}}{\sqrt{x+1}-\sqrt{x}}+\dfrac{\sqrt{x+1}-\sqrt{x}}{\sqrt{x+1}+\sqrt{x}}$

$=\dfrac{(\sqrt{x+1}+\sqrt{x})^2+(\sqrt{x+1}-\sqrt{x})^2}{(\sqrt{x+1}-\sqrt{x})(\sqrt{x+1}+\sqrt{x})}$

$=\dfrac{(2x+1)+2\sqrt{x}\sqrt{x+1}+(2x+1)-2\sqrt{x}\sqrt{x+1}}{(x+1)-x}$

$=4x+2$

$x=\sqrt{3}-1$을 대입하면

$4x+2=4(\sqrt{3}-1)+2=4\sqrt{3}-2$

1270 $\dfrac{\sqrt{x}+1}{\sqrt{x}-1}+\dfrac{\sqrt{x}-1}{\sqrt{x}+1}=\dfrac{(\sqrt{x}+1)^2+(\sqrt{x}-1)^2}{(\sqrt{x}-1)(\sqrt{x}+1)}$

$=\dfrac{(x+2\sqrt{x}+1)+(x-2\sqrt{x}+1)}{x-1}$

$=\dfrac{2x+2}{x-1}$

$x=2\sqrt{2}+1$을 대입하면

$\dfrac{2x+2}{x-1}=\dfrac{2(2\sqrt{2}+1)+2}{(2\sqrt{2}+1)-1}=\dfrac{4\sqrt{2}+4}{2\sqrt{2}}=2+\sqrt{2}$

핵심 01~05 Mini Review Test		본문 ◎ 187쪽
1271 5	**1272** $1\le x\le 2$	**1273** 5
1274 $\frac{10}{3}$	**1275** $2\sqrt{3}+4$	**1276** $\frac{\sqrt{6}}{3}$

1271 $-3<x<2$에서 $x+3>0$, $x-2<0$이므로

$\sqrt{x^2-4x+4}=\sqrt{(x-2)^2}=|x-2|=-x+2$

$\sqrt{x^2+6x+9}=\sqrt{(x+3)^2}=|x+3|=x+3$

$\therefore \sqrt{x^2-4x+4}+\sqrt{x^2+6x+9}$
$=(-x+2)+(x+3)=5$

1272 $\sqrt{x-2}\sqrt{1-x}=-\sqrt{-x^2+3x-2}$
$=-\sqrt{(x-2)(1-x)}$에서

$x-2\le 0$, $1-x\le 0$이므로

$1\le x\le 2$

1273 $\frac{\sqrt{2x+4}}{\sqrt{3x-8}}=-\sqrt{\frac{2x+4}{3x-8}}$에서

$2x+4\ge 0$, $3x-8<0$이므로

$-2\le x<\frac{8}{3}$

따라서 정수 x는 -2, -1, 0, 1, 2이므로 그 개수는 5이다.

1274 $\frac{\sqrt{x+3}+\sqrt{x}}{\sqrt{x+3}-\sqrt{x}}+\frac{\sqrt{x+3}-\sqrt{x}}{\sqrt{x+3}+\sqrt{x}}$

$=\frac{(\sqrt{x+3}+\sqrt{x})^2+(\sqrt{x+3}-\sqrt{x})^2}{(\sqrt{x+3}-\sqrt{x})(\sqrt{x+3}+\sqrt{x})}$

$=\frac{(x+3+x+2\sqrt{x+3}\sqrt{x})+(x+3+x-2\sqrt{x+3}\sqrt{x})}{(x+3)-x}$

$=\frac{4x+6}{3}=\frac{4}{3}x+2$

따라서 $a=\frac{4}{3}$, $b=2$이므로

$a+b=\frac{4}{3}+2=\frac{10}{3}$

1275 $\frac{1}{\sqrt{x}+2}-\frac{1}{\sqrt{x}-2}=\frac{(\sqrt{x}-2)-(\sqrt{x}+2)}{(\sqrt{x}+2)(\sqrt{x}-2)}$
$=\frac{-4}{x-4}$

$x=2\sqrt{3}$을 대입하면

$\frac{-4}{x-4}=\frac{-4}{2\sqrt{3}-4}=\frac{-4(2\sqrt{3}+4)}{(2\sqrt{3}-4)(2\sqrt{3}+4)}$

$=\frac{-4(2\sqrt{3}+4)}{12-16}$

$=2\sqrt{3}+4$

1276 $\frac{\sqrt{x+1}}{\sqrt{x-1}}-\frac{\sqrt{x-1}}{\sqrt{x+1}}$

$=\frac{\sqrt{x+1}\sqrt{x-1}}{\sqrt{x-1}\sqrt{x-1}}-\frac{\sqrt{x-1}\sqrt{x+1}}{\sqrt{x+1}\sqrt{x+1}}$

$=\frac{\sqrt{x^2-1}}{x-1}-\frac{\sqrt{x^2-1}}{x+1}$

$x=\sqrt{7}$을 대입하면

$\frac{\sqrt{x^2-1}}{x-1}-\frac{\sqrt{x^2-1}}{x+1}$

$=\frac{\sqrt{6}}{\sqrt{7}-1}-\frac{\sqrt{6}}{\sqrt{7}+1}$

$=\frac{\sqrt{6}(\sqrt{7}+1)-\sqrt{6}(\sqrt{7}-1)}{(\sqrt{7}-1)(\sqrt{7}+1)}$

$=\frac{2\sqrt{6}}{6}=\frac{\sqrt{6}}{3}$

핵심 06

본문 ◎ 188쪽

1277 $\{x\mid x\ge 0\}$	**1278** 0, 0, 0 **1279** 0, 3, 3
1280 $\{x\mid x\ge -4\}$	**1281** 0, 1, 1
1282 $\{x\mid x\le 5\}$	**1283** 0, -2, -2
1284 $\left\{x\,\middle|\,x\ge \frac{1}{3}\right\}$	**1285** $\{x\mid x\ge 0\}$
1286 $\left\{x\,\middle|\,x\ge -\frac{1}{2}\right\}$	**1287** $\left\{x\,\middle|\,x\le \frac{1}{4}\right\}$
1288 $\left\{x\,\middle|\,x\le \frac{3}{2}\right\}$	

1280 $x+4\ge 0$에서 $x\ge -4$

따라서 함수 $y=\sqrt{x+4}$의 정의역은 $\{x\mid x\ge -4\}$

1282 $5-x\ge 0$에서 $x\le 5$

따라서 함수 $y=\sqrt{5-x}$의 정의역은 $\{x\mid x\le 5\}$

1284 $3x-1\ge 0$에서 $x\ge \frac{1}{3}$

따라서 함수 $y=\sqrt{3x-1}$의 정의역은 $\left\{x\,\middle|\,x\ge \frac{1}{3}\right\}$

1285 $2x\ge 0$에서 $x\ge 0$

따라서 함수 $y=-\sqrt{2x}-6$의 정의역은 $\{x\mid x\ge 0\}$

1286 $2x+1\ge 0$에서 $x\ge -\frac{1}{2}$

따라서 함수 $y=\sqrt{2x+1}+3$의 정의역은 $\left\{x\,\middle|\,x\ge -\frac{1}{2}\right\}$

1287 $1-4x\ge 0$에서 $x\le\frac{1}{4}$

따라서 함수 $y=-\sqrt{1-4x}+5$의 정의역은 $\left\{x\,\middle|\,x\le\frac{1}{4}\right\}$

1288 $3-2x\ge 0$에서 $x\le\frac{3}{2}$

따라서 함수 $y=\sqrt{3-2x}-1$의 정의역은 $\left\{x\,\middle|\,x\le\frac{3}{2}\right\}$

핵심 07

본문 ◐ 189쪽

1289~1296 풀이 참조

1289 $y=\sqrt{x}$의 그래프는 오른쪽 그림과 같다.

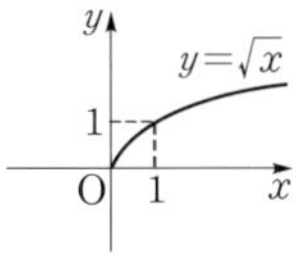

정의역 : $\{x\,|\,x\ge 0\}$

치역 : $\{y\,|\,y\ge 0\}$

1290 $y=\sqrt{-x}$의 그래프는 오른쪽 그림과 같다.

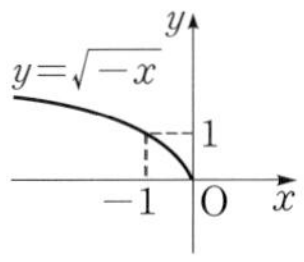

정의역 : $\{x\,|\,x\le 0\}$

치역 : $\{y\,|\,y\ge 0\}$

1291 $y=-\sqrt{x}$의 그래프는 오른쪽 그림과 같다.

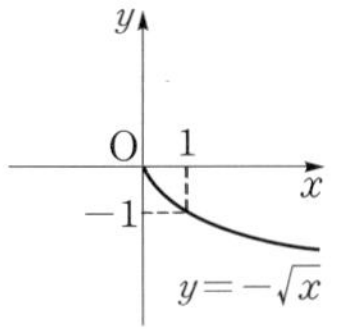

정의역 : $\{x\,|\,x\ge 0\}$

치역 : $\{y\,|\,y\le 0\}$

1292 $y=-\sqrt{-x}$의 그래프는 오른쪽 그림과 같다.

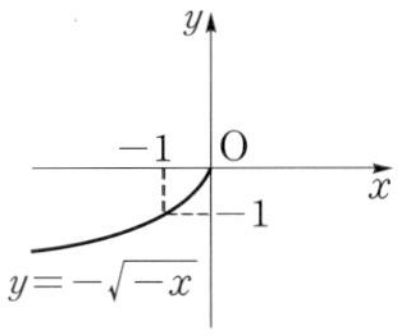

정의역 : $\{x\,|\,x\le 0\}$

치역 : $\{y\,|\,y\le 0\}$

1293 $y=\sqrt{-2x}$의 그래프는 오른쪽 그림과 같다.

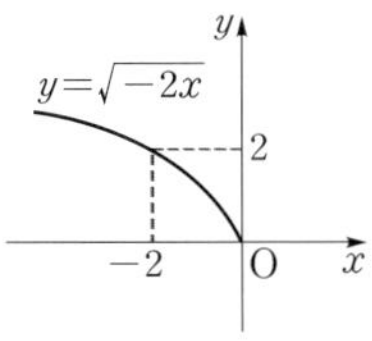

정의역 : $\{x\,|\,x\le 0\}$

치역 : $\{y\,|\,y\ge 0\}$

1294 $y=-\sqrt{-3x}$의 그래프는 오른쪽 그림과 같다.

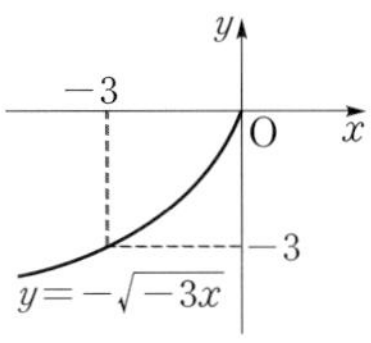

정의역 : $\{x\,|\,x\le 0\}$

치역 : $\{y\,|\,y\le 0\}$

1295 $y=\sqrt{2x}$의 그래프는 오른쪽 그림과 같다.

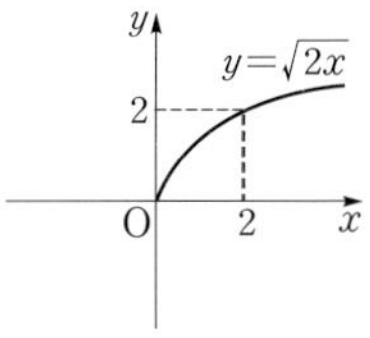

정의역 : $\{x\,|\,x\ge 0\}$

치역 : $\{y\,|\,y\ge 0\}$

1296 $y=-\sqrt{3x}$의 그래프는 오른쪽 그림과 같다.

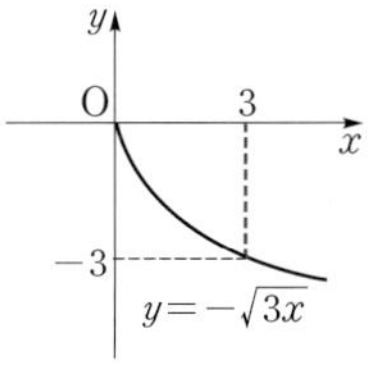

정의역 : $\{x\,|\,x\ge 0\}$

치역 : $\{y\,|\,y\le 0\}$

핵심 08

본문 ◐ 190쪽

1297~1308 풀이 참조

1297 y 대신 $-y$를 대입하면

$-y=\sqrt{-x}$

$\therefore y=-\sqrt{-x}$

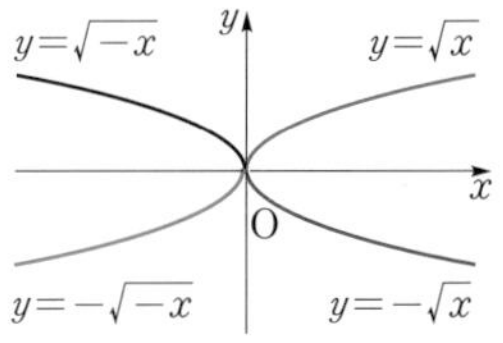

1298 x 대신 $-x$를 대입하면

$y=\sqrt{x}$

1299 x 대신 $-x$, y 대신 $-y$를 대입하면

$-y=\sqrt{x}\quad\therefore y=-\sqrt{x}$

1300 y 대신 $-y$를 대입하면

$-y=-\sqrt{-2x}$

$\therefore y=\sqrt{-2x}$

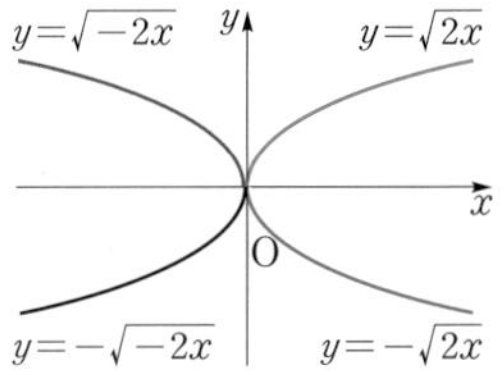

1301 x 대신 $-x$를 대입하면

$y=-\sqrt{2x}$

1302 x 대신 $-x$, y 대신 $-y$를 대입하면

$-y=-\sqrt{2x}\quad\therefore y=\sqrt{2x}$

1303 y 대신 $-y$를 대입하면

$-y=\sqrt{3x}\quad\therefore y=-\sqrt{3x}$

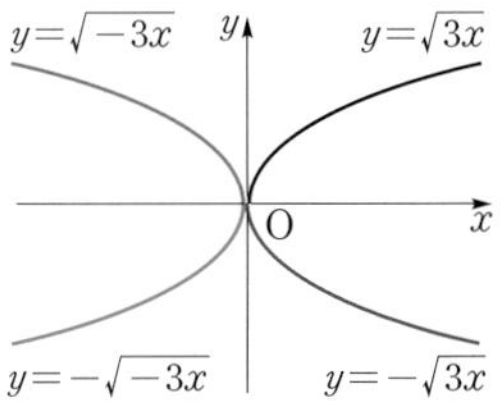

1304 x 대신 $-x$를 대입하면

$y=\sqrt{-3x}$

1305 x 대신 $-x$, y 대신 $-y$를 대입하면

$-y=\sqrt{-3x}\quad\therefore y=-\sqrt{-3x}$

1306 y 대신 $-y$를 대입하면

$-y=-2\sqrt{x}$ $\quad\therefore y=2\sqrt{x}$

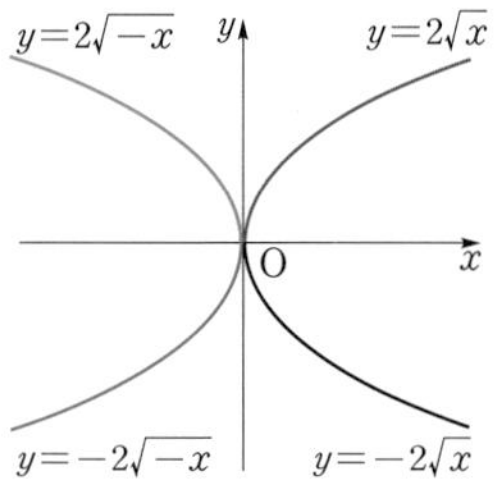

1307 x 대신 $-x$를 대입하면

$y=-2\sqrt{-x}$

1308 x 대신 $-x$, y 대신 $-y$를 대입하면

$-y=-2\sqrt{-x}$ $\quad\therefore y=2\sqrt{-x}$

핵심 **09** 본문 ➔ 191쪽

1309 $y=\sqrt{x-1}+3$ **1310** $y=-\sqrt{x-2}+4$
1311 $y=\sqrt{-x+3}-1$ **1312** $y=\sqrt{-x-2}-1$
1313 $y=\sqrt{2x+4}+5$ **1314** $y=\sqrt{-2x+8}+3$
1315 $y=-\sqrt{-2x-6}-2$ **1316** $y=\sqrt{-3x+6}+1$
1317 $y=\sqrt{3x+3}-2$ **1318** $y=-\sqrt{3x-6}+3$
1319 $y=-\sqrt{-3x+6}+2$ **1320** 10

1309 $y-3=\sqrt{x-1}$ $\quad\therefore y=\sqrt{x-1}+3$

1310 $y-4=-\sqrt{x-2}$ $\quad\therefore y=-\sqrt{x-2}+4$

1311 $y+1=\sqrt{-(x-3)}$ $\quad\therefore y=\sqrt{-x+3}-1$

1312 $y-(-1)=\sqrt{-\{x-(-2)\}}$ $\quad\therefore y=\sqrt{-x-2}-1$

1313 $y-5=\sqrt{2\{x-(-2)\}}$ $\quad\therefore y=\sqrt{2x+4}+5$

1314 $y-3=\sqrt{-2(x-4)}$ $\quad\therefore y=\sqrt{-2x+8}+3$

1315 $y-(-2)=-\sqrt{-2\{x-(-3)\}}$

$\therefore y=-\sqrt{-2x-6}-2$

1316 $y-1=\sqrt{-3(x-2)}$ $\quad\therefore y=\sqrt{-3x+6}+1$

1317 $y-(-2)=\sqrt{3\{x-(-1)\}}$ $\quad\therefore y=\sqrt{3x+3}-2$

1318 $y-3=-\sqrt{3(x-2)}$ $\quad\therefore y=-\sqrt{3x-6}+3$

1319 $y-2=-\sqrt{-3(x-2)}$ $\quad\therefore y=-\sqrt{-3x+6}+2$

1320 $y=-\sqrt{2x}$의 그래프를 x축의 방향으로 -3만큼, y축의 방향으로 2만큼 평행이동한 그래프의 식은

$y-2=-\sqrt{2(x+3)}$ $\quad\therefore y=-\sqrt{2x+6}+2$

이 함수의 그래프가 $y=-\sqrt{ax+b}+c$의 그래프와 일치하므로 $a=2$, $b=6$, $c=2$

$\therefore a+b+c=2+6+2=10$

핵심 **10** 본문 ➔ 192쪽

1321 $\sqrt{x}$, 0, -3 **1322** $\sqrt{x}$, -4, 2
1323 $\sqrt{3x}$, -2, 0 **1324** $\sqrt{-x}$, 2, -1
1325 $-\sqrt{-2x}$, 1, 2 **1326** $x+2$, $\sqrt{2x}$, -2, -3
1327 $\sqrt{-(x-5)}-8$, $\sqrt{-x}$, 5, -8 **1328** 9

1328 $y=\sqrt{3x-6}+4=\sqrt{3(x-2)}+4$

이므로 $y=\sqrt{3x}$의 그래프를 x축의 방향으로 2만큼, y축의 방향으로 4만큼 평행이동한 것이다.

따라서 $a=3$, $p=2$, $q=4$이므로

$a+p+q=3+2+4=9$

핵심 **11** 본문 ➔ 193쪽

1329~1336 풀이 참조

1329 $y=\sqrt{x}+1$의 그래프는 오른쪽 그림과 같다.

정의역 : $\{x|x\geq 0\}$

치역 : $\{y|y\geq 1\}$

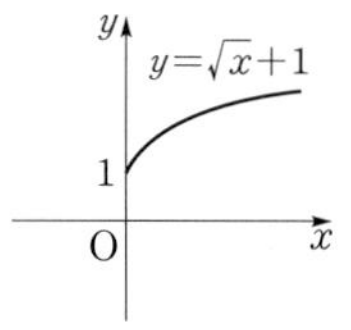

1330 $y=\sqrt{x-2}$의 그래프는 오른쪽 그림과 같다.

정의역 : $\{x|x\geq 2\}$

치역 : $\{y|y\geq 0\}$

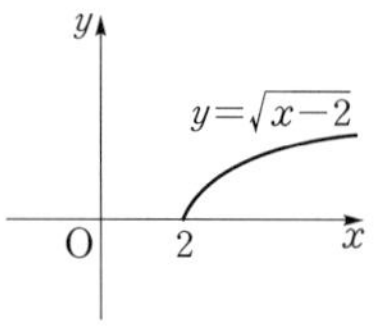

1331 $y=\sqrt{x+3}-1$의 그래프는 오른쪽 그림과 같다.

정의역 : $\{x|x\geq -3\}$

치역 : $\{y|y\geq -1\}$

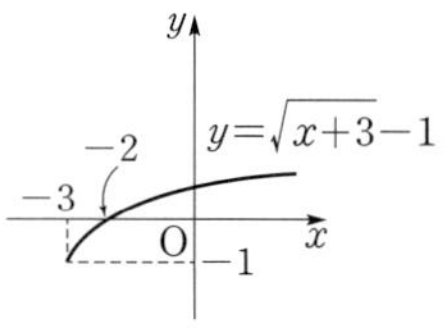

1332 $y=\sqrt{2(x+1)}+2$의 그래프는 오른쪽 그림과 같다.

정의역 : $\{x\,|\,x\geq -1\}$

치역 : $\{y\,|\,y\geq 2\}$

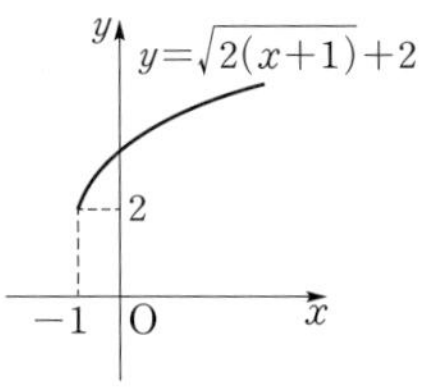

1333 $y=\sqrt{2(x+2)}-4$의 그래프는 오른쪽 그림과 같다.

정의역 : $\{x\,|\,x\geq -2\}$

치역 : $\{y\,|\,y\geq -4\}$

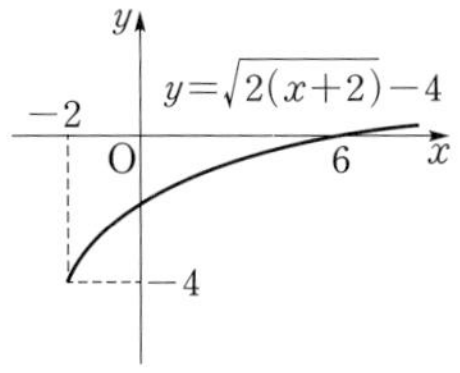

1334 $y=\sqrt{-(x-2)}$의 그래프는 오른쪽 그림과 같다.

정의역 : $\{x\,|\,x\leq 2\}$

치역 : $\{y\,|\,y\geq 0\}$

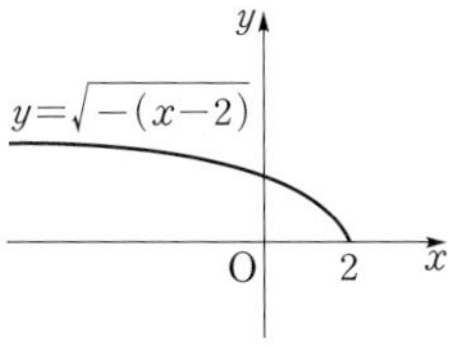

1335 $y=-\sqrt{x-1}-2$의 그래프는 오른쪽 그림과 같다.

정의역 : $\{x\,|\,x\geq 1\}$

치역 : $\{y\,|\,y\leq -2\}$

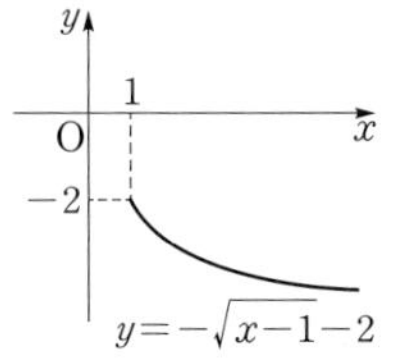

1336 $y=-\sqrt{-x}+3$의 그래프는 오른쪽 그림과 같다.

정의역 : $\{x\,|\,x\leq 0\}$

치역 : $\{y\,|\,y\leq 3\}$

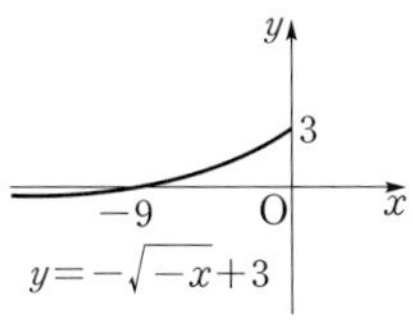

핵심 **12** 본문 ➔ 194쪽

1337~1344 풀이 참조

1337 $y=\sqrt{-x-2}+3$

$=\sqrt{-(x+2)}+3$

이므로 이 함수의 그래프는 오른쪽 그림과 같다.

정의역 : $\{x\,|\,x\leq -2\}$

치역 : $\{y\,|\,y\geq 3\}$

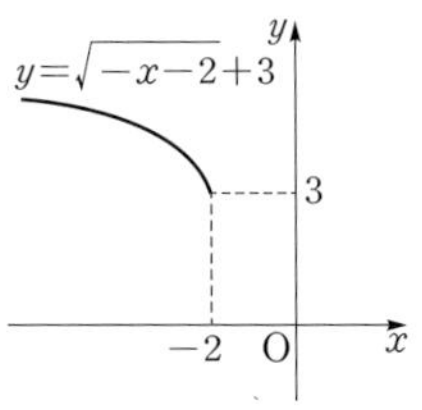

1338 $y=\sqrt{2x+4}-1$

$=\sqrt{2(x+2)}-1$

이므로 이 함수의 그래프는 오른쪽 그림과 같다.

정의역 : $\{x\,|\,x\geq -2\}$

치역 : $\{y\,|\,y\geq -1\}$

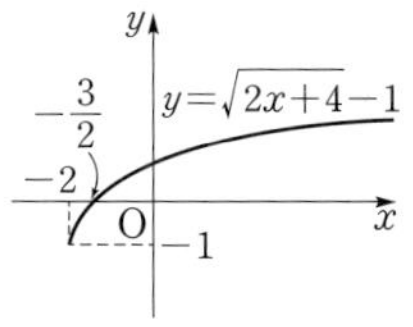

1339 $y=\sqrt{2x+6}+2$

$=\sqrt{2(x+3)}+2$

이므로 이 함수의 그래프는 오른쪽 그림과 같다.

정의역 : $\{x\,|\,x\geq -3\}$

치역 : $\{y\,|\,y\geq 2\}$

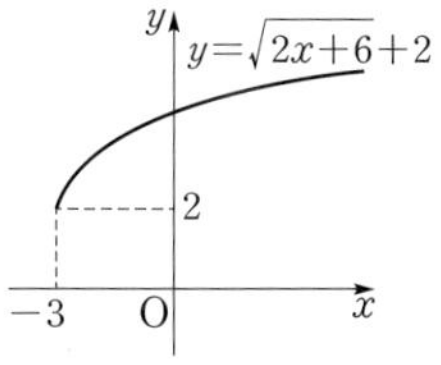

1340 $y=\sqrt{1-x}-1$

$=\sqrt{-(x-1)}-1$

이므로 이 함수의 그래프는 오른쪽 그림과 같다.

정의역 : $\{x\,|\,x\leq 1\}$

치역 : $\{y\,|\,y\geq -1\}$

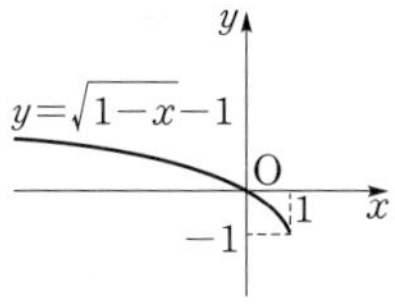

1341 $y=\sqrt{-3x-3}+4$

$=\sqrt{-3(x+1)}+4$

이므로 이 함수의 그래프는 오른쪽 그림과 같다.

정의역 : $\{x\,|\,x\leq -1\}$

치역 : $\{y\,|\,y\geq 4\}$

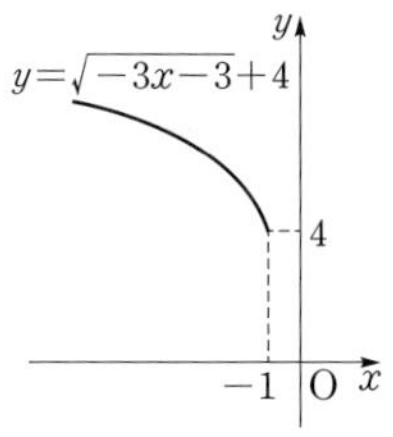

1342 $y=-\sqrt{4-2x}+1$

$=-\sqrt{-2(x-2)}+1$

이므로 이 함수의 그래프는 오른쪽 그림과 같다.

정의역 : $\{x\,|\,x\leq 2\}$

치역 : $\{y\,|\,y\leq 1\}$

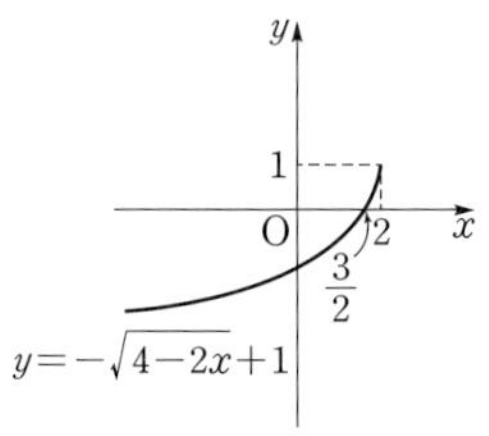

1343 $y=-\sqrt{3x-6}-2$

$=-\sqrt{3(x-2)}-2$

이므로 이 함수의 그래프는 오른쪽 그림과 같다.

정의역 : $\{x\,|\,x\geq 2\}$

치역 : $\{y\,|\,y\leq -2\}$

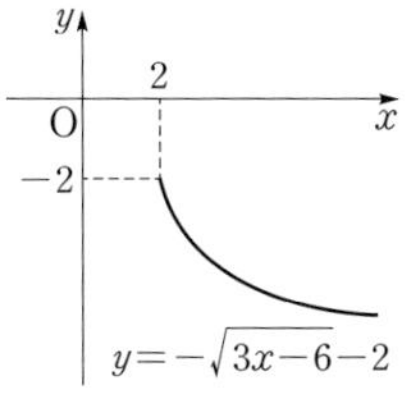

1344 $y=2-\sqrt{2x-1}$

$=-\sqrt{2\left(x-\frac{1}{2}\right)}+2$

이므로 이 함수의 그래프는 오른쪽 그림과 같다.

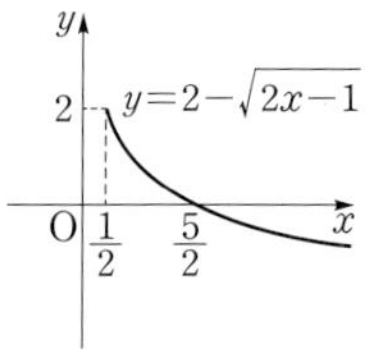

정의역 : $\left\{x \,\middle|\, x\geq\frac{1}{2}\right\}$

치역 : $\{y\,|\,y\leq2\}$

핵심 13 본문 ◐ 195쪽

1345 $1,\ 1,\ 1,\ 4,\ 4,\ 1,\ \sqrt{4x+4}+1,\ 4,\ 1$

1346 $a=-3,\ b=9,\ c=-2$

1347 $a=2,\ b=-2,\ c=2$

1348 $-2,\ 2,\ 2,\ 2,\ 2,\ 2,\ 2,\ 2,\ 2,\ 2,\ -2$

1349 ③

1346 주어진 함수의 그래프는 $y=\sqrt{ax}$의 그래프를 x축의 방향으로 3만큼, y축의 방향으로 -2만큼 평행이동한 것이므로

$y=\sqrt{a(x-3)}-2$ …… ㉠

㉠의 그래프가 점 $(0,\ 1)$을 지나므로

$\sqrt{-3a}-2=1,\ \sqrt{-3a}=3$

$-3a=9 \quad \therefore a=-3$

$y=\sqrt{-3(x-3)}-2=\sqrt{-3x+9}-2$

$\therefore b=9,\ c=-2$

1347 주어진 함수의 그래프는 $y=-\sqrt{ax}$의 그래프를 x축의 방향으로 1만큼, y축의 방향으로 2만큼 평행이동한 것이므로

$y=-\sqrt{a(x-1)}+2$ …… ㉠

㉠의 그래프가 점 $(3,\ 0)$을 지나므로

$-\sqrt{2a}+2=0,\ -\sqrt{2a}=-2$

$2a=4 \quad \therefore a=2$

$y=-\sqrt{2(x-1)}+2=-\sqrt{2x-2}+2$

$\therefore b=-2,\ c=2$

1349 주어진 함수의 그래프는 $y=\sqrt{ax}$의 그래프를 x축의 방향으로 p만큼, y축의 방향으로 q만큼 평행이동한 것이므로

$y=\sqrt{a(x-p)}+q$

정의역이 $\{x\,|\,x\geq p\}$이므로 $a>0$

이 함수가 $y=\sqrt{a(x+b)}+c$와 같으므로

$b=-p,\ c=q$

이때 $p<0,\ q<0$이므로 $b>0,\ c<0$

핵심 14 본문 ◐ 196쪽

1350 ③ **1351** ⑤ **1352** ④ **1353** ㄱ, ㄷ

1350 ① $x+2\geq0$에서 $x\geq-2$이므로

정의역은 $\{x\,|\,x\geq-2\}$

② $x+2\geq0$에서 $\sqrt{x+2}+1\geq1$이므로

치역은 $\{y\,|\,y\geq1\}$

④ $y=\sqrt{x+2}+1$에 $x=0$을 대입하면

$y=\sqrt{2}+1$이므로 y절편은 $\sqrt{2}+1$이다.

⑤ $y=\sqrt{x+2}+1$의 그래프는 오른쪽 그림과 같으므로 제1, 2사분면을 지난다.

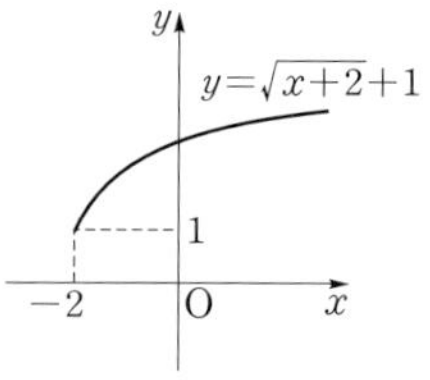

따라서 옳은 것은 ③이다.

1351 ① $3x+3\geq0$에서 $x\geq-1$이므로

정의역은 $\{x\,|\,x\geq-1\}$

② $3x+3\geq0$에서 $\sqrt{3x+3}-2\geq-2$이므로

치역은 $\{y\,|\,y\geq-2\}$

③ $y=\sqrt{3x+3}-2$에 $x=2$를 대입하면

$y=\sqrt{9}-2=3-2=1$이므로 점 $(2,\ 1)$을 지난다.

④ $y=\sqrt{3x+3}-2$의 그래프는 오른쪽 그림과 같으므로 제1, 3, 4사분면을 지난다.

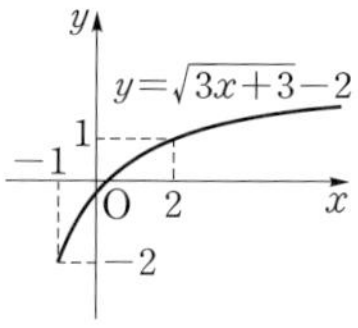

⑤ $y=\sqrt{3x+3}-2=\sqrt{3(x+1)}-2$

이므로 $y=\sqrt{3x}$의 그래프를 x축의 방향으로 -1만큼, y축의 방향으로 2만큼 평행이동한 것이다.

따라서 옳지 않은 것은 ⑤이다.

1352 ① $-2x+4\geq0$에서 $x\leq2$이므로

정의역은 $\{x\,|\,x\leq2\}$

② $-2x+4\geq0$에서 $\sqrt{-2x+4}-1\geq-1$이므로

치역은 $\{y\,|\,y\geq-1\}$

③ $y=\sqrt{-2x+4}-1$에 $x=0$을 대입하면

$y=\sqrt{4}-1=2-1=1$이므로 y절편은 1이다.

④ $y=\sqrt{-2x+4}-1$의 그래프는 오른쪽 그림과 같으므로 제1, 2, 4사분면을 지난다.

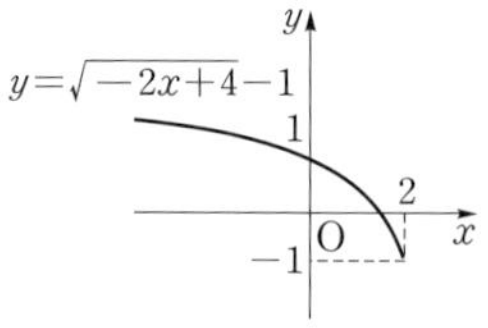

⑤ $y=\sqrt{-2x+4}-1$

$=\sqrt{-2(x-2)}-1$

이므로 $y=\sqrt{-2x}$의 그래프를 x축의 방향으로 2만큼, y축의 방향으로 -1만큼 평행이동한 것이다.

따라서 옳지 않은 것은 ④이다.

1353 ㄱ. $6-3x\geq0$에서 $x\leq2$이므로
정의역은 $\{x|x\leq2\}$
$6-3x\geq0$에서 $-\sqrt{6-3x}+2\leq2$이므로
치역은 $\{y|y\leq2\}$
ㄴ. $y=-\sqrt{6-3x}+2=-\sqrt{-3(x-2)}+2$이므로
$y=-\sqrt{-3x}$의 그래프를 x축의 방향으로 2만큼, y축의 방향으로 2만큼 평행이동한 것이다.
ㄷ. $y=0$일 때, $0=-\sqrt{6-3x}+2$에서
$\sqrt{6-3x}=2$, $6-3x=4$ $\quad\therefore x=\frac{2}{3}$
따라서 x축과 점 $\left(\frac{2}{3}, 0\right)$에서 만난다.
ㄹ. $y=-\sqrt{6-3x}+2$의 그래프는 오른쪽 그림과 같으므로 제2사분면을 지나지 않는다.

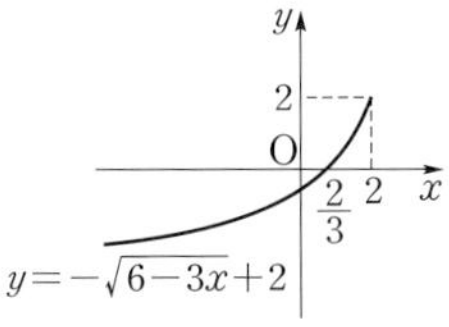

따라서 옳은 것은 ㄱ, ㄷ이다.

핵심 15 본문 197쪽

1354 최댓값 : 5, 최솟값 : 2 1355 최댓값 : 7, 최솟값 : 5
1356 최댓값 : 4, 최솟값 : 3 1357 최댓값 : 3, 최솟값 : 1
1358 최댓값 : -1, 최솟값 : -2
1359 최댓값 : -5, 최솟값 : $-3\sqrt{3}-2$
1360 최댓값 : 3, 최솟값 : 1 1361 4

1354 $y=\sqrt{3x}+2$의 그래프는 $y=\sqrt{3x}$의 그래프를 y축의 방향으로 2만큼 평행이동한 것이므로
$x=3$일 때 최댓값 5, $x=0$일 때 최솟값 2를 갖는다.

1355 $y=\sqrt{2x+6}+3=\sqrt{2(x+3)}+3$이므로 이 함수의 그래프는 $y=\sqrt{2x}$의 그래프를 x축의 방향으로 -3만큼, y축의 방향으로 3만큼 평행이동한 것이므로
$x=5$일 때 최댓값 7, $x=-1$일 때 최솟값 5를 갖는다.

1356 $y=\sqrt{-x-1}+2=\sqrt{-(x+1)}+2$이므로 이 함수의 그래프는 $y=\sqrt{-x}$의 그래프를 x축의 방향으로 -1만큼, y축의 방향으로 2만큼 평행이동한 것이므로
$x=-5$일 때 최댓값 4, $x=-2$일 때 최솟값 3을 갖는다.

1357 $y=\sqrt{-2x+4}-1=\sqrt{-2(x-2)}-1$이므로 이 함수의 그래프는 $y=\sqrt{-2x}$의 그래프를 x축의 방향으로 2만큼, y축의 방향으로 -1만큼 평행이동한 것이므로
$x=-6$일 때 최댓값 3, $x=0$일 때 최솟값 1을 갖는다.

1358 $y=-\sqrt{x-2}$의 그래프는 $y=-\sqrt{x}$의 그래프를 x축의 방향으로 2만큼 평행이동한 것이므로
$x=3$일 때 최댓값 -1, $x=6$일 때 최솟값 -2를 갖는다.

1359 $y=-\sqrt{3x+3}-2=-\sqrt{3(x+1)}-2$이므로 이 함수의 그래프는 $y=-\sqrt{3x}$의 그래프를 x축의 방향으로 -1만큼, y축의 방향으로 -2만큼 평행이동한 것이므로
$x=2$일 때 최댓값 -5, $x=8$일 때 최솟값 $-3\sqrt{3}-2$를 갖는다.

1360 $y=-\sqrt{-x-3}+4=-\sqrt{-(x+3)}+4$이므로 이 함수의 그래프는 $y=-\sqrt{-x}$의 그래프를 x축의 방향으로 -3만큼, y축의 방향으로 4만큼 평행이동한 것이므로
$x=-4$일 때 최댓값 3, $x=-12$일 때 최솟값 1을 갖는다.

1361 $y=\sqrt{4x+8}-1=\sqrt{4(x+2)}-1$이므로 이 함수의 그래프는 $y=\sqrt{4x}$의 그래프를 x축의 방향으로 -2만큼, y축의 방향으로 -1만큼 평행이동한 것이므로
$x=2$일 때 최댓값 3, $x=-1$일 때 최솟값 1을 갖는다.
따라서 $a=3$, $b=1$이므로
$a+b=3+1=4$

핵심 06~15 Mini Review Test 본문 198쪽

1362 8 1363 풀이 참조 1364 -8
1365 ㄴ, ㄹ 1366 최댓값 : -4, 최솟값 : -6
1367 16

1362 $y=\sqrt{-3x}$의 그래프를 x축의 방향으로 -2만큼, y축의 방향으로 5만큼 평행이동한 그래프의 식은
$y=\sqrt{-3(x+2)}+5$
이 함수의 그래프가 점 $(-5, a)$를 지나므로
$a=\sqrt{-3(-5+2)}+5=3+5=8$

1363 $y=-\sqrt{4-x}+2=-\sqrt{-(x-4)}+2$
이므로 이 함수의 그래프는 오른쪽 그림과 같다.

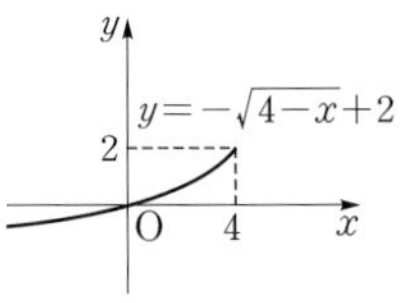

정의역 : $\{x|x\leq4\}$
치역 : $\{y|y\leq2\}$

1364 주어진 함수의 그래프는 $y=-\sqrt{ax}$의 그래프를 x축의 방향으로 2만큼, y축의 방향으로 1만큼 평행이동한 것이므로
$y=-\sqrt{a(x-2)}+1$ $\cdots\cdots$ ㉠
㉠의 그래프가 점 $(0, -1)$을 지나므로
$-1=-\sqrt{a(0-2)}+1$, $\sqrt{-2a}=2$

$-2a=4 \quad \therefore a=-2$

㉠에 $a=-2$를 대입하면

$y=-\sqrt{-2(x-2)}+1=-\sqrt{-2x+4}+1$

따라서 $a=-2$, $b=4$, $c=1$이므로

$abc=-8$

1365 $y=\sqrt{2-2x}+3=\sqrt{-2(x-1)}+3$

이므로 이 함수의 그래프는 $y=\sqrt{-2x}$의 그래프를 x축의 방향으로 1만큼, y축의 방향으로 3만큼 평행이동한 것이다.

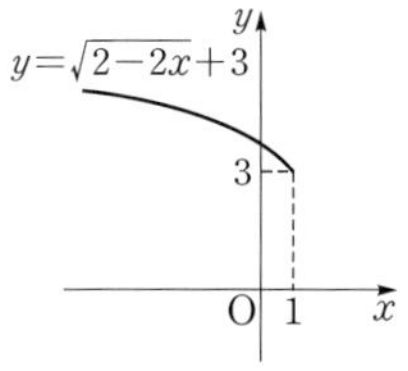

ㄱ. 정의역은 $\{x|x\le 1\}$, 치역은 $\{y|y\ge 3\}$이다.

ㄴ. x 대신 $-x$를 대입하면

$y=\sqrt{2-2(-x)}+3=\sqrt{2x+2}+3$

이므로 y축에 대하여 대칭이다.

ㄷ. 제1, 2사분면을 지난다.

ㄹ. 두 그래프 모두 $y=\sqrt{-2x}$의 그래프를 평행이동한 것이다.

따라서 옳은 것은 ㄴ, ㄹ이다.

1366 $x=0$일 때, 최댓값은 $-\sqrt{0+1}-3=-4$

$x=8$일 때, 최솟값은 $-\sqrt{8+1}-3=-6$

1367 $y=\sqrt{3x+b}-1$에서

$x=1$일 때, 최솟값이 2이므로

$\sqrt{3+b}-1=2$, $\sqrt{3+b}=3$

$3+b=9 \quad \therefore b=6$

$x=a$일 때, 최댓값이 5이므로

$\sqrt{3a+6}-1=5$, $\sqrt{3a+6}=6$

$3a+6=36 \quad \therefore a=10$

$\therefore a+b=10+6=16$

핵심 **16** 본문 ◐ 199쪽

1368 (1) $k>\frac{5}{4}$ (2) $k=\frac{5}{4}$ 또는 $k<1$ (3) $1\le k<\frac{5}{4}$

1369 (1) $k>-\frac{7}{4}$ (2) $k=-\frac{7}{4}$ 또는 $k<-2$ (3) $-2\le k<-\frac{7}{4}$

1370 (1) $k>\frac{5}{2}$ (2) $k=\frac{5}{2}$ 또는 $k<2$ (3) $2\le k<\frac{5}{2}$

1371 (1) $k>\frac{1}{4}$ (2) $k=\frac{1}{4}$ 또는 $k<0$ (3) $0\le k<\frac{1}{4}$

1372 (1) $k>\frac{5}{4}$ (2) $k=\frac{5}{4}$ 또는 $k<1$ (3) $1\le k<\frac{5}{4}$

1373 $1\le k<\frac{3}{2}$

1368 (i) 직선 $y=x+k$가 점 $(-1, 0)$을 지날 때

$0=-1+k \quad \therefore k=1$

(ii) 함수 $y=\sqrt{x+1}$의 그래프와 직선 $y=x+k$가 접할 때

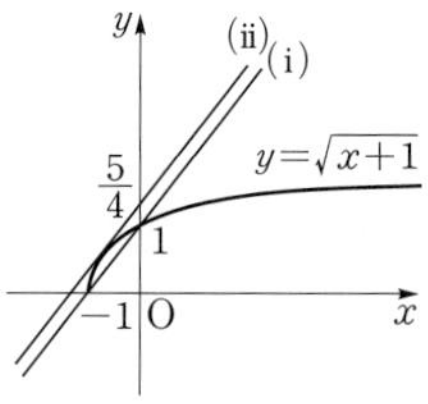

$\sqrt{x+1}=x+k$의 양변을 제곱하면

$x+1=x^2+2kx+k^2$

$\therefore x^2+(2k-1)x+k^2-1=0$

이 이차방정식의 판별식을 D라 하면

$D=(2k-1)^2-4(k^2-1)=0$

$-4k+5=0 \quad \therefore k=\frac{5}{4}$

(1) 만나지 않으려면 $k>\frac{5}{4}$

(2) 한 점에서 만나려면 $k=\frac{5}{4}$ 또는 $k<1$

(3) 서로 다른 두 점에서 만나려면 $1\le k<\frac{5}{4}$

1369 (i) 직선 $y=x+k$가 점 $(2, 0)$을 지날 때

$0=2+k \quad \therefore k=-2$

(ii) 함수 $y=\sqrt{x-2}$의 그래프와 직선 $y=x+k$가 접할 때

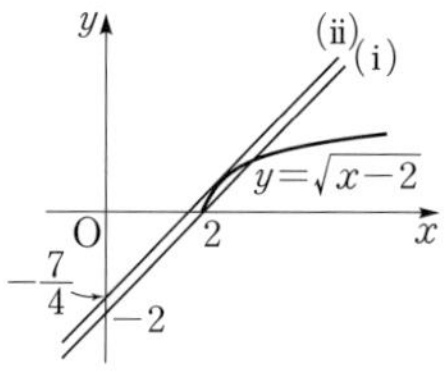

$\sqrt{x-2}=x+k$의 양변을 제곱하면 $x-2=x^2+2kx+k^2$

$\therefore x^2+(2k-1)x+k^2+2=0$

이 이차방정식의 판별식을 D라 하면

$D=(2k-1)^2-4(k^2+2)=0$

$-4k-7=0 \quad \therefore k=-\frac{7}{4}$

(1) 만나지 않으려면 $k>-\frac{7}{4}$

(2) 한 점에서 만나려면 $k=-\frac{7}{4}$ 또는 $k<-2$

(3) 서로 다른 두 점에서 만나려면 $-2\le k<-\frac{7}{4}$

1370 (i) 직선 $y=x+k$가 점 $(-2, 0)$을 지날 때

$0=-2+k \quad \therefore k=2$

(ii) 함수 $y=\sqrt{2x+4}$의 그래프와 직선 $y=x+k$가 접할 때

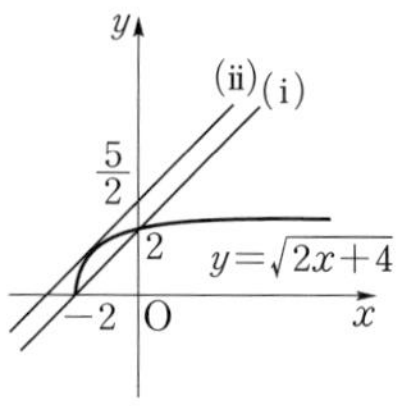

$\sqrt{2x+4}=x+k$의 양변을 제곱하면

$2x+4=x^2+2kx+k^2$

$\therefore x^2+2(k-1)x+k^2-4=0$

이 이차방정식의 판별식을 D라 하면

$\frac{D}{4}=(k-1)^2-(k^2-4)=0$

$-2k+5=0 \quad \therefore k=\frac{5}{2}$

(1) 만나지 않으려면 $k>\frac{5}{2}$

(2) 한 점에서 만나려면 $k=\frac{5}{2}$ 또는 $k<2$

(3) 서로 다른 두 점에서 만나려면 $2\le k<\frac{5}{2}$

1371 (i) 직선 $y=-x+k$가 점 $(0, 0)$을 지날 때
$k=0$

(ii) 함수 $y=\sqrt{-x}$의 그래프와 직선 $y=-x+k$가 접할 때

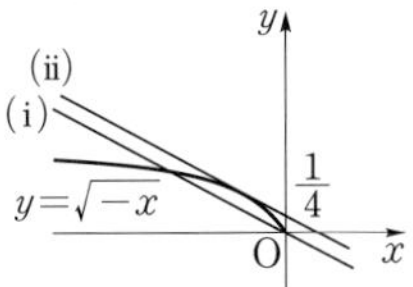

$\sqrt{-x}=-x+k$의 양변을 제곱하면
$-x=x^2-2kx+k^2$
$\therefore x^2-(2k-1)x+k^2=0$
이 이차방정식의 판별식을 D라 하면
$D=\{-(2k-1)\}^2-4k^2=0$
$-4k+1=0 \qquad \therefore k=\frac{1}{4}$

(1) 만나지 않으려면 $k>\frac{1}{4}$

(2) 한 점에서 만나려면 $k=\frac{1}{4}$ 또는 $k<0$

(3) 서로 다른 두 점에서 만나려면 $0\le k<\frac{1}{4}$

1372 (i) 직선 $y=-x+k$가 점 $(1, 0)$을 지날 때
$0=-1+k \qquad \therefore k=1$

(ii) 함수 $y=\sqrt{1-x}$의 그래프와 직선 $y=-x+k$가 접할 때

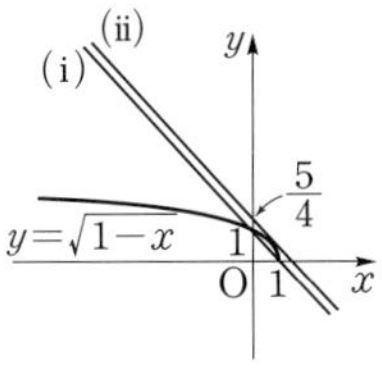

$\sqrt{1-x}=-x+k$의 양변을 제곱하면
$1-x=x^2-2kx+k^2$
$\therefore x^2-(2k-1)x+k^2-1=0$
이 이차방정식의 판별식을 D라 하면
$D=\{-(2k-1)\}^2-4(k^2-1)=0$
$-4k+5=0 \qquad \therefore k=\frac{5}{4}$

(1) 만나지 않으려면 $k>\frac{5}{4}$

(2) 한 점에서 만나려면 $k=\frac{5}{4}$ 또는 $k<1$

(3) 서로 다른 두 점에서 만나려면 $1\le k<\frac{5}{4}$

1373 (i) 직선 $y=-x+k$가 점 $(1, 0)$을 지날 때
$0=-1+k \qquad \therefore k=1$

(ii) 함수 $y=\sqrt{2-2x}$의 그래프와 직선 $y=-x+k$가 접할 때

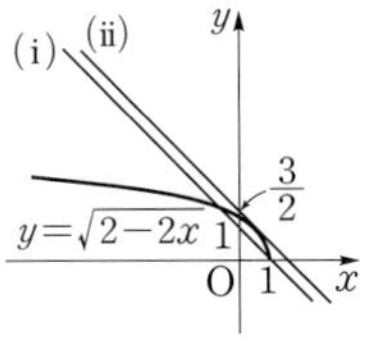

$\sqrt{2-2x}=-x+k$의 양변을 제곱하면
$2-2x=x^2-2kx+k^2$
$\therefore x^2-2(k-1)x+k^2-2=0$
이 이차방정식의 판별식을 D라 하면
$\frac{D}{4}=\{-(k-1)\}^2-(k^2-2)=0$
$-2k+3=0 \qquad \therefore k=\frac{3}{2}$

(i), (ii)에서 $1\le k<\frac{3}{2}$

핵심 **17**

본문 ➔ 200쪽

1374 -1, -1, $y+1$, $y+1$, y^2+2y+1, x^2+2x+1, x^2+2x+1, -1

1375 $y=-x^2+2\ (x\ge 0)$

1376 $y=x^2+4x+3\ (x\le -2)$

1377 $y=\frac{1}{2}(x^2-6x+13)\ (x\ge 3)$

1378 1, -3, -3, 9, 3

1379 -1

1380 7

1375 $y=\sqrt{2-x}$의 치역이 $\{y\,|\,y>0\}$이므로
역함수의 정의역은 $\{x\,|\,x\ge 0\}$
$y=\sqrt{2-x}$의 양변을 제곱하면
$y^2=2-x$, $x=-y^2+2$
x와 y를 바꾸면 $y=-x^2+2$
따라서 구하는 역함수는
$y=-x^2+2\ (x\ge 0)$

1376 $y=-\sqrt{x+1}-2$의 치역이 $\{y\,|\,y\le -2\}$이므로
역함수의 정의역은 $\{x\,|\,x\le -2\}$
$y+2=-\sqrt{x+1}$의 양변을 제곱하면
$(y+2)^2=x+1$, $x=y^2+4y+3$
x와 y를 바꾸면 $y=x^2+4x+3$
따라서 구하는 역함수는
$y=x^2+4x+3\ (x\le -2)$

1377 $y=\sqrt{2x-4}+3$의 치역이 $\{y\,|\,y\ge 3\}$이므로
역함수의 정의역은 $\{x\,|\,x\ge 3\}$
$y-3=\sqrt{2x-4}$의 양변을 제곱하면
$(y-3)^2=2x-4$, $2x=y^2-6y+13$
$x=\frac{1}{2}(y^2-6y+13)$
x와 y를 바꾸면 $y=\frac{1}{2}(x^2-6x+13)$
따라서 구하는 역함수는
$y=\frac{1}{2}(x^2-6x+13)\ (x\ge 3)$

1379 역함수의 그래프가 점 (0, 5)를 지나므로
$y=\sqrt{2x+b}-3$의 그래프는 점 (5, 0)을 지난다.
$0=\sqrt{10+b}-3$, $3=\sqrt{10+b}$
양변을 제곱하면 $9=10+b$ $\therefore b=-1$

1380 $y=-\sqrt{x+2}+4$의 치역이 $\{y|y\le4\}$이므로
역함수의 정의역은 $\{x|x\le4\}$
$y-4=-\sqrt{x+2}$의 양변을 제곱하면
$(y-4)^2=x+2$, $x=y^2-8y+14$
x와 y를 바꾸면 $y=x^2-8x+14$
$\therefore y=x^2-8x+14\ (x\le4)$
따라서 $a=1$, $b=-8$, $c=14$이므로
$a+b+c=1+(-8)+14=7$

핵심 18 본문 ◆ 201쪽

1381 x, x, $x+1$, -1, 0, -1, -1, 0, 0
1382 (1, 1), (2, 2)
1383 (1, 1)
1384 $(-3, -3)$
1385 (2, 2), (6, 6)
1386 (3, 3), (4, 4)
1387 (0, 0), (2, 2)
1388 $\sqrt{2}$

1382 $y=\sqrt{3x-2}$의 그래프와 그 역함수의 그래프의 교점은
$y=\sqrt{3x-2}$의 그래프와 직선 $y=x$의 교점과 같으므로
$\sqrt{3x-2}=x$
위 식의 양변을 제곱하면
$3x-2=x^2$, $x^2-3x+2=0$
$(x-1)(x-2)=0$ $\therefore x=1$ 또는 $x=2$
따라서 교점의 좌표는 (1, 1), (2, 2)이다.

1383 $y=\sqrt{2x-1}$의 그래프와 그 역함수의 그래프의 교점은
$y=\sqrt{2x-1}$의 그래프와 직선 $y=x$의 교점과 같으므로
$\sqrt{2x-1}=x$
위 식의 양변을 제곱하면
$2x-1=x^2$, $x^2-2x+1=0$
$(x-1)^2=0$ $\therefore x=1$
따라서 교점의 좌표는 (1, 1)이다.

1384 $y=-\sqrt{-6x-9}$의 그래프와 그 역함수의 그래프의 교점은
$y=-\sqrt{-6x-9}$의 그래프와 직선 $y=x$의 교점과 같으므로
$-\sqrt{-6x-9}=x$
위 식의 양변을 제곱하면
$-6x-9=x^2$, $x^2+6x+9=0$
$(x+3)^2=0$ $\therefore x=-3$
따라서 교점의 좌표는 $(-3, -3)$이다.

1385 $y=\sqrt{4x-8}+2$의 그래프와 그 역함수의 그래프의 교점은
$y=\sqrt{4x-8}+2$의 그래프와 직선 $y=x$의 교점과 같으므로
$\sqrt{4x-8}+2=x$, $\sqrt{4x-8}=x-2$
위 식의 양변을 제곱하면
$4x-8=x^2-4x+4$, $x^2-8x+12=0$
$(x-2)(x-6)=0$ $\therefore x=2$ 또는 $x=6$
따라서 교점의 좌표는 (2, 2), (6, 6)이다.

1386 $y=\sqrt{x-3}+3$의 그래프와 그 역함수의 그래프의 교점은
$y=\sqrt{x-3}+3$의 그래프와 직선 $y=x$의 교점과 같으므로
$\sqrt{x-3}+3=x$, $\sqrt{x-3}=x-3$
위 식의 양변을 제곱하면
$x-3=x^2-6x+9$, $x^2-7x+12=0$
$(x-3)(x-4)=0$ $\therefore x=3$ 또는 $x=4$
따라서 교점의 좌표는 (3, 3), (4, 4)이다.

1387 $y=-\sqrt{4-2x}+2$의 그래프와 그 역함수의 그래프의 교점은
$y=-\sqrt{4-2x}+2$의 그래프와 직선 $y=x$의 교점과 같으므로
$-\sqrt{4-2x}+2=x$, $-\sqrt{4-2x}=x-2$
위 식의 양변을 제곱하면
$4-2x=x^2-4x+4$, $x^2-2x=0$
$x(x-2)=0$ $\therefore x=0$ 또는 $x=2$
따라서 교점의 좌표는 (0, 0), (2, 2)이다.

1388 $y=\sqrt{x+1}-1$의 그래프와 그 역함수의 그래프의 교점은
$y=\sqrt{x+1}-1$의 그래프와 직선 $y=x$의 교점과 같으므로
$\sqrt{x+1}-1=x$, $\sqrt{x+1}=x+1$
위 식의 양변을 제곱하면
$x+1=x^2+2x+1$, $x^2+x=0$
$x(x+1)=0$ $\therefore x=-1$ 또는 $x=0$
따라서 교점의 좌표는 $(-1, -1)$, (0, 0)이므로 두 교점 사이의 거리는
$\sqrt{(-1-0)^2+(-1-0)^2}=\sqrt{2}$

핵심 19 본문 ◆ 202쪽

1389 I, 1, 1, 2, 4, 6, 6
1390 -2
1391 3, -1, -1, 2, 2
1392 -7
1393 5
1394 3
1395 10
1396 -6

1390 $(f^{-1}\circ f\circ f^{-1})(4)=(I\circ f^{-1})(4)=f^{-1}(4)$

$f^{-1}(4)=a$라 하면 $f(a)=4$이므로

$\sqrt{2a+5}+3=4$, $\sqrt{2a+5}=1$

$2a+5=1$ $\quad\therefore a=-2$

$\therefore (f^{-1}\circ f\circ f^{-1})(4)=-2$

1392 $(g\circ f)(-1)=g(f(-1))$

$f(-1)=\sqrt{2+2}-4=-2$

$g(f(-1))=g(-2)=-7$

$\therefore (g\circ f)(-1)=-7$

1393 $(g^{-1}\circ f)(-2)=g^{-1}(f(-2))$

$f(-2)=\dfrac{-2-1}{-2+1}=3$이므로

$g^{-1}(f(-2))=g^{-1}(3)$

$g^{-1}(3)=a$라 하면 $g(a)=3$

$\sqrt{a+4}=3$, $a+4=9$ $\quad\therefore a=5$

$\therefore (g^{-1}\circ f)(-2)=5$

1394 $(f\circ g^{-1})(2)=f(g^{-1}(2))$

$g^{-1}(2)=a$라 하면 $g(a)=2$이므로

$\sqrt{2a+1}-1=2$, $\sqrt{2a+1}=3$

$2a+1=9$ $\quad\therefore a=4$

$f(g^{-1}(2))=f(4)=\dfrac{8+1}{4-1}=3$

$\therefore (f\circ g^{-1})(2)=3$

1395 $(f^{-1}\circ g)^{-1}(3)=(g^{-1}\circ f)(3)=g^{-1}(f(3))$

$f(3)=\dfrac{6-1}{3-2}=5$이므로

$g^{-1}(f(3))=g^{-1}(5)$

$g^{-1}(5)=a$라 하면 $g(a)=5$이므로

$\sqrt{2a+5}=5$, $2a+5=25$ $\quad\therefore a=10$

$\therefore (f^{-1}\circ g)^{-1}(3)=10$

1396 $(f\circ g^{-1})(5)=f(g^{-1}(5))$

$g^{-1}(5)=a$라 하면 $g(a)=5$이므로

$\sqrt{a+1}+3=5$, $\sqrt{a+1}=2$

$a+1=4$ $\quad\therefore a=3$

$f(g^{-1}(5))=f(3)=\dfrac{6}{3-4}=-6$

$\therefore (f\circ g^{-1})(5)=-6$

핵심 16~19 Mini Review Test 본문 ◎ 203쪽

1397 $6\le k<\dfrac{25}{4}$	**1398** 4	**1399** $2\sqrt{2}$
1400 19	**1401** 2	**1402** 11

1397 (i) 직선 $y=2x+k$가 점 $(-3, 0)$을 지날 때

$0=-6+k$ $\quad\therefore k=6$

(ii) 함수 $y=\sqrt{2x+6}$의 그래프와 직선 $y=2x+k$가 접할 때

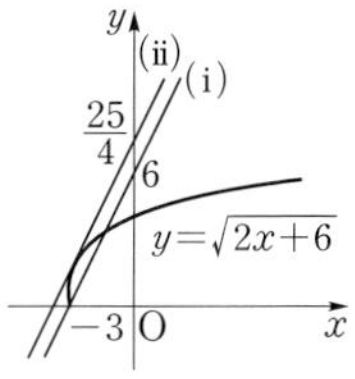

$\sqrt{2x+6}=2x+k$의 양변을 제곱하면

$2x+6=4x^2+4kx+k^2$

$\therefore 4x^2+2(2k-1)x+k^2-6=0$

이 이차방정식의 판별식을 D라 하면

$\dfrac{D}{4}=(2k-1)^2-4(k^2-6)=0$

$-4k+25=0$ $\quad\therefore k=\dfrac{25}{4}$

(i), (ii)에서 $6\le k<\dfrac{25}{4}$

1398 $y=\sqrt{4-x}+3$의 치역이 $\{y|y\ge 3\}$이므로

역함수의 정의역은 $\{x|x\ge 3\}$

$y-3=\sqrt{4-x}$의 양변을 제곱하면

$y^2-6y+9=4-x$, $x=-y^2+6y-5$

x와 y를 바꾸면 $y=-x^2+6x-5$

따라서 구하는 역함수는 $y=-x^2+6x-5\ (x\ge 3)$

즉, $a=6$, $b=-5$, $c=3$이므로

$a+b+c=6+(-5)+3=4$

1399 $y=\sqrt{2x+4}-2$의 그래프와 그 역함수의 그래프의 교점은 $y=\sqrt{2x+4}-2$의 그래프와 직선 $y=x$의 교점과 같으므로

$\sqrt{2x+4}-2=x$, $\sqrt{2x+4}=x+2$

위 식의 양변을 제곱하면

$2x+4=x^2+4x+4$, $x^2+2x=0$

$x(x+2)=0$ $\quad\therefore x=-2$ 또는 $x=0$

따라서 교점의 좌표는 $(-2, -2)$, $(0, 0)$이므로 두 교점 사이의 거리는

$\sqrt{(-2-0)^2+(-2-0)^2}=\sqrt{8}=2\sqrt{2}$

1400 함수 $y=\sqrt{ax+b}-1$의 그래프가 점 $(2, 1)$을 지나므로

$1=\sqrt{2a+b}-1$, $\sqrt{2a+b}=2$

$\therefore 2a+b=4$ $\quad\cdots\cdots$ ㉠

또, 역함수의 그래프가 점 $(2, 1)$을 지나므로

함수 $y=\sqrt{ax+b}-1$의 그래프는 점 $(1, 2)$를 지난다.

$2=\sqrt{a+b}-1$, $\sqrt{a+b}=3$

$\therefore a+b=9$ $\quad\cdots\cdots$ ㉡

㉠, ㉡을 연립하여 풀면 $a=-5$, $b=14$
$\therefore b-a=14-(-5)=19$

1401 $(f\circ(h^{-1}\circ g)^{-1})(1)=(f\circ g^{-1}\circ h)(1)$
$=(f\circ g^{-1})(h(1))$
$h(1)=-2+4=2$이므로
$(f\circ g^{-1})(h(1))=(f\circ g^{-1})(2)=f(g^{-1}(2))$
$g^{-1}(2)=a$라 하면 $g(a)=2$이므로
$\sqrt{a+3}-2=2$, $\sqrt{a+3}=4$
$a+3=16 \quad \therefore a=13$
$g^{-1}(2)=13$이므로
$f(g^{-1}(2))=f(13)=\frac{13+3}{13-5}=\frac{16}{8}=2$
$\therefore (f\circ(h^{-1}\circ g)^{-1})(1)=2$

1402 $(f\circ(g\circ f)^{-1}\circ f)(3)=(f\circ f^{-1}\circ g^{-1}\circ f)(3)$
$=(g^{-1}\circ f)(3)$
$f(3)=\frac{3-3}{3-2}=0$이므로
$(g^{-1}\circ f)(3)=g^{-1}(f(3))=g^{-1}(0)$
$g^{-1}(0)=a$라 하면 $g(a)=0$이므로
$\sqrt{2a+3}-5=0$, $\sqrt{2a+3}=5$
$2a+3=25$, $2a=22 \quad \therefore a=11$
$\therefore (f\circ(g\circ f)^{-1}\circ f)(3)=11$

9. 경우의 수

핵심 01

본문 ➡ 207쪽

1403 3 **1404** 3 **1405** 4 **1406** 4
1407 6 **1408** 4 **1409** 1
1410 HTH, TTH, 8 **1411** THH, HTT, 6
1412 7 **1413** 2

1403 짝수는 2, 4, 6이므로 구하는 경우의 수는 3이다.

1404 소수는 2, 3, 5이므로 구하는 경우의 수는 3이다.

1405 6의 약수는 1, 2, 3, 6이므로 구하는 경우의 수는 4이다.

1406 사과, 배, 감, 귤의 4개의 과일이 있으므로 과일 1개를 고르는 경우의 수는 4이다.

1407 서로 다른 과일 2개를 고르는 경우는
(사과, 배), (사과, 감), (사과, 귤), (배, 감), (배, 귤), (감, 귤)이므로 구하는 경우의 수는 6이다.

1408 서로 다른 과일 3개를 고르는 경우는
(사과, 배, 감), (사과, 배, 귤), (사과, 감, 귤), (배, 감, 귤)이므로 구하는 경우의 수는 4이다.

1409 서로 다른 과일 4개를 고르는 경우는
(사과, 배, 감, 귤)이므로 구하는 경우의 수는 1이다.

1412 동전의 앞면을 H, 뒷면을 T라 하면
앞면이 1개 나오는 경우는 HTT, THT, TTH
앞면이 2개 나오는 경우는 HHT, HTH, THH
앞면이 3개 나오는 경우는 HHH
따라서 동전의 앞면이 반드시 나오는 경우의 수는 7이다.

1413 공과 상자의 숫자가 같은 번호가 되지 않도록 공을 상자에 넣는 경우는 다음과 같으므로 구하는 경우의 수는 2이다.

상자	1	2	3
공	2	3	1
	3	1	2

핵심 02

본문 208쪽

1414 13 **1415** (1) 7 (2) 4
1416 (1) 6 (2) 4 **1417** (1) 20 (2) 10
1418 (1) 10 (2) 10 **1419** 8

1414 소설책을 선택하는 경우는 6가지
시집을 선택하는 경우는 4가지
동화책을 선택하는 경우는 3가지
따라서 구하는 경우의 수는
$6+4+3=13$

1415 (1) 1부터 15까지의 자연수 중에서
3의 배수는 3, 6, 9, 12, 15의 5개
7의 배수는 7, 14의 2개
따라서 구하는 경우의 수는
$5+2=7$
(2) 1부터 15까지의 자연수 중에서
4의 배수는 4, 8, 12의 3개
9의 배수는 9의 1개
따라서 구하는 경우의 수는
$3+1=4$

1416 (1) 눈의 수의 합이 3인 경우는 (1, 2), (2, 1)의 2가지
눈의 수의 합이 5인 경우는 (1, 4), (2, 3), (3, 2), (4, 1)의 4가지
따라서 구하는 경우의 수는
$2+4=6$
(2) 눈의 수의 합이 2인 경우는 (1, 1)의 1가지
눈의 수의 합이 10인 경우는 (4, 6), (5, 5), (6, 4)의 3가지
따라서 구하는 경우의 수는
$1+3=4$

1417 (1) 1부터 30까지의 자연수 중에서
2의 배수는 2, 4, 6, ⋯, 30의 15개
3의 배수는 3, 6, 9, ⋯, 30의 10개
2의 배수이면서 3의 배수인 수는 6의 배수이므로
6의 배수는 6, 12, 18, 24, 30의 5개
따라서 구하는 경우의 수는
$15+10-5=20$
(2) 1부터 30까지의 자연수 중에서
4의 배수는 4, 8, 12, ⋯, 28의 7개
6의 배수는 6, 12, 18, 24, 30의 5개
4의 배수이면서 6의 배수인 수는 12의 배수이므로
12의 배수는 12, 24의 2개
따라서 구하는 경우의 수는
$7+5-2=10$

1418 (1) 1부터 30까지의 자연수 중에서
24의 약수는 1, 2, 3, 4, 6, 8, 12, 24의 8개
18의 약수는 1, 2, 3, 6, 9, 18의 6개
24의 약수이면서 18의 약수인 수는 6의 약수이므로
6의 약수는 1, 2, 3, 6의 4개
따라서 구하는 경우의 수는
$8+6-4=10$
(2) 1부터 30까지의 자연수 중에서
20의 약수는 1, 2, 4, 5, 10, 20의 6개
30의 약수는 1, 2, 3, 5, 6, 10, 15, 30의 8개
20의 약수이면서 30의 약수인 수는 10의 약수이므로
10의 약수는 1, 2, 5, 10의 4개
따라서 구하는 경우의 수는
$6+8-4=10$

1419 눈의 수의 합이 5인 경우는
(1, 4), (2, 3), (3, 2), (4, 1)의 4가지
눈의 수의 차가 3인 경우는
(1, 4), (2, 5), (3, 6), (4, 1), (5, 2), (6, 3)의 6가지
눈의 합이 5이면서 눈의 차가 3인 경우는 (1, 4), (4, 1)의 2가지
따라서 두 주사위의 눈의 수의 합이 5 또는 두 주사위의 눈의 수의 차가 3인 경우의 수는
$4+6-2=8$

핵심 03

본문 209쪽

1420 20 **1421** 15 **1422** 72 **1423** 72
1424 (1) 5, 5, 25 (2) 10 (3) 9 **1425** 80

1420 모자를 선택하는 경우는 5가지
가방을 선택하는 경우는 4가지
따라서 구하는 경우의 수는 $5\times4=20$

1421 과일을 선택하는 경우는 3가지
야채를 선택하는 경우는 5가지
따라서 구하는 경우의 수는 $3\times5=15$

1422 소설책을 선택하는 경우는 6가지
시집을 선택하는 경우는 4가지
동화책을 선택하는 경우는 3가지
따라서 구하는 경우의 수는 $6\times4\times3=72$

1423 주사위를 던져 나올 수 있는 경우의 수는 6
동전을 던져 나올 수 있는 경우의 수는 2
따라서 구하는 경우의 수는 $6\times6\times2=72$

1424 (2) 짝수이므로 일의 자리에 올 수 있는 숫자는 2, 4의 2개
십의 자리에 올 수 있는 숫자는 5개
따라서 만들 수 있는 두 자리의 짝수의 개수는
$2\times5=10$

(3) 두 수의 곱이 홀수인 경우는 두 수가 모두 홀수인 경우이다.
A상자에서 홀수가 나오는 경우는 1, 3, 5의 3가지
B상자에서 홀수가 나오는 경우는 1, 3, 5의 3가지
따라서 두 수의 곱이 홀수인 경우의 수는
$3\times3=9$

1425 백의 자리에 올 수 있는 숫자는 2, 4, 6, 8의 4개
십의 자리에 올 수 있는 숫자는 2, 3, 5, 7의 4개
일의 자리에 올 수 있는 숫자는 1, 3, 5, 7, 9의 5개
따라서 구하는 자연수의 개수는
$4\times4\times5=80$

핵심 04

본문 ➔ 210쪽

1426 4	**1427** 8	**1428** 9	**1429** 8
1430 12	**1431** 18	**1432** 6	**1433** 6
1434 9	**1435** 18	**1436** 24	**1437** 12

1426 $a+b$의 항의 개수는 2개
$x+y$의 항의 개수는 2개
두 식의 곱에서 동류항이 생기지 않으므로
$(a+b)(x+y)$의 항의 개수는 $2\times2=4$

1427 $a+b$의 항의 개수는 2개
$x+y+z+w$의 항의 개수는 4개
두 식의 곱에서 동류항이 생기지 않으므로
$(a+b)(x+y+z+w)$의 항의 개수는 $2\times4=8$

1428 $a+b+c$의 항의 개수는 3개
$x+y+z$의 항의 개수는 3개
두 식의 곱에서 동류항이 생기지 않으므로
$(a+b+c)(x+y+z)$의 항의 개수는 $3\times3=9$

1429 $a+b$의 항의 개수는 2개
$p+q$의 항의 개수는 2개
$x+y$의 항의 개수는 2개
세 식의 곱에서 동류항이 생기지 않으므로
$(a+b)(p+q)(x+y)$의 항의 개수는 $2\times2\times2=8$

1430 $a+b+c$의 항의 개수는 3개
$p+q$의 항의 개수는 2개
$x+y$의 항의 개수는 2개
세 식의 곱에서 동류항이 생기지 않으므로
$(a+b+c)(p+q)(x+y)$의 항의 개수는 t
$3\times2\times2=12$

1431 $a+b+c$의 항의 개수는 3개
$p+q+r$의 항의 개수는 3개
$x+y$의 항의 개수는 2개
세 식의 곱에서 동류항이 생기지 않으므로
$(a+b+c)(p+q+r)(x+y)$의 항의 개수는
$3\times3\times2=18$

1432 18을 소인수분해하면 $18=2\times3^2$
따라서 18의 양의 약수의 개수는
$(1+1)\times(2+1)=6$

1433 63을 소인수분해하면 $63=3^2\times7$
따라서 63의 양의 약수의 개수는
$(2+1)\times(1+1)=6$

1434 100을 소인수분해하면 $100=2^2\times5^2$
따라서 100의 양의 약수의 개수는
$(2+1)\times(2+1)=9$

1435 252를 소인수분해하면 $252=2^2\times3^2\times7$
따라서 252의 양의 약수의 개수는
$(2+1)\times(2+1)\times(1+1)=18$

1436 360을 소인수분해하면 $360=2^3\times3^2\times5$
따라서 360의 양의 약수의 개수는
$(3+1)\times(2+1)\times(1+1)=24$

1437 180과 240의 최대공약수는 60이므로 180과 240의 양의 공약수의 개수는 60의 양의 약수의 개수와 같다.
60을 소인수분해하면 $60=2^2\times3\times5$
따라서 60의 양의 약수의 개수는
$(2+1)\times(1+1)\times(1+1)=12$

핵심 **05** 본문 ➡ 211쪽

1438 2	**1439** 4	**1440** 4	**1441** 12
1442 6	**1443** 3	**1444** 7	**1445** 12

1438 $2x+3y=11$을 만족하는 순서쌍 (x, y)는
$(4, 1)$, $(1, 3)$이므로 그 개수는 2이다.

1439 (i) $x=1$일 때, $y+2z=7$이므로 순서쌍 (y, z)는
$(5, 1)$, $(3, 2)$, $(1, 3)$의 3개
(ii) $x=2$일 때, $y+2z=4$이므로 순서쌍 (y, z)는
$(2, 1)$의 1개
(i), (ii)에서 구하는 순서쌍의 개수는
$3+1=4$

1440 $3x+y=9$를 만족하는 순서쌍 (x, y)는
$(0, 9)$, $(1, 6)$, $(2, 3)$, $(3, 0)$이므로 그 개수는 4이다.

1441 (i) $y=0$일 때, $x+z=5$이므로 순서쌍 (x, z)는
$(0, 5)$, $(1, 4)$, $(2, 3)$, $(3, 2)$, $(4, 1)$, $(5, 0)$의 6개
(ii) $y=1$일 때, $x+z=3$이므로 순서쌍 (x, z)는
$(0, 3)$, $(1, 2)$, $(2, 1)$, $(3, 0)$의 4개
(iii) $y=2$일 때, $x+z=1$이므로 순서쌍 (x, z)는
$(0, 1)$, $(1, 0)$의 2개
(i), (ii), (iii)에서 구하는 순서쌍의 개수는
$6+4+2=12$

1442 (i) $y=1$일 때, $x+2\le 6$, 즉 $x\le 4$이므로 순서쌍 (x, y)는
$(1, 1)$, $(2, 1)$, $(3, 1)$, $(4, 1)$의 4개
(ii) $y=2$일 때, $x+4\le 6$, 즉 $x\le 2$이므로 순서쌍 (x, y)는
$(1, 2)$, $(2, 2)$의 2개
(i), (ii)에서 구하는 순서쌍의 개수는
$4+2=6$

다른 해설
x, y가 자연수이므로 $x+2y\le 6$을 만족하는 경우는
$x+2y=3$, $x+2y=4$, $x+2y=5$, $x+2y=6$
(i) $x+2y=3$일 때, 순서쌍 (x, y)는
$(1, 1)$의 1개
(ii) $x+2y=4$일 때, 순서쌍 (x, y)는
$(2, 1)$의 1개
(iii) $x+2y=5$일 때, 순서쌍 (x, y)는
$(3, 1)$, $(1, 2)$의 2개
(iv) $x+2y=6$일 때, 순서쌍 (x, y)는
$(4, 1)$, $(2, 2)$의 2개
(i)~(iv)에서 구하는 순서쌍의 개수는
$1+1+2+2=6$

1443 (i) $y=1$일 때, $3x+4\le 11$, 즉 $x\le\frac{7}{3}$이므로 순서쌍 (x, y)는
$(1, 1)$, $(2, 1)$의 2개
(ii) $y=2$일 때, $3x+8\le 11$, 즉 $x\le 1$이므로 순서쌍 (x, y)는
$(1, 2)$의 1개
(i), (ii)에서 구하는 순서쌍의 개수는
$2+1=3$

1444 (i) $y=0$일 때, $2x+0\le 6$, 즉 $x\le 3$이므로 순서쌍 (x, y)는
$(0, 0)$, $(1, 0)$, $(2, 0)$, $(3, 0)$의 4개
(ii) $y=1$일 때, $2x+3\le 6$, 즉 $x\le\frac{3}{2}$이므로 순서쌍 (x, y)는
$(0, 1)$, $(1, 1)$의 2개
(iii) $y=2$일 때, $2x+6\le 6$, 즉 $x\le 0$이므로 순서쌍 (x, y)는
$(0, 2)$의 1개
(i), (ii), (iii)에서 구하는 순서쌍의 개수는
$4+2+1=7$

1445 a, b는 6 이하의 자연수이고 $2a-3b\ge 0$이므로
(i) $b=1$일 때, $2a-3\ge 0$, 즉 $a\ge\frac{3}{2}$이므로 순서쌍 (a, b)는
$(2, 1)$, $(3, 1)$, $(4, 1)$, $(5, 1)$, $(6, 1)$의 5개
(ii) $b=2$일 때, $2a-6\ge 0$, 즉 $a\ge 3$이므로 순서쌍 (a, b)는
$(3, 2)$, $(4, 2)$, $(5, 2)$, $(6, 2)$의 4개
(iii) $b=3$일 때, $2a-9\ge 0$, 즉 $a\ge\frac{9}{2}$이므로 순서쌍 (a, b)는
$(5, 3)$, $(6, 3)$의 2개
(iv) $b=4$일 때, $2a-12\ge 0$, 즉 $a\ge 6$이므로 순서쌍 (a, b)는
$(6, 4)$의 1개
(i)~(iv)에서 구하는 순서쌍의 개수는
$5+4+2+1=12$

핵심 **06** 본문 ➡ 212쪽

1446 3, 3, 3, 3, 108	**1447** 72	**1448** 48
1449 48	**1450** 48	**1451** 84

1447 B에 칠할 수 있는 색은 4가지
A에 칠할 수 있는 색은 B에 칠한 색을 제외한 3가지
C에 칠할 수 있는 색은 B에 칠한 색을 제외한 3가지
D에 칠할 수 있는 색은 B와 C에 칠한 색을 제외한 2가지

따라서 구하는 방법의 수는

$4\times3\times3\times2=72$

참고 A, B, C, D에 칠하는 순서를 바꾸어도 색칠하는 경우의 수는 변함이 없다.

1448 C에 칠할 수 있는 색은 4가지

A에 칠할 수 있는 색은 C에 칠한 색을 제외한 3가지

B에 칠할 수 있는 색은 A와 C에 칠한 색을 제외한 2가지

D에 칠할 수 있는 색은 B와 C에 칠한 색을 제외한 2가지

따라서 구하는 방법의 수는

$4\times3\times2\times2=48$

1449 A에 칠할 수 있는 색은 4가지

B에 칠할 수 있는 색은 A에 칠한 색을 제외한 3가지

C에 칠할 수 있는 색은 A와 B에 칠한 색을 제외한 2가지

D에 칠할 수 있는 색은 A와 C에 칠한 색을 제외한 2가지

따라서 구하는 방법의 수는

$4\times3\times2\times2=48$

1450 B에 칠할 수 있는 색은 4가지

D에 칠할 수 있는 색은 B에 칠한 색을 제외한 3가지

A에 칠할 수 있는 색은 B와 D에 칠한 색을 제외한 2가지

C에 칠할 수 있는 색은 B와 D에 칠한 색을 제외한 2가지

따라서 구하는 방법의 수는

$4\times3\times2\times2=48$

1451 A와 C(또는 B와 D)의 두 영역은 인접해 있지 않으므로 같은 색을 사용할 수도 있고 다른 색을 사용할 수도 있다.

(i) A와 C에 같은 색을 칠하는 경우

A와 C에 칠할 수 있는 색은 4가지

B에 칠할 수 있는 색은 A와 C에 같은 색을 사용하였으므로 그 색을 제외한 3가지

C에 칠할 수 있는 색은 A와 C에 같은 색을 사용하였으므로 그 색을 제외한 3가지

따라서 구하는 방법의 수는

$4\times3\times3=36$

(ii) A와 C에 다른 색을 칠하는 경우

A에 칠할 수 있는 색은 4가지

C에 칠할 수 있는 색은 A에 칠한 색을 제외한 3가지

B에 칠할 수 있는 색은 A와 C에 칠한 색을 제외한 2가지

D에 칠할 수 있는 색은 A와 C에 칠한 색을 제외한 2가지

따라서 구하는 방법의 수는

$4\times3\times2\times2=48$

(i), (ii)에서 구하는 방법의 수는

$36+48=84$

핵심 07 본문 ➲ 213쪽

1452 12 **1453** 9 **1454** 8 **1455** 14
1456 12 **1457** 8 **1458** 24

1452 A지점에서 B지점으로 가는 방법은 3가지

B지점에서 C지점으로 가는 방법은 4가지

따라서 A지점에서 B지점을 거쳐 C지점으로 가는 방법의 수는 $3\times4=12$

1453 A지점에서 B지점으로 가는 방법은 3가지

B지점에서 C지점으로 가는 방법은 3가지

따라서 A지점에서 B지점을 거쳐 C지점으로 가는 방법의 수는 $3\times3=9$

1454 (i) A → B → C로 가는 방법의 수

$3\times2=6$

(ii) A → C로 가는 방법의 수는 2

(i), (ii)에서 구하는 방법의 수는

$6+2=8$

1455 (i) A → B → C로 가는 방법의 수

$4\times3=12$

(ii) A → C로 가는 방법의 수는 2

(i), (ii)에서 구하는 방법의 수는

$12+2=14$

1456 (i) A → D → C로 가는 방법의 수

$2\times3=6$

(ii) A → B → C로 가는 방법의 수

$3\times2=6$

(i), (ii)에서 구하는 방법의 수는

$6+6=12$

1457 (i) A → B → C로 가는 방법의 수

$2\times2=4$

(ii) A → D → C로 가는 방법의 수

$3\times1=3$

(iii) A → C로 가는 방법의 수는 1

(i), (ii), (iii)에서 구하는 방법의 수는

$4+3+1=8$

1458 (i) B → A → D로 가는 방법의 수

$2\times2=4$

(ii) B → C → D로 가는 방법의 수

$2\times2=4$

(iii) B → A → C → D로 가는 방법의 수

$2\times2\times2=8$

(iv) B → C → A → D로 가는 방법의 수

$2\times2\times2=8$

(i)~(iv)에서 구하는 방법의 수는

$4+4+8+8=24$

핵심 08 본문 ➲ 214쪽

1459 35 **1460** 19 **1461** 125 **1462** 179
1463 25, 30, 31, 30 **1464** 23 **1465** 30
1466 27

1459 500원짜리 동전으로 지불할 수 있는 방법은

0개, 1개, 2개, ⋯, 5개의 6가지

100원짜리 동전으로 지불할 수 있는 방법은

0개, 1개, 2개, ⋯, 5개의 6가지

이때 0원을 지불하는 경우는 제외해야 하므로 지불할 수 있는 방법의 수는

$6\times6-1=35$

1460 1000원짜리 지폐로 지불할 수 있는 방법은

0장, 1장, 2장, 3장의 4가지

500원짜리 동전으로 지불할 수 있는 방법은

0개, 1개, 2개, 3개, 4개의 5가지

이때 0원을 지불하는 경우는 제외해야 하므로 지불할 수 있는 방법의 수는

$4\times5-1=19$

1461 1000원짜리 지폐로 지불할 수 있는 방법은

0장, 1장, 2장의 3가지

500원짜리 동전으로 지불할 수 있는 방법은

0개, 1개, 2개, ⋯, 6개의 7가지

100원짜리 동전으로 지불할 수 있는 방법은

0개, 1개, 2개, ⋯, 5개의 6가지

이때 0원을 지불하는 경우는 제외해야 하므로 지불할 수 있는 방법의 수는

$3\times7\times6-1=125$

1462 1000원짜리 지폐로 지불할 수 있는 방법은

0장, 1장, 2장, 3장, 4장의 5가지

500원짜리 동전으로 지불할 수 있는 방법은

0개, 1개, 2개, 3개의 4가지

100원짜리 동전으로 지불할 수 있는 방법은

0개, 1개, 2개, ⋯, 8개의 9가지

이때 0원을 지불하는 경우는 제외해야 하므로 지불할 수 있는 방법의 수는

$5\times4\times9-1=179$

1464 100원짜리 동전이 3개이므로 500원과 금액이 중복되지 않는다.

500원짜리 동전으로 지불할 수 있는 금액은

0원, 500원, 1000원, ⋯, 2500원의 6가지

100원짜리 동전으로 지불할 수 있는 금액은

0원, 100원, 200원, 300원의 4가지

이때 0원을 지불하는 경우는 제외해야 하므로 지불할 수 있는 금액의 수는

$6\times4-1=23$

1465 100원짜리 동전 5개로 지불할 수 있는 금액과 500원짜리 동전 1개로 지불할 수 있는 금액이 같고, 500원짜리 동전 2개로 지불할 수 있는 금액과 1000원짜리 지폐 1장으로 지불할 수 있는 금액이 같다.

1000원짜리 지폐 1장, 500원짜리 동전 3개를 100원짜리 동전 25개로 바꾸면 지불할 수 있는 금액의 수는 100원짜리 동전 30개로 지불할 수 있는 금액의 수와 같다.

100원짜리 동전으로 지불할 수 있는 금액은

0원, 100원, 200원, ⋯, 3000원의 31가지

이때 0원을 지불하는 경우는 제외해야 하므로 지불할 수 있는 금액의 수는

$31-1=30$

1466 500원짜리 동전 2개로 지불할 수 있는 금액과 1000원짜리 지폐 1장으로 지불할 수 있는 금액이 같으므로 1000원짜리 지폐 2장을 500원짜리 동전 4개로 바꾸면 지불할 수 있는 금액의 수는 500원짜리 동전 6개, 100원짜리 동전 3개로 지불할 수 있는 금액의 수와 같다.

500원짜리 동전으로 지불할 수 있는 금액은

0원, 500원, 1000원, ⋯, 3000원의 7가지

100원짜리 동전으로 지불할 수 있는 금액은

0원, 100원, 200원, 300원의 4가지

이때 0원을 지불하는 경우는 제외해야 하므로 지불할 수 있는 금액의 수는

$7\times4-1=27$

핵심 01~08 Mini **Review** Test 본문 ○ 215쪽

1467 47	**1468** 28	**1469** 11	**1470** 16
1471 720	**1472** 8	**1473** 67	

1467 1부터 100까지의 자연수 중에서
3의 배수는 3, 6, 9, ⋯, 99의 33개
5의 배수는 5, 10, 15, ⋯, 100의 20개
3의 배수이면서 5의 배수인 수는 15의 배수이므로
15, 30, 45, ⋯, 90의 6개
따라서 3의 배수 또는 5의 배수의 개수는
$33+20-6=47$

1468 120을 소인수분해하면 $120=2^3\times3\times5$이므로
120의 양의 약수의 개수는
$(3+1)\times(1+1)\times(1+1)=16$ $\therefore a=16$
이때 양의 약수 중 홀수는
$2^0\times3^0\times5^0$, $2^0\times3$, $2^0\times5$, $2^0\times3\times5$의 4개이므로 120의 양의 약수 중 짝수의 개수는
$16-4=12$ $\therefore b=12$
$\therefore a+b=16+12=28$

1469 (i) $y=0$일 때, $3x+0\le12$, 즉 $x\le4$이므로 순서쌍 (x, y)는
$(0, 0)$, $(1, 0)$, $(2, 0)$, $(3, 0)$, $(4, 0)$의 5개
(ii) $y=1$일 때, $3x+4\le12$, 즉 $x\le\frac{8}{3}$이므로 순서쌍 (x, y)는
$(0, 1)$, $(1, 1)$, $(2, 1)$의 3개
(iii) $y=2$일 때, $3x+8\le12$, 즉 $x\le\frac{4}{3}$이므로 순서쌍 (x, y)는
$(0, 2)$, $(1, 2)$의 2개
(iv) $y=3$일 때, $3x+12\le12$, 즉 $x\le0$이므로 순서쌍 (x, y)는
$(0, 3)$의 1개
(i)~(iv)에서 구하는 순서쌍의 개수는
$5+3+2+1=11$

1470 사용하는 5 g, 10 g, 20 g의 추의 개수를 각각 a, b, c라 하면
$5a+10b+20c=60$
$\therefore a+2b+4c=12$ (단, a, b, c는 음이 아닌 정수)
(i) $c=0$일 때, $a+2b=12$이므로 순서쌍 (a, b)는
$(0, 6)$, $(2, 5)$, $(4, 4)$, $(6, 3)$, $(8, 2)$, $(10, 1)$, $(12, 0)$의 7개
(ii) $c=1$일 때, $a+2b=8$이므로 순서쌍 (a, b)는
$(0, 4)$, $(2, 3)$, $(4, 2)$, $(6, 1)$, $(8, 0)$의 5개
(iii) $c=2$일 때, $a+2b=4$이므로 순서쌍 (a, b)는
$(0, 2)$, $(2, 1)$, $(4, 0)$의 3개
(iv) $c=3$일 때, $a+2b=0$이므로 순서쌍 (a, b)는
$(0, 0)$의 1개
(i)~(iv)에서 구하는 순서쌍의 개수는
$7+5+3+1=16$

1471 C에 칠할 수 있는 색은 5가지
A에 칠할 수 있는 색은 C에 칠한 색을 제외한 4가지
B에 칠할 수 있는 색은 A와 C에 칠한 색을 제외한 3가지
D에 칠할 수 있는 색은 C에 칠한 색을 제외한 4가지
E에 칠할 수 있는 색은 C와 D에 칠한 색을 제외한 3가지
따라서 구하는 방법의 수는
$5\times4\times3\times4\times3=720$

1472 (i) A → B → C로 가는 방법의 수
$2\times3=6$
(ii) A → D → C로 가는 방법의 수
$2\times1=2$
(i), (ii)에서 구하는 방법의 수는
$6+2=8$

1473 500원짜리 동전 1개와 100원짜리 동전 5개의 금액이 같으므로 500원짜리 동전 2개를 100원짜리 동전 10개로 바꾸어서 생각한다.
즉, 100원짜리 동전 16개와 10원짜리 동전 3개로 지불할 수 있는 금액의 수와 같다.
100원짜리 동전으로 지불할 수 있는 금액은
0원, 100원, 200원, ⋯, 1600원의 17가지
10원짜리 동전으로 지불할 수 있는 금액은
0원, 10원, 20원, 30원의 4가지
이때 0원을 지불하는 경우는 제외해야 하므로 지불할 수 있는 금액의 수는
$17\times4-1=67$

10. 순열과 조합

핵심 01

본문 ➔ 219쪽

1474 120	**1475** 20	**1476** 1	**1477** 120
1478 720	**1479** 360	**1480** 1	**1481** 24
1482 24	**1483** 24	**1484** 720	**1485** 120
1486 3	**1487** 48	**1488** 720	**1489** 30
1490 840	**1491** 720		

1474 ${}_5P_4=5\times4\times3\times2=120$

1475 ${}_5P_2=5\times4=20$

1477 ${}_6P_3=6\times5\times4=120$

1478 ${}_6P_5=6\times5\times4\times3\times2=720$

1479 ${}_6P_4=6\times5\times4\times3=360$

1481 ${}_4P_4=4\times3\times2\times1=24$

1482 ${}_4P_3=4\times3\times2=24$

1483 $4!=4\times3\times2\times1=24$

1484 $6!=6\times5\times4\times3\times2\times1=720$

1485 $5!=5\times4\times3\times2\times1=120$

1486 $0!=1$이므로 $3\times0!=3\times1=3$

1487 $4!=24$이므로 $2\times4!=2\times24=48$

1488 $5!=120$이므로 $6\times5!=6\times120=720$

1489 $\dfrac{6!}{4!}=\dfrac{6\times5\times4\times3\times2\times1}{4\times3\times2\times1}=6\times5=30$

1490 $\dfrac{7!}{3!}=\dfrac{7\times6\times5\times4\times3\times2\times1}{3\times2\times1}=7\times6\times5\times4=840$

1491 $\dfrac{10!}{7!}=\dfrac{10\times9\times8\times7\times6\times5\times4\times3\times2\times1}{7\times6\times5\times4\times3\times2\times1}$

$=10\times9\times8=720$

핵심 02

본문 ➔ 220쪽

1492 6, 6, 6	**1493** 5	**1494** 10	**1495** 6
1496 11	**1497** 9	**1498** 2	**1499** 3
1500 0	**1501** 3	**1502** 4 또는 5	
1503 8			

1493 ${}_nP_3=60$에서 $n(n-1)(n-2)=60$

$n(n-1)(n-2)=5\times4\times3$

$\therefore n=5$

1494 ${}_nP_2=90$에서 $n(n-1)=90$

$n(n-1)=10\times9$

$\therefore n=10$

1495 ${}_nP_3=4{}_nP_2$에서

$n(n-1)(n-2)=4n(n-1)$

이때 $n\geq3$이므로 양변을 $n(n-1)$로 나누면

$n-2=4 \qquad \therefore n=6$

1496 ${}_nP_5=56{}_nP_3$에서

$n(n-1)(n-2)(n-3)(n-4)=56n(n-1)(n-2)$

이때 $n\geq5$이므로 양변을 $n(n-1)(n-2)$로 나누면

$(n-3)(n-4)=56$

$(n-3)(n-4)=8\times7$이므로 $n=11$

1497 ${}_nP_4=42{}_nP_2$에서

$n(n-1)(n-2)(n-3)=42n(n-1)$

이때 $n\geq4$이므로 양변을 $n(n-1)$로 나누면

$(n-2)(n-3)=42$

$(n-2)(n-3)=7\times6$이므로 $n=9$

1498 $12=4\times3$이므로 ${}_4P_2=12$

$\therefore r=2$

1499 $210=7\times6\times5$이므로 ${}_7P_3=210$

$\therefore r=3$

1500 자연수 n의 값에 관계없이 ${}_nP_0=1$이므로

${}_7P_0=1$에서 $r=0$

1501 $336=8\times7\times6$이므로 ${}_8P_3=336$

$\therefore r=3$

1502 $120=5\times4\times3\times2$ 또는 $120=5\times4\times3\times2\times1$이므로

${}_5P_4=120$ 또는 ${}_5P_5=120$

$\therefore r=4$ 또는 $r=5$

1503 ${}_nP_6=60{}_nP_3$에서

$n(n-1)(n-2)(n-3)(n-4)(n-5)$

$=60n(n-1)(n-2)$

이때 $n\geq6$이므로 양변을 $n(n-1)(n-2)$로 나누면

$(n-3)(n-4)(n-5)=60$

$(n-3)(n-4)(n-5)=5\times4\times3$이므로 $n=8$

핵심 03 본문 ➔ 221쪽

1504 n, $4n$, 2 **1505** 6 **1506** 3 **1507** 3

1508 4, 4, 4, 4, 4 **1509** 5 **1510** 3

1505 ${}_nP_2+2{}_nP_1=42$에서

$n(n-1)+2n=42$이므로

$n^2+n-42=0$, $(n+7)(n-6)=0$

이때 $n\geq2$이므로 $n=6$

1506 $2{}_nP_2+3{}_nP_1=21$에서

$2n(n-1)+3n=21$이므로

$2n^2+n-21=0$, $(2n+7)(n-3)=0$

이때 $n\geq2$이므로 $n=3$

1507 $3{}_nP_2+2{}_nP_1=24$에서

$3n(n-1)+2n=24$이므로

$3n^2-n-24=0$, $(3n+8)(n-3)=0$

이때 $n\geq2$이므로 $n=3$

1509 ${}_{n+1}P_3-2{}_nP_2=80$에서

$(n+1)n(n-1)-2n(n-1)=80$이므로

$n^3-2n^2+n-80=0$

5	1	−2	1	−80
		5	15	80
	1	3	16	0

$\therefore n^3-2n^2+n-80=(n-5)(n^2+3n+16)$

$(n-5)(n^2+3n+16)=0$

이때 $n\geq2$이고 $n^2+3n+16>0$이므로 $n=5$

1510 $2{}_{n+1}P_2-{}_{n-1}P_2=22$에서

$2(n+1)n-(n-1)(n-2)=22$이므로

$n^2+5n-24=0$, $(n+8)(n-3)=0$

이때 $n\geq3$이므로 $n=3$

핵심 04 본문 ➔ 222쪽

1511 30 **1512** 90 **1513** 840 **1514** 120

1515 120 **1516** 20 **1517** 1680 **1518** 24

1519 20 **1520** 56

1511 서로 다른 6명에서 2명을 택하여 일렬로 세우는 방법의 수와 같으므로

${}_6P_2=6\times5=30$

1512 서로 다른 10명에서 2명을 택하여 일렬로 세우는 방법의 수와 같으므로

${}_{10}P_2=10\times9=90$

1513 서로 다른 7개의 과목에서 4개를 택하여 일렬로 배열하는 방법의 수와 같으므로

${}_7P_4=7\times6\times5\times4=840$

1514 서로 다른 6권의 책에서 3권을 택하여 일렬로 배열하는 방법의 수와 같으므로

${}_6P_3=6\times5\times4=120$

1515 서로 다른 아이스크림 5개에서 4개를 택하여 일렬로 배열하는 방법의 수와 같으므로

${}_5P_4=5\times4\times3\times2=120$

1516 서로 다른 문자 5개에서 2개를 택하여 일렬로 배열하는 방법의 수와 같으므로

${}_5P_2=5\times4=20$

1517 서로 다른 8명에서 4명을 택하여 일렬로 세우는 방법의 수와 같으므로

${}_8P_4=8\times7\times6\times5=1680$

1518 서로 다른 4명에서 3명을 택하여 일렬로 세우는 방법의 수와 같으므로

${}_4P_3=4\times3\times2=24$

1519 서로 다른 5권에서 2권을 택하여 일렬로 배열하는 방법의 수와 같으므로
$_5P_2=5\times4=20$

1520 서로 다른 8명에서 2명을 택하여 일렬로 세우는 방법의 수와 같으므로
$_8P_2=8\times7=56$

핵심 **05** 본문 223쪽

1521 (1) 60 (2) 2, 4, 12, 24 (3) 36
1522 (1) 48 (2) 12 **1523** (1) 6 (2) 4, $_3P_3$, 6, 20
1524 156

1521 (1) 세 자리의 자연수의 개수는 서로 다른 5개에서 3개를 택하여 일렬로 배열하는 경우의 수와 같으므로
$_5P_3=5\times4\times3=60$
(3) 홀수가 되기 위해서 일의 자리에 올 수 있는 숫자는 1, 3, 5이다.
십의 자리와 백의 자리에는 일의 자리의 숫자를 제외한 4개의 숫자 중에서 2개를 택하여 배열하면 되므로
$_4P_2=4\times3=12$
따라서 구하는 홀수의 개수는
$3\times12=36$

다른 해설
(3) 만들 수 있는 세 자리의 자연수의 개수가 60이고 세 자리의 짝수의 개수가 24이므로 세 자리의 홀수의 개수는
$60-24=36$

1522 (1) 백의 자리에는 0이 올 수 없으므로 백의 자리에 올 수 있는 숫자는 1, 2, 3, 4의 4개
십의 자리와 일의 자리에는 백의 자리의 숫자를 제외한 4개의 숫자 중에서 2개를 택하여 배열하면 되므로
$_4P_2=4\times3=12$
따라서 구하는 세 자리의 자연수의 개수는
$4\times12=48$
(2) 5의 배수가 되기 위해서 일의 자리에 올 수 있는 숫자는 0이다.
백의 자리와 십의 자리에는 일의 자리의 숫자 0을 제외한 4개의 숫자 중에서 2개를 택하여 배열하면 되므로
$_4P_2=4\times3=12$
따라서 구하는 5의 배수의 개수는
$1\times12=12$

1523 (1) 9의 배수가 되기 위해서는 각 자리의 숫자의 합이 9의 배수이어야 한다.
따라서 2, 3, 4로 세 자리의 자연수를 만들어야 하므로
$_3P_3=3\times2\times1=6$

1524 짝수가 되기 위해서 일의 자리에 올 수 있는 숫자는 0, 2, 4이다.
(i) 일의 자리의 숫자가 0인 경우
천의 자리, 백의 자리, 십의 자리에는 일의 자리의 숫자 0을 제외한 5개의 숫자 중에서 3개를 택하여 배열하면 되므로
$_5P_3=5\times4\times3=60$
(ii) 일의 자리의 숫자가 2인 경우
천의 자리에 올 수 있는 숫자는 0, 2를 제외한 4개
백의 자리와 십의 자리에는 천의 자리와 일의 자리의 숫자를 제외한 4개의 숫자 중 2개를 택하여 배열하면 되므로
$_4P_2=4\times3=12$
따라서 일의 자리의 숫자가 2인 짝수의 개수는
$4\times12=48$
(iii) 일의 자리의 숫자가 4인 경우
천의 자리에 올 수 있는 숫자는 0, 4를 제외한 4개
백의 자리와 십의 자리에는 천의 자리와 일의 자리의 숫자를 제외한 4개의 숫자 중 2개를 택하여 배열하면 되므로
$_4P_2=4\times3=12$
따라서 일의 자리의 숫자가 4인 짝수의 개수는
$4\times12=48$
(i), (ii), (iii)에서 구하는 짝수의 개수는
$60+48+48=156$

핵심 01~05 Mini Review Test 본문 224쪽

1525 5 **1526** 6 **1527** 60 **1528** 360
1529 420 **1530** 30

1525 $_{n+1}P_4=18{}_nP_2$에서
$(n+1)n(n-1)(n-2)=18n(n-1)$
이때 $n+1\ge4$, $n\ge2$에서 $n\ge3$이므로
양변을 $n(n-1)$로 나누면
$(n+1)(n-2)=18$, $n^2-n-20=0$
$(n+4)(n-5)=0$ $\quad\therefore n=5\ (\because n\ge3)$

1526 ${}_{n}P_{3}-2{}_{n+1}P_{2}=36$에서

$n(n-1)(n-2)-2(n+1)n=36$이므로

$n^3-5n^2-36=0$

6	1	-5	0	-36
		6	6	36
	1	1	6	0

$\therefore n^3-5n^2-36=(n-6)(n^2+n+6)$

$(n-6)(n^2+n+6)=0$

이때 $n\geq 3$이고 $n^2+n+6>0$이므로 $n=6$

1527 교육부장, 환경부장, 체육부장이 모두 여학생이므로 남학생의 인원수를 고려할 필요가 없다.

따라서 구하는 경우의 수는 서로 다른 여학생 5명에서 3명을 택하여 일렬로 배열하는 경우의 수와 같으므로

${}_{5}P_{3}=5\times4\times3=60$

1528 정의역의 원소가 다를 때 함숫값이 서로 달라야 하므로 공역의 원소 중에서 중복되지 않게 선택을 해야 한다.

따라서 조건을 만족시키는 함수의 개수는 서로 다른 공역의 원소 6개에서 정의역의 원소의 수인 4개를 택하여 일렬로 배열하는 경우의 수와 같으므로

${}_{6}P_{4}=6\times5\times4\times3=360$

참고 $x_1\in X$, $x_2\in X$일 때, $x_1\neq x_2$이면 $f(x_1)\neq f(x_2)$를 만족시키는 함수는 일대일함수이다. 정의역 X의 원소의 개수가 r, 공역 Y의 원소의 개수가 n일 때, 함수 $f: X \longrightarrow Y$에 대하여 일대일함수의 개수는 ${}_{n}P_{r}$이다.

1529 짝수가 되기 위해서 일의 자리에 올 수 있는 숫자는 0, 2, 4, 6이다.

(i) 일의 자리의 숫자가 0인 경우

천의 자리, 백의 자리, 십의 자리에는 일의 자리의 숫자 0을 제외한 6개의 숫자 중에서 3개를 택하여 배열하면 되므로

${}_{6}P_{3}=6\times5\times4=120$

(ii) 일의 자리의 숫자가 2 또는 4 또는 6인 경우

천의 자리에 올 수 있는 숫자는 0과 일의 자리의 숫자를 제외한 5개

백의 자리와 십의 자리에는 천의 자리와 일의 자리의 숫자를 제외한 5개의 숫자 중에서 2개를 택하여 배열하면 되므로

${}_{5}P_{2}=5\times4=20$

따라서 일의 자리의 숫자가 2 또는 4 또는 6인 짝수의 개수는

$(5\times20)\times3=300$

(i), (ii)에서 구하는 짝수의 개수는

$120+300=420$

1530 짝수가 되기 위해서 일의 자리에 올 수 있는 숫자는 0, 2, 4이다.

(i) 일의 자리의 숫자가 0인 경우

천의 자리에 올 수 있는 숫자는 1, 2의 2개

백의 자리와 십의 자리에는 일의 자리와 천의 자리의 숫자를 제외한 3개의 숫자 중에서 2개를 택하여 배열하면 되므로

${}_{3}P_{2}=3\times2=6$

따라서 일의 자리의 숫자가 0인 3000 이하의 짝수의 개수는

$2\times6=12$

(ii) 일의 자리의 숫자가 2인 경우

천의 자리에 올 수 있는 숫자는 1의 1개

백의 자리와 십의 자리에는 일의 자리와 천의 자리의 숫자를 제외한 3개의 숫자 중에서 2개를 택하여 배열하면 되므로

${}_{3}P_{2}=3\times2=6$

따라서 일의 자리의 숫자가 2인 3000 이하의 짝수의 개수는

$1\times6=6$

(iii) 일의 자리의 숫자가 4인 경우

천의 자리에 올 수 있는 숫자는 1, 2의 2개

백의 자리와 십의 자리에는 일의 자리와 천의 자리의 숫자를 제외한 3개의 숫자 중에서 2개를 택하여 배열하면 되므로

${}_{3}P_{2}=3\times2=6$

따라서 일의 자리의 숫자가 4인 3000 이하의 짝수의 개수는

$2\times6=12$

(i), (ii), (iii)에서 구하는 짝수의 개수는

$12+6+12=30$

핵심 06 본문 225쪽

1531 (1) 5!, 120, 120, 720 (2) 576

1532 (1) 36 (2) 48

1533 3!, 6, 4!, 24, 6, 24, 288

1534 480 **1535** 1728

1531 (2) 여학생 4명을 한 사람으로 생각하여 4명을 일렬로 세우는 방법의 수는 $4!=24$
여학생 4명이 자리를 바꾸는 방법의 수는 $4!=24$
따라서 구하는 방법의 수는
$24\times24=576$

1532 (1) 야구 선수 3명을 한 사람으로 생각하여 3명을 일렬로 세우는 방법의 수는 $3!=6$
야구 선수 3명이 자리를 바꾸는 방법의 수는 $3!=6$
따라서 구하는 방법의 수는
$6\times6=36$
(2) 농구 선수 2명을 한 사람으로 생각하여 4명을 일렬로 세우는 방법의 수는 $4!=24$
농구 선수 2명이 자리를 바꾸는 방법의 수는 $2!=2$
따라서 구하는 방법의 수는
$24\times2=48$

1534 소설책 2권을 한 권으로, 시집 5권을 한 권으로 생각하여 2권을 일렬로 꽂는 방법의 수는 $2!=2$
소설책 2권이 자리를 바꾸는 방법의 수는 $2!=2$
시집 5권이 자리를 바꾸는 방법의 수는 $5!=120$
따라서 구하는 방법의 수는
$2\times2\times120=480$

1535 야구 선수 3명을 한 사람으로, 농구 선수 4명을 한 사람으로, 축구 선수 2명을 한 사람으로 생각하여 3명을 일렬로 세우는 방법의 수는 $3!=6$
야구 선수 3명이 자리를 바꾸는 방법의 수는 $3!=6$
농구 선수 4명이 자리를 바꾸는 방법의 수는 $4!=24$
축구 선수 2명이 자리를 바꾸는 방법의 수는 $2!=2$
따라서 구하는 방법의 수는
$6\times6\times24\times2=1728$

핵심 07 본문 ➔ 226쪽

1536 (1) ${}_4P_4$, 24, 24, 144 (2) 1440 **1537** 72
1538 3600 **1539** 8 **1540** 72 **1541** 144

1536 (2) 남학생 4명을 일렬로 세우는 방법의 수는 $4!=24$
남학생 사이사이와 양 끝 5개의 자리에 여학생 3명을 세우는 방법의 수는 ${}_5P_3=60$
따라서 구하는 방법의 수는
$24\times60=1440$

1537 b, c, d를 일렬로 배열하는 방법의 수는 $3!=6$
b, c, d 사이사이와 양 끝 4개의 자리에 a, e를 배열하는 방법의 수는 ${}_4P_2=12$
따라서 구하는 방법의 수는
$6\times12=72$

1538 과학책 5권을 일렬로 꽂는 방법의 수는 $5!=120$
과학책 사이사이와 양 끝 6개의 자리에 수학책을 꽂는 방법의 수는 ${}_6P_2=30$
따라서 구하는 방법의 수는
$120\times30=3600$

1539 어른을 ●, 아이를 ○라 하면 어른과 아이가 교대로 서는 방법은
●○●○, ○●○●
●○●○의 순서로 교대로 서는 방법의 수는
$2!\times2!=4$
○●○●의 순서로 교대로 서는 방법의 수는
$2!\times2!=4$
따라서 구하는 방법의 수는
$4+4=8$

1540 자음 b, c, d를 ●, 모음 a, e, i를 ○라 하면 자음과 모음이 교대로 배열되는 방법은
●○●○●○, ○●○●○●
●○●○●○의 순서로 교대로 배열하는 방법의 수는
$3!\times3!=36$
○●○●○●의 순서로 교대로 배열하는 방법의 수는
$3!\times3!=36$
따라서 구하는 방법의 수는
$36+36=72$

1541 남학생 4명을 일렬로 세우고 그 사이사이에 여학생 3명을 세우면 된다.
따라서 구하는 방법의 수는
$4!\times3!=24\times6=144$

핵심 08 본문 ➔ 227쪽

1542 (1) 48 (2) 4!, 24, 4, 24, 4, 192
1543 (1) 12 (2) 24 **1544** (1) 120 (2) 960
1545 10800 **1546** 144

1542 (1) b와 t가 양 끝에 오는 경우는
b○○○○t와 t○○○○b인 2가지이다.
b와 t 사이에 e, a, u, y의 4개의 문자를 일렬로 배열하는 방법의 수는 $4!=24$
따라서 구하는 방법의 수는
$2\times24=48$

1543 (1) 남학생 2명을 양 끝에 세우는 방법의 수는 $2!=2$
남학생 사이에 여학생 3명을 일렬로 세우는 방법의 수는 $3!=6$
따라서 구하는 방법의 수는
$2\times6=12$
(2) ㉯㉰㉰㉯을 한 명으로 생각하여 2명을 일렬로 세우는 방법의 수는 $2!=2$
남학생 2명 사이에 여학생 3명 중에서 2명을 선택하여 일렬로 세우는 방법의 수는 ${}_3P_2=6$
남학생 2명이 자리를 바꾸는 방법의 수는 $2!=2$
따라서 구하는 방법의 수는
$2\times6\times2=24$

1544 (1) A를 두 번째, G를 다섯 번째에 오도록 배열하는 경우는
○A○○G○○
A와 G는 고정되어 있기 때문에 남은 5개의 ○ 자리에 남은 5개의 문자를 일렬로 배열하는 방법의 수는 $5!=120$
(2) B○○D를 한 문자로 생각하여 4개의 문자를 일렬로 배열하는 방법의 수는 $4!=24$
B와 D 사이에 B와 D를 제외한 5개의 문자 중 2개를 선택하여 배열하는 방법의 수는 ${}_5P_2=20$
B와 D가 자리를 바꾸는 방법의 수는 $2!=2$
따라서 구하는 방법의 수는 $24\times20\times2=960$

1545 모음은 o, i, a, 자음은 t, r, p, c, l
3개의 모음 중 첫 번째에 올 모음 1개를 선택하는 방법의 수는 3
5개의 자음 중 여덟 번째에 올 자음 1개를 선택하는 방법의 수는 5
첫 번째와 여덟 번째 문자를 선택하고 남은 6개의 자리에 6개의 문자를 일렬로 배열하는 방법의 수는 $6!=720$
따라서 구하는 방법의 수는
$3\times5\times720=10800$

1546 문자의 자리를 ●, 숫자의 자리를 ○라 하자.
숫자를 양 끝에 배열하는 경우는 ○●●○이다.
4개의 숫자 중에서 2개를 선택하여 ○자리에 배열하는 방법의 수는 ${}_4P_2=12$
4개의 문자 중에서 2개를 선택하여 ●자리에 배열하는 방법의 수는 ${}_4P_2=12$
따라서 구하는 방법의 수는
$12\times12=144$

핵심 09 본문 ◐ 228쪽

1547 4!, 24, 24, 48, 48, 72 **1548** 44 **1549** 672
1550 432 **1551** 3600 **1552** 186

1548 적어도 1명의 여학생이 회장, 부회장으로 선출되지 않는 경우는 남학생이 모두 회장, 부회장으로 선출되는 경우이다.
(i) 8명의 학생 중에서 회장, 부회장을 각각 1명씩 뽑는 경우의 수는 ${}_8P_2=56$
(ii) 남학생 4명 중에서 회장, 부회장을 각각 1명씩 뽑는 경우의 수는 ${}_4P_2=12$
(i), (ii)에서 구하는 경우의 수는 $56-12=44$

1549 적어도 한 쪽 끝에 자음이 오지 않는 경우는 양쪽 끝에 모두 모음이 오는 경우이다.
(i) 6개를 문자를 일렬로 배열하는 경우의 수는 $6!=720$
(ii) 모음은 a, e의 2개이므로 양쪽 끝에 a, e를 배열하는 경우의 수는 $2!=2$
양쪽 끝을 제외한 나머지 부분에 b, c, d, f를 배열하는 경우의 수는 $4!=24$
따라서 양쪽 끝에 모두 모음이 오는 경우의 수는
$2\times24=48$
(i), (ii)에서 구하는 경우의 수는
$720-48=672$

1550 적어도 한 쪽 끝에 모음이 오지 않는 경우는 양쪽 끝에 모두 자음이 오는 경우이다.
(i) 6개를 문자를 일렬로 배열하는 경우의 수는 $6!=720$
(ii) 자음은 b, c, d, f의 4개이므로 양쪽 끝에 4개의 자음 중 2개를 선택하여 배열하는 경우의 수는 ${}_4P_2=12$
양쪽 끝을 제외한 나머지 부분에 양쪽 끝에 배열하지 않은 자음과 모음을 배열하는 경우의 수는 $4!=24$
따라서 양쪽 끝에 모두 자음이 오는 경우의 수는
$12\times24=288$
(i), (ii)에서 구하는 경우의 수는
$720-288=432$

1551 적어도 한 쪽 끝에 숫자가 오지 않는 경우는 양쪽 끝에 모두 문자가 오는 경우이다.

(i) 7개의 문자와 숫자를 일렬로 배열하는 경우의 수는
$7!=5040$
(ii) 양쪽 끝에 4개의 문자 중 2개를 선택하여 배열하는 경우의 수는 $_4P_2=12$
양쪽 끝을 제외한 나머지 부분에 양쪽 끝에 배열하지 않은 문자와 숫자를 배열하는 경우의 수는 $5!=120$
따라서 양쪽 끝에 모두 문자가 오는 경우의 수는
$12\times120=1440$
(i), (ii)에서 구하는 경우의 수는
$5040-1440=3600$

1552 각 자리의 숫자의 곱이 짝수가 아닌 경우는 각 자리의 숫자의 곱이 홀수인 경우이다.
(i) 7개의 숫자에서 3개를 선택하여 만들 수 있는 세 자리의 자연수의 개수는 $_7P_3=210$
(ii) 각 자리의 숫자의 곱이 홀수가 되기 위해서는 각 자리의 숫자가 모두 홀수이어야 한다.
따라서 4개의 홀수 중에서 3개를 선택하여 일렬로 배열하는 경우의 수와 같으므로 $_4P_3=24$
(i), (ii)에서 구하는 경우의 수는
$210-24=186$

핵심 **10** 본문 ⊕ 229쪽

1553 (1) $3!$, 6, 6, 18, rakp (2) 14번째
1554 (1) cnksa (2) 115번째 **1555** 51342
1556 (1) 6314 (2) 264 **1557** 3412

1553 (2) a□□□ 꼴인 문자열의 개수는 $3!=6$
k□□□ 꼴인 문자열의 개수는 $3!=6$
p로 시작하는 단어를 차례로 쓰면 pakr, park, …
따라서 park까지의 개수는 $6+6+2=14$
이므로 park는 14번째에 배열된다.

1554 (1) s, n, a, c, k를 알파벳 순서로 나열하면 a, c, k, n, s
a□□□□ 꼴인 문자열의 개수는 $4!=24$
ca□□□ 꼴인 문자열의 개수는 $3!=6$
ck□□□ 꼴인 문자열의 개수는 $3!=6$
cn으로 시작하는 단어를 차례로 쓰면 cnaks, cnask, cnkas, cnksa, …
따라서 40번째에 배열되는 문자열은 cnksa이다.
(2) a□□□□ 꼴인 문자열의 개수는 $4!=24$
c□□□□ 꼴인 문자열의 개수는 $4!=24$
k□□□□ 꼴인 문자열의 개수는 $4!=24$
n□□□□ 꼴인 문자열의 개수는 $4!=24$
sa□□□ 꼴인 문자열의 개수는 $3!=6$
sc□□□ 꼴인 문자열의 개수는 $3!=6$
sk□□□ 꼴인 문자열의 개수는 $3!=6$
sn으로 시작하는 단어를 차례로 쓰면 snack, …
따라서 snack까지의 개수는
$24+24+24+24+6+6+6+1=115$
이므로 115번째에 배열된다.

1555 1□□□□ 꼴인 자연수의 개수는 $4!=24$
2□□□□ 꼴인 자연수의 개수는 $4!=24$
3□□□□ 꼴인 자연수의 개수는 $4!=24$
4□□□□ 꼴인 자연수의 개수는 $4!=24$
따라서 12345부터 45321까지의 자연수의 개수는
$24+24+24+24=96$
이므로 구하는 수는 51234, 51243, 51324, 51342, …에서 51342이다.

1556 (1) 65□□ 꼴인 자연수의 개수는 $_4P_2=12$
64□□ 꼴인 자연수의 개수는 $_4P_2=12$
635□ 꼴인 자연수의 개수는 $_3P_1=3$
634□ 꼴인 자연수의 개수는 $_3P_1=3$
632□ 꼴인 자연수의 개수는 $_3P_1=3$
따라서 6543부터 6321까지의 자연수의 개수는
$12+12+3+3+3=33$
이므로 구하는 수는 6315, 6314, …에서 6314이다.
(2) 1□□□ 꼴인 자연수의 개수는 $_5P_3=60$
2□□□ 꼴인 자연수의 개수는 $_5P_3=60$
3□□□ 꼴인 자연수의 개수는 $_5P_3=60$
4□□□ 꼴인 자연수의 개수는 $_5P_3=60$
51□□ 꼴인 자연수의 개수는 $_4P_2=12$
52□□ 꼴인 자연수의 개수는 $_4P_2=12$
따라서 5300보다 작은 자연수의 개수는
$60+60+60+60+12+12=264$

1557 1□□□ 꼴인 자연수의 개수는 $_4P_3=24$
2□□□ 꼴인 자연수의 개수는 $_4P_3=24$
30□□ 꼴인 자연수의 개수는 $_3P_2=6$
31□□ 꼴인 자연수의 개수는 $_3P_2=6$
32□□ 꼴인 자연수의 개수는 $_3P_2=6$
따라서 1023부터 3241까지의 자연수의 개수는
$24+24+6+6+6=66$
이므로 구하는 수는 3401, 3402, 3410, 3412, …에서 3412이다.

핵심 06~10 Mini Review Test			본문 ◐ 230쪽
1558 24	**1559** 480	**1560** 48	**1561** 720
1562 576	**1563** 288	**1564** 231	**1565** 204

1558 짝수 2, 4를 한 개로, 홀수 1, 3, 5를 한 개로 생각하여 2개를 일렬로 배열하는 방법의 수는 $2!=2$
짝수 2, 4의 자리를 바꾸는 방법의 수는 $2!=2$
홀수 1, 3, 5의 자리를 바꾸는 방법의 수는 $3!=6$
따라서 구하는 방법의 수는
$2\times2\times6=24$

1559 여학생 4명을 일렬로 세우는 방법의 수는 $4!=24$
여학생 사이사이와 양 끝 5개의 자리에 남학생 2명을 세우는 방법의 수는 ${}_5P_2=20$
따라서 구하는 방법의 수는
$24\times20=480$

1560 3의 배수는 3, 6이다.
천의 자리가 3, 백의 자리가 6인 자연수의 개수는 $4!=24$
천의 자리가 6, 백의 자리가 3인 자연수의 개수는 $4!=24$
따라서 구하는 자연수의 개수는
$24+24=48$

1561 a○○○e를 한 문자로 생각하여 3개의 문자를 일렬로 배열하는 방법의 수는 $3!=6$
a와 e 사이에 a와 e를 제외한 5개의 문자 중 3개를 선택하여 일렬로 배열하는 방법의 수는 ${}_5P_3=60$
a와 e가 자리를 바꾸는 방법의 수는 $2!=2$
따라서 구하는 방법의 수는
$6\times60\times2=720$

1562 적어도 한 쪽 끝에 문자가 오지 않는 경우는 양쪽 끝에 모두 숫자가 오는 경우이다.
(i) 6개의 문자와 숫자를 일렬로 배열하는 경우의 수는 $6!=720$
(ii) 양쪽 끝에 1, 2, 3 중 2개를 배열하는 경우의 수는 ${}_3P_2=6$
양쪽 끝을 제외한 나머지 부분에 양쪽 끝에 배열하지 않은 숫자와 문자를 배열하는 경우의 수는 $4!=24$
따라서 양쪽 끝에 모두 숫자가 오는 경우의 수는
$6\times24=144$
(i), (ii)에서 구하는 경우의 수는
$720-144=576$

1563 a와 e 사이에 적어도 2개의 문자를 배열하지 않는 경우는 a와 e 사이에 1개의 문자를 배열하는 경우와 a와 e가 이웃하는 경우이다.
(i) 6개의 문자를 일렬로 배열하는 경우의 수는 $6!=720$
(ii) a○e를 한 문자로 생각하여 4개의 문자를 일렬로 배열하는 경우의 수는 $4!=24$
a와 e 사이에 a와 e를 제외한 4개의 문자 중 1개를 선택하는 경우의 수는 4
a와 e가 자리를 바꾸는 경우의 수는 $2!=2$
따라서 a와 e 사이에 1개의 문자를 배열하는 경우의 수는
$24\times4\times2=192$
(iii) a, e를 한 문자로 생각하여 5개의 문자를 일렬로 배열하는 경우의 수는 $5!=120$
a와 e가 자리를 바꾸는 경우의 수는 $2!=2$
따라서 a와 e가 이웃하는 경우의 수는 $120\times2=240$
(i), (ii), (iii)에서 구하는 경우의 수는
$720-(192+240)=288$

1564 4□□ 꼴인 자연수의 개수는 ${}_4P_2=12$
3□□ 꼴인 자연수의 개수는 ${}_4P_2=12$
24□ 꼴인 자연수의 개수는 ${}_3P_1=3$
따라서 432부터 240까지의 자연수의 개수는
$12+12+3=27$
이므로 구하는 자연수는 234, 231, …에서 231이다.

1565 4□□□ 꼴인 자연수의 개수는 ${}_5P_3=60$
5□□□ 꼴인 자연수의 개수는 ${}_5P_3=60$
6□□□ 꼴인 자연수의 개수는 ${}_5P_3=60$
35□□ 꼴인 자연수의 개수는 ${}_4P_2=12$
36□□ 꼴인 자연수의 개수는 ${}_4P_2=12$
따라서 3500 이상인 네 자리의 자연수의 개수는
$60+60+60+12+12=204$

핵심 11			본문 ◐ 231쪽
1566 5	**1567** 10	**1568** 10	**1569** 5
1570 21	**1571** 1	**1572** 21	**1573** 35
1574 28	**1575** 70	**1576** 8	**1577** 28
1578 120	**1579** 210	**1580** 10	**1581** 120

1567 ${}_5C_2=\frac{5\times4}{2\times1}=10$

1568 ${}_5C_3={}_5C_{5-3}={}_5C_2=\frac{5\times4}{2\times1}=10$

핵심 12 본문 ➜ 232쪽

1582 6, 6, 6 **1583** 7 **1584** 6 **1585** 8
1586 11 **1587** 6, 9 **1588** 9 **1589** 15
1590 2 **1591** 5

1583 ${}_nC_2=21$에서 $\frac{n(n-1)}{2\times1}=21$이므로 $n(n-1)=42$

$n(n-1)=7\times6 \qquad \therefore n=7$

1584 ${}_nC_3=20$에서 $\frac{n(n-1)(n-2)}{3\times2\times1}=20$이므로

$n(n-1)(n-2)=120$

$n(n-1)(n-2)=6\times5\times4 \qquad \therefore n=6$

1585 ${}_nC_3=56$에서 $\frac{n(n-1)(n-2)}{3\times2\times1}=56$이므로

$n(n-1)(n-2)=336$

$n(n-1)(n-2)=8\times7\times6 \qquad \therefore n=8$

1586 ${}_nC_3=165$에서 $\frac{n(n-1)(n-2)}{3\times2\times1}=165$ 이므로

$n(n-1)(n-2)=990$

$n(n-1)(n-2)=11\times10\times9 \qquad \therefore n=11$

1588 ${}_nC_7={}_nC_{n-7}$이므로 ${}_nC_{n-7}={}_nC_2$

따라서 $n-7=2$이므로 $n=9$

다른 해설

${}_nC_2={}_nC_{n-2}$이므로 ${}_nC_7={}_nC_{n-2}$

따라서 $7=n-2$이므로 $n=9$

1589 ${}_nC_9={}_nC_{n-9}$이므로 ${}_nC_{n-9}={}_nC_6$

따라서 $n-9=6$이므로 $n=15$

1590 ${}_{n+3}C_n={}_{n+3}C_{(n+3)-n}={}_{n+3}C_3$이므로

${}_{n+3}C_3=10$에서

$\frac{(n+3)(n+2)(n+1)}{3\times2\times1}=10$

$(n+3)(n+2)(n+1)=60$

$(n+3)(n+2)(n+1)=5\times4\times3 \qquad \therefore n=2$

1591 ${}_{n+2}C_n={}_{n+2}C_{(n+2)-n}={}_{n+2}C_2$이므로

${}_{n+2}C_2=21$에서

$\frac{(n+2)(n+1)}{2\times1}=21$

$(n+2)(n+1)=42$

$(n+2)(n+1)=7\times6 \qquad \therefore n=5$

핵심 13 본문 ➜ 233쪽

1592 $n+1$, $n+1$, 5 **1593** 4 **1594** 5
1595 5 **1596** 2 **1597** $3r$, $3r$ **1598** 2
1599 2 **1600** 8 **1601** 8

1593 ${}_{n+1}C_2+{}_nC_1=14$에서

$\frac{(n+1)n}{2\times1}+n=14$이므로

$n(n+1)+2n=28$, $n^2+3n-28=0$

$(n+7)(n-4)=0$

$\therefore n=4$ ($\because n\geq1$)

1594 ${}_nC_3+{}_nC_2=20$에서

$\frac{n(n-1)(n-2)}{3\times2\times1}+\frac{n(n-1)}{2\times1}=20$이므로

$n(n-1)(n-2)+3n(n-1)=120$

$n(n-1)(n+1)=120$

$(n+1)n(n-1)=6\times5\times4$

$\therefore n=5$

1595 $2{}_nC_2-{}_{n+1}C_2=5$에서

$2\times\frac{n(n-1)}{2\times1}-\frac{(n+1)n}{2\times1}=5$이므로

$2n(n-1)-n(n+1)=10$

$n^2-3n-10=0$, $(n+2)(n-5)=0$

이때 $n\geq2$이므로 $n=5$

1596 ${}_{n+2}C_2-3{}_{n+1}C_3=3$에서

$\frac{(n+2)(n+1)}{2\times1}-3\times\frac{(n+1)n(n-1)}{3\times2\times1}=3$이므로

$(n+2)(n+1)-n(n+1)(n-1)=6$

$n^3-n^2-4n+4=0$

2	1	−1	−4	4
		2	2	−4
	1	1	−2	0

$\therefore n^3-n^2-4n+4=(n-2)(n^2+n-2)$

$(n-2)(n^2+n-2)=0$

$(n-2)(n+2)(n-1)=0$

이때 $n+2\geq2$, $n+1\geq3$에서 $n\geq2$이므로

$n=2$

1598 (i) ${}_8C_{r+1}={}_8C_{2r-1}$이므로

$r+1=2r-1 \qquad \therefore r=2$

(ii) ${}_8C_{r+1}={}_8C_{8-(r+1)}={}_8C_{7-r}={}_8C_{2r-1}$이므로

$7-r=2r-1 \qquad \therefore r=\frac{8}{3}$

이때 $r+1$, $2r-1$은 각각 0 이상의 정수이므로 r는 자연수

$\therefore r=2$

1599 (i) ${}_{11}C_{3r-1}={}_{11}C_{r+3}$이므로

$3r-1=r+3 \qquad \therefore r=2$

(ii) ${}_{11}C_{3r-1}={}_{11}C_{11-(3r-1)}={}_{11}C_{12-3r}={}_{11}C_{r+3}$이므로

$12-3r=r+3 \qquad \therefore r=\frac{9}{4}$

이때 $3r-1$, $r+3$은 각각 0 이상의 정수이므로 r는 자연수

$\therefore r=2$

1600 (i) ${}_{12}C_{r-6}={}_{12}C_{2r-6}$이므로

$r-6=2r-6 \qquad \therefore r=0$

(ii) ${}_{12}C_{r-6}={}_{12}C_{12-(r-6)}={}_{12}C_{18-r}={}_{12}C_{2r-6}$이므로

$18-r=2r-6 \qquad \therefore r=8$

이때 $r-6$, $2r-6$은 각각 0 이상의 정수이므로 r는 6 이상의 자연수 $\qquad \therefore r=8$

1601 ${}_{n}C_{n-2}={}_{n}C_{n-(n-2)}={}_{n}C_{2}$이므로

${}_{n}C_{3}-2{}_{n}C_{n-2}=0$에서 ${}_{n}C_{3}-2{}_{n}C_{2}=0$

$\frac{n(n-1)(n-2)}{3\times2\times1}-2\times\frac{n(n-1)}{2\times1}=0$

$n(n-1)(n-2)-6n(n-1)=0$

이때 $n\ge3$이므로 등식의 양변을 $n(n-1)$로 나누면

$(n-2)-6=0 \qquad \therefore n=8$

핵심 14 본문 ➜ 234쪽

1602 $n(n-1)$, $n(n-1)$, 1, 3, 5			**1603** 6
1604 7	**1605** 6	**1606** 7	**1607** 12, 4, 4
1608 5	**1609** 6	**1610** 5	**1611** 6

1603 $8{}_{n}C_{2}={}_{n}P_{3}$에서

$8\times\frac{n(n-1)}{2\times1}=n(n-1)(n-2)$

${}_{n}P_{3}$에서 $n\ge3$이므로 $n(n-1)$로 양변을 나누면

$4=n-2 \qquad \therefore n=6$

1604 $24{}_{n}C_{3}={}_{n}P_{4}$에서

$24\times\frac{n(n-1)(n-2)}{3\times2\times1}=n(n-1)(n-2)(n-3)$

${}_{n}P_{4}$에서 $n\ge4$이므로 $n(n-1)(n-2)$로 양변을 나누면

$4=n-3 \qquad \therefore n=7$

1605 $24{}_{n}C_{2}={}_{n}P_{4}$에서

$24\times\frac{n(n-1)}{2\times1}=n(n-1)(n-2)(n-3)$

${}_{n}P_{4}$에서 $n\ge4$이므로 $n(n-1)$로 양변을 나누면

$12=(n-2)(n-3)$, $n^2-5n-6=0$

$(n+1)(n-6)=0 \qquad \therefore n=6\ (\because n\ge4)$

1606 $15{}_{n+1}C_{3}={}_{n}P_{4}$에서

$15\times\frac{(n+1)n(n-1)}{3\times2\times1}=n(n-1)(n-2)(n-3)$

${}_{n}P_{4}$에서 $n\ge4$이므로 $n(n-1)$로 양변을 나누면

$5(n+1)=2(n-2)(n-3)$, $2n^2-15n+7=0$

$(2n-1)(n-7)=0 \qquad \therefore n=7\ (\because n\ge4)$

1608 $2{}_{n}P_{2}+{}_{n}C_{2}=50$에서

$2n(n-1)+\frac{n(n-1)}{2\times1}=50$

$n^2-n-20=0$, $(n+4)(n-5)=0$

이때 $n\ge2$이므로 $n=5$

1609 ${}_{n}P_{3}-4{}_{n}C_{2}={}_{n-1}P_{3}$에서

$n(n-1)(n-2)-4\times\frac{n(n-1)}{2\times1}=(n-1)(n-2)(n-3)$

${}_{n-1}P_{3}$에서 $n\ge4$이므로 양변을 $n-1$로 나누면

$n(n-2)-2n=(n-2)(n-3)$

$n^2-4n=n^2-5n+6$

$\therefore n=6$

1610 ${}_{n}C_{n-1}={}_{n}C_{n-(n-1)}={}_{n}C_{1}$이므로

$2{}_{n}P_{2}+4{}_{n}C_{n-1}={}_{n}P_{3}$에서 $2{}_{n}P_{2}+4{}_{n}C_{1}={}_{n}P_{3}$

$2n(n-1)+4n=n(n-1)(n-2)$

${}_{n}P_{3}$에서 $n\ge3$이므로 등식의 양변을 n으로 나누면

$2n+2=n^2-3n+2$

$n^2-5n=0$, $n(n-5)=0$

$\therefore n=5\ (\because n\ge3)$

1611 ${}_{n}C_{n-2}={}_{n}C_{n-(n-2)}={}_{n}C_{2}$이므로

${}_{n+1}P_{2}-2{}_{n}C_{n-2}=12$에서 ${}_{n+1}P_{2}-2{}_{n}C_{2}=12$

$(n+1)n-2\times\frac{n(n-1)}{2\times1}=12$

$2n=12 \qquad \therefore n=6$

핵심 15 본문 ➜ 235쪽

1612 20	**1613** 45	**1614** 10	**1615** 6
1616 21	**1617** 60	**1618** 30	**1619** 14400
1620 150	**1621** 1000		

1612 6명의 학생 중에서 순서를 고려하지 않고 3명을 뽑는 경우의 수와 같으므로

$_{6}C_{3}=\frac{6\times5\times4}{3\times2\times1}=20$

1613 10명의 학생 중에서 순서를 고려하지 않고 2명을 뽑는 경우의 수와 같으므로

$_{10}C_{2}=\frac{10\times9}{2\times1}=45$

1614 서로 다른 5개의 과일 중에서 순서를 고려하지 않고 3개를 뽑는 경우의 수와 같으므로

$_{5}C_{3}={_{5}C_{2}}=\frac{5\times4}{2\times1}=10$

1615 서로 다른 4장의 카드에서 순서를 고려하지 않고 2장을 뽑는 경우의 수와 같으므로

$_{4}C_{2}=\frac{4\times3}{2\times1}=6$

1616 서로 다른 7권의 책에서 순서를 고려하지 않고 5권을 뽑는 경우의 수와 같으므로

$_{7}C_{5}={_{7}C_{2}}=\frac{7\times6}{2\times1}=21$

1617 축구 공격수 4명 중에서 2명을 뽑는 경우의 수는

$_{4}C_{2}=\frac{4\times3}{2\times1}=6$

축구 수비수 5명 중에서 3명을 뽑는 경우의 수는

$_{5}C_{3}={_{5}C_{2}}=\frac{5\times4}{2\times1}=10$

따라서 구하는 경우의 수는

$6\times10=60$

1618 남자 계주 선수 5명 중에서 2명을 뽑는 경우의 수는

$_{5}C_{2}=\frac{5\times4}{2\times1}=10$

여자 계주 선수 3명 중에서 2명을 뽑는 경우의 수는

$_{3}C_{2}=\frac{3\times2}{2\times1}=3$

따라서 구하는 경우의 수는

$10\times3=30$

1619 서로 다른 빨간 공 10개 중에서 3개를 뽑는 경우의 수는

$_{10}C_{3}=\frac{10\times9\times8}{3\times2\times1}=120$

서로 다른 파란 공 10개 중에서 3개를 뽑는 경우의 수는

$_{10}C_{3}=\frac{10\times9\times8}{3\times2\times1}=120$

따라서 구하는 경우의 수는

$120\times120=14400$

1620 5종류의 빵 중에서 3종류를 선택하는 경우의 수는

$_{5}C_{3}={_{5}C_{2}}=\frac{5\times4}{2\times1}=10$

6종류의 음료수 중에서 4종류를 선택하는 경우의 수는

$_{6}C_{4}={_{6}C_{2}}=\frac{6\times5}{2\times1}=15$

따라서 구하는 경우의 수는

$10\times15=150$

1621 A 모둠 5명 중에서 2명을 뽑는 경우의 수는

$_{5}C_{2}=\frac{5\times4}{2\times1}=10$

B 모둠 5명 중에서 2명을 뽑는 경우의 수는

$_{5}C_{2}=\frac{5\times4}{2\times1}=10$

C 모둠 5명 중에서 2명을 뽑는 경우의 수는

$_{5}C_{2}=\frac{5\times4}{2\times1}=10$

따라서 구하는 경우의 수는

$10\times10\times10=1000$

핵심 16 본문 ➲ 236쪽

1622 (1) 6 (2) 3
1623 (1) 84 (2) 28
1624 (1) 10 (2) 4
1625 (1) 9 (2) 45
1626 (1) 20 (2) 10
1627 (1) 6 (2) 6

1622 (1) 사과를 제외한 4개의 과일 중에서 2개를 선택하는 방법의 수와 같으므로

$_{4}C_{2}=6$

(2) 수박과 참외를 제외한 3개의 과일 중에서 1개를 선택하는 방법의 수와 같으므로

$_{3}C_{1}=3$

1623 (1) 준수를 제외한 9명 중에서 3명을 뽑는 방법의 수와 같으므로

$_{9}C_{3}=84$

(2) 준수와 경림이를 제외한 8명 중에서 2명을 뽑는 방법의 수와 같으므로

$_{8}C_{2}=28$

1624 (1) 빨간색과 초록색을 제외한 5개의 색 중에서 2개를 선택하는 방법의 수와 같으므로

$_{5}C_{2}=10$

(2) 빨간색, 파란색, 초록색을 제외한 4개의 색 중에서 1개를 선택하는 방법의 수와 같으므로
$_4C_1=4$

1625 (1) 특정한 남학생 3명을 제외한 9명의 학생 중에서 1명을 뽑는 방법의 수와 같으므로
$_9C_1=9$
(2) 특정한 남학생과 1명과 특정한 여학생 1명을 제외한 10명의 학생 중에서 2명을 뽑는 방법의 수와 같으므로
$_{10}C_2=45$

1626 (1) 1, 3이 적혀 있는 카드를 제외한 6장의 카드 중에서 3장을 뽑는 방법의 수와 같으므로
$_6C_3=20$
(2) A, 2, 4가 적혀 있는 카드를 제외한 5장의 카드 중에서 2장을 뽑는 방법의 수와 같으므로
$_5C_2=10$

1627 (1) 특정한 사탕 2개를 제외한 6개 중에서 1개를 뽑는 방법의 수와 같으므로
$_6C_1=6$
(2) 특정한 초콜릿 1개와 특정한 사탕 1개를 제외한 6개 중에서 1개를 뽑는 방법의 수와 같으므로
$_6C_1=6$

핵심 17 본문 ◐ 237쪽

1628 (1) 36 (2) 28	**1629** (1) 10 (2) 4
1630 (1) 70 (2) 35	**1631** $_6C_1$, 6
1632 90	**1633** 4

1628 (1) A를 제외한 9명의 학생 중에서 대표 2명을 뽑는 방법의 수와 같으므로
$_9C_2=36$
(2) A, B를 제외한 8명 학생 중에서 대표 2명을 뽑는 방법의 수와 같으므로
$_8C_2=28$

1629 (1) 1, 4가 적힌 카드를 제외한 5장의 카드에서 3장을 뽑는 방법의 수와 같으므로
$_5C_3={_5C_2}=10$
(2) 2, 4, 6이 적힌 카드를 제외한 4장의 카드에서 3장을 뽑는 방법의 수와 같으므로
$_4C_3={_4C_1}=4$

1630 (1) 빨간색, 파란색 색연필을 제외한 8개의 색연필 중에서 4개를 선택하는 방법의 수와 같으므로
$_8C_4=70$
(2) 빨간색, 파란색, 노란색 색연필을 제외한 7개의 색연필 중에서 4개를 선택하는 방법의 수와 같으므로
$_7C_4={_7C_3}=35$

1632 진우는 뽑고 예은이는 뽑지 않는 방법의 수는 진우와 예은이를 제외한 10명의 학생 중에서 2명을 뽑는 방법의 수와 같으므로 $_{10}C_2=45$
진우는 뽑지 않고 예은이는 뽑는 방법의 수는 진우와 예은이를 제외한 10명의 학생 중에서 2명을 뽑는 방법의 수와 같으므로 $_{10}C_2=45$
따라서 구하는 방법의 수는
$45+45=90$

다른 해설
진우와 예은이를 제외한 10명의 학생 중에서 2명을 뽑고, 진우와 예은이 중에서 한 명을 뽑으면 되므로 구하는 방법의 수는
$_{10}C_2\times{_2C_1}=45\times2=90$

1633 10 이하의 4의 배수는 4, 8이고 10 이하의 소수는 2, 3, 5, 7이다.
따라서 구하는 방법의 수는 2, 3, 4, 5, 7, 8을 제외한 4개의 숫자 중에서 3개를 뽑는 방법의 수와 같으므로
$_4C_3={_4C_1}=4$

핵심 11~17 Mini Review Test 본문 ◐ 238쪽

1634 5	**1635** 6	**1636** 525	**1637** 156
1638 10	**1639** 5	**1640** 10	

1634 $_nC_3+{_nC_2}=2{_{2n}C_1}$에서
$\dfrac{n(n-1)(n-2)}{3\times2\times1}+\dfrac{n(n-1)}{2\times1}=2\times2n$

$n(n-1)(n-2)+3n(n-1)=24n$

이때 $n\geq 3$이므로 양변을 n으로 나누면

$(n-1)(n-2)+3(n-1)=24$

$n^2=25 \quad \therefore n=5\ (\because n\geq 3)$

1635 ${}_{n+1}C_{n-2}={}_{n+1}C_{(n+1)-(n-2)}={}_{n+1}C_3$이므로

${}_{n+1}C_{n-2}+{}_{n+1}C_2=56$에서 ${}_{n+1}C_3+{}_{n+1}C_2=56$

$\frac{(n+1)n(n-1)}{3\times2\times1}+\frac{(n+1)n}{2\times1}=56$

$n(n+1)(n-1)+3n(n+1)=336$

$n(n+1)(n+2)=336$

$n(n+1)(n+2)=6\times7\times8$

$\therefore n=6$

1636 농구 선수 6명 중에서 2명을 뽑는 경우의 수는 ${}_6C_2=15$

축구 선수 7명 중에서 3명을 뽑는 경우의 수는 ${}_7C_3=35$

따라서 구하는 경우의 수는

$15\times35=525$

1637 (i) 10개의 공에서 3개의 공을 꺼내는 경우의 수는

${}_{10}C_3=120 \quad \therefore a=120$

(ii) 빨간 공 4개 중에서 2개를 꺼내는 경우의 수는 ${}_4C_2=6$

노란 공 6개 중에서 1개를 꺼내는 경우의 수는 ${}_6C_1=6$

따라서 빨간 공 2개, 노란 공 1개를 꺼내는 경우의 수는

$6\times6=36 \quad \therefore b=36$

$\therefore a+b=120+36=156$

1638 집합에서는 원소의 순서를 고려하지 않으므로 구하는 부분집합의 개수는 서로 다른 5개에서 3개를 뽑는 경우의 수와 같다.

$\therefore {}_5C_3={}_5C_2=10$

1639 주어진 조건을 만족시키려면 공역의 원소 중에서 서로 다른 4개를 택하여 작은 수부터 차례대로 정의역의 원소 1, 2, 3, 4에 대응시키면 된다.

따라서 구하는 함수 f의 개수는

${}_5C_4={}_5C_1=5$

1640 오렌지, 사과, 바나나를 제외한 5개의 과일 중에서 3개를 뽑는 방법의 수와 같으므로

${}_5C_3={}_5C_2=10$

핵심 18 본문 ➡ 239쪽

1641 (1) 100 (2) 85 (3) 110 **1642** (1) 116 (2) 100

1643 (1) 315 (2) 325 (3) 265 (4) 310 **1644** 135

1641 (1) 10개의 공 중에서 3개의 공을 꺼내는 경우의 수는

${}_{10}C_3=120$

소수 2, 3, 5, 7이 적힌 공을 제외한 6개의 공 중에서 3개의 공을 꺼내는 경우의 수는 ${}_6C_3=20$

따라서 구하는 경우의 수는

$120-20=100$

(2) 10개의 공 중에서 3개의 공을 꺼내는 경우의 수는

${}_{10}C_3=120$

3의 배수 3, 6, 9가 적힌 공을 제외한 7개의 공 중에서 3개의 공을 꺼내는 경우의 수는 ${}_7C_3=35$

따라서 구하는 경우의 수는

$120-35=85$

(3) 세 수의 곱이 짝수이려면 적어도 한 개의 수가 짝수이어야 한다.

10개의 공 중에서 3개의 공을 꺼내는 경우의 수는

${}_{10}C_3=120$

홀수가 적힌 5개의 공 중에서 3개의 공을 꺼내는 경우의 수는 ${}_5C_3={}_5C_2=10$

따라서 구하는 경우의 수는

$120-10=110$

1642 (1) 10개의 필기구 중에서 3개를 택하는 경우의 수는

${}_{10}C_3=120$

색연필 4개 중에서 3개를 택하는 경우의 수는

${}_4C_3={}_4C_1=4$

따라서 구하는 경우의 수는

$120-4=116$

(2) 10개의 필기구 중에서 3개를 택하는 경우의 수는

${}_{10}C_3=120$

볼펜 6개 중에서 3개를 택하는 경우의 수는 ${}_6C_3=20$

따라서 구하는 경우의 수는

$120-20=100$

1643 (1) 11명 중에서 4명을 뽑는 경우의 수는 ${}_{11}C_4=330$

여자 6명 중에서 4명을 뽑는 경우의 수는

${}_6C_4={}_6C_2=15$

따라서 구하는 경우의 수는

$330-15=315$

(2) 11명 중에서 4명을 뽑는 경우의 수는 ${}_{11}C_4=330$

남자 5명 중에서 4명을 뽑는 경우의 수는 ${}_5C_4={}_5C_1=5$

따라서 구하는 경우의 수는

$330-5=325$

(3) (적어도 2명은 여자가 뽑히는 경우의 수)

=(모든 경우의 수)−(모두 남자인 경우의 수)

−(한 명은 여자이고 나머지는 남자인 경우의 수)

11명 중에서 4명을 뽑는 경우의 수는 ${}_{11}C_4=330$

남자 5명 중에서 4명을 뽑는 경우의 수는 ${}_5C_4={}_5C_1=5$

한 명은 여자이고 나머지는 남자인 경우의 수는

${}_6C_1\times{}_5C_3=6\times10=60$

따라서 구하는 경우의 수는

$330-5-60=265$

(4) (남자와 여자가 적어도 한 명씩은 뽑히는 경우의 수)

=(모든 경우의 수)−(모두 남자가 뽑히는 경우의 수)

−(모두 여자가 뽑히는 경우의 수)

$=330-15-5=310$

1644 11장의 카드에서 3장의 카드를 뽑는 경우의 수는

${}_{11}C_3=165$

1부터 11까지의 자연수 중에서 홀수는 1, 3, 5, 7, 9, 11의 6개, 짝수는 2, 4, 6, 8, 10의 5개이므로

홀수가 적힌 카드만 3장 뽑는 경우의 수는 ${}_6C_3=20$

짝수가 적힌 카드만 3장 뽑는 경우의 수는 ${}_5C_3={}_5C_2=10$

따라서 구하는 경우의 수는

$165-20-10=135$

핵심 19 본문 ➔ 240쪽

1645 (1) ${}_6C_3$, $3!$ (2) 360 (3) 60

1646 (1) 2520 (2) 240 (3) 36 **1647** (1) 1920 (2) 480

1648 (1) 800 (2) 800 **1649** 112

1645 (2) 6개의 알파벳 중에서 4개를 뽑는 경우의 수는

${}_6C_4={}_6C_2=15$

4개를 일렬로 배열하는 경우의 수는 $4!=24$

따라서 구하는 경우의 수는

$15\times24=360$

(3) A를 포함하지 않고 3개를 뽑는 경우의 수는 A를 제외한 5개 중에서 3개를 뽑는 경우의 수와 같으므로

${}_5C_3={}_5C_2=10$

3개를 일렬로 배열하는 경우의 수는 $3!=6$

따라서 구하는 경우의 수는

$10\times6=60$

1646 (1) 7명 중에서 5명을 뽑는 경우의 수는 ${}_7C_5={}_7C_2=21$

5명을 일렬로 세우는 경우의 수는 $5!=120$

따라서 구하는 경우의 수는

$21\times120=2520$

(2) A, B를 포함하여 4명을 뽑는 경우의 수는 A, B를 제외한 5명 중에서 2명을 뽑는 경우의 수와 같으므로

${}_5C_2=10$

4명을 일렬로 세우는 경우의 수는 $4!=24$

따라서 구하는 경우의 수는

$10\times24=240$

(3) A는 포함하고 B, C는 포함하지 않고 3명을 뽑는 경우의 수는 A, B, C를 제외한 4명 중에서 2명을 뽑는 경우의 수와 같으므로 ${}_4C_2=6$

3명을 일렬로 세우는 경우의 수는 $3!=6$

따라서 구하는 경우의 수는

$6\times6=36$

1647 (1) (i) 남자 3명, 여자 2명을 뽑는 경우의 수는

${}_4C_3\times{}_5C_2=4\times10=40$

(ii) 여자 2명을 한명으로 생각하여 4명을 일렬로 세우는 경우의 수는 $4!=24$

여자 2명이 자리를 바꾸는 경우의 수는 $2!=2$

따라서 여자 2명이 서로 이웃하는 경우의 수는

$24\times2=48$

(i), (ii)에서 구하는 경우의 수는

$40\times48=1920$

(2) (i) 남자 3명, 여자 2명을 뽑는 경우의 수는

${}_4C_3\times{}_5C_2=4\times10=40$

(ii) 여자 2명을 일렬로 세우는 경우의 수는 $2!=2$

여자 사이와 양 끝 3개의 자리에 남자 3명을 세우는 경우의 수는 $3!=6$

따라서 남자가 서로 이웃하지 않는 경우의 수는

$2\times6=12$

(i), (ii)에서 구하는 경우의 수는

$40\times12=480$

1648 (1) (i) 짝수 2개, 홀수 2개를 택하는 경우의 수는

${}_5C_2\times{}_5C_2=10\times10=100$

(ii) 홀수 2개를 한 개, 짝수 2개를 한 개로 생각하여 2개를 일렬로 배열하는 경우의 수는 $2!=2$

홀수 2개의 자리를 바꾸는 경우의 수는 $2!=2$

짝수 2개의 자리를 바꾸는 경우의 수는 $2!=2$

따라서 홀수는 홀수끼리, 짝수는 짝수끼리 이웃하는 경우의 수는 $2\times2\times2=8$

(i), (ii)에서 구하는 경우의 수는

$100\times8=800$

(2) (i) 짝수 2개, 홀수 2개를 택하는 경우의 수는

$_5C_2 \times {_5C_2} = 10 \times 10 = 100$

(ii) 홀수와 짝수를 교대로 배열하는 방법은

(홀)(짝)(홀)(짝), (짝)(홀)(짝)(홀)의 2가지이다.

(홀)(짝)(홀)(짝)의 순서로 교대로 배열하는 경우의 수는

$2! \times 2! = 4$

(짝)(홀)(짝)(홀)의 순서로 교대로 배열하는 경우의 수는

$2! \times 2! = 4$

따라서 홀수와 짝수를 교대로 배열하는 경우의 수는

$4 + 4 = 8$

(i), (ii)에서 구하는 경우의 수는

$100 \times 8 = 800$

1649 (i) 10명의 학생 중에서 회장과 부회장을 포함하여 4명을 뽑는 경우의 수는 회장과 부회장을 제외한 8명의 학생 중에서 2명을 뽑는 경우의 수와 같으므로 $_8C_2 = 28$

(ii) 회장과 부회장 2명을 양 끝에 세우는 경우의 수는 $2! = 2$

회장과 부회장 사이에 2명을 세우는 경우의 수는 $2! = 2$

따라서 회장과 부회장을 양 끝에 세우고 4명을 일렬로 세우는 경우의 수는 $2 \times 2 = 4$

(i), (ii)에서 구하는 경우의 수는

$28 \times 4 = 112$

핵심 20

본문 ➔ 241쪽

1650 15	**1651** 28	**1652** 66	**1653** 105
1654 17	**1655** 32	**1656** 30	**1657** 16

1650 6개의 점 중에서 어느 세 점도 한 직선 위에 있지 않으므로 구하는 직선의 개수는

$_6C_2 = 15$

1651 8개의 점 중에서 어느 세 점도 한 직선 위에 있지 않으므로 구하는 직선의 개수는

$_8C_2 = 28$

1652 12개의 점 중에서 어느 세 점도 한 직선 위에 있지 않으므로 구하는 직선의 개수는

$_{12}C_2 = 66$

1653 15개의 점 중에서 어느 세 점도 한 직선 위에 있지 않으므로 구하는 직선의 개수는

$_{15}C_2 = 105$

1654 두 직선 위의 점을 각각 하나씩 택하여 연결하면 한 개의 직선을 만들 수 있으므로

$_3C_1 \times {_5C_1} = 3 \times 5 = 15$

한 직선 위에 있는 점 중에서 2개를 택하여 연결한 직선의 개수는 2

따라서 구하는 직선의 개수는

$15 + 2 = 17$

다른 해설

8개의 점 중에서 2개를 택하는 경우의 수는 $_8C_2 = 28$

한 직선 위에 있는 3개의 점 중에서 2개를 택하는 경우의 수는 $_3C_2 = 3$

한 직선 위에 있는 5개의 점 중에서 2개를 택하는 경우의 수는 $_5C_2 = 10$

주어진 두 직선을 포함하면 구하는 직선의 개수는

$28 - 3 - 10 + 2 = 17$

1655 두 직선 위의 점을 각각 하나씩 택하여 연결하면 한 개의 직선을 만들 수 있으므로

$_5C_1 \times {_6C_1} = 5 \times 6 = 30$

한 직선 위에 있는 점 중에서 2개를 택하여 연결한 직선의 개수는 2

따라서 구하는 직선의 개수는

$30 + 2 = 32$

1656 두 직선 위의 점을 각각 하나씩 택하여 연결하면 한 개의 직선을 만들 수 있으므로

$_7C_1 \times {_4C_1} = 7 \times 4 = 28$

한 직선 위에 있는 점 중에서 2개를 택하여 연결한 직선의 개수는 2

따라서 구하는 직선의 개수는

$28 + 2 = 30$

1657 7개의 점 중에서 2개를 택하는 경우의 수는 $_7C_2 = 21$

지름 위의 4개의 점 중에서 2개를 택하는 경우의 수는

$_4C_2 = 6$

따라서 구하는 직선의 개수는

$21 - 6 + 1 = 16$

핵심 **21** 본문 ○ 242쪽

1658 9	**1659** 27	**1660** 35	**1661** 54
1662 90	**1663** 13	**1664** 20	**1665** 11
1666 8	**1667** 14		

1658 구하는 대각선의 개수는 6개의 꼭짓점 중에서 2개를 택하는 방법의 수에서 변의 개수인 6을 뺀 것과 같으므로

${}_6C_2-6=15-6=9$

1659 구하는 대각선의 개수는 9개의 꼭짓점 중에서 2개를 택하는 방법의 수에서 변의 개수인 9를 뺀 것과 같으므로

${}_9C_2-9=36-9=27$

1660 구하는 대각선의 개수는 10개의 꼭짓점 중에서 2개를 택하는 방법의 수에서 변의 개수인 10을 뺀 것과 같으므로

${}_{10}C_2-10=45-10=35$

1661 구하는 대각선의 개수는 12개의 꼭짓점 중에서 2개를 택하는 방법의 수에서 변의 개수인 12를 뺀 것과 같으므로

${}_{12}C_2-12=66-12=54$

1662 구하는 대각선의 개수는 15개의 꼭짓점 중에서 2개를 택하는 방법의 수에서 변의 개수인 15를 뺀 것과 같으므로

${}_{15}C_2-15=105-15=90$

1663 구하는 다각형의 변의 개수를 n $(n\geq3)$이라 하면 대각선의 개수가 65이므로

${}_nC_2-n=65$에서 $\frac{n(n-1)}{2}-n=65$

$n^2-3n-130=0$, $(n+10)(n-13)=0$

$\therefore n=13$ $(\because n\geq3)$

1664 구하는 다각형의 변의 개수를 n $(n\geq3)$이라 하면 대각선의 개수가 170이므로

${}_nC_2-n=170$에서 $\frac{n(n-1)}{2}-n=170$

$n^2-3n-340=0$, $(n+17)(n-20)=0$

$\therefore n=20$ $(\because n\geq3)$

1665 구하는 다각형의 변의 개수를 n $(n\geq3)$이라 하면 대각선의 개수가 44이므로

${}_nC_2-n=44$에서 $\frac{n(n-1)}{2}-n=44$

$n^2-3n-88=0$, $(n+8)(n-11)=0$

$\therefore n=11$ $(\because n\geq3)$

1666 구하는 다각형의 변의 개수를 n $(n\geq3)$이라 하면 대각선의 개수가 20이므로

${}_nC_2-n=20$에서 $\frac{n(n-1)}{2}-n=20$

$n^2-3n-40=0$, $(n+5)(n-8)=0$

$\therefore n=8$ $(\because n\geq3)$

1667 구하는 다각형의 변의 개수를 n $(n\geq3)$이라 하면 대각선의 개수가 77이므로

${}_nC_2-n=77$에서 $\frac{n(n-1)}{2}-n=77$

$n^2-3n-154=0$, $(n+11)(n-14)=0$

$\therefore n=14$ $(\because n\geq3)$

핵심 **22** 본문 ○ 243쪽

1668 84	**1669** 165	**1670** 45	**1671** 135
1672 76	**1673** 31	**1674** 149	

1668 9개의 점 중에서 어느 세 점도 한 직선 위에 있지 않으므로 구하는 삼각형의 개수는

${}_9C_3=84$

1669 11개의 점 중에서 어느 세 점도 한 직선 위에 있지 않으므로 구하는 삼각형의 개수는

${}_{11}C_3=165$

1670 8개의 점 중에서 3개를 택하는 경우의 수는 ${}_8C_3=56$

직선 l 위에 있는 3개의 점 중에서 3개를 택하는 경우의 수는 ${}_3C_3=1$

직선 m 위에 있는 5개의 점 중에서 3개를 택하는 경우의 수는 ${}_5C_3=10$

따라서 구하는 삼각형의 개수는

$56-1-10=45$

1671 11개의 점 중에서 3개를 택하는 경우의 수는 ${}_{11}C_3=165$

직선 l 위에 있는 5개의 점 중에서 3개를 택하는 경우의 수는 ${}_5C_3={}_5C_2=10$

직선 m 위에 있는 6개의 점 중에서 3개를 택하는 경우의 수는 ${}_6C_3=20$

따라서 구하는 삼각형의 개수는

$165-10-20=135$

1672 9개의 점 중에서 3개를 택하는 경우의 수는 ${}_9C_3=84$
가로 방향으로 한 직선 위에 있는 3개의 점 중에서 3개를 택하는 경우의 수는 ${}_3C_3=1$이고, 3개의 점이 있는 직선은 3개이다.
세로 방향으로 한 직선 위에 있는 3개의 점 중에서 3개를 택하는 경우의 수는 ${}_3C_3=1$이고, 3개의 점이 있는 직선은 3개이다.
대각선 방향으로 한 직선 위에 있는 3개의 점 중에서 3개를 택하는 경우의 수는 ${}_3C_3=1$이고, 3개의 점이 있는 직선은 2개이다.
따라서 구하는 삼각형의 개수는
$84-(1\times3+1\times3+1\times2)=76$

1673 7개의 점 중에서 3개를 택하는 경우의 수는 ${}_7C_3=35$
한 직선 위에 있는 4개의 점 중에서 3개를 택하는 경우의 수는 ${}_4C_3=4$
따라서 구하는 삼각형의 개수는
$35-4=31$

1674 11개의 점 중에서 3개를 택하는 경우의 수는
${}_{11}C_3=165$
직선 l 위에 있는 4개의 점 중에서 3개의 점을 택하는 경우의 수는
${}_4C_3={}_4C_1=4$

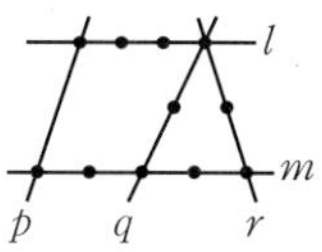

직선 m 위에 있는 5개의 점 중에서 3개의 점을 택하는 경우의 수는
${}_5C_3={}_5C_2=10$
직선 q 위에 있는 3개의 점 중에서 3개의 점을 택하는 경우의 수는 ${}_3C_3=1$
직선 r 위에 있는 3개의 점 중에서 3개의 점을 택하는 경우의 수는 ${}_3C_3=1$
따라서 구하는 삼각형의 개수는
$165-4-10-1-1=149$

핵심 23 본문 ○ 244쪽

1675 70	**1676** 715	**1677** 18	**1678** 126
1679 60	**1680** 150	**1681** (1) 30 (2) 70	

1675 8개의 점 중에서 어느 세 점도 한 직선 위에 있지 않으므로 구하는 사각형의 개수는
${}_8C_4=70$

1676 13개의 점 중에서 어느 세 점도 한 직선 위에 있지 않으므로 구하는 사각형의 개수는
${}_{13}C_4=715$

1677 한 직선 위에 있는 4개의 점 중에서 2개, 한 직선 위에 있는 3개의 점 중에서 2개를 택하면 사각형이 만들어지므로 구하는 사각형의 개수는
${}_4C_2\times{}_3C_2=6\times3=18$

1678 한 직선 위에 있는 4개의 점 중에서 2개, 한 직선 위에 있는 7개의 점 중에서 2개를 택하면 사각형이 만들어지므로 구하는 사각형의 개수는
${}_4C_2\times{}_7C_2=6\times21=126$

1679 가로로 평행한 5개의 직선 중에서 2개를 택하는 경우의 수는
${}_5C_2=10$
세로로 평행한 4개의 직선 중에서 2개를 택하는 경우의 수는
${}_4C_2=6$
따라서 구하는 평행사변형의 개수는
$10\times6=60$

1680 가로로 평행한 6개의 직선 중에서 2개를 택하는 경우의 수는
${}_6C_2=15$
세로로 평행한 5개의 직선 중에서 2개를 택하는 경우의 수는
${}_5C_2=10$
따라서 구하는 평행사변형의 개수는
$15\times10=150$

1681 (1) 한 변의 길이가 1인 정사각형의 개수는 16
한 변의 길이가 2인 정사각형의 개수는 9
한 변의 길이가 3인 정사각형의 개수는 4
한 변의 길이가 4인 정사각형의 개수는 1
따라서 구하는 정사각형의 개수는
$16+9+4+1=30$
(2) 가로로 평행한 5개의 선분 중에서 2개를 택하는 경우의 수는 ${}_5C_2=10$
세로로 평행한 5개의 선분 중에서 2개를 택하는 경우의 수는 ${}_5C_2=10$
이므로 직사각형의 개수는
$10\times10=100$
따라서 정사각형이 아닌 직사각형의 개수는
$100-30=70$

핵심 18~23 Mini Review Test 본문 ○ 245쪽

1682 31	**1683** 3	**1684** 7200	**1685** 20
1686 9	**1687** 412	**1688** 53	

1682 세 수의 곱이 짝수인 경우는 적어도 한 개의 수가 짝수이어야 한다.

7개의 공 중에서 3개의 공을 뽑는 경우의 수는 ${}_7C_3=35$

4개의 홀수 중에서 3개를 뽑는 경우의 수는 ${}_4C_3=4$

따라서 구하는 경우의 수는

$35-4=31$

1683 8명 중에서 2명을 뽑는 경우의 수는 ${}_8C_2=28$

남학생을 적어도 한 명 포함시키는 경우의 수가 18이므로 2명 모두 여학생이 뽑히는 경우의 수는

$28-18=10$

여학생의 수를 n이라 하면

${}_nC_2=10$이므로

$\frac{n(n-1)}{2}=10,\ n(n-1)=20$

$n^2-n-20=0,\ (n+4)(n-5)=0$

$\therefore n=5\ (\because n\geq 2)$

따라서 구하는 남학생의 수는

$8-5=3$

1684 알파벳 5개 중에서 3개를 택하는 경우의 수는

${}_5C_3={}_5C_2=10$

숫자 4개 중에서 2개를 택하는 경우의 수는 ${}_4C_2=6$

5개를 일렬로 배열하는 경우의 수는 $5!=120$

따라서 구하는 경우의 수는

$10\times 6\times 120=7200$

1685 10개의 점 중에서 2개를 택하는 경우의 수는 ${}_{10}C_2=45$

한 직선 위에 있는 4개의 점 중에서 2개를 택하는 경우의 수는 ${}_4C_2=6$이고, 한 직선 위에 4개의 점이 있는 직선은 5개이다.

따라서 구하는 직선의 개수는

$45-6\times 5+5=20$

1686 n각형의 대각선의 개수가 27이므로

${}_nC_2-n=27$에서

$\frac{n(n-1)}{2}-n=27,\ n(n-1)-2n=54$

$n^2-3n-54=0,\ (n+6)(n-9)=0$

$\therefore n=9\ (\because n\geq 3)$

1687 15개의 점 중에서 3개를 택하는 경우의 수는 ${}_{15}C_3=455$

(i) 가로 방향으로 한 직선 위에 있는 3개의 점 중에서 3개를 택하는 경우의 수는 ${}_3C_3=1$이고, 3개의 점이 있는 직선은 5개이다.

(ii) 세로 방향으로 한 직선 위에 있는 5개의 점 중에서 3개를 택하는 경우의 수는 ${}_5C_3={}_5C_2=10$이고, 5개의 점이 있는 직선은 3개이다.

(iii) 대각선 방향으로 한 직선 위에 있는 3개의 점 중에서 3개를 택하는 경우의 수는 ${}_3C_3=1$이고, 3개의 점이 있는 직선은 8개이다.

(i), (ii), (iii)에서 구하는 삼각형의 개수는

$455-(1\times 5+10\times 3+1\times 8)=412$

1688 8개의 점 중에서 4개를 택하는 경우의 수는 ${}_8C_4=70$

(i) 한 직선 위에 있는 4개의 점 중에서 4개를 택하는 경우의 수는 ${}_4C_4=1$

(ii) 한 직선 위에 있는 4개의 점 중에서 3개를 택하고 나머지 4개의 점 중에서 1개를 택하는 경우의 수는

${}_4C_3\times {}_4C_1=4\times 4=16$

(i), (ii)에서 구하는 사각형의 개수는

$70-1-16=53$

숨마쿰라우데 STARTUP 고등 수학 (하)

숨마쿰라우데란 최고의 영예를 뜻하는 말입니다

숨마쿰라우데라는 말은 라틴어로 SUMMA CUM LAUDE라고 씁니다. 이는 최고의 영예를 뜻하는 말인데요. 보통 미국 아이비리그 명문 대학들의 최우수 졸업자에게 부여되는 칭호입니다. 우리나라로 치면 '수석 졸업'이라는 뜻이지요. 그러나 모든 일에 있어서 그렇듯 공부에 있어서도 결과 뿐 아니라 과정이 중요합니다. 최선을 다하는 과정이 있으면 좋은 결과가 따라올 뿐 아니라, 그 과정을 통해 얻어진 깨달음이 평생을 함께하기 때문입니다. 이룸이앤비 숨마쿰라우데는 바로 최선을 다하는 사람 모두에게 최고의 영예를 선사합니다.

반복 학습이 진정한 실력을 키운다!

수학을 어떻게 하면 잘 할 수 있을까요?

선생님께 여쭤보면 기초를 잘 다지는 것과 공부한 것을 꾸준히 반복하는 것만큼 중요한 것은 없다고 거듭 강조합니다. 『반복 학습이 기적을 만든다』라는 책의 저자는 "공부를 잘하는 학생은 '반복'에 강한 학생이다. 그들은 자기가 얼마만큼 '반복'하면 그 지식을 자기 것으로 만들 수 있는지 잘 알고 있다."고 말하면서 반복하는 습관을 가지는 것이 실력을 높이는 방법이라고 설명하였습니다. 숨마쿰라우데 스타트업은 반복 학습의 중요성을 담아 한 개념 한 개념 체계적으로 구성한 교재입니다. 한 개념 한 개념 매일매일 꾸준히 공부하고 부족한 개념은 반복하여 풀어 봄으로써 진정한 실력을 쌓을 수 있기를 바랍니다.

이룸이앤비로 통하는 **HOT LINE**

CALL
02) 424 - 2410

FAX
02) 424 - 5006

INTERNET
www.erumenb.com

E-MAIL
webmaster@erumenb.com

학습 교재의 새로운 신화! 이룸이앤비가 만듭니다!

미래로 수능기출총정리 **HOW to 수능1등급**

이룸이앤비 Education&Books
www.erumenb.com

"유형 ⇨ 고난도 ⇨ 실전으로 수능을 완벽 대비하자!"

국어
- 국어 독서

영어
- 영어 듣기
- 영어 독해

수학
- 수학Ⅰ
- 수학Ⅱ
- 확률과 통계
- 미적분

수능의 절대강자 HOW to 수능1등급의 특장점

❶ 수능, 평가원, 교육청 및 사관학교, 경찰대 기출문제에서 출제율이 높은 문항들을 엄선하여 구성함으로써 수능을 완벽하게 대비할 수 있도록 하였습니다.

❷ 수능에 꼭 나오는 핵심 개념과 유형을 파악하는 1권 [개념+유형편] 학습과 1등급을 위한 2권 [고난도편]+[실전모의고사편] 학습으로 구성하여 단계별 학습, 선택적 학습이 가능하도록 하였습니다.

❸ [고난도편]에는 1등급에 도달하기 위해 반드시 풀어야 하는 킬러 유형만을 모아 놓아 1등급을 위한 집중학습이 가능하도록 하였습니다.

❹ [실전모의고사편]에는 문제를 제한 시간 안에 풀어 봄으로써 실전 감각을 기르고, 시간 안배와 등급을 확인할 수 있도록 하였습니다.

❺ 해설에는 모든 문항과 함께 문제에 대한 해결 가이드 및 첨삭이 제시되어 있어 문제를 완벽하게 이해할 수 있도록 하였습니다. 또한 다른 해설, 부가 설명 등을 통해 문제의 핵심을 제대로 파악할 수 있도록 하였습니다.

숨마쿰라우데 **라이트 수학** 문제유형 기본서

개념잡기－유형마스터－다양한 문제풀이로 완성하는

3단계 수학학습 시스템

「라이트 수학」 한 권으로 입맛에 맞는 공부를 해 보세요~!

1. **개념만 쭈욱 공부하고 싶을 때**
   핵심개념 PART만 모아서 공부해 보세요. 개념을 숙지하는 데 좋습니다!
2. **기출유형을 쭈욱 확인하고 싶을 때**
   대표유형 PART만 모아서 공부해 보세요. 유형을 파악하고 연습하는 데 좋습니다!
3. **학습 후 자기진단을 하고 싶을 때**
   REVIEW PART만 모아서 공부해 보세요. 내용을 이해하고 있는지 확인하는 데 좋습니다!
4. **시험대비와 함께 실력을 한 단계 높이고 싶을 때**
   연습문제 PART만 모아서 공부해 보세요. 실력도 다지고 시험대비 하기에 좋습니다!